Stefan Popa

Verdwenen grenzen

link
UITGEVERIJ
Culemborg

Eerste druk: februari 2014

© Copyright 2014 Uitgeverij Link B.V.

Omslagontwerp: Studio Jan de Boer, Amsterdam
Zetwerk: Uitgeverij Link B.V., Culemborg

ISBN: 9789462321137
NUR: 301

Deze uitgave kwam tot stand door bemiddeling van Het kantoortje van Remco, literair agent te
Amsterdam, www.hetkantoortje.nl

Verdwenen grenzen

Infrangere la legge è diventato un modo di vita per i rumeni

(Het breken van de wet is een levenswijze geworden voor Roemenen)

Alessandra Mussolini, Italiaanse politica en kleindochter van.

... Ţiganca asta împuţită

(... Die stinkende zigeunerin)

Traian Băsescu, president van Roemenië, over een volhardende journaliste.

Voor Wies
Zonder haar had ik dit boek niet kunnen schrijven.

Unu

1

Remus sloeg een bres in de blauwe mistbank van goedkope sigaret-tenrook die hem tegemoet walmde toen hij La Nisip binnenstrompel-de. Alsof hij zich eigenhandig een weg door het IJzeren Gordijn had gevochten, zo stond hij in de deuropening van het koffiehuis. Na her-haaldelijk piekeren had hij alle moed verzameld en was het gebouw-tje binnengaan. De discussie in het koffiehuis viel stil. Remus rilde. De aanwezigen keurden hem, hij voelde hun ogen graven naar zijn ziel, waarin inmiddels alles was veranderd.

Verlegen wierp hij zijn lange haren van de ene naar de andere schouder. Een oude man streek instemmend over zijn stoppels en stak een sigaret op.

'Je haar is veel te lang,' bromde hij tegen Remus. 'Dus kom verder.'

De stilte had slechts een lange seconde geduurd. Voor een Roemeen genoeg om de goeden van de slechten te onderscheiden, dacht Remus, terwijl hij naar de man knipoogde en naar de enige vrije statafel in de hoek liep. Hij liet een spoor van sneeuw achter. Onderweg stopte hij bij de opening in de muur waarachter een forsgebouwde vrouw koperen koffiepannetjes in een bak met heet zand perste.

'Een Turkse koffie,' zei Remus.

'Iets anders hebben we ook niet,' antwoordde de vrouw.

Remus knikte en liep naar de tafel. Hij drukte een elleboog in het hout, liet zijn kin in zijn handpalm rusten en wachtte tot de vrouw zou roepen dat de koffie klaar was. Of misschien zou ze de koffie komen brengen.

'Ik heb jou hier nooit eerder gezien,' zei de oude man, die hem on-gezien was genaderd terwijl hij stond te peinzen. Het donkergroene pak van de man was versleten en op diverse plekken waren gaten en scheuren gedicht met de verkeerde kleuren katoen.

'Maar ik u wel,' antwoordde Remus. De man trok zijn wenkbrauwen op. 'Niet dat ik u in de gaten houd,' corrigeerde Remus zich snel. 'Ik werk iets verderop, bij de schoenherstellerij, en loop elke dag langs dit koffiehuis. Soms zie ik u staan. Ik heb wel eens een artikel van u gelezen in een tijdschrift.'

'Dat moet oud werk zijn,' verzuchtte de man. Hij analyseerde Remus andermaal en fluisterde toen: 'De censoren zien in alles wat ik schrijf een aanval op het systeem'.

'En is dat niet zo?' Remus verslikte zich. Het was een bijzonder onvoorzichtige vraag.

De man haalde zijn knokige schouders op.

Remus glimlachte opgelucht. 'Ik word ook telkens afgewezen. Zelf schrijf ik verzen.'

'Een dichter.'

'Versjes,' zei Remus zacht.

'Een poëet.' De man grijnsde. 'Roemenië is een land van dichters.' Hij haalde een ingedeukt pakje Carpați-sigaretten uit zijn binnenzak. Welgemanierd weigerde Remus een aangeboden sigaret.

'Ik heb zelf,' zei hij, en hij sloeg op zijn broekzak. 'Bovendien rook ik niet.'

'Gelijk heb je. De rook is hier gratis. Evenals de zure stank die gepaard gaat met onze nationale sigaretten. Je ruikt dat ze gemaakt worden in de Szeklers-enclave, ze stinken naar Hongaren.' De man krabde zijn hals, zijn nagels schuurden over de stoppels.

Remus dacht aan een oud schoolvriendinnetje, een Hongaarse, waarop hij drie jaar heimelijk verliefd was geweest. Kinderkriebels, overal. Toen hij in de zomervakantie eindelijk de moed had verzameld om haar op te zoeken en verkering te vragen, was ze verdwenen. Het appartement was leeg en de buren zeiden dat de familie verdwenen was.

'Gevlucht, denk ik,' zei de buurvrouw. 'Ik hoop naar Hongarije.' Ze leek opgelucht. 'Daar horen ze thuis.'

Remus had gehuild tot hij geen lucht meer kreeg. Onrustig tikte hij met zijn knokkels op de houten tafel. Ze waren slechts zeven jaar oud, inmiddels was hij haar vergeten. Tot nu. Niemand rook zo lekker als Zsuzsi. Hij vroeg zich af of ze nog steeds zo lekker rook. Niet als ze echt naar Hongarije was vertrokken, blijkbaar, als hij de oude man op zijn woord mocht, dacht Remus, en hij keek naar de man tegenover hem die niets had met hun buurland. Hij kon niet geloven dat Zsuzsi van de Hongaarse communisten in Hongarije mocht blijven. Remus hoopte dat Zsuzsi's familie naar Duitsland was doorgereisd en nu naar Westerse zeep rook. Duits was goed.

'Er komt een moment dat we allemaal buitenlandse sigaretten kunnen kopen,' verzekerde de oude man hem. 'Zodra dat gebeurt, gaat de fabrikant van deze stinksigaretten failliet.' Hij stak een sigaret tussen zijn lippen en borg het pakje weer op. 'En ik hoop dat ik het nog meemaken mag. Schrijf daar maar een gedicht over.'

'Mijnheer Doinaş, uw koffie wordt koud,' riep een man vanaf een ander tafeltje.

De man liet hem alleen. Remus griste een envelop uit zijn broekzak en streek de kreukels uit het opschrift: *De heer Tomescu, Strada Lenin 23, appartement 11, blok 25, Corona.* Hij herkende het handschrift. Gisteravond had hij zijn beste vriend voor het laatst gezien, toen Emil aan beide armen de kroeg uit werd gesleurd door agenten wegens verstoring van de openbare orde. Met trillende vingers haalde hij de brief eruit, maar het lukte Remus niet om zich op het volgeschreven papier te concentreren. Liever bestudeerde hij de andere tafels.

'Ja, ik draag dit pak altijd,' begon de oude man tegen een leeftijdsgenoot en hij controleerde zijn das, 'behalve wanneer ik op de foto moet voor mijn paspoort of identiteitskaart. Dan laat ik mijn pak in de kast hangen en trek ik de enige trui aan die ik heb. Een paarse. En dat is mijn protest en tevens een eerbetoon aan Ursu.'

'Maar zonder pak krijg je geen papieren,' zei Remus vanuit zijn donkere hoek. Hij had gehoord over een dissident genaamd Gheorghe Ursu, een bromvlieg die de geheime dienst al een poos irriteerde en twee jaar terug uiteindelijk een buikvliesontsteking was ingeramd waaraan hij stierf.

'Waar hebben wij een paspoort voor nodig? Wij mogen alleen Roemenië zien.'

'Dat is waar,' mompelde Remus en trok zich terug uit de discussie. *Als ik later groot ben, word ik dissident,* dacht hij met een grimas.

Hij staarde naar de brief zonder hem te lezen en dacht terug aan de afgelopen avond.

Het was koud, de eerste sneeuwvlokken van het jaar dwarrelden naar beneden. Remus was buiten en negeerde zijn grootmoeder die hem vanaf het balkon uitfoeterde voor Turk en Hongaar en vroeg waar hij heenging. Een verdieping lager verscheen een hoofd tussen de gordijnen dat schreeuwde dat er niets mis was met Hongaren.

'Vind jij,' schreeuwde grootmoeder terug. 'Hongaar!' De twee ramen klapten tegelijk dicht, terwijl Remus door de sneeuw schuifelde naar een eet- en drinketablissement in de binnenstad van Braşov.

Grootmoeder had hem herhaaldelijk op het hart gedrukt om het niet laat te maken. Het was donker en koud. Morgen moest hij weer naar de universiteit en daarna aan het werk. Voor de staat. Voor Roemenië. Voor de Leider. Maar Remus was dit allemaal vergeten zodra hij de klanken van een getemd zigeunerorkest door de dunne ramen van het café hoorde galmen. De violen, accordeon, panfluit en bescheiden drums probeerden Amerikaanse jazz na te bootsen. Jazz met een Karpatentintje.

'De zigeuners zijn donker, maar niet zwart genoeg,' zei Emil, zelfbenoemd muzikaal genie en student aan het Koninklijke Conservatorium, bij wijze van groet toen Remus binnenkwam en zijn vrienden elk met twee kussen gedag zei. 'De jazzmuziek klinkt in dit verdoemde land als een barende Russische circusbeer die aan zijn neusring wordt getrokken door kleine Karl Marxjes.'

Zijn woorden bleven niet onopgemerkt. Direct werd Emil omsingeld door stevige schouders van agenten in burgerkleding. Dat bleek een voorbode van het verloop van de avond. Remus probeerde de boel te sussen door de mannen een biertje te beloven.

Ook Emil wist hij te kalmeren. Remus was idolaat van zijn beste vriend, omdat ze beiden hetzelfde dachten over de staat, maar Emil durfde die gedachten ook daadwerkelijk uit te spreken. Hij betitelde Emil als de Robin Hood van de groep. Het verhaal van de volksheld die stal van de kapitalisten en gaf aan de arbeiders, zoals hem verteld was op school, was Remus altijd bijgebleven. Hij was echter alleen vergeten dat Emil een invloedrijke vader had, directeur van een groot wijnbedrijf en volgens de kranten een partijbons in spe. Zijn wijn deed het goed bij de geheime dienst en de hooggeplaatste leden van de partij. De flessen hadden tot dusver het leven van Emil gespaard.

'Houd je gedeisd,' siste een kleine, gedrongen man en gaf Emil een duw. 'Zulke woorden kunnen je vijf jaar van je leven kosten.' De man verwees naar twee jongens die vorige week waren opgepakt, omdat ze in beschonken staat Ceaușescu hadden vervloekt en heel de stad het hoorde. 'Maar vandaag vieren wij een feestje. Dus houd je in godsnaam koest.' De mannen dropen af, nadat ze Emil een tweede keer van zich af hadden geduwd.

Remus had geen beschermheer. Hij had alleen zijn grootmoeder – zij had de geheime dienst niets te bieden, behalve een donderpreek vanaf haar balkon.

'Ze hebben ons alles afgenomen,' verzuchtte ze meer dan eens, waarmee ze refereerde aan het landgoed en aan haar vader en echtgenoot die samen met de Saksen naar Siberië waren gedeporteerd en nooit teruggekeerd waren. Ook haar zoon en schoondochter werden haar, zij het twintig strenge winters later, afgenomen. Alleen hun zoon Remus restte en belette haar van een gezwinde dood.

Het ergste vond ze nog de karigheid. Van overdadig eten en drinken naar een door communisten gedicteerd maandelijks eetregime bestaande uit een kilo bloem, drie stuks groenten, een halve kilo suiker, twee eieren, een paar broden, een half flesje zonnebloemolie en een zakje zout was een ontheiliging die ze nooit meer te boven kwam.

'Sukkel,' prevelde Remus in Emils oor, terwijl hij onrustig op de houten bar trommelde en in de gaten hield waar de mannen stonden en vooral of ze daar bleven staan. Een hooggeplaatste zatlap gebruikte zijn rang om een rondje te geven en proostte hartelijk op de Leider.

Een paar toosten later werd Emil zoals gewoonlijk door twee opgepompte mannen aan zijn haren naar het gevang van het nabijgelegen politiebureau gesleept. In plaats van 'op de Leider' te brullen, riep hij volgens het rapport, 'op de syfilislijder', waarna hij op de grond spuwde en het vertikte om te drinken, ondanks 'herhaaldelijk aandringen van zijn kameraden, die de consequenties van een dergelijke ordeverstoring *wel* verstonden'.

De ladderzatte ambtenaar sloeg Remus op zijn schouders en bood zijn excuses aan voor het verknoeien van hun avond, maar waarschuwde hem wel. Niemand mocht de Leider ongestraft verloochenen. Remus bewoog zijn schouder net zo lang op en neer tot de dronkaard zijn hand bij zich stak.

'Zo blijkt,' antwoordde Remus. Hij drenkte zijn woorden in honing: 'We hadden niets anders van u verwacht, kameraad!'

'Koffie,' krijste de vrouw door de kleine ruimte. Ze kwam het dus niet brengen. Waarom zou ze ook? Iedereen was gelijk, dus iedereen deed even weinig. Remus liep naar het gat in de muur. De vrouw pakte het koperen koffiepannetje bij de lange steel en schonk de dikke koffie in een kopje.

Remus gaf haar twee sigaretten en nam de koffie aan. De oude man hief zijn kopje toen Remus onhandig langsliep, met zijn hand onder de beker zodat hij niet morste. De brief lag nog op de tafel. Remus drukte zijn bovenlip in het dikke schuim van de koffie en bewonderde de sierlijke letters op de envelop. Emil verdomde het om Brașov daadwerkelijk Brașov te noemen en gebruikte steevast de middeleeuwse stadsnaam Corona, Kronstadt, de Kroonstad. Die naam paste de stad beter, vond hij. Remus was jaloers op Emils handschrift. Hij zette zijn kopje op de envelop en vouwde de brief ongelezen onder zijn elleboog.

Bijna elke dag kwam hij langs La Nisip, als hij naar zijn bijbaan liep waar hij werkte als gewezen schoenmaker in een klein zaakje. Ergens in zijn notitieblokje stond: *Zool zoekt hiel. Sleetse schoenen slijten mijn ziel.* Hij haatte het. Remus beschouwde zichzelf als een versjesschrijver. Versjesschrijver, geen poëet, om de geesten van grote dichters niet kwaad te maken. De dagelijkse blik door de ruiten van het koffiehuis maakte de tocht naar de schoenherstellerij dragelijk. Daar zitten de grote en kleine geesten, dacht hij, zonder dat hij voor de ingang durfde te stoppen om een koffie te drinken met literatoren, critici, denkers en mannen die simpelweg van Turkse koffie hielden. Vandaag durfde hij pas naar binnen te gaan. Anders zou het misschien nooit meer gebeuren, had hij tegen zichzelf gezegd voordat hij naar de deurklink reikte.

Remus roerde rusteloos het schuim door de koffie. Hij keek naar meneer Doinaş, even verderop, ooit een gerespecteerd auteur die de mannen aan alle tafels verenigde in een lachsalvo door een grap te maken over de voorzitter van de Schrijversunie. De grap was Remus ontgaan, maar het verraste hem dat er zo ongegeneerd en onvoorzichtig werd gelachen. Dat had hij nooit eerder meegemaakt.

Hij dubde hoe hij het respect van meneer Doinaş moest winnen. Misschien moest hij ook een grap maken of iets intelligents opmerken over iets belangrijks in Roemenië, een vergelijking trekken tussen de verouderde staat van de fabrieken en de oubollige verlangens van het volk om onderdrukt te worden. Of juist iets onbenulligs aansnijden. Remus wist het niet. Of wellicht was het verstandig om gewoon de vraag te stellen: hoe word ik gepubliceerd, meneer Doinaş?

Waarschijnlijk wist hij het ook niet, dacht Remus, terwijl hij dronk van zijn koffie.

Gisteren kreeg het bierfust de dorst van de gasten ook niet gelest. Het bier was op, de wijnflessen waren leeg en de flessen *ţuică* hadden de rit van het platteland naar de stad nooit gehaald. Met andere woorden: sluitingstijd.

Remus goot de laatste slok bier in zijn keel en Pinu vroeg om glas water maar kon alleen een vuile blik van de barman in ontvangst nemen. Nicu, die nog maar net binnen was, liet uit onvrede een boer.

Het zigeunerorkestje zette met veel heisa een hitnummer van Gică Petrescu in, sneller en levendiger dan het origineel, de oriëntaalse stem van de zanger smeekte de tram uit het lied bijna om hem naar huis te brengen. De accordeonist gleed heimelijk van de bühne en glipte langs de kwelende saloncommunisten. Neuriënd volgde Remus hem met zijn ogen. De jongen wrong de broekzakken van de communisten uit en verborg de gestolen portemonnees, voedselbonnen en zakhorloges in zijn accordeon.

De accordeonist werd door het zwakke cafélicht naar de voordeur geleid. In het voorbijgaan trok hij een duur ogende bontjas van de kapstok. Een vlaag koude lucht woei door het café. Aan een vrouwenhand overhandigde hij het gevulde kistje dat aan zijn accordeon zat bevestigd. De jas gooide hij over haar schouders. Gouden armbanden rinkelden. De lantaarns stonden uit om stroom te besparen. Niemand zag wie de hand toebehoorde, omdat het duister en de alcohol haar verhulde.

Niemand, behalve Remus. Hij zat tegen het raam geplakt en ving een glimp op van de bijbehorende ogen van het meisje. Ze keek terug. Remus deinsde achteruit, getroffen door het noodlot, en drukte zichzelf daarna direct weer tegen het glas.

Een man sloeg met zijn vuist op de tafel. 'Het duurt niet lang meer,' zei hij. Hij schrok er zelf van, keek toen goed om zich heen en fluisterde: 'Dit jaar is hij nog weg. Opgehangen of gevlucht.'

Een aantal mannen trommelde op de tafels. Sommigen sloegen een kruis. Remus begreep niet wat er in de gasten was gekropen. Elke vreemdeling die hij kende, zelfs vertrouwelingen en familieleden, wogen hun woorden. Alles wat je zei kon misbruikt worden. De geheime dienst verstopte zijn afluisterapparatuur overal en waar geen microfoons onder de tafels plakten of in vazen hingen, waren gespitste oren van verklikkers. Het kwam Remus voor dat alleen hij wist van de algemene gang van converseren in Roemenië. Hierover peinzend tikte hij met zijn duimnagel tegen de onderkant van de koffiekop en nam de gasten in zich op. La Nisip leek een West-Europese enclave van een paar vierkante meter midden in het centrum van Brașov, dacht hij verward.

'Ik kan stevige knopen leggen,' schreeuwde een jongen enthousiast, waarbij hij zijn handen liet zien waarin de scheepstouwen stonden gekerfd. Een scheepsknecht, dat moest haast wel.

'Maak liever een lus die zichzelf ontrafeld zodra er kracht op komt. Dan kunnen we hem twee keer opknopen,' zei een ander.

'Of tien keer.'

'Honderd keer.'

'Dit is allemaal absoluut niet geschikt voor de ode die ik mogelijkerwijs behoor te schrijven over twintig jaar staatshoofdschap van het Genie van de Karpaten, beste heren,' zei de heer Doinaș honend.

Remus verloor meteen weer zijn interesse in de joelende mannen. Met zijn mouw had hij haastig zijn adem van het raam gewreven, op zoek naar het paar ogen. Het meisje keek Remus aan als een jong hert dat niet durfde te bewegen. Remus staarde terug als een jager, als een hongerige beer. Het meisje glimlachte kort naar hem, of dat hoopte hij tenminste, want hij zag het niet duidelijk. Haar fijne gezichtje werd omlijst door donker, krullend haar. De rest van haar uiterlijk moest hij invullen met zijn fantasie. Alleen haar ogen lichtten op door het zwakke licht van de kroeg. Het was slechts een schittering, maar de ogen lieten hem niet los. Het was een weerspiegeling van zijn ongeluk: de ogen van een zigeunerin.

Grootmoeder had hem nog zo gewaarschuwd nooit in de ogen van zigeuners te kijken. Hun betovering kon desastreus zijn, dat wist hij toch?

Maar het was te laat.

'Niet bewegen,' zei hij tegen haar, terwijl hij zijn impulsiviteit niet kon bedwingen en op het raam klopte. Hij herhaalde de twee woorden zonder ze uit te spreken, met zijn mimiek en articulatie.

'We gaan sluiten, het is tien uur,' riep de barman achter hem. 'Wegwezen iedereen.' Om gesmeerde kelen werden shawls gedrapeerd, bontmutsen werden opgezet. Remus probeerde zich wanhopig langs de drukte te wurmen, maar de souplesse ontbrak. Hij botste tegen een massieve man op. Een zware hand rustte plots tegen zijn borst.

'Vanwaar deze haast?' De dronken Securitate-agent die Emil op had laten paken duwde Remus tegen de grond. Zijn onderkinnen dansten met zijn geschreeuw mee: 'Wil je jouw vriendje warm houden in de cel?'

'Nee, meneer,' antwoordde Remus. Hij hijgde.

'Pas dan op waar je loopt.' De man leek ineens geen zin meer hebben in zijn werk om angst en ontzag te verspreiden. Hij gaf Remus een trap tegen zijn schoenzool en liep samen met zijn kameraden het café uit.

Remus krabbelde vlug overeind. De accordeonist stond alweer op het podium en pakte de laatste noten van een toegift mee; de schim achter het raam was verdwenen.

Hij liet de drab over de bodem van het koffiekopje duikelen. Grootmoeder meende de toekomst in kopjes te kunnen zien. Remus concentreerde zich op de vormen die de smurrie aannam. Een boek, een egel, het geraamte van de Roemeense landsgrenzen van voor 1945, gevolgd door die van erna, een klavertje, een bal, een bil. Hij rolde net zolang met zijn pols totdat de drab transformeerde in een pokdalig hartje en hij tevreden het kopje op de envelop terugzette.

Bedachtzaam trok hij de brief onder zijn elleboog vandaan en vouwde deze open. *Beste heer Tomescu...*

De deur van het koffiehuis vloog open. Net als bij Remus' entree werd iedereen stil. Alleen de dame liet van zich horen door het hete zand om te scheppen en er koperen pannetjes in te dammen.

'Goedemiddag,' zei de nieuwkomer zacht, maar Remus verstond hem duidelijk. Geruisloos vouwde hij de brief op en schoof deze in zijn broekzak. De man hield de deur open met de punt van zijn schoen. Zijn haar was piekfijn opgeschoren. De stilte hield koppig aan, de aanwezigen hinkten op hun plek. Dat leek de man te amuseren. Zijn ogen kneep hij samen, terwijl hij de ruimte in zich opnam. Hij hief zijn hand, zijn wijs- en middelvinger wezen omhoog zoals Jezus op de illegale iconen, en wuifde. Direct stroomden er langs zijn beide flanken mannen het koffiehuis binnen. Hun eensgezinde tred deed de vloer trillen.

'Een razzia!' schreeuwde de heer Doinaş en hij smeet zijn kopje op de grond. Het was alsof de gasten hadden gewacht op zijn teken, op het geluid van gelukbrengende scherven, voordat ze als een losgeslagen kudde de achteruitgang bestormden en de koffiedame omverduwden.

Er werd geschreeuwd en gejammerd. Remus had nooit eerder een inval meegemaakt en de angst verdoofde hem. Hij stond achteraan, dus de politie stortte zich eerst op de dichtstbijzijnde gasten. Een man werd tegen de muur gesmeten en gefouilleerd. Zijn zakken werden geplunderd: paperassen en notitieblokken werden doorgegeven en uitgebreid geanalyseerd. Een ander bood weerstand en werd op de grond geslagen. Mannen omsingelden hem en lieten luid vloekend hun hardrubberen stokken op hem neerdalen.

Remus ontwaakte pas toen de voorman een schaar uit zijn leren jas haalde en naar hem wees. De man stormde op hem af, met de schaar in de aanslag, en Remus draaide zich vlug naar de achteruitgang. De politieman versperde hem echter de weg en trok Remus aan zijn haren naar hem toe.

'Hier komen, klootzak!'

Remus durfde zich niet te bewegen, bang dat de man hem zou neersteken. Totdat hij zag hoe er haar naar beneden dwarrelde. Zijn haar. Remus begon vruchteloze excuses te mompelen. De man duwde Remus wang tegen de statafel. 'Smoel dicht. Dit is niet de coupe van het volk, dat weten jullie eikels best. Deze zaak zou gesloten moeten worden. Stelletje ratten. Wat voor plannetjes maken jullie hier? Wat heb je mee? Maak je zakken leeg.'

Remus durfde niet te antwoorden, kon ook niet antwoorden. Hij dacht alleen maar aan wat hij bij zich droeg. Wat had Emil geschreven in de brief? God, laat het niets gevaarlijks zijn, smeekte hij in gedachten. Met brute kracht stak de man de schaar in het tafelblad. Remus verslapte: niet mijn notitieblok, dacht hij.

'Klote intellectuelen,' schamperde de man en schopte Remus in zijn knieholte, waardoor hij door zijn knieën ging en met zijn kin op de tafel belandde. 'We gaan eens zien wat jij allemaal meezeult. Benen wijd.'

'Laat hem met rust,' schreeuwde plotseling iemand achter hen. Er vloog een prullenmand over Remus heen. De man deinsde achteruit en de schaar kletterde van de tafel. Remus werd aan zijn mouw door de achteruitgang getrokken.

'Hoe...?,' stamelde hij.

Hij keek recht in de grote ogen van de heer Doinaş. 'Wegwezen, versjesschrijver. Snel!'

De man duwde hem weg, het zetje dat Remus nodig had. Wat ben ik een idioot, dacht hij telkens, terwijl hij door de wirwar van stegen rende, het historische centrum verliet en in de mist verdween die hing tussen de blokken van opgetrokken stapelwoningen.

Remus stopte pas met rennen toen hij zich veilig waande. Hij liet zich langs een muur naar beneden glijden. Zo bleef hij vijf minuten hijgend luisteren naar de voetstappen die hij elk moment verwachtte. Tien minuten. Een kwartier. Het bleef stil. Hij durfde weer na te denken. Wat was dat voor inval? Waren ze naar hem op zoek? Had Emil iets verteld in zijn cel? En zo ja, wat? Remus streek door zijn haar, of wat daarvan over was. Het moest een routine-inval geweest zijn. Toen hij zijn hartslag voelde zakken krabbelde hij weer op.

De mist werd dikker en versmolt met de grijze hoogbouw. Opeens was Braşov verlost van de puisten die de communisten hadden gebouwd om de inwoners van de stad te herbergen. Hij wandelde verder, kalm, zodat hij niet zou opvallen. Een half uur lang dwaalde hij door de stad, zonder te weten waar hij was, omdat de mist alle herkenningspunten verborg.

Langzamerhand kreeg Remus ook zijn ademhaling weer onder controle. Als zijn gedichten niet werden gepubliceerd, moest hij het echt maar gooien op het dissidentschap, dacht hij en lachte in zichzelf.

Zijn grijns verstrakte toen hij ineens de straat herkende waaraan de kroeg van gisteravond zich bevond. Ineens vroeg hij zich af welke kant de zigeunerin op was gelopen. Waar zou ze heen zijn gegaan? Hij probeerde door de mist te kijken. Vragen spookten door zijn hoofd, terwijl hij op de tast naar zijn notitieblokje zocht. *Woont ze in de nevel om mij heen? Hoort ze mij als ik haar naam schreeuw?*

Hij keek rond, zonder iets te zien. Hij moest op zijn gevoel vertrouwen. Hij las zijn vragen op papier na. Ze zou mij horen, als ik haar naam wist, besloot hij. Maar zou ze ook antwoorden?

De gedachten kwelden hem. Hij zocht afleiding. Opnieuw vouwde hij de brief open die hij van Emil had gekregen. *Beste heer Tomescu,* las hij.

Voetstappen doemden in de verte op. Ritmisch, alsof een parade ter ere van de Leider zijn kant op kwam. Er klonk gelach. Niets was verdachter dan lachende mannen in de avond. Snel borg Remus de brief voor de laatste keer op en kneep zijn ogen samen. Hij vroeg zich af welke straat hij moest nemen om ongezien thuis te komen. En in welke straat de zigeunerin was verdwenen. Hij riep nog eenmaal de verschrikte ogen op die hem sinds gisteravond dwarsboomden en draaide zich toen vlug om.

2

De slaap strafte haar, wist Florica, en ze droeg haar straf waardig. De maan drong door de gordijnen, niet meer dan gaten met een doek eromheen, en bescheen haar sieraden. Ze was de enige zigeunerin in het pand die haar sieraden afdeed voor het slapengaan. Met het goud naast haar – weggemoffeld onder een oud jurkje – sliep ze vrediger. Maar ze kwam niet verder dan doezelen.

Zo hoorde het ook, dacht ze, ondanks dat ze de slaap goed kon gebruiken. Morgen was een belangrijke dag voor hun gemeenschap. Dus ook voor haar.

Haar broers snurkten een wand verder bij hun vader en de Rroma-mannen die ze ooms moest noemen – elke Rrom-man was haar oom en elke niet-Rrom een kloothommel, dat was de ongeschreven wet. Florica leek de enige in het pand die de slaap niet kon vatten. Niet alleen de buit van de avond die onder haar bed lag, hield haar wakker. In het kistje zaten eigendommen uit de zakken van cafébezoekers. Portemonnees en gouden ringen die de mannen afdraaiden zodra ze de geur van bier en dansende vrouwen roken. Bezit van de vijand, zoals haar vader en vaders broer telkens benadrukten als ze het over *gadjo's*, niet-Rroma, hadden. Florica wilde er niets mee te maken hebben. Hoewel haar broer, en niet zij, de zakken had uitgeklopt in het café, voelde Florica zich een zigeunerin gelijk de vervloekingen van de Roemenen. Een oplichtster en een dievegge. Huiverend lag ze in bed. Het was haar taak om de buit naar het huis te brengen. Ze was rank en vlug en vader had gezegd dat ze er alles behalve staatsgevaarlijk uitzag en daardoor minder snel aangehouden zou worden dan haar broers. Florica probeerde alle argumenten te weerleggen, maar een keuze had ze niet. Want wat deed zij voor de kost?

Maar dat was niet de enige reden waarom ze wakker lag.

'Ga slapen Florica,' siste haar zusje Lala, die wakker was geworden door het onrustige gewoel van haar zus. Een dubbelgeslagen kleed scheidde haar van de bevroren houten planken op de grond. 'Je ogen geven licht.'

Florica rolde op haar zij: 'Ik wil niet zijn zoals we zijn'. Ze zei het meer tegen zichzelf dan tegen haar negenjarige zusje die het waarschijnlijk toch niet zou begrijpen.

'Ik ben niets hoor,' antwoordde Lala vanonder haar deken.

'En dat wil ik juist niet.'

'Ik snap je niet.' Ze klappertandde van de kou.

'Kom bij mij liggen.' Florica hield haar deken omhoog zodat Lala erbij kon kruipen. Ze masseerde de rug van haar zusje warm. Ze sliepen in een oud en vervallen pand aan de rand van de stad Braşov. De roze verflaag brokkelde winter na winter van de buitenstenen. Vader haatte het huis: ze hoorden niet hier, maar in een wagen.

De communisten hadden de oorspronkelijke bewoners – bijzonder welgesteld – verbannen naar de bovenste verdieping van een appartementenblok in de binnenstad en de familie van Florica uit het zigeunerkamp naar het huis gesleurd. Een mini-diaspora. Militairen hadden de kleurrijke familie op de veranda voor het huis gezet. Ze kon zich nog goed herinneren hoe ze daar stonden: zijzelf voorop met haar broers, aan de zijkanten wat vriendjes, vader en moeder achter in het midden met naast zich ooms en vrouwen die ze nog nooit had gezien. Ze mochten absoluut niet bewegen en moesten lachen, terwijl een man in pak een aantal keer met zijn vinger op een zwart doosje tikte. Er volgde een aantal lichtflitsen, waarop Florica verschrikt haar ogen dichtkneep. Toen ze daarna voorzichtig door haar lange wimpers tuurde, zag ze de man met een papiertje wapperen waarop langzaamaan haar kleurrijke familie voor het roze huis verscheen.

'Dit zijn afdrukken van de werkelijkheid,' zei de man toen Florica vroeg wat die flits betekende. Smart droop door zijn dikke baard. 'Voor de oude eigenaren van het huis. En de krant.' Hij had drie keer geflitst. De twee beste foto's stopte de man in zijn binnenzak, de derde gaf hij aan Florica. De militairen in het groenbruin wilden de foto uit de handen van het meisje rukken, maar de fotograaf zei dat het papier zwart bleef. Een misdruk. Kon gebeuren.

Het was echter geen misdruk. De foto was een afdruk van Florica's geluk. Het was magie op een papiertje. Ze was de enige die oprecht lachte op de foto, zo dacht ze.

Haar geluk ontsprong vlak voor de foto genomen was, toen een militair haar bij zich had geroepen. Hij poogde zijn gezicht neutraal te plooien, maar Florica wist wat verachting was nog voordat ze het woord leerde. De militair klemde zijn pet tussen zijn arm en legde een hand op Florica's jonge schouder. Hij zei dat ze een smerige zigeunerin was.

Maar niet voor lang meer: 'De staat maakt van jullie zigeuners betrouwbare socialisten. Je gaat naar school, zigeunermeisje, om daarna voor de Leider, voor Roemenië en voor het communisme in een fabriek te werken. Je zult trots zijn op Roemenië en Roemenië zal trots zijn op jou.'

'School!' Vader vloekte. Zijn kinderen zouden naar school gaan. Een Rroma-onwaardig bestaan. En dat leek Florica, hoe jong ze ook was, een heerlijk vooruitzicht.

Haar lach paste bijna niet op haar gezicht. Moeder vroeg haar waarom, maar Florica hield zich stil. Ze voelde zich maar een keer gelukkig in haar leven en dat moment was vastgelegd door een man met een baard en een zwart kastje dat kon bliksemen. Dat kleine ogenblik van fortuin droeg ze altijd bij zich.

Haar zusje vlijde zichzelf tegen haar in slaap. Lala zou een kind geweest zijn als kinderen in hun gemeenschap hadden bestaan, dacht ze voordat ze eindelijk insliep en droomde over dansende ogen. Wimpers knipperden op de ritmes van accordeons en violen. Een paar groene ogen danste steeds dichterbij de hare. Het waren de ogen uit het café, realiseerde ze zich direct. Het werd donker. Ze zag niets meer, behalve de ogen, groen als een smaragd, maar dof en leeg. Iemand moest ze oppoetsen, dacht Florica. Ze probeerde haar mouw over de ogen te wrijven, maar ze doken eronderdoor.

'We moeten dansen,' zeiden ze. En dat deden ze. Florica swingde zichzelf in het zweet. Ze voelde hoe het water onder haar oogballen opspatte. De groene ogen huilden.

'Stop daarmee,' schreeuwde ze. 'Laat mij je troosten.' Ze probeerde de oogballen te omhelzen, maar ze had geen armen. 'Stop met huilen. Zigeuners kunnen niet zwemmen. Ik ook niet.'

Florica werd uit haar droom getrokken door de kriebelende vlecht van haar zusje. Ze hoorde niet in slaap te vallen, niet na afgelopen nacht. Niet met de buit naast zich, niet met de horloges, trouwringen en portemonnees van gadjo's, die vanonder het jurkje ruis naar Florica's dromen straalden. Ze wilde zich schuldig voelen. Ze moest zich schuldig voelen, de schuld omhelzen. Haar motivatie om verder te komen in het leven teerde op schuldgevoel. Ik moet anders zijn, dacht ze herhaaldelijk, maar het was niet de schuld die haar wakker hield of haar vluchtige dromen vertroebelde. Stelen deed ze steeds vaker. Het waren de ogen.

Langzaam ontwaakte Florica's geest. Ze had de ogen uit haar droom onmiddellijk herkend. Diezelfde ogen hadden haar vanachter het raam in het café aangekeken. Niemand had haar gezien toen haar broer de kist met gestolen spullen in haar handen drukte, daar was ze van overtuigd, maar ze had buiten die twee groene ogen gerekend.

De ogen van de jongeman doordrongen haar. Daardoor had ze de fluisterende woorden van haar broer slechts half gehoord, iets van: 'Snel, wegwezen'. Ook haar eigen antwoord ontging Florica. Ze was in ieder geval alles behalve snel weg. Angstig had ze teruggestaard. Ze ontleedde zijn blik en zag daarin niet de verwachtte afkeuring, zelfs geen haat of spot. Wat wel school in zijn blik, wist ze niet goed. Ze herkende leegte. En, misschien, begeerte.

Ze dubde erover tot haar ogen zwaar werden. Murw legde ze de verwilderde vlecht over de hals van Lala, die tevreden iets mompelde. Haar zusje sprak graag in haar slaap, flarden van zinnen die ze zich devolgende morgen niet zou herinneren. Woorden in het Roemeens, de taal van Lala's onderbewustzijn. Noch Roemeen, noch zigeuner kon haar de taal afnemen. Haar taal en Florica's taal. De taal hoorde het legitimatiebewijs te zijn, vond Florica, niet haar twee donkere vlechten en haar huid van goud.

'Jij spreekt weliswaar onze taal én hun taal,' zei haar grootvader tegen Florica toen ze als kind de oude man in vertrouwen nam tijdens een wandeling door de stad en haar filosofie voorlegde. 'Maar je kunt geen van beide talen lezen of schrijven. Dus wat maakt jou dat, mijn prinsesje?' had hij gevraagd.

'Dat maakt me een zigeunerin, grootvader,' antwoordde Florica.

Het had haar een knik opgeleverd die ze kon opvatten als goedkeuring of als een droevige bevestiging.

'Maar ik ben geen kind meer, grootvader. Ik kan nu lezen en schrijven,' mompelde Florica, terwijl ze de groene ogen weer zag achter haar eigen weerspiegeling in het raam.

Dit keer was het niet Lala's vlecht die Florica wakker maakte, maar de schelle schreeuw van haar moeder. Florica schoot overeind. De kamer was verlaten.

'Geef eens antwoord. Je nichtje wacht op je,' riep haar moeder van beneden.

'Ik kom eraan.' Florica trok vlug een feestelijke jurk aan, wit met zwarte strepen, en snelde naar de woonkamer waar ze haar nichtje in kleermakerszit aantrof in haar ondergoed. Florica's moeder en twee tantes haalden opgelucht adem toen ze haar zagen binnenkomen. Zonder iets te zeggen, kuste Florica haar nichtje, nam de tiara aan die haar tante haar gaf, pakte een make-up etui van de tafel en ging voor haar nichtje zitten met het etui op haar schoot.

'Zit toch stil,' snauwde Florica. Haar nichtje wipte voortdurend op en neer, waardoor Florica de tiara voor de derde maal scheef in haar nichtjes opgestoken haar stak.

'Wees eens aardig voor haar,' riep Florica's moeder vanaf de andere kant van de kamer, waar ze samen met haar zussen gebogen zat over de bruidsjapon. Met zijn drieën voorzagen ze de jurk van stiksels, gouden linten en parelbloemen. 'En lach eens. In godsnaam, het is haar trouwdag.'

'Ja moeder.' Florica trok de tiara uit de krullen van haar nichtje en kroonde haar voor de laatste keer. En nu goed. Ze knikte vergenoegd en ritste het make-up etui open.

'Mag ik de kleur lippenstift uitkiezen?' vroeg haar nichtje.

'Laat Florica dat toch doen,' schreeuwde haar moeder, Florica's tante, die constant heen en weer liep en alle aanwezigen op de vingers keek. 'Jij hebt geen smaak.'

'Lik mijn kut!' fluisterde de aanstaande bruid, waakzaam, zodat haar moeder haar niet horen kon.

Florica schudde haar hoofd. Ze roerde met haar wijsvinger in het make-up etui en viste de lippenstiften eruit. Rood, paars, felroze en perzik. Florica had op straat gespeurd naar spijkerbroekdragers. De eerste liet lang op zich wachten, maar toen ze er een zag, had ze wel meteen beet: een verdwaalde Britse toerist. Ze gaf hem een zak met geld – van de vader van de bruid – en een boodschappenlijstje en vroeg of hij de opgeschreven make-up wilde kopen bij de dollarshop. Dat wilde hij pas toen ze in hakkelend Engels had uitgelegd dat zijzelf daar niet naar binnen mocht: 'Niet voor Roemenen, verboden, alleen voor toerist'.

Niet dat ze door de Roemenen als een van hen werd beschouwd, dacht ze, terwijl ze met een hoofdknik aan haar nichtje vroeg welke kleur ze op haar lippen wilde. Tot Florica's opluchting sloeg ze de ordinair roze over en wees de donkerrode lippenstift aan.

'Wanneer ga jij eens trouwen?' vroeg haar nichtje, voordat ze haar lippen tuitte.

'Nooit,' antwoordde Florica bits.

'Elke Rrom moet trouwen,' riep Florica's moeder.

'Zo is dat,' beaamden de tantes in koor.

Het nichtje knikte hevig: 'Wij vrouwen zorgen voor het stromen van het Rroma-bloed,' zei ze met een donkerrode bovenlip. Het gerinkel van haar gouden oorbellen onderstreepte de woorden die ze ergens had opgevangen.

Florica negeerde de opmerking van haar nichtje, waarin ze de stem van haar eigen vader hoorde doorschemeren. Arme meid, ze was nog maar net twaalf. Een meisje dat vrouw speelde.

'Hoe oud ben je?' vroeg haar nichtje aan haar.

'Stil zitten.'

'Bijna achttien of niet?'

'Mijn dochter is een laatbloeier,' zei Florica's moeder, bijna beschaamd. Ze stak haar naald wild in een zoom van de jurk.

'Voorzichtig,' zei de moeder van de bruid tegen haar zus. 'Het is een fijn stofje.'

'Dat is het zeker,' zei Florica's andere tante, die amper sprak. Ze werd de Gek genoemd. Het huwelijk was ook geen gespreksonderwerp voor haar; zij was de enige van de zussen die geen *diklo*-hoofddoek droeg. Alleen getrouwde vrouwen bonden zo'n doek om hun hoofd. De Gek ging er door de tijd ook steeds meer uitzien als een ongehuwde vrouw, vond Florica. En dat lag niet alleen aan het ontbreken van een hoofddoek. De wrat op haar wang groeide en kreeg gezelschap van een tweede op haar kin, ze trok de lichte haartjes niet meer onder haar neus vandaan en ze ging steeds krommer lopen. Volgens grootvader omdat ze de hele dag kruiden en plantjes plukte. Ze woonde ver buiten de stad, op een bergje, en daalde alleen naar beneden voor een huwelijk of een begrafenis van haar familie- of stamleden. Dan dronk ze zich laveloos en dreigde ze een ander dronken familielid te vervloeken als hij haar niet direct thuis zou brengen.

'Het is een wonder dat ze niet van de berg is weggejaagd door de Roemenen,' had haar moeder eens gezegd, een week na de begrafenis van een verre oom. 'Onze ouwe Gek.'

Florica's grootvader had opgekeken van zijn boek en gelachen: 'Ze wordt beschermd door de burgemeester van het nabije dorp. Zonder haar was hij als kind gestorven aan de koorts. En daar maakt ze nog altijd goed gebruik van.'

'Ze moest hem laten sterven,' had Florica's moeder geantwoord. 'Het is maar een Roemeen, een gadjo.'

Haar tante was een buitenbeentje, net als zij, had Florica zich al gauw gerealiseerd. Sindsdien hield ze een beetje meer van haar, maar dat leek niet wederzijds. Ze kwam nooit voor haar familie, maar voor de fles. Inmiddels probeerde Florica geen toenadering meer te zoeken, omdat ze wist dat het volkomen zinloos was.

'Het is ook niet gek dat jouw dochter nog niet getrouwd is,' zei de moeder van de bruid, alsof Florica er niet bijzat. 'Ze heeft natuurlijk niet veel kwaliteiten.' Van verbazing smeerde Florica de rouge over haar nichtjes gehele kin.

'Pardon?' Florica's moeder hield de naald onder de neus van haar zus. 'Wat wil je daarmee zeggen, trut?'

'Sorry,' stamelde ze. Florica's moeder was nog altijd de oudste van de drie en verdiende daar automatisch respect mee. 'Ik ben gewoon wat zenuwachtig voor het hele gebeuren.' Ze bleef even stil, kuchte toen en vervolgde: 'Jouw dochter kan lezen en ze heeft manieren. Dat is tenminste iets. Maar ze is niet te vergelijken met mijn dochter.'

'Naai je kop,' vloekte Florica's moeder. 'Iedereen weet dat jullie dochter gejat is.'

'Dat is niet waar,' gilde de bruid.

De paniek was compleet.

'Kom op moeder, wees eens aardig, het is haar trouwdag,' zei Florica vlug. Ze bad dat haar nichtje niet ging huilen, want dan zou haar mascara uitlopen en kon ze weer opnieuw beginnen.

'Het is toch zo?' mompelde haar moeder.

Iedereen zweeg, behalve de bruid, die zacht jammerend heen en weer wiegde. Florica liet haar even met rust. Ze leek nogal op haar ouders, vond ze, en borg de rouge op in het etui. De roddel vond zijn oorsprong in een korte vakantie die Florica's oom en tante hadden doorgebracht aan de Zwarte Zee. Nooit gingen ze weg. Ze verafschuwden vakanties, maar op een vrijdag waren ze plotseling verdwenen en een week later waren ze weer terug. Direct organiseerden ze een banket, met meer drank dan eten, en vertelden dat haar tante zwanger was geworden. Zeelucht deed haar moederschoot goed, beweerde Florica's tante. Hun dochter werd twee maanden te vroeg geboren, met een strakke huid en een bos haar, en had het formaat van een baby van een jaar. Volgens de dorpsoudste had ze een achterhoofd als de baby's van de Turkse gezinnen die aan de kust leefden. Maar de moeder zei dat God haar een oersterke dochter had geschonken: 'Een wondertje!' Een banket later vond iedereen de grootte van het kind normaal.

Het verhaal leefde echter voort.

'Het is gewoon niet waar,' besloot Florica's nichtje met een slotsnik.

'Zo is dat,' beaamde Florica met een glimlach.

'En jij moet niet zo raar doen. Trouw gewoon met iemand.'

'Dat is dus het probleem,' zei de moeder van de bruid, opgelucht dat het zwijgen werd doorbroken, 'want niemand wil haar prijs betalen.' Ze richtte zich tot Florica's moeder: 'Je man is zo'n gierige klootzak.'

En zo begon de discussie opnieuw, verzuchtte Florica. Ze zei luid en duidelijk dat ze absoluut niet verkocht wilde worden.

'Ik ben geen brood.'

Hetzelfde had ze gezegd tegen haar vader, toen hij haar vroeg wat ze van de zoon van de overburen vond.

'Je wordt ook niet verkocht,' had haar vader toen geantwoord. 'Ik krijg een vergoeding voor het verliezen van mijn dochter.'

'Broden zijn duurder.' Een cynische bijdrage van de Gek. Haar langdurige hoge lach maakte een doorstart van de discussie onmogelijk.

Pas toen de lach was verstomd, zei Florica's moeder: 'Integendeel. Het is nog geheim, dus mondje dicht dames, maar mijn man heeft een ontzettend goed gesprek achter de rug.' Ze zweeg even en keek haar zussen doordringend aan. Haar dochter keurde ze geen blik waardig. Moeder grijnsde zelfgenoegzaam. 'Er is hem een goed aanbod gedaan.'

De vrouwen joelden en klapten. Florica staarde met grote ogen naar haar nichtje, die meedeed en Florica blij omhelsde. Het etui viel op de grond, make-up kletterde over de vloer. Florica wist dat dit moment ooit zou komen. Ze had het weten uit te stellen, meer niet. *Ik ben al bijna achttien*, dacht ze, en ze bevocht haar tranen. Ze ontdeed zich uit haar nichtjes greep en stortte zich zo kalm mogelijk op de gevallen make-up.

'Houd het geheim totdat alles is beklonken,' drukte haar moeder iedereen op het hart.

'Moederlief,' verzuchtte de Gek met haar handen wijzend naar de hemel, 'ik word te oud om telkens die verdoemde berg af te dalen'.

Florica smeet de weggerolde nagellak in het etui en controleerde halfslachtig of alles compleet was. Ze wilde niet weten hoe de onderhandelingen waren verlopen. Toch kon ze het beeld van haar vader niet uitbannen, hoe hij aan een klein tafeltje zat te roken en zijn snor rolde tussen zijn dikke vingers, terwijl de bezoekende partij aanschoof en zijn voorstel uiteenzette. Haar vader had al het goud omgehangen dat hij bezat, de vader van de eventuele bruidegom liet zijn goud juist thuis. De geraffineerd kledingsvoorschriften voor het spel van de onderhandelingen.

'Kan uw dochter schoonmaken?'

'Ze is lerende.'

'Juist ja. Heeft ze vlugge vingers?'

'Ze kan lezen.'

'Aha. Ze is wel wat op leeftijd hè?'

'Ervaren, zou ik willen zeggen.'

'Jouw kant van de familie wordt niet echt oud hè?'

'Maar haar moeders kant wel. Die opa is niet dood te krijgen.'

'Hm.'

'En we mogen niet oud worden, maar we zijn wel een respectabele familie.'

'Wind je niet op, oom. Dat weet ik toch. Anders was ik niet bij je gekomen.'

'Goed dan. Florica danst trouwens goed.'

'Interessant. Dat is mij nooit opgevallen. Zijn daar getuigen van.'

'Maar natuurlijk. Zal ik ze oproepen?'

'Graag, beste oom, graag.'

'Ik zal ze laten halen.'

'En dan nog een ding: is jouw dochter nog steeds zo opstandig? Mijn zoon heeft een vrouw met een goed karakter nodig, dat begrijp je.'

'Ze is van goud, dat verzeker ik je. Massief goud. Ik vind je een goede vent, maar ik zeg eerlijk: ik weet niet of ik haar kan weggeven. Ze is mij zoveel waard.'

'Maar je houdt je bek,' zei Florica's moeder dreigend tegen de Gek. 'Niemand mag het nog weten.'

'Die zegt toch nooit wat,' giechelde de moeder van de bruid, terwijl de Gek onverstoord parels aan de jurk naaide.

Zolang er geen feestdiner ontsprong om de overeenkomst te vieren, was ze nog een vrije vrouw, verzekerde Florica zichzelf. Ze had genoeg van zulke 'feesten' meegemaakt om te weten hoe deze eraan toegingen. De familie van de bruidegom klaagde over de hoge prijs van de vrouw en de vader en moeder van de bruid jammerden om het verlies van hun dochter. Maar in werkelijkheid vermaakte iedereen zich, ook Florica genoot van de muziek en het eten, hoe karig de tafel soms ook gedekt was. Er werd gelachen en gedanst. Flessen drank gingen rond, iedereen deelde brood en feestvreugde. Tot slot besloten beide families dat de prijs precies goed was. Iedereen was tevreden.

Bijna iedereen, dacht Florica. Zij zou een bruid worden die afzijdig aan haar jurk pulkte. Ze wendde haar gezicht af, zodat niemand haar zag huilen.

'Ben ik af?' vroeg haar nichtje.

'Ja,' antwoordde Florica. Ze probeerde haar stem in bedwang te houden. 'Je ziet er beeldig uit.'

Ze keek strak naar het fleurige wandkleed dat over de gehele muurzijde gespannen was. Aan de andere muur hing een minuscule Jezus, door een oom gedoopt in goud. Florica smeekte hem om haar te helpen.

De kamerdeur vloog open, Florica werd bijna omvergelopen door de in ademnood verkerende vader van de bruid: 'Ze komen eraan!' Uit de ladekast haalde hij een plank waar spijkers aan het uiteinde uitstaken en rende daarmee naar de voordeur.

De vrouwen klapten opgewonden. Ook Florica draaide zich nieuwsgierig om en luisterde of ze al wat hoorde aankomen. Heel in de verte dacht ze een menigte te horen naderen. De hoge vrouwenstemmen werden het duidelijkst meegevoerd door de wind.

'Ik hoor ze zingen,' zei Florica tegen de rest.

Dat was een teken om luid gillend de bruid in de bruidsjapon te hijsen, onderwijl 'vlug, vlug' en 'voorzichtig, voorzichtig' roepend.

Ik hoor de violen, dacht Florica, en ze liep naar het raam. Een drom mensen danste naar het huis. De muziek kreeg steeds meer vorm. Ze telde drie violen en een gitaar.

'Opflikkeren,' schreeuwde de vader van de bruid de menigte toe. 'Jullie krijgen mijn dochter niet.'

De vrouwen tolden rond. Hun jurken waaierden uit, de stippen werden strepen. Mannen knipten met hun vingers of klapten en kinderen jengelden mee met de melodie, terwijl de groep zich eensgezind naar de voordeur baande.

Daar weekte de bruidegom zich los en liep op zijn aanstaande schoonvader af. 'Je krijgt haar niet. Laat mij het niet hoeven te herhalen.' De vader van de bruid zwaaide vervaarlijk met de houten plank. 'Ik meen het. Beroof een arme vader niet van zijn lieveling. Ik sla een gat in je kop!'

Een beetje onwennig liep de opgedofte bruidegom door. Florica schatte dat hij iets ouder was dan zijzelf. Hij slobberde naar voren in zijn te grote pak. Het was geen slechte partij, vond Florica, maar ze huiverde toen ze zich inbeeldde dat niet haar nichtje maar zijzelf met deze aangewezen jongeman zou trouwen.

'Ik waarschuw je niet langer. Wegwezen.' Zijn hoofd liep rood aan. 'Neem mijn goud, neem mijn leven, maar niet mijn dochtertje.'

Florica keek achterom en zag haar nichtje klaarstaan. Ze droeg haar bruidsjurk waardig. Om haar nek hingen de gouden munten die ze had gedragen sinds haar verloving – iedereen had geweten dat ze ging trouwen. De lach op haar gezicht kon niet groter zijn. Vandaag was de grote dag en ze leek er helemaal niet mee te zitten. Florica keek weer naar de bruidegom die gespannen een fles drank opendraaide en deze aanbood aan zijn aanstaande schoonvader. De houten plank vloog de voortuin in en boorde zich vast in de harde wintergrond. De vader van de bruid nam de fles aan.

'Op jullie geluk,' zei hij luid, terwijl hij een slok nam en daarna zijn schoonzoon liet drinken. Ze bekroonden de plechtigheid met een kus en een omhelzing. 'Dat jullie maar veel kinderen mogen krijgen, mijn schoonzoon.'

Florica zocht naar het gezicht van haar vader. Samen met zijn zonen sloot hij de stoet af en klapte om de omarming van twee families aan te moedigen. Hij had zijn snor gekamd. Ze probeerde zijn gedachten van zijn gezicht af te lezen, maar hij gaf niets prijs. Behalve dat hij zin had in het feest. Net als iedereen.

'God zij geprezen,' antwoordde de schoonzoon, die kwam afhalen wat hem na de slok drank toebehoorde.

Van de rest van het huwelijk kreeg Florica weinig mee. Ingetogen danste ze als er gedanst werd en at als er eten rondging. Ze keek naar haar nichtje, die vrolijk om haar man dartelde, en naar haar eigen ouders, naar haar zusje en broers, en tot slot naar haar grootvader die ze liefhad. Daarna keek ze naar de ongehuwde jongemannen die zich hadden opgedirkt voor het feest. Ze rilde. Florica realiseerde zich dat ook zij moest trouwen om hier te mogen blijven. *En misschien moet ik trouwen om hieraan te ontkomen*, dacht ze vervolgens. Ze stopte de punt van haar vlecht in haar mond, zoals ze altijd deed als ze diep nadacht. Ze sabbelde op een plan.

3

Remus rolde de crèmekleurige kwastjes van het gehaakte tafellaken tussen zijn duim en wijsvinger, deed zijn best om het zigeunermeisje opnieuw voor zich te zien en probeerde zich een gezicht bij de ogen te herinneren.

Grootmoeder weerhield hem daarvan: 'Doctor Arcos van hierboven heeft zijn televisietoestel dwars door het raam gedonderd. Ik dacht dat ik doodging, zo'n lawaai gaf het.'

Hij ontweek de grijze ogen en staarde naar de ongeopende envelop die voor hem lag. Hij luisterde. Zijn grootmoeder had geen weerwoord nodig voor een gesprek. Ook Pinu, die net buiten adem binnen was gekomen, hield zich afzijdig en knipte met een botte schaar Remus' haar in model. Herstelwerkzaamheden, noemde Remus het, doelend op de agent die zich een lok had toegeëigend en daardoor zijn voorkomen had beschadigd.

'Doctor Arcos is de enige persoon in het blok met een televisie en hoppa hoppa, de tv duikt naar het beton. Vreselijk zeg. De buurvrouw van hiernaast liep beneden met haar boodschappen. Dat wil zeggen: een brood, twee eieren en een zak zout, en kon nog net op tijd wegspringen,' zei grootmoeder. Zelfs achteraf kon ze nog in plaatsvervangende paniek raken. Met haar duim, wijs- en middelvinger samengebonden sloeg ze drie keer een kruis. 'Alleen God kon de buurvrouw redden. En dat heeft hij ook gedaan.'

'God bestaat hier niet. Wij hebben Ceaușescu,' zei Remus.

'Ceaușescu heeft de buurvrouw bijna vermoord,' zei grootmoeder vinnig. Ze hield zichzelf zichtbaar in toom en luisterde naar het gestommel in de trappengang. Pas toen het geluid wegebde, vervolgde ze met fluisterende felheid: 'Elke dag toont de televisie die boerenkop van "onze leider" met telkens weer hetzelfde gezanik. Het gaat uitstekend met Roemenië en wat hebben we toch veel te eten.' Het woord eten reet grootmoeder zorgvuldig open.

'Pinu, liefje,' staakte ze haar betoog, 'stop met hijgen en drink de kraan leeg. We hebben eindelijk weer water.' Pinu sprong op en balanceerde met zijn hoofd in de wasbak, waar hij het bruinige kraanwater met zijn tong naar binnen slurpte.

Grootmoeder toverde een schaal met appeltaart uit de oven en zette hem op de eettafel. Het bracht Remus terug in het appartement. Het gezicht dat hij zorgvuldig had gemodelleerd uit hoop en herinnering, spatte uiteen. Hij citeerde hardop de eerste strofe van een gedicht van Nichita Stănescu, voor zichzelf, zonder zich iets aan te trekken van grootmoeder of Pinu: 'Daarna zagen we elkaar steeds vaker, ik zat aan de ene kant van het uur, jij: aan de andere, als twee handvatten van een amfora'.

Pinu leek over de strofe na te denken, maar grootmoeder was te geobsedeerd door de appeltaart en de belevenissen van doctor Arcos.

'De televisie berichtte over de voortgang van de sloop van zeven kilometer oud-Boekarest, daarom gooide hij de boel uit het raam,' zei ze. 'Onze leider heeft een gebouw nodig om andere leiders te ontvangen, zei doctor Arcos tegen mij. Het is bijna af. Het wordt een paleis, is wat ze zeggen. Casa Republici, het huis van de republiek. En daarvoor worden nog steeds duizenden huizen gesloopt. En een stadion, een bibliotheek en een grote hoeveelheid kerken en kloosters.' Ze knikte naar Remus. 'Zoals je zelf al zei: Roemenië heeft geen kerken en kloosters nodig. We krijgen het huis van de republiek.'

'Ik begrijp zijn woede,' zei Remus, terugdenkend aan zijn eerste en enige bezoek aan de hoofdstad. Hij was nog een kind. Een kind met een scherp verlangen om te dwalen in de oude, benauwde straatjes die Boekarest rijk was. Het wanordelijke stratenplan. Van plan was geen sprake, maar de chaos gaf de stad haar charme. Dat zag hij pas later in. Als kind keek hij slechts naar de gewelven en de ornamenten die er nu niet meer zouden zijn. En hij staarde naar de Boekarestenaren die voorbij liepen. De hoofdstedelingen waren anders. Hautain en vluchtig. Het waren kleine Parijzenaren, de internationale koosnaam Klein Parijs was ze naar het hoofd gestegen. Hij scheen te hebben gezegd, zo herhaalde zijn grootmoeder uitentreuren, dat 'Boekarest best een mooie stad is, met mooie gebouwen en zo, maar dat het jammer is dat er Boekarestenaren wonen'.

'Ben je wel eens in Boekarest geweest?' vroeg grootmoeder aan Pinu, die nee schudde. 'De buurvrouw van hieronder vertelde me dat ze daar ook zijn veranderd. Dat is het enige voordeel van dit barbaarse regime: het maakt alle Roemenen gelijk.'

Pinu knikte ongemakkelijk en wendde zich tot Remus.

'Doctor Arcos is toch van direct hierboven? Hij is toch van die harde winden? Doctor Arcos: de beroemde buiktrompettist?'

'Hij woont zelfs twee boven ons,' zei Remus, 'maar dat zegt meer over deze verdomde communistische woonblokken dan over zijn anusvolume. Als doctor Arcos een windje laat ontsnappen, vreest de bejaarde mevrouw van de begane grond dat ze het gas op vol aan heeft laten staan.'

'Heeft de beheerder het gas dan weer opengedraaid?' vroeg grootmoeder, terwijl ze Remus een draai om zijn oren gaf wegens grof taalgebruik.

'Ik sprak de doctor vanmiddag vluchtig – voor zover dat bij hem mogelijk is, het blijft een belerende professor hè?' ging ze verder. Ze sloeg haar ogen ten hemel, als een deerne die over een koene ridder sprak die in het voorbijgaan een kus naar haar blies. 'En hij is uiterst charmant, hij passeert me nooit zonder een kus op mijn hand te drukken, dus ik zal hem nooit afkappen. Hij rouwde niet om de tienduizenden mensen die een nieuw onderkomen moesten zoeken. De aardbeving van 1977 heeft hen immers eerder verjaagd dan de communisten, zo zei hij. Hij voelde voornamelijk de pijn van de historische gebouwen die gesloopt werden of waren. Met de tranen in zijn ogen noemde hij het Văcăreşti-klooster, gebouwd in de stijl van de grote martelaar Constantin Brancoveanu, volgens hem de grootste Roemeen uit de geschiedenis. "Tot de laatste steen neergeslagen." Zijn baard werd ter plekke witter. God, hij formuleerde het zo fraai: "De monumenten hadden de grillen van de natuur ternauwernood getrotseerd, maar die van Ceauşescu overleeft niemand."'

Het Văcăreşti-klooster. Een kunststukje in de Roemeense architectuur, wist Remus. Het klooster was hem bijgebleven dankzij een of ander boekwerk over godsdienstige gebouwen in Walachije, de bakermat van Roemenië, dat hij had geruild tegen een Franstalige roman van Dumas. Hij kon zich voorstellen dat een geschiedkundige en tevens architect zijn televisie voor de serene schoonheid van het Văcăreşti-klooster wilde opofferen.

De rimpels van grootmoeder trokken samen.

'Arme man. Hij kreeg alleen nog maar halve woorden over zijn lippen. In een polonaise van pijn verdwenen de tranen in zijn baard.'

'Arme man,' herhaalde Pinu, ietwat onverschillig.

'Arm Roemenië,' vulde Remus aan. 'Als het Gordijn ooit valt, bestaat ons land enkel uit littekens. In ziel en steen.'

Daar dachten ze alle drie over na, terwijl grootmoeder de appeltaart met een broodmes in vierkante stukken verdeelde.

'Eet en vergeet,' zei ze tegen Remus en Pinu. 'De appels komen van de neef van de onderbuurvrouw, die zijn grond wist te behouden.

Waarschijnlijk heeft hij zijn buren verlinkt, smerige zigeuner die hij is, maar dat proef je niet aan de appels af.'

'Een collectieve appeltaart. Nachtmerrie voor het oog. Droom van het socialisme.' Stukken hete appel en bladerdeeg vlogen uit Remus' mond terwijl hij het statement probeerde te maken. Met zijn hand ving hij de restjes op onder zijn kin, niets mocht verloren gaan.

Pinu mompelde goedkeurend een 'verrukkelijk'.

'Meer krijgen jullie niet. De buurvrouw komt de schaal ophalen om langs de deuren van de ei-, meel-, bloem- en kruidensponsors te gaan.' En inderdaad: de buurvrouw stapte niet veel later, gelokt door de zeldzame geur van verse appeltaart, de keuken binnen om het wonder te aanschouwen en langs de deuren mee te nemen. Grootmoeder liep mee om de complimenten en felicitaties te ontvangen. Bij partijleden en vermoedelijke informanten zette ze een giftig glimlachje op, bij de betrouwbare buur vervloekte ze diezelfde "vuile klootzakken en namaak-Kozakken".

Pinu moest er vandoor.

'Atletiek,' mopperde hij. Hij kon rennen als geen ander. Op de club werd hij "de neger" genoemd. Er waren weinig negers in Roemenië. Het waren zoons of dochters van diplomaten of studenten van het Afrikaanse continent. Geen reguliere negers. Geen rennegers. De meeste negers van Roemenië verbleven op de illegale cassettebandjes met Amerikaanse muziek die door het land circuleerden, tot grote ergernis van de partij. Ze schenen net zo te rennen als ze muziek maakten.

De directeur van de atletiekclub zag in Pinu een visitekaartje voor de Socialistische Republiek Roemenië. Een Olympische gouden plak. Een gouden plak voor Pinu is een gouden plak voor het communisme. Een gouden plak voor de Leider, een gouden plak voor de directeur. Geen neger zou Pinu stoppen.

Een probleem: hij had een ongelofelijke hekel aan atletiek.

'Sterkte,' zei Remus tegen hem.

Remus wachtte tot Pinu vertrokken was. Toen likte hij het taartmes schoon en vouwde eindelijk de brief open.

Beste heer Tomescu,

Remus had aan zijn vrienden voorgesteld dat brieven op twee manieren moesten beginnen: 'beste heer achternaam' of 'hallo voornaam'. In het eerste geval veinsden ze een afstandelijkheid om de geheime dienst niet wijzer te maken dan nodig. Bovendien betekende alles precies het tegenovergestelde. Remus hield van de communisten met heel zijn hart en ziel, zulk werk.

De informele aanhef gebruikten ze als ze zeker waren dat niemand de brieven zou onderscheppen. Remus had nog nooit een informele brief geschreven.

Zoals altijd wil ik beginnen met: ik houd van de Socialistische Republiek Roemenië met heel mijn hart en ziel. Als ik ook maar enig muzikaal talent zou hebben, zou ik een loflied schrijven op de Leider. De Grote Leider, zou ik willen zeggen. De Slimme, de Reddende, de Nadenkende, de Sociabele, de Vriendelijke, de Grote en Grootste, de Wijze, de Charmante, de Billijke, mijn, onze Leider. Ik kom superlatieven te kort om mijn liefde voor de Leider te beschrijven.

Wat hebben we het toch goed in dit land. Vroeger, ten tijde van de Duitse grillen en vooruit: ook de eeuwen daarvoor, onder de vleugels van de Turken en de Russen, ging het buitengewoon slecht met Roemenië. Niemand was vrij. Maar de communisten hebben het systeem gerepareerd. Lang leve de Leider, lang leve de communisten. Helden zijn het!

Maar als ik heb gedronken, zeg ik soms zorgelijke dingen. Dat weet u, omdat u er vaak bij bent. Uit onnadenkendheid, in een moment van psychische paniek, schreeuw ik leuzen die onwaar zijn. En schadelijk. Ik probeer deze momenten zoveel mogelijk in te perken. Ik doe mijn best. Waarachtig!

Het gaat gewoon niet altijd goed. Zoals gisteren. Ik heb er, dankzij mijn vader, even over nagedacht. Waarom doe ik dergelijke dingen?

Ik kan u mededelen: ik beloof mijn land eeuwig trouw. Ik wil hier zo láng mogelijk blijven. Dat hoort iedereen te willen. Iedere nadenkende Roemeen in ieder geval.

En u, heer Tomescu? Blijft u bij mij in deze prachtige socialistische republiek?

Ik groet u,
Emil Noica

Veel duidelijker kon Emil het niet verwoorden. *Ik wil zo láng mogelijk hier blijven.* Remus verfrommelde de brief toen hij de stem van zijn grootmoeder hoorde.

'Ga je alweer?' vroeg ze in het trappenhuis aan Pinu.

'Ik moet sprinten tegen een aantal jongens uit Boekarest,' antwoordde Pinu. De smart sijpelde van het woord 'sprinten'.

'Heb ik wel eens verteld wat mijn kleine Remus zei over de hoofdstedelingen toen hij na een weekend uit Boekarest terugkwam?'

'Mevrouw Tomescu, ik moet echt gaan,' zei Pinu, 'mijn hele familie wordt gestraft als ik te laat kom. Mijn excuses. Nog een hele fijne verjaardag, mevrouw.'

Grootmoeder gaf Pinu het laatste stukje appeltaart mee voor onderweg. Pas na driemaal weigeren stopte hij het alsnog bij zich.

'Ik wil hier zo lang mogelijk blijven,' fluisterde Remus. Diezelfde gedachte hiel hem de laatste tijd ook bezig. Maar was dat de oplossing, dacht hij direct daarna. Was dat nu nog de oplossing?

'Je bent anders vandaag,' zei grootmoeder toen ze weer binnenkwam met een lege schaal. 'Ben je ziek? Moet ik warme țuică met honing maken? Ik heb altijd een flesje voor noodgevallen in huis – verstopt, dus je hoeft niet te zoeken.'

'Mijn gezondheid is prima,' antwoordde Remus.

Grootmoeder sloeg met haar vuisten op de tafel en de hele flat wist nu dat er in dit appartement iemand werd ondervraagd.

Remus staarde naar het plafond, telde de scheuren in het beton. Moest hij het zeggen? Waarom ook niet?

'Ik ben bevangen door ogen.'

'Van wie?'

'Ik weet het niet.'

'Welke kleur?'

'Het was nacht. De ogen wilden niet gezien worden.'

'En jij zag ze toch.'

'Ik zag ze.'

Stilte. Ploffende sneeuwvlokken tegen het raam.

'Dan weet ik genoeg,' zei grootmoeder. Ze stond op en wilde haar vingers in zijn slapen drukken. Hij mepte haar handen van zich af.

'Ik wil erover nadenken,' zei hij en excuseerde zich met de kinderlijke glimlach die zijn grootmoeder altijd trof.

'Maar je bent betoverd,' zei grootmoeder streng. 'Betoverd door...'

Remus zuchtte, hij wist wat ze ging zeggen: '... de ogen van een zigeunerin'.

Steeds meer sneeuwvlokken bestormden het raam. Sommige ketsten af, anderen kletsten uiteen. Remus en grootmoeder keken ernaar en zwegen. Het was hun televisie. De beste televisie. Ceaușescu verscheen er nooit op, alleen achter. In het grijs, in de bouwwerken, in de voorbij rijdende tram. In de schuwe figuren, achtervolgd door andere schuwe figuren.

Beneden liep Pinu. Schichtig keek hij naar boven, verdacht op neerstortende televisietoestellen.

'Pinu komt wel vaak de laatste tijd hè?' vroeg zijn grootmoeder toen ze hem nakeken.

De vraag ontging hem.

Sneeuw drupte als water van het warme raam en werd meters lager door de lege parkeerplaats opgeslokt. Alles verdwijnt met het Văcăreşti-klooster, dacht hij. Hij hoopte vurig dat de ogen van de zigeunerin niet zouden verdwijnen.

Een mini-explosie van twee hoog bracht hem weer terug op de wereld. De ogen verdwenen. Heel even maar. Het was jammer dat Pinu niet een minuut of vijf langer was blijven hangen, grapte grootmoeder. Doctor Arcos bespeelde weer driftig zijn buiktrompet. Remus dacht aan de zachte gezichten van heiligen en hoe zij knetterden onder ijzeren bulldozers.

'Genoeg gekletst,' zei grootmoeder, die haar blik losrukte. 'Jij moet boodschappen doen voor je jarige grootmoeder.'

Een onbekende weldoener had nog voor zonsopgang kruiden in twee enveloppen onder de deur door geschoven. Op een daarvan stond een boodschap: *U mag één van de verjaardagswensen aankruisen: nog vele jaren of een paar gelukkige jaren.* Grootmoeder had geweigerd te kiezen, ondanks aanhoudend aandringen van Remus. Zolang zij geen van beide aanvinkte, zou de schenker zich kunnen openbaren. Zo was haar gedachtegang. Remus was juist het tegenovergestelde van mening. Maar grootmoeder weigerde erover te discussiëren. Toen hij er opnieuw over begon, dirigeerde ze hem naar de voordeur. Hij werd door haar aan het werk gezet om gehakt en koolbladeren te regelen waar de kruiden volgens haar zo naar snakten.

'Kool, gehakt,' somde ze nogmaals op, terwijl Remus de deurklink vasthield. 'En een citroentje. Alles tezamen maakt een fantastisch verjaardagsdiner. Succes.'

Ze had hem net zo goed kunnen vragen om Moldavië terug te veroveren van de Sovjets, dacht Remus terwijl hij door de stad slenterde.

De winkels waren barstensvol, vol met wachtende mensen. De schappen waren leeg – als er überhaupt schappen waren die niet ergens dienstdeden in een bibliotheek of gemeentehuis. Achter een balie stonden twee wrevelige wijven broden, toiletpapier, koffiebonen, maïsmeel of handdoeken uit te delen. Er was altijd te weinig. Wilde je een feest geven of simpelweg niet verhongeren, dan rolde je een aantal sigaretten in een voedselbon en gaf die aan de voedselverdeler tegenover je. Als dat goed ging, lachte het wijf haar gerookte tanden geel en kon je een extraatje verwachten.

'Wat geeft de goedgeefse Leider ons vandaag te eten?' vroeg Remus aan de vrouw voor hem. Alleen een Roemeen kon deze vraag op twee manieren stellen en interpreteren zonder misverstanden. De lijn tussen sarcasme en geslijm was ragdun en alleen hoorbaar voor Roemenen. De vrouw haalde haar schouders op. 'Het zal geen feestmaal zijn, jongeman,' zei de vrouw.

De rij was langer dan Remus had gehoopt; hij had te veel tijd gestoken in de ochtend. Hij telde een boerendorp aan Russische wintermutsen voor zich.

De koude hield zich koest. Moeder natuur was nog uitgeput van de min dertig van vorig jaar. Met een schamele min vijf en sneeuw tot de enkels was Nicolae Ceauşescu dit jaar weer de ijskoudste van het land.

'Maar dat is wel wat ik nodig heb,' antwoordde Remus. En nog voordat hij een boze blik wegens verwaand gedrag van de vrouw moest incasseren, verklaarde hij dat zijn grootmoeder vandaag zeventig jaar was geworden, 'vandaar'.

Ze boog zich voorover, ervan verzekerd dat niemand kon meeluisteren. 'Zeventig in West-Europese jaren. Aan deze kant van het Gordijn is je oma bijna driehonderd. Wij worden behandeld als de straathonden van Boekarest. Dus hier verjaren we als honden.'

'Bent u in het westen geweest?' vroeg Remus, niet zonder enige jaloezie.

'Ik ben er nog steeds,' fluisterde de vrouw onverstaanbaar. Remus las het antwoord van haar lippen die na het laatste woord bevroren in een mistroostige glimlach. De vrouw wees naar haar hoofd, bedekt met een vaalroze muts. Het merkje – een uitgerekte komma, een scheve grijns – lachte de Russische bontmutsen tegenover hen uit. Een echte Nike-pet. Een simpel souvenir, gedragen als een kroon.

'In gedachten. Zorg dat jij er ook komt.'

Remus was nergens liever. Met zijn ogen dicht waande hij zich in Rome of Florence, maar dat was niet afdoende. Hij wilde het zien met zijn eigen ogen, voelen, proeven. Pizza goddomme. Maar een visum krijgen voor het buitenland was lastiger dan ooit. Zelfs een slof sigaretten stond niet garant voor een ticket naar Parijs, Amsterdam, Rome of Wenen. Er werden huizen en auto's voor aangeboden, maar een visum bemachtigen bleef moeilijk. Roemenen hoorden in Roemenië. Vakantiegangers konden naar het stuk kust aan de Zwarte Zee of, als het echt moest, naar Bulgarije of de Sovjet-Unie. Westelijker dan Oost-Duitsland werd het niet. Nee, dan blijf ik maar met gesloten ogen in Roemenië. Of misschien ook niet, peinsde hij, en in gedachten nam hij Emils brief opnieuw door.

'Sandalen?' schreeuwde een lijzige man vooraan de rij. 'De sneeuw vreet van mijn dochters voeten en jullie delen sandalen uit? Ik vervloek jullie en dit vervloekte land.' Er waren drie wetshandhavers nodig om hem weg te slepen. 'En dan ook nog maat 46!' Hij spartelde tevergeefs tegen toen ze hem in de achterbak van een krappe Dacia gooiden. 'Mijn god! Roemenen met zulke voeten bestaan niet!' De klep klapte dicht. De rij schudde collectief zijn hoofd. Afwijzend en instemmend; niemand wilde het van elkaar weten, maar ze wisten het.

Zo shopte men in Oost-Europa. Je ging op zoek naar een fles melk en kwam thuis met een nieuwe tandenborstel. Of sandalen. En als je erover mopperde, werd je in een achterbak meegevoerd naar een donkere plek met een brandend peertje boven je hoofd, waar heel rap werd onderwezen wat dankbaarheid inhield. Heropvoeding of de dood.

Met de sandalen in zijn handen werkte Remus rij na rij af. Het gehakt vond hij in een winkel aan de andere rand van de stad – een zak waarvoor hij een half maandsalaris betaalde.

In de tram terug naar het hoofdplein sprak niemand. Men keek naar de grond of naar buiten. Sommigen hielden hun ogen gesloten, zodat ze zich niet hoefden af te vragen wie van de geheime dienst was. Of lastiger te onderscheiden: de verklikkers. Remus stond naast een oud mannetje wiens grijze hoofd door de tijd naar de grond werd geduwd. Hij kneep zijn ogen dicht, waardoor Remus hem schaamteloos kon opnemen. Van zijn schoenen was niet veel over; Remus zag meer sok dan leer. De jas was daarentegen luxueus gevoerd en ook de hoed verraadde een zeer degelijke kwaliteit. Hij bekeek het gelaat van de man: keurig geschoren en getooid met afdoende rimpels die een schamel pensioen garandeerden. In zijn hand droeg hij een doorzichtig plastic zakje met daarin genoeg kool voor het hele flatgebouw.

'Excuseer mij meneer. U hoeft uw ogen niet te openen,' begon hij, 'maar mijn grootmoeder is jarig en ik zou haar graag verblijden met kool.' Onder de hoed sprong een oog open. Dat oog had te veel zien omslaan, dacht Remus. Dat oog herinnerde zich de gouden tijden voor de laatste wereldoorlog en de dictatoriale veranderingen die daarna volgden. En nu inspecteerde datzelfde oog Remus op onvolkomenheden. 'Ik vroeg mij enkel af waar u die tas heeft gevuld,' zei Remus, enigszins ongemakkelijk.

'Broer,' antwoordde de man bruusk.

'Spijtig,' zei Remus die hoopte op een winkel in de buurt.

Een jongeman in een lange flappenjas leek hun gesprek af te luisteren. Of hij bestudeerde krampachtig de vloer van de tram. Niemand wist het. De oude man sloot zijn oog weer.

'Hij is gepromoveerd van een heer van adel naar boer.'

'Ah,' antwoordde Remus veilig, op de toon van 'dat spijt me te horen'.

De oude man haalde zijn schouders op: 'Hij leeft tenminste nog'.

'Daar weet mijn grootmoeder alles van.'

De man knikte. Bojaren onder elkaar, begreep hij.

'Ik kan u mijn sandalen in ruil aanbieden,' probeerde Remus.

Met zijn ogen dicht sloeg de oude heer het aanbod af en wees naar zijn schoenen. 'Uit Milaan van voor de oorlog. Topkwaliteit. Een beetje veel gebruikt, dat wel, maar ik laat ze repareren zodra ik de kans krijg.'

'Ik werk in een schoenherstellerij,' zei Remus. In de stilte verschool een aanbod.

Het oog sprong weer open. 'Maar wat bent u?'

'Een dichter. Ik schrijf versjes.'

De man propte twee kolen in zijn jaszak en overhandigde de rest aan Remus. 'Onze klasse moet kunst kopen, niet maken,' bromde hij. Remus bedankte de man alvorens te zeggen dat hij geen certificaat had om kunst te maken. De man knorde goedkeurend en sloot zijn ogen weer. Einde gesprek.

'Feliciteer je grootmoeder namens mij,' zei de man toen Remus uitstapte.

Dat deed hij, twee keer zelfs, omdat hij vergeten was of hij de felicitatie had doorgegeven. De gasten zaten bil aan bil aan de keukentafel. Tussen de verhitte discussie door at het gezelschap een klein wonder: koolrolletjes gevuld met varkensgehakt en rijst, eigenhandig gekruid met tijm en peterselie.

'Zonder mijn weldoeners had ik mij niet jarig gevoeld,' verkondigde grootmoeder onder het eten. 'De een schonk mij de kruiden en de ander de kool. Er bestaan nog heren in dit land. Dat is mijn ware cadeau.'

Remus kuchte. 'Vergeet de citroenen niet. Die waren pas echt lastig te krijgen.'

'En de citroenen,' grootmoeder kuste zijn wang, 'hebben we te danken aan mijn kleinzoon, die zo wonderwel weet te manoeuvreren in de communistische samenleving.' De gasten riepen bravo of klapten de levenslijnen dieper in hun handpalmen.

'Ik had bijzonder veel geluk,' verklaarde Remus.

Geluk of niet: het gerecht wordt een stuk frisser door het citroensap,' zei grootmoeder. 'Het zuur vecht tegen het vet. Daardoor hebben jullie vast nog wel ruimte voor een dessert.'

Terwijl ze een chocoladetaart improviseerde met Eugenia-biscuitjes en chocoladepudding, schonk Remus tot joelend genoegen van de gasten een fles pruimenjenever leeg. 'Ik heb doctor Arcos van twee hierboven ook uitgenodigd,' zei grootmoeder.

'Een knappe man?' informeerde een vriendin een tikkeltje teut. Haar man Constantin goot de ţuică in het verkeerde keelgat en hoestte luidruchtig.

'Het is een timide en ietwat terneergeslagen heer die wel een verjaardagsetentje kon gebruiken,' antwoordde grootmoeder. 'Maar helaas heeft hij mijn uitnodiging niet beantwoord.' Ze haalde haar schouders op en serveerde de taart van chocoladepudding en biscuitjes. *Poftă bună*, eet smakelijk.

Constantin liet een boer brullen. Zijn vrouw prikte haar puntige elleboog in zijn zij. 'Een oprispinkje om mijn maag te verlichten,' verontschuldigde hij zich. 'Mijn communistische buik is deze zware maaltijd niet gewend, ondanks de citroentjes.'

'Wat ben je ook een Turk,' zei grootmoeder tegen Constantin, half grinnikend, half verwijtend. 'Dat heeft niets te maken met de citroenen die Remus heeft geregeld.'

Dat mocht hij hopen, want het had hem enige moeite en een mespuntje geluk gekost om de citroenen te regelen zonder dat zijn grootmoeder haar geduld had verloren.

De tram rolde achter hem vandaan. De oude man zwaaide met een kool in zijn hand. Remus vroeg zich af waar hij citroenen vandaan moest halen. Via een nauwe steeg opende het centrale plein van Braşov, *piaţa 23 august* – het 23 augustusplein –, waar de Saksen in de middeleeuwen hun marktkraampjes uitstalden in de tijd dat de Roemenen bij de stadspoort werden geweerd. Op *der Marktplatz* werden pompoenen verhandeld, heksen in de hens gestoken en hoofden van rompen gescheiden. Germaanse hobby's. Nu behoorde het plein toe aan geparkeerde Dacia's. De scharrelende zigeuners brachten enige levendigheid op het verder uitgestorven plein. De Zwarte Kerk keek toe hoe de massa zich doelgericht verplaatste van werk naar huis en weer terug. Remus week van het patroon af door op een jonge Rrom, een zigeuner, af te sjokken. De jongen wilde wegrennen, preventief, maar Remus hield hem staande door te glimlachen en te zwaaien met zijn sandalen.

'Kun jij een citroen of twee, drie regelen?' vroeg hij de zigeunerjongen. 'Nog voor de klok twaalf slaat,' hij wees naar de torenklok, 'en je verdient deze sandalen.'

'Wat moet ik met sandalen, idioot?' vroeg de jongen. Zijn vriendjes en vriendinnetjes kwamen bij hem staan, nieuwsgierig naar de woorden van de gadjo. Een van hen keek in het zakje met kool.

'Interesse in wat kool?' vroeg hij hen – hij had toch te veel kool; of eigenlijk te weinig varkensgehakt aangezien een Roemeen niet gauw te veel eten had. 'Degene die mij geeft wat ik vraag, krijgt er een sigaret bij.'

Zonder te antwoorden sprintten de kinderen uiteen. Remus sjokte naar een staatsbar om een koffie te bestellen – hij had ook naar het dichtbijgelegen koffiehuis La Nisip kunnen gaan, maar daar durfde hij niet heen. Niet nu.

'Er is geen koffie,' zei de barman loom.

Thee ook goed. Prima. Remus hield niet van thee, maar zijn pakje sigaretten was bijna leeg en aangezien hij ze wellicht nog nodig had, kon hij de barman niet bewegen tot het zetten van koffie. Remus was de enige in de bar. Desalniettemin had de barman het verschrikkelijk zwaar met het theezetten, getuige zijn zuchten. Terwijl de eerste zigeunerkinderen met lege handen terugkwamen om tikkertje te doen op het plein, kreeg Remus een dienblad met honing en zwarte thee geserveerd. De damp klom uit het kopje, waarin iets dobberde als een schip in de mist. Een geel schip. Een partje citroen. Remus viste het eruit met zijn lepel.

'Heeft u meer citroenen?' vroeg hij aan de ober. Het antwoord was meer geblaas dan een 'nee'. 'Ik heb nog wat sigaretten.'

'Roemeense sigaretten?' vroeg de barman loom.

'Marlboro,' antwoordde Remus. Het toverwoord. Hij ritselde met het pakje.

'Een moment.' Er werd gezocht, gegraaid en tot slot gevloekt. 'Ik heb nog maar drie citroenen liggen.'

De barman loste het startschot voor de onderhandelingen, waarin Remus de overhand had. 'Drie is zat, maar niet genoeg voor dit bijna lege pakje Marlboro.'

En toen was er ineens weer koffie: 'Geef me de sigaretten en je krijgt een kop koffie van het huis erbij.'

'Ik houd een sigaret voor mezelf,' zette Remus in. 'En ik hoef mijn portemonnee niet te trekken.'

Het koffiezetapparaat – Italiaanse import – pruttelde een akkoord.

Op het plein keek de zigeunerjongen die Remus had aangesproken om zich heen. Met een sigaret achter zijn oor trad Remus de koude tegemoet. De klok sloeg twaalf. 'Precies op tijd,' zei hij tegen de jongen.

'Er zijn geen citroenen in de stad,' zei de jongen. Hij spuwde op de grond.

Er viel Remus wat in. Hij hield de jongen die alweer weg wilde lopen staande, plukte de sigaret achter zijn oor vandaan en hield hem voor de neus van de Rrom. De jongen griste ernaar, maar Remus verborg de sigaret in zijn gesloten handpalm.

'Ik zoek een zigeunerband die gisteren in de kroeg om de hoek speelde.' Hij keek hem scherp aan. 'Er is een meisje dat met hen mee-doet. Zij rent weg met de "inkomsten" van die avond. Zij heeft iets van me gestolen en ik wil haar daarvoor bedanken. Kun je me helpen, kameraad knaap?'

De zigeunerjongen spuwde nogmaals op de tegels. Remus wierp de sigaret naar hem en bedankte hem voor de moeite. Stoom spoot uit zijn mond en neus toen de jongen achter zijn vriendjes en vriendinnetjes aanrende om mee te doen met tikkertje. Iets anders viel niet te verwachten, maar de herinnering dwong Remus het te proberen. Hij wilde haar weerzien, vaker en vaker.

'Je bent zelf een Turk,' foeterde Constantin tegen grootmoeder, om er daarna welgemeend *doamna*, 'mevrouw', aan toe te voegen. Het leverde hem nog een elleboog van zijn vrouw op. Er steeg een rumoer op.

'Ach, ach,' suste grootmoeder. 'Wie weet wie Roemenen zijn? Van wie stammen we af? Bestaan we wel?'

Constantin dook onder de tafel en controleerde het tafelblad.

'Een vriend van mij liet bij hem thuis een glas vallen. Duizend stukjes.' Constantin krabbelde weer omhoog en gebaarde hoe het glas uiteenspatte. 'Hij liet zich op zijn knieën vallen en zag dat er iets vreemds op de onderkant van zijn tafel was geplakt. Een microfoon. De Securitate hield hem in de gaten, misschien al weken, waarom weet hij tot op de dag van vandaag nog steeds niet. Op een dag kwam hij terug van het werk en controleerde zoals elke avond de onderkant van het tafelblad. Leeg. Microfoon weg. Waarschijnlijk konden ze zijn plotselinge en eeuwigdurende odes aan Ceaușescu niet meer aanhoren.' Constantin grijnsde verbitterd. 'Dat zijn Roemenen,' fluisterde hij. 'Bangeriken. Lafaards die gewend zijn om onderdrukt te worden.'

'En daarom horen we onderdrukt te worden,' beaamde Remus sarcastisch.

Daar was niet iedereen het mee eens en dat was direct hoorbaar.

De hele flat kon de discussie over de Roemeense identiteit volgen, dacht Remus enigszins angstig toen hij de voordeur opende omdat er aangebeld werd door zijn vrienden Emil, Pinu en Nicu.

'We komen je grootmoeder feliciteren,' zei Emil.

'En jou hieruit redden,' completeerde Nicu toen hij de discussie hoorde.

'Emil is vrijgelaten door zijn vader,' zei Pinu, wijzend op Emil, alsof Remus' ogen defect waren, 'dus we zaten aan een kroegje te denken. Ga je mee?'

Remus knikte en liet zijn vrienden binnen. De stemmen vielen een seconde stil om te controleren of goed volk binnenviel, maar al snel werd er weer geprikt en afgeweerd met Turk, Hongaar, Rus of zigeuner.

Uiteindelijk nam de beste vriendin van grootmoeder het woord en haar nobele afkomst kreeg iedereen stil. De communisten konden weinig doen tegen een stevige stamboom. Of misschien was het haar ongebruikelijk imposante omvang die respect afdwong.

'We zijn allemaal geboren rond de Balkanoorlogen, op de kinderen na.' Haar onderkin versterkte elk woord. 'Wie van ons is volbloed Roemeen? Volgens mijn wijlen moeder,' met haar vette duim, wijs- en middelvinger sloeg ze een kruis, 'ben ik ontsproten uit Roemeens adelzaad. Maar ik herinner mij haar schalkse blikken naar onze Saksische buurman op een van zijn magnifieke buitenfeesten. Mijn moeder stierf vlak nadat hij door de communisten was gedeporteerd naar Siberië. De dokter noemde het een hartkwaal en dat was het ook. Het was gebroken.'

'Ik ben volbloed Roemeen,' zei Constantin en hij sloeg zichzelf op de borst. 'Dus ik laat me geen Turk noemen. Door niemand.'

'Je bent een volbloed idioot,' giechelde zijn vrouw. Ze werd rood en kreukelde haar servet. Verder hield ze zich afzijdig: zij was sowieso geen Roemeense. Meer dan dertig jaar geleden was ze samen met haar socialistische ouders uit het noorden van Griekenland naar Roemenië gedeporteerd. Griekenland was blauw-wit; voor roden was geen plaats.

De onderkin eiste weer het woord.

'Er leefden Hongaren in het hart van het land, Duitsers in, Grieken en Turken aan de kust, Slaven aan de noord- en zuidgrens en zigeuners in de aderen van Roemenië. Ik kan net zo goed Saksisch bloed hebben als jij Turks.' Haar dikke vinger wees naar Constantin.

'Misschien ben je wel een vuile sovjet,' diende hij haar van repliek. 'Daar begint het wel op te lijken.'

Nog voordat de onderkin kon reageren, sloeg Pinu het dispuut dood: 'Beter een halve Oost-Duitser dan een dertigste West-Duitser.'

De banken om de eettafel kraakten ongemakkelijk.

'Wij laten jullie oudjes alleen,' kondigde Remus aan en hij aaide zijn grootmoeder op haar rug. Hij voelde haar botten door haar mooiste jurk, haar zwarte feestjurk, met glitters die alsmaar losschoten. Zijn vrienden feliciteerden haar nogmaals. De gasten hieven hun hand op. Geruisloos.

Op de trappengang zagen ze doctor Arcos op een trede zitten. Hij had een bloemenboeket in zijn handen dat Remus herkende van het stadspark. Doctor Arcos leek hen niet op te merken, totdat Remus tot tweemaal toe zijn naam riep. 'Ik rook sarmale,' antwoordde de man, refererend naar de koolbladeren. 'Daar ben ik dol op.'

'Er is nog over,' zei Remus. 'Wonder boven wonder.'

'Is het al zo laat?' zei doctor Arcos zonder op zijn horloge te kijken. 'Ik vrees dat ik dit jaar moet overslaan. Nog gefeliciteerd met je grootmoeder, jongen.'

Doctor Arcos beklom de trap in tegenovergestelde richting van Remus en zijn vrienden. 'Dat was toch de buiktrompettist?' vroeg Pinu.

4

Florica probeerde de plooien in haar rode jurk recht te strijken, maar dat was tijdverspilling bij een plooi-jurk. Dat begreep ze zelf ook wel. In werkelijkheid streek ze haar zenuwen recht. Haar moeders stem stormde door haar hoofd, terwijl ze tegen het glas voor het loket tikte: 'Waar ga je verdomme heen? Je moet je zusje naar school brengen. En vandaag komt je oom, dus je bent hier nodig.'

'Wat komt hij doen?' had Florica gevraagd.

Haar moeder negeerde de vraag en zei dat ze moest opschieten, wat ze ook in godsnaam moest doen deze ochtend. Florica verbande haar oom uit haar gedachten en liet haar jurk met rust.

'Precies op tijd,' hijgde ze tegen de bruuske vrouw die zojuist met onmiskenbare tegenzin het loket had geopend. '*Cioba*, Florica,' stelde ze zich voor.

De vrouw tikte met haar nagels op haar bureau, terwijl ze de naam opschreef. De wrat op haar ingevallen wang ging bij elke pennenstreek op en neer.

'Huidig werk?' Ze sprak in staccato.

'Geen,' gaf ze toe. 'Daarom meld ik me juist bij u.'

'Brutaal,' mompelde de vrouw en ze schreef weer iets op het papier. Haar borstelige wenkbrauwen zakten nog dieper naar haar ogen. Florica vroeg zich af of het een constatering of een vermanende vraag was. Ze moest zichzelf in toom houden, dacht ze, terwijl de vrouw het papier opvouwde en opstond. Zuchtend en steunend stortte ze zich op de archiefkasten.

'Zitten en wachten!' Ze wees naar de plastic stoelen tegen de grijze muur.

'Vieze zigeunerin,' voegde Florica er in gedachte aan toe, want ze wist zeker dat de vrouw dat dacht.

Florica liep naar een stoel in de hoek en schudde haar hoofd. Haar vlechten bewogen mee. Ze kneep haar handen samen om rustig te blijven. Wat had ze ongelofelijk veel zin om de wrat van de vrouw uit haar wang te draaien. Ze keek hoe haar knokkels wit wegtrokken toen ze haar vuisten balde.

'Werken moeten we allemaal,' zei een man tegen Florica. Door haar ingetogen razernij had ze hem niet horen aankomen. Hij ging naast haar zitten. 'Er bestaan ergere dingen. Zoals de gevangenis,' glimlachte de man. Ze bestudeerde hem. Zijn wallen steunden op zijn wangen. Met veel aplomb legde hij zijn handen op zijn knieën. Ze waren onnatuurlijk rood en opgezwollen. 'Drie maanden, wegens werkweigering,' verklaarde hij. 'De volgende keer wachten mij zes maanden. Maar die keer komt niet.'

'Dat is inderdaad erger,' zei Florica beschroomd.

'Bovendien,' begon de man, 'moet je in de gevangenis ook werken. Voor niets. En het is zwaar en gevaarlijk.'

'Eigenlijk wil ik verder studeren, maar dat mag niet van mijn vader en al helemaal niet van zijn broer. Ik moest de toelatingstest van de universiteit verpesten. Maar ik had het kunnen halen. Dat weet ik zeker.' Haar vader werd woest toen ze voorstelde om verder te leren. Zelfs grootvader durfde er niet tussen te springen, dacht ze terug. 'Mijn vader wil dat ik hem help met,' ze zweeg even, 'zijn zaakjes. Maar dat wil ik niet. Dus daarom ben ik hier. Als ik ga werken, verdwijnen mijn problemen misschien.' Daar was Florica van overtuigd, al vond ze haar redenatie opeens klinken als die van een klein meisje.

'Dit land heeft een oplossing ontwikkeld op alle problemen: harder werken, dan vergeet je het probleem vanzelf.'

'Ja,' fluisterde ze en ze wendde haar blik af. Aan de linkermuur hing een staatsieportret van Nicolae Ceaușescu. De klootzak, dacht Florica, ook al waardeerde ze zijn pogingen om de Rroma in de maatschappij te betrekken. Aan de lopende band of als stratenveger, dat wel. Tegenover hem aan de andere muur hing zijn vrouw Elena. De Moeder van de Natie hing een beetje scheef, tot grote tevredenheid van de man naast Florica.

'We hebben geen keuze, jij en ik. Opstandigheid helpt niet.' Hij knikte naar zijn handen die nog steeds onbewegelijk op dezelfde plek lagen. 'Dus we moeten het leven uitzitten en genieten van de kleine geneugten die onze voorgeschreven wereld uit balans brengen. Zoals een scheefhangend portret.'

Florica begreep maar al te goed wat hij zei. Ze zat haar leven ook uit. Ze keek naar haar eigen handen, naar de lak op haar nagels die zo te lijden had onder de schoonmaak na het huwelijksfeest. Ze voelde de woorden van de man. Sinds haar geboorte deed ze niets anders dan uitzitten. Maar dat ging ze veranderen.

Ze hoopte werk te vinden in het uiterste noorden van het land. Een goede baan, ver weg van hier. En als die baan uitbleef, dan. Dan.

'Als ik thuiskom van school, is onze oom er toch?' had Lala 's ochtends gevraagd voordat Florica vertrok en haar zusje had bevolen om over een uur voor het huis klaar te staan.

Zonder te antwoorden, draaide Florica zich om. Ze was weggerend, zo snel als ze kon, ook al had ze nog ruim de tijd.

De oom behoorde niet tot de duizenden ooms die ze had. Dit was haar echte oom, de broer van haar vader. Hij was de *bulibaşa* van hun gemeenschap. De leider, de baas, de chef. De opperoom. Ze rilde als ze aan hem dacht. Zijn snor zo zwart als git verborg zijn gedachten. In zijn lies had hij een tatoeage met 'big boss' laten zetten door iemand die wel kon lezen en schrijven. Het goud om zijn nek deed hem krom lopen. Als hij liep.

De communisten hadden zijn familie uit elkaar gehaald, maar stuktrekken konden ze hen niet. Haar vader werd opzichter van het gewezen herenhuis aan de rand van de stad en zijn broer bleef in het kamp tientallen kilometers van hen vandaan. Maar zo nu en dan liet hij zich in de stad zien om te demonstreren aan wie Florica, haar vader, haar broertjes, zusjes en ooms toebehoorden. Soms bleef hij een dag en een nacht, maar hoe ouder Florica werd, hoe langer de bulibaşa bleef. Hij begroette iedereen persoonlijk bij aankomst. Hij paradeerde zonder shirt langs zijn gemeenschap in de stad; alleen goud, tatoeages en donkere haren bedekten zijn huid. Ook in de winters. Juist in de winters. De liefde van zijn Rroma hield hem warm, verklaarde hij toen Florica's vader hem vroeg waarom hij zijn shirt niet aanhield. Florica kreeg iedere keer kippenvel van zijn intocht, omdat ze wist wat dat betekende. Zijn lippen zouden haar hand kussen, onder zijn gedraaide snor zou hij glimlachen en uit zijn mond van goud kwamen stinkende zinspelingen. Ze zou hem voorgaan op de trap en bibberend de gouden klink beroeren om de deur voor de bulibaşa te openen. Eenmaal zei ze 'welkom thuis oom', waarop hij haar zo hard sloeg dat ze sindsdien een stuk hoektand miste. Een zigeuner had geen thuis, doceerde hij haar, en als hij een thuis zou hebben, was dat in het kamp. Daarna hield Florica het bij 'welkom'.

Florica wipte op de stoel. Het leek haar geen goed teken dat haar oom nu naar de stad kwam. Ze had een slecht voorgevoel. Als ze geen baan voor haar zouden vinden, dan zat er nog maar een ding op. Dat realiseerde ze zich. Het lot had haar een andere optie in de schoot geworpen. Maar daar wilde ze nu nog niet aan denken.

Ze vroeg zich af of ze nog lang moest blijven wachten op de loket-medewerkster. De tijd tikte. Ze wilde niet dat Lala te laat op school zou komen. Een meetlat kwam hard aan.

Achter het loket werd druk gewerkt. Dat wilde de vrouw illustreren door met haar pen tegen haar tanden te klakken, gebogen over een stapel formulieren. Met een hele diepe zucht stond ze op en verdween door een deur.

'Die zien we voorlopig niet terug,' voorspelde de man.

'Wat gaat ze dan doen?' vroeg Florica.

'Dat vragen heel wat lui zich af. Niemand weet het,' zei hij mysterieus, 'maar ik vermoed dat ze uitgebreid gaat zitten lachen op het toilet. Wie zal het zeggen?'

'Waarom wilde u eigenlijk niet werken?'

De man haalde zijn schouders op.

'Ik wilde vrij zijn. Zo vrij als jullie zigeuners.'

Zijn ogen straalden, maar Florica had de neiging om de twinkeling met haar lange nagels uit zijn ogen te prikken. Dat was niets voor haar, maar ze was het zat om te zijn wie ze was.

'Ik ben Florica,' zei ze verontwaardigd. 'En ik wil werken voor ons Roemenië.'

Ze schoof demonstatief een paar stoelen op en staarde onafgebro-ken naar Elena Ceaușescu. De Moeder lachte naar haar, maar ze keek bits terug. Dat vond een portret niet erg. Ze begreep niet goed waarom, maar Florica wist wel dat ze haar en haar man Nicolae aan de overkant verafschuwde. Een Koninklijke haarcoupe maakte van een analfabete boerin nog geen koningin, dacht ze. Net zo min als een baan van haar een Roemeense zou maken, maar die gedachte wuifde ze weg.

'Het zigeunerleven is mooi,' had haar grootvader niet lang geleden gezegd toen ze hem had gevoerd met een gevonden fles sterke drank. 'Maar we zijn gevangengenomen door grenzen. Zijn we nog wel Rroma als we niet meer langs rivieren trekken? Zijn we nog wel Rroma als we voor de staat werken, zij aan zij met anderen aan de lopende band?' Een kreun vol melancholie. 'Als de gadjo's ons niet meer uitschelden voor zigeuners, zijn we geen zigeuners meer.'

'Wilt u niet meer uitgescholden worden?' Florica verborg de vraag in een fluistering.

Een traan hupte in en uit de loopgraven die de tijd in grootvaders gelaat had gegraven. Het voldeed als antwoord.

'Ik in ieder geval niet.'

De man streek ongemakkelijk over zijn knieën. Zijn vingers tikten synchroon mee met de secondewijzer van de klok. Een plas sneeuw lekte van zijn schoenen.

'Genoeg,' besloot Florica resoluut. Ze stond op en voelde de ogen van de man haar volgen. Rustig, zei ze inwendig tegen hem, ik ga mijn werk niet weigeren: ik kom het opeisen. Ze tikte met haar knokkels op het raam en met haar vlakke hand op de loketlade. De deur ging weer open. Als de vrouw inderdaad plezier had in haar laten wachten, wist ze wonderwel haar gezicht in een chagrijnige plooi te houden. Misschien werden ze daarvoor opgeleid, dacht Florica.

'Heeft u werk voor me gevonden?' vroeg ze.

De vrouw drukte haar leesbril op haar neus.

'Volgens het archief was u vorig jaar niet aanwezig bij de spontane mars voor de Socialistische Republiek Roemenië ter ere van de Leider en zijn vrouw, die de staatstelevisie heeft opgenomen om de leugens van het buitenland omtrent de staat van ons land te weerleggen. Correct?'

'Ik zat op school,' zei Florica.

'Aha.'

Florica keek ongemakkelijk om haar heen. Waarom had ze zich eigenlijk opgedrongen? *Domme zigeunerin die je bent*, dacht ze.

'Ik moet werken om vrij te zijn,' zei ze, omdat ze de stilte niet de baas kon.

De vrouw bestudeerde haar plotseling intensief en vroeg kortaf: 'Ben je een Duitser?'

'Zie ik eruit als een Duitser?' De vrouw werkte Florica op haar zenuwen.

De vrouw trok haar neus op. Ze verduidelijkte haar vraag: 'Ben je een nazistische zigeuner?'

'Ik begrijp het niet,' stamelde Florica, die alle bravoure uit zich voelde wegebben en de nederigheid innam die gebruikelijk was tegenover ambtenaren.

Met dat antwoord leek de vrouw genoegen te nemen, meer uit luiheid dan uit de overtuiging dat Florica de waarheid sprak.

'Bent u lid van de partij?'

'Nee mevrouw'.

'Juist.'

Weer de stilte. Florica besloot nu niets te zeggen. Ze voelde hoe de ogen vanachter het loket over haar plooi-jurk en vlechten gleden. 'U krijgt nog bericht.'

'Dus u heeft werk voor me?'

'Er zijn zat fabrieken in het land waar een plaatsje vrij is aan de lopende band,' glimlachte de vrouw zuur.

'Maar ik kan lezen en schrijven,' hakkelde ze. 'En ik ben inventief en slim, volgens mijn grootvader dan, en lenig en vlug.'

'Dan kunt u vast goed inpakken en sorteren,' zuchtte de vrouw. 'Nogmaals: u krijgt nog bericht.' Ze keek dwars door Florica heen. 'Meneer?'

De man schuifelde langs Florica. Perplex keek ze hoe de man een pakje sigaretten in zijn persoonsdocumenten vouwde en deze in de loketlade legde.

'Goedemorgen,' zei hij braaf.

Achter het loket werd geknikt. De vrouw viel het scheefhangende portret van Elena Ceaușescu op.

'Wilt u misschien het schilderij een tikje geven, meneer, zodat het recht hangt?'

'Dat gaat niet,' antwoordde de man. Hij hield zijn rode handen voor het glas en haalde zijn schouders op.

Ontsteld, maar met een glimlach, rende Florica het grijze gebouw uit en besloot nooit meer terug te keren. Nog liever dan werken, wilde ze vrij zijn. En dat zou haar lukken ook. Ze zou hier vandaan gaan als ze kon, trekken naar die vrijheid, naar waar het beter was. Misschien was dat de zigeunerin in mij.

Ze doorkruiste de stad. Hier en daar zag ze bekende gezichten uit hun wijk. Bruin en brons, met hoofddoeken vol kleur. Ze groetten haar hartelijk. Florica zwaaide terug. Ze wurmde zich door een kronkelende rij mensen die in de sneeuw wachtten op een fles melk. Even twijfelde ze of ze moest aansluiten, maar ze wist vrijwel zeker dat de melk op zou zijn voordat zij aan de beurt was. En wat hadden ze aan melk, zou haar moeder zeggen. De kinderen dronken melk vers uit de moederborst. Voor de anderen was er water uit de put. Of zelfgestookte alcohol.

Lala stond al voor het huis op haar te wachten. Ongeduld was haar vreemd. Ze wiegde heen en weer op haar plek en neuriede een melodietje. Ze had haar vingers in haar oren gedrukt en keek een landend vliegtuig na.

'Wat is verdomme de charme van reizen als je wordt gevlogen?' dreunde ze op. Woorden van hun vader.

Arbeiders en scholieren liepen met hun neuzen in de lucht om het schouwspel te volgen. In gedachten zaten ze in de vlucht terug naar een beter leven.

'Alleen vogels en geesten horen in de lucht.'

Het kon Florica niets schelen. Al was ze de geest van een overleden vogel: alles was beter dan op deze verdoemde grond blijven. Zij mocht niet brullen om vrijheid. Niet van haar familie en niet van de staat. De vliegtuigmotoren waren haar stembanden. Ze brulden voor haar.

Florica nam Lala bij de hand. Samen liepen ze naar het centrum, waar de school stond die Lala om zou vormen tot de Nieuwe Mens, een slim mens, een sociaal mens.

'Doe beter dan je best,' zei ze elke dag tegen haar zusje. Deze dag was geen uitzondering. Florica streek het vale uniform van Lala glad. Haar zusje huppelde het plein over. Ze trok zich weinig aan van de kinderen die haar probeerden te haken met hun glimmende schoenen. Vanzelfsprekend werd Florica vroeger ook onderuit gehaald door haar klasgenoten. Ze zou zich met alle liefde laten neerhalen als dat betekende dat ze haar studie mocht voortzetten en een diploma linguïstiek zou halen. Maar vader had het verboden nu ze het verplichte minimale onderwijstraject had voltooid. De communisten hadden zijn dochter gehavend teruggegeven had hij gezegd en nu was het aan hem om weer een zigeunerin van haar te maken.

Lala draaide zich abrupt om: 'Hoe laat komt onze oom?'

Florica kon alleen maar knikken. Haar stem stokte. Zoals het vliegtuig voor haar brulde, jankte de hond die bij de school rondzwierf.

'Oom ja,' mompelde ze. Florica wilde niet weten waarom de bulibaşa nu pas kwam. Hij had het huwelijksfeest gemist. Ze hoopte dat hij slechts meedeelde in de naweeën van de feestvreugde en dat er geen andere reden voor zijn komst was. Diep van binnen wist ze wel beter.

Ze zwaaide haar juichende zusje uit. Hun oom verwende Lala met gouden schakeltjes en bedeltjes die ze aan haar armband kon hangen. Lala verdween door de schooldeuren.

Florica zwaaide naar een gebouw gevuld met kinderuniformpjes. Even later zwengelden hoge stemmetjes het nationale lied aan over de drie kleuren van Roemenië.

De zwerfhond sloop dichterbij. Zijn tong likte zijn zwarte lippen nat. Hij had trek, honger. Voor hem was zelfs in de winkelrij geen plaats. Behoedzaam likte hij de sneeuw van haar schoenen. De hond droeg een vacht vol klitten over zijn ribben. Gebiologeerd staarde hij naar haar jaszak. Hij jankte om Florica's aandacht. Die kreeg hij, zoals elke morgen. Ze graaide een taai stuk brood uit haar zak en gooide het naar de hond.

'Meer heb ik niet voor je. Ik zou je mijn oom voeren als ik kon.' Maar de hond was te vriendelijk om een hap oom te nemen. De plaaggeesten uit Lala's klas schopten hem elke ochtend bij aankomst, maar bij vertrek rende hij met zwiepende staart op diezelfde plurken af. 'Je bent net zo min een zwerfhond als ik een zigeunerin.'

Ze aaide hem, of ze daar volgens haar moeder nu onrein van werd of niet, voordat ze naar het park liep om diezelfde hand een dag op te houden.

Het park was aan de andere kant van de stad. De oude panden verloren hun verf. Niemand bekommerde zich om het schilderwerk. Zo pasten de gebouwen beter bij het grijze nieuwbouwbeton. Druppen kaki, cyaan en cyclaam bevlekten de sneeuw. Ze had wat met de oude pracht van de huizen. Ze had sowieso wel iets met huizen. En dat voor een zigeunerin.

Florica zwierf de dag door. Ze hoorde harde woorden echoën in krappe steegjes. Zinnen als het gesnurk van de zigeunermannen. Het was geen Duits, dat ze een beetje kende omdat een Saksisch klasgenotje haar in zijn moerstaal had leren vloeken. *Arschloch und so weiter.* Ze volgde de stoet blonde mannen en vrouwen, waarvan de mannen bijna tweemaal zo groot waren als haar grootvader. Ze lachten op klaarlichte dag, de vrouwen schel en de mannen bulderend, in het midden van het centrum, in Roemenië, in sociaal Zuidoost-Europa.

Ze wurmde zich tussen de wandelende blonde bomen door.

'Pas op,' riep een mollige vrouw, 'er loopt er een tussen ons'.

'Stel je niet aan mens,' zei de langste. Hij lachte naar Florica en drukte een grote zilveren munt in haar handen. Ze draaide de munt een paar keer om. Zwaarder dan de onze, dacht ze. Ze beet op de zilveren vrouwenkop.

'Hoe vloeken jullie?' vroeg ze aan de man. '*Ein Fluch bitte,*' probeerde ze omdat de man haar dommig aankeek.

'Ze denkt dat we Duitsers zijn,' lachte de man.

Hun gids draaide zich om. Zijn donkere haren vastgeplakt met gel. Zijn ogen keken eerder angstig dan nijdig toen hij Florica in het midden van zijn groep ontdekte. Hij verzocht haar ongewoon vriendelijk om op te donderen. Maar dat kon niet, legde ze uit, want ze wachtte op haar vloek. Ze probeerde de man te betoveren met haar grote ogen, maar geloofde niet dat ze die gave daadwerkelijk onder de knie had. Misschien was ze te klein om bij zijn ogen te komen. Of hij te groot. De gids stormde op haar af en drukte zijn zool tegen haar achterste. 'Wegwezen zigeunerin,' schreeuwde hij met overslaande stem.

Hij haalde nogmaals naar haar uit, maar de blonde man ving de vlakke hand van de gids op in de zijne.

'Godverdomme,' zei hij. 'Het is maar een meisje.'

Florica proefde het woord. Godverdomme. Ze drukte de munt in de hand van de mollige vrouw en rende weg.

'Je bent je rijksdaalder kwijt hoor Jan,' zei de vrouw en ze hield de munt triomfantelijk tussen duim en wijsvinger. De blonde Jan griste de munt uit haar handen en stopte hem terug in zijn leren portefeuille. De gids zette de wandeling richting hotel geërgerd voort.

De stoet werd voor Florica's ogen verzwolgen door een kronkelende steeg. Het gelach vervloeide. Alleen de harde klanken bleven hangen. Klanken van vrijheid.

Ze struinde door het centrum. De toeristenstoet liet zich simpel terugvinden. Ze hoefde enkel de merktekens en de motiefjes van de schoenzolen in de sneeuw te volgen. De vrouwen lieten haksporen achter. Wat had Florica graag een zelfde stempel in de sneeuw gezet. Zwarte lakhakken.

Ze keek graag naar de blonde toeristen. Een deel rookte sigaretten voor een schoenenzaakje. De gids was nergens te bekennen. Die zou wel binnen staan met een aantal toeristen, dacht Florica, maar ze durfde de groep niet te benaderen. Er waren te veel ogen. Op het plein speelden zigeuners. Neefjes en nichtjes van haar. Ze lachte naar hen. Haar oudste broer zat bij de fontein te dutten. Groenige waterstraaltjes spoten uit de vissenbekken achter hem. Florica had de fontein nog nooit water zien spuwen. Het zoontje van haar broer huppelde op haar af om gedag te zeggen. Ze tilde hem op en kuste het speelvuil van zijn wangen. Hij kon inmiddels een beetje praten. 'Oom' was zijn eerste woordje, omdat zijn moeder hem telkens wees op alle Rroma-mannen die ze tegenkwamen. Florica noemde hij 'tante oom'. De jongen had geen zin om iets te zeggen tegen Florica. Aan een warme knuffel had hij voldoende. Hij sprong uit haar armen en rende naar de fontein om zijn vader onder te spetteren met het ijskoude water.

De groep toeristen morde wat, lachte wat en schreeuwde naar de gids of het hotel nog ver was. De winter was hier strenger dan in het thuisland. Ze verlangden naar hun hotelkamer, een warme douche en een kop koffie. En iets lekkers te eten, niet weer een schnitzel. En een fles goede wijn. En dat in Roemenië.

Een eigen ruimte, ook al was het maar voor even, dat leek Florica de hemel. Van een eigen kamer durfde ze niet eens te dromen als ze sliep. Alleen haar oom had er een en die was vaker leeg dan bezet. De rest van de familie sliep bij elkaar, verspreid door het pand. Florica mocht blij zijn dat ze een eigen bed had. Haar zusje sliep op een dun dekentje of bij haar onder de lakens. Haar oom had een uit hout gesneden hemelbed in zijn kamer staan met dubbele matrassen, omdat hij anders niet kon inslapen. De ziel, dacht Florica, en ze vervloekte hem.

Ze had in het schemerlicht zijn kamer schoongeboend, zoals altijd wanneer hij via een zigeunerheraut zijn komst aankondigde. Met haar zwartblauwe haren gebonden in een paardenstaart, schrobde ze de grond glimmend op haar knieën. Hoe schoner de kamer werd, des te vuiler Florica.

'Schoon,' had ze vanaf het balkon tegen haar vader geroepen die buiten tabak pruimde en zijn territorium afbakende met bruine fluimen. De sneeuw was zijn kwispedoor.

De gids drong door de groep naar voren om de toeristen verder rond te leiden. Een blond meisje kwam als laatste uit de schoenenzaak. Ze zocht de zon met de blauwste ogen die Florica ooit had gezien. Haar wrijvende handen vergezelden een glimlach. Ze haalde de groep in op haar hoge haklaarzen, waarvan de hakken verschilden van kleur. Tot groot verdriet van Florica's neefje stopte de fontein met sputteren zodra de toeristen de hoek om waren.

In het zaakje kwam een brede lach tevoorschijn vanachter de wegrennende vrouw. Knap, kort donker haar, groene ogen. De jongen stond achter een houten toonbank vol schoenen. Plotseling deinsde ze achteruit. 'Hij,' fluisterde ze. Ze herinnerde zich niet alleen de jongen, de ogen die haar bekeken vanachter het glas van het café, maar ook het plan dat het lot haar had overhandigd. Maar onvoorbereid...

Florica zag zichzelf naast hem staan in de weerspiegeling van de vitrine. Nu zag hij haar ook. Ze verplichtte zichzelf tot glimlachen – dat was haar plan tot dusver. Gehaast klom hij over de toonbank en riep naar haar. Ze verstond hem niet. Haar weerspiegeling hield zijn kreten tegen. Ze wilde blijven staan, God, wat wilde ze graag blijven staan, maar ze rende weg. Hij kon haar niet bereiken en zij hem niet. Als een magneet die wegschoot voor een andere magneet. Weg van het plein, weg van de schoenmakerij, weg van de jongen. Ze sprintte langs de toeristen zonder ze op te merken.

'Zie je wel,' zei een van hen, 'ze zal wel iets gestolen hebben'. Haar conditie was kritiek, maar ze haalde de tram die haar naar de buitenrand van de stad zou brengen. De reizigers staarden haar aan. Het geluid van Florica's gehijg en gepuf was eenzaam. Alleen de klinkers onder de rails lieten zich horen.

Pas toen ze de voordeur opende en haar vader een kus op zijn geschoren wang gaf, had Florica haar ademhaling weer onder controle.

'Je oom is er,' zei hij toen hij over zijn gladde kaken streek. Alleen de bescheiden snor van haar vader had zijn scheerstiletto getrotseerd.

'Heeft iemand oom al naar zijn kamer gebracht?' vroeg ze hoopvol. Maar ze kende het antwoord. Nee, dat was haar taak.

'Nichtje,' riep de bulibaşa monter toen ze stilletjes de deur naar de huiskamer opende. Hij sloeg zichzelf op de tatoeage van een tiet in het midden van zijn pens. Zijn borstspieren dansten. 'Ik ben hier om zeer speciale zaakjes te regelen.' Haar oom drukte Florica's hand naar zijn lippen. Hij snoof aan haar hand. De verwachtte kus bleef uit. 'Je hand ruikt naar gadjo,' zei hij, gevolgd door een harde klap op haar neus. Hij wist en hoorde alles en dat maakte Florica nog angstiger. Ze voelde het warme bloed langs haar neusbrug naar beneden stromen. 'Nu ruikt je gezicht naar mijn hand,' grijnsde hij met zijn gouden straat van tanden.

'Maar...' begon ze tevergeefs. Hij sleurde Florica aan haar arm de trap op. Haar oksel brandde, maar ze was verdoofd.

'Voor de verandering zal ik jou naar mijn kamer leiden, wijfje.'

Florica vroeg zich af wat het verschil was. In beide gevallen snakte ze naar vrijheid. Ze probeerde tevergeefs de vloek van de lange blonde man te herinneren, maar het woord was onvindbaar. Haar oom smeet haar op de lakens die ze de vorige dag had gewassen en liet zich bovenop haar vallen. Haar magere lijf verdween in zijn vlezige huid. Ze sloot haar ogen en dacht aan iets anders. Aan iemand anders, ergens anders.

5

'Houd je een beetje gedeisd vandaag,' zei Remus tegen Emil terwijl hij hem een klap op zijn schouder gaf. 'Ik wil niet dat je weer wordt afgevoerd.' Woorden die hij meende, ook al was er op dit moment niemand die hen ergens op kon aanspreken. De bierkelder was nog leeg deze jonge avond en de barkrukken waren koud.

'Moest je dat van mijn vader zeggen?' Emil lachte breed. 'Hij heeft dankzij mij bijna geen wijn meer over om te verkopen.'

Remus schudde zijn hoofd. Hij sloeg zijn zwartleren jas tevoorschijn vanonder een laag sneeuw en hing hem over een kruk. Daarbovenop mikte hij zijn bontmuts. Met duim en middelvinger masseerde hij de pijn uit zijn slapen.

'Ik zal me gedragen,' knipoogde Emil. 'En zorgen dat we niet omkomen van de dorst.' Hij hing over de bar en tapte twee glazen Roemeens goud. Dorstig toostten ze en drukten hun neuzen in het schuim. 'Het zijn immers mijn laatste dagen in dit land.' Remus keek verschrikt om zich heen en gebaarde dat hij het daar niet over wilde hebben. Nu niet.

Daarom proostten ze nogmaals, onder leiding van Remus. Bierglazen klonken op de gezondheid – 'sănătate!' – en op Roemenië. Hij dronk graag op het land. Hij haatte Roemenië net zo erg als hij ervan hield.

'Op Roemenië,' zei Emil ingetogen. 'Dat we haar mogen missen.'

'Stil, verdomme,' beet Remus hem toe.

'Je gaat mee! Hier heb je niets. Van je edele familie is weinig meer over. Je oma is oud,' Emil klopte met zijn knokkels op de onderkant van de bar, 'en straks ben je de laatste Tomescu die overblijft.'

'Alle inwoners van dit land zijn een bedreigde menssoort,' relativeerde Remus. Hij kon prima alleen zijn. Soms keek hij ernaar uit. Alleen overblijven met de sores in zijn hoofd.

'Dat is waar,' bevestigde Emil. 'We moeten aan de fok.'

'Ben je soms een afgezant van de Leider?'

Emil spuwde op de grond, de fluim smolt samen met het smeltwater onder Remus' kruk. 'Naar de hel met hem.'

Remus antwoordde niet. Hij krabbelde een verse dichtregel in zijn notitieblok.

'Je gaat me zeker niet vertellen wat je opschrijft?'

'Jawel hoor,' zei Remus, 'ik heb een gedachte gevangen'.

Emil knikte. 'En daar moet ik het mee doen. Op deze manier krijg je mijn revolutionaire composities nooit onder ogen.'

'Maakt mij niet uit,' zei Remus uitdagend.

'Ze klinken zoals ik mij het werk van Claude Debussy voorstel,' verzuchtte hij, omdat hij nog nooit iets van de streng verboden Debussy had gehoord – behalve lovende verhalen van een fortuinlijkere muzikant. 'Ik ben bijna klaar met een stuk dat ik *De Appel* noem.'

'Ik kan toch geen noten lezen,' antwoordde Remus pesterig.

'Het is dat ik mijn beste vrienden geen mep verkoop,' mopperde Emil, terwijl hij het fust schuim liet uitblazen in zijn glas. Remus zag de lappen die Emil op de kont van zijn jeans had genaaid. Het bier bleek op. Emil lepelde het schuim naar binnen met de lepel uit het bakje walnoten. Toen hij daarmee klaar was, gaf hij Remus een trage tik op zijn achterhoofd. 'Beste vrienden bedien ik gratis,' zei hij lachend.

'Laat me je terugbetalen,' zei Remus.

'Heren,' zei een voorzichtige stem vanachter de bar. Remus herkende zijn favoriete barman. Hij droeg een vergrijsde snorbaard om zijn lippen van exact één centimeter lang, hoog en breed. Het zag er niet uit, had Remus hem in een aangeschoten bui opgebiecht, maar dat deerde de man niet. Hij kwam uit een familie van barbiers, had hij uitgelegd, maar hij was tot zijn verdriet gestationeerd als kelner in de kelder van dit hotel en wilde zijn voorvaderen met het kunststukje eren. De barman rolde een vol fust naar de tap.

'Jullie zullen wel wat lusten,' zei hij. Emil knikte met de lepel in zijn mond. Het drietal klonk op de avond, waarna de barman rustig een doekje over de tafels haalde, glazen omspoelde en de sigaren sorteerde na er drie uitgepakt te hebben. Remus en Emil staken ze dankbaar tussen hun lippen en zogen op het dekblad. Het was de eerste keer dat Remus een sigaar proefde. De zware rook rolde in zijn mond en keel.

'Wat ken het mij donderen,' bromde de kelner toen ze vroegen of hij hiervoor niet ontslagen zou worden. 'Of belangrijker nog: wat ken het hén donderen? Niks zeg ik je. Men vult aan wat wij opmaken. Iedereen doet half waar hij maar half voor wordt betaald. Dat is het systeem in dit hotel,' zei de man. Niet alleen in het hotel, dacht Remus. 'Het is een alsmaar herhalend proces. Dat is het,' besloot de barman, terwijl hij een ring van rook blies. 'Niets dondert iemand.' Hij tikte het sigarenas op de grond, om daarna de stofzuiger te pakken. 'En mij nog het allerminst.'

'Dan kun je vast wel een flesje brandewijn missen,' probeerde Emil, die tot zijn eigen verbazing zichzelf mocht bedienen zolang hij 'met zijn tengels van de buitenlandse drank afbleef.' Die was voor de toeristen bedoeld. 'Zolang het mijn vaders pulp niet is, ben ik een tevreden mens,' zei Emil, die een frisdrankfles met gebrande wijn vanachter uitheemse spiritualiën plukte. Hij ging op de fles zitten als een broedhen op haar ei. 'Dit moet je warm drinken,' legde hij Remus uit, terwijl de barman hoofdschuddend de keuken inliep om zijn kok te instrueren.

'Volgens mij heb jij bij lange na niet genoeg vet op je achterste om de klus te klaren,' zei Remus.

Emil lurkte balancerend aan de sigaar. 'Hm. Je bent wel een tikkeltje nurks vandaag.'

'Mijn grootmoeder heeft mijn hoofd uitgeperst,' verklaarde Remus.

'Laat mijn kont je helpen,' zei Emil. Hij zette zijn hakken tegen de kruk en schoof de fles half onder hem vandaan. Hij hield twee ronde glazen onder de tuit en liet de brandewijn plassen. Met de dop er weer terug op schoof hij de fles terug onder zijn kippenbillen. Vanaf de muur hield een klein vierkant staatsieportretje van De Leider in de gaten of de gasten niet te veel zopen. Emil wees met het glas in zijn hand naar Remus' rechterslaap. 'Verklaar je nader.'

'Je weet hoe mijn grootmoeder is,' verzuchtte Remus. Emil grijnsde ter bevestiging. 'Kun je de avond dat je opgepakt werd nog herinneren?'

'Zo lang is dat niet geleden,' antwoordde Emil. 'En mijn vader helpt me om het niet te vergeten,' ging hij verder met gespeelde nonchalance.

Remus vertelde over de stelende zigeunerband en hoe de buit van menig communist ontsnapte via een wachtende vrouw in de koude buitenlucht. 'Het licht van de kroeg reflecteerde haar wonderschone ogen.'

'Hoe mooi?'

'Er bestaat geen denkbaar superlatief om ze te beschrijven,' zei Remus. Hij spoelde zijn mond met brandewijn. 'En mijn vocabulaire is toch vrij uitgebreid.'

Terwijl Emil moeite had met het aansteken van zijn gedoofde sigaar – 'wat heb ik toch een hekel aan lucifers!' – vertelde Remus over het verloop van de dag. Zijn grootmoeder wekte hem steevast om zeven uur, maar de kater die na de verjaardagsborrel volgde, hield haar opgesloten in haar eigen geronk. Normaliter sprak grootmoeder alleen in haar slaap, legde hij Emil uit, maar die zeldzame keren dat ze alcohol dronk, maakte ze zoveel lawaai in haar slaap dat ze niet mocht klagen over de winden die doctor Arcos wel eens liet knetteren.

'Ik mis jou ook,' schreeuwde grootmoeder schel toen Remus haar wekte. Hij deed alsof hij haar niet had verstaan – waar bescheiden acteertalent voor nodig was. Vief sprong ze in haar pantoffels, beende naar de keuken en verdeelde het laatste stuk brood. 'Het vlees is op,' zei grootmoeder. Dat wist Remus. Het afgelopen halfjaar deelde ze iedere ochtend hetzelfde zinnetje mee. De Leider had besloten dat hij 's lands geproduceerde salami's beter kon verkopen aan het buitenland, in ruil voor een positieve staatsbalans. Tot groot verdriet van grootmoeder. Hoewel de rest van Roemenië gedwee ontbeet met een broodje en zelfgemaakte pruimenjam, nam elke hap salami grootmoeder mee terug naar broeierige zomerochtenden op het landgoed en hun zigeunermeid die de buitentafel had verborgen onder krokante croissants, zelfgebakken brood, jams in alle smaken en vooral veel vlees. Haar vader glimlachte onder zijn gestileerde Franse snor en schoof haar aan tafel. Haar geluk hing samen met salami. Toen de communisten de majesteit verbanden, grootmoeders vader en man naar de dood in Siberië deporteerden en het familielandgoed annexeerden, verdween ook het vlees van tafel.

En elke morgen kwam dat hard aan bij grootmoeder. Ze besmeerde het brood met gesuikerde notenjam. Remus volgde haar voorbeeld met tegenzin. Ze hadden een krat vol notenjam in de voorraadkast staan. Hij kon zich niet voorstellen dat notenjam vroeger zijn lievelingszoetigheid was en hij door het kleine appartement sprong van vreugde als er een potje van het platteland was gearriveerd, zoals zijn grootmoeder dikwijls bij het ontbijt uiteenzette om haar teleurstelling over het gebrek aan salami te maskeren.

'Ze zouden salami van dat varken moeten maken dat ons alles ontneemt,' mopperde grootmoeder op de Leider. 'Ik zet er met alle liefde mijn tanden in.'

'Tja,' reageerde Remus ongekend futloos, iets wat grootmoeder niet ontging.

'Zijn het nog steeds de ogen van de zigeunerin?' vroeg ze bezorgd.

Remus nam een hap brood met notenjam om er niet op te hoeven reageren. Hij had geen zin in een onderricht over zigeuners en hun magische trucjes. Grootmoeder had het riedeltje vaak genoeg gedoceerd. Tot zijn vijftiende keek hij gauw weg als hij iemand zag die op een zigeuner leek, bang om betoverd te worden. Als hij per ongeluk toch keek, ja, dan wist hij niet wat te doen. Soms sloot hij zichzelf op in het toilethok. Hij durfde het niet te bekennen aan zijn grootmoeder –

ze had hem gewaarschuwd –, dus wachtte hij af of hij hoofdpijn kreeg. Maar de betovering werd nooit ingeluid, zoals hem verteld was. Toen hij Nicu ontmoette, een zoon van een zigeunerstel dat zich 'normale Roemenen' noemde, en hem in zijn haast zwarte ogen keek, wist hij het zeker: je kon zigeuners gewoon aankijken. Het enige risico dat je liep, was een 'wat kijk je?' naar je hoofd geslingerd krijgen.

'Je had ook snel moeten wegkijken,' zei grootmoeder.

'Het was donker. Ik kon niet weten dat het een zigeunerin was!'

'Hoe kun je zo onwetend zijn?' Grootmoeder stond zuchtend op. Remus vroeg zich hetzelfde af van zijn grootmoeder, maar durfde dat niet te antwoorden. Ze had harde handpalmen.

Grootmoeder trok hem van de eettafelbank en gebood hem om op een stoel te gaan zitten. Ze likte de notenjam van haar wijsvingers en drukte ze daarna op de slapen van Remus.

Ontkomen is onmogelijk, dacht hij, terwijl hij de dikke vetkaars aanstak, omdat zijn grootmoeder hem dat opdroeg.

'Rechtop zitten,' zei ze streng. Ze liet zich omringen door stilte en begon daarna geconcentreerd en ernstig te ademen. Hij voelde hoe het speeksel zijn donsharen bevochtigde. Met haar vingers schreef ze cirkels op zijn slapen. Eerst gracieus en behoedzaam, maar al snel krachtiger en naar Remus smaak iets te heftig. Hij had het gevoel dat hij werd gemasseerd door een betonmixer. Haar aanpak had niet misstaan in de martelkelders van de communistische gevangenissen.

Grootmoeder had haar ogen gesloten. Er ontsnapte kreetjes als 'o' en 'au' en 'ze heeft mijn kleinzoon te pakken'. Ze begon te lispelen over God en Jezus Christus, *'Dumnezeu'* en *'Iisus Christos'*, meer verstond Remus niet. Het waren de woorden die hij haar hoorde spreken als ze een kaarsje voor Remus' ouders aanstak. De woorden hielpen hem ontspannen, ondanks de wijsvingers die steeds dieper in zijn slapen boorden.

De rite hield abrupt op met een klap op zijn schouders.

'Dat is beter,' besloot grootmoeder zonder navraag te doen.

'Grootmoeder, God en Jezus: bedankt.' Op een tweede sessie zat hij niet te wachten.

Inmiddels stond de fles brandewijn op de bar. Half leeg. 'Heeft het geholpen?' vroeg Emil.

'De drank of haar massage?'

'Je grootmoeders ritueel.'

'Natuurlijk niet,' zei Remus.

'Maar natuurlijk niet,' herhaalde Emil, verzonken in zijn glas brandewijn. 'Spirituele nonsens. Er zijn maar twee manieren om contact te leggen met het bovennatuurlijke: de toonkunst en dit,' hij hief zijn glas. 'Meer is er niet.'

'Bedoel je niet de taalkunst?' vroeg Remus.

'Nee, maar toch bravo,' zei Emil en de glazen tikten tegen elkaar aan als huldeblijk, een handeling die zich steeds vaker herhaalde naarmate de fles leger geraakte.

Remus hield het niet langer: 'Nadat grootmoeder mij vertelde over de knappe kleindochter van een vriendin van haar, hoe hulpvaardig ze is, hoe ze aan de bak kan als luchtvaartdirectrice en dat op haar leeftijd, hoe alleen ze is, en je weet, Remus, hoe gek mijn vriendin op jou is, en dan weet je ook wel, Remus, dat mijn vriendin jou graag aan haar kleindochter wil voorstellen, kop op, je bent inmiddels volwassen, Remus; nadat ze was uitgesproken, nam ik de overvolle tram naar mijn eerste leuke werkdag in de schoenenzaak.'

'Een leuke werkdag?' Emil besproeide de bar met brandewijn. 'Pardon? Kreeg je vrij?'

'Ik ben nooit vrij,' zei Remus. 'Ook als ik vrij ben niet.'

Zijn baas had triest gelachen toen Remus binnenkwam. Hij had grijze strepen in zijn bakkebaarden en de sprekende oogrimpels van een bejaarde, maar het jeugdige van een twintiger. De man deed het goed bij de vrijgezelle vrouwen. En bij de bezette was het niet anders.

'Ik heb vandaag andere bezigheden,' zei hij zonder uit te weiden. 'Ik weet dat je een hekel aan schoenen hebt, maar behandel ze alsjeblieft met liefde. En sluit de zaak goed af.' De schoenenzaak was zijn alles – hij had de communisten weten te overtuigen dat de zaak in de familie moest blijven. Remus had echter een hekel aan het kleine hok. Zijn handen werden ruw van 'het genezen van schoenen', zoals zijn baas het noemde.

'Dus de dag verliep rustig, de kachel deed het en er was bedrijvigheid op het plein om bij weg te dromen,' zei Remus tegen Emil. 'Ik hoefde maar een klant te ontvangen, een oude man die ik had beloofd te helpen. Verder was het een heerlijke rustige morgen. Totdat een groep mensen in mijn zicht gingen staan, waarvan de helft de zaak binnendrong en de deur open liet staan. Druk, koud en terug in lagere regionen,' vatte hij samen. 'Het waren toeristen.'

'Waarvandaan?' vroeg Emil geïnteresseerd.

'Ze waren te blond en bleek voor communistische bondgenoten,' antwoordde Remus. 'En ze rookten allemaal Kent of Marlboro. Ik heb nog nooit zoveel rode sigarettenpakjes bij elkaar gezien. Dus ik vroeg hen hetzelfde in het Frans. "Les Pays-Bas," antwoordde een blondine die zich een weg naar mijn balie wurmde.'

De vrouw wrikte haar voet uit haar hakschoen en legde de schoen op Remus' werkblad. 'Nederland?' vroeg Remus vol ongeloof. 'Wat zoeken jullie in Roemenië?'

De Roemeense gids keek Remus angstig aan en beet de nagels van zijn handen. Het Frans van de gids was slecht, merkte Remus, en hij moest er juist voor zorgen dat er geen staatsgevaarlijke gesprekken werden gevoerd tussen Roemenen en zijn kudde westerlingen. Maar de gids moest er tegelijkertijd voor zorgen dat de Nederlanders zich op hun gemak voelden. Ingrijpen was nu onmogelijk.

'Vakantie,' zei de vrouw met een lieflijke lach. Ze sloeg haar ogen op. Het was een engel, vertrouwde Remus Emil toe. Zo behandelde hij haar. Misschien dat ze hem kon helpen om de zigeunerin te vergeten. De zigeunerin die hij nooit meer dacht terug te vinden.

'Ik hoop dat u een prettige tijd heeft hier,' zei Remus opzettelijk langzaam met een lichte buiging. In zijn ooghoeken zag hij de schouders van de gids ontspannen; zo zag hij het graag.

'Dat heb ik zeker,' antwoordde de vrouw. Remus schatte haar niet veel ouder dan hij, negentien, twintig, misschien iets ouder. Haar make-up maakte het inschatten lastig. 'Maar nu dreigt een afgebroken hak mijn vakantie te verpesten.'

Het is maar een voorwerp wilde Remus antwoordden, maar hij zei: 'U bent hier aan het juiste adres'.

'Sorry heren,' bromde de barman zonder acht te slaan op het gesprek tussen Remus en Emil, 'maar ik moet jullie teleurstellen. De kok kan er niet zo goed tegen dat ik jullie sigaren heb gegeven. En dat is nog een ding, zegt 'ie, maar dat jullie zelf flessen drank mogen pakken, vindt 'ie helemaal schandalig,' zei de barman. Hij peuterde aan zijn snor. 'Het kan me niet veel schelen als ik mijn ontslag krijg, maar die klootzak kan me aangeven, zegt 'ie.'

'En gelijk heeft hij. Er zat bijna geen brandewijn in de fles,' zei Emil. Hij hield hem ondersteboven zonder dat er een druppel op de vloer morste.

'Maakt u zich niet druk,' zei Remus en hij haalde een stapel bankbiljetten gelijk aan een maandsalaris uit zijn broekzak en overhandigde genoeg aan de barman om hun schuld voor de sigaren, de fles drank, de tapbiertjes en het smeergeld voor de kok te vereffenen.

De barman knikte opgelucht en ging met het geld terug naar de keuken. Emil tikte Remus weer tegen zijn achterhoofd.

'Wat heb je in godsnaam uitgespookt?'

'Kalm,' tikte Remus terug. 'De samenvatting: de Nederlandse was erg blij met de nieuwe hak die ik onder haar schoen heb gezet. We hadden niet de juiste kleur in het assortiment, maar dat leek ze niet heel erg te vinden.' Remus wapperde de stinkende biljetten onder Emils neus. 'Dit kreeg ik van haar. "Een fooi" noemde ze het. Ze haalde haar schouders erover op.'

'U bent mijn reddende engel,' zei de vrouw.

'Als mijn ogen mij niet bedriegen, bent u hier de engel,' zei Remus. De vrouw glimlachte. Een verleidelijke lach. Een knipoog. Als we in het westen en het oosten dezelfde taal der verleiding spraken, kon hij haar vragen in welk hotel ze verbleef, dacht Remus.

'Het hotel op dat ene plein, bij het station,' antwoordde de vrouw. 'Ik ben de naam kwijt.' Ze vroeg aan een vriendin met een grote neus hoe het hotel heette.

'Carpaţi?'

Bij het horen van de hotelnaam raakte de gids in paniek. Hij greep de vrouw bij haar elleboog en vermaande haar om de weg te vervolgen. 'De groep heeft lang genoeg gewacht.'

'Mijn vrienden en ik komen graag in de nachtbar in de kelder van dat hotel,' riep Remus haar na. Meer was niet nodig. De vrouw glimlachte in de taal die hij verstond. De gids gaf hem een vuile blik, waarin Remus een waarschuwing las. Of een dreigement.

'Ik begrijp waarom je een leuke dag hebt gehad,' zei Emil hoofdschuddend. 'En ook waarom je hier wilde afspreken.'

'Je begrijpt waarom ik wilde afspreken,' verbeterde Remus, 'maar nog niet waarom ik een leuke dag achter de rug heb'. Hij deed extra lang over de laatste slok brandewijn. 'Ik zag haar weer,' zei hij zacht en misschien wel bang voor Emils reactie. 'Maar nu was het niet donker en zag ik meer dan alleen haar ogen. Ze stond al die tijd achter de groep toeristen. Toen ik dat wist, was ik pas echt teleurgesteld dat de Nederlanders mijn uitzicht hadden beperkten. De beschrijving van haar schoonheid past onmogelijk in mijn notitieboek.' Remus sloeg op zijn jas, waar zijn pen en blok zaten.

'Probeer het toch maar,' zei Emil, 'want als ik aan een zigeunerin denk, zie ik een stelende bedelaarster voor me met de afdrukken van vuilnis op haar huid.'

Remus kon niet antwoorden. Hij stotterde zinsdelen. Hij zag haar weer voor zich. Haar mond stond half open, wellicht omdat zij hem ook zag. Misschien werd ze angstig door mijn hongerige kop, dacht hij. Haar wilde haren waren samengebonden in twee vlechten, waardoor Remus haar gezicht beter kon zien, de typerende grote gouden oorbellen, het neusje, haar huid die donker noch licht was en haar ogen. Haar ogen.

'Ogen,' stamelde hij.

Met een streng gezicht zei Emil: 'Goed, haar ogen zijn mooi, maar het blijven ogen van een zigeunerin'.

'Ja, grootmoeder.'

Remus bestelde nog een fles brandewijn en wapperde met de geldbiljetten, 'een westerse deze keer', toen de barman vanachter de keukendeur verscheen. 'Ik probeerde haar te bereiken, maar toen ik over de balie klom, rende ze verschrikt weg.'

'Geen gekke reactie, als een schoenmaker met een kop als een zombie op je afstormt,' zei Emil. 'Het is geen gezicht, die kop van je. Ik begin bijna te geloven in die betoveringen van je grootmoeder.'

Remus wuifde zijn opmerking weg. 'Ze lachte naar me, voordat ze de benen nam.'

Dat hij de zigeunerin die middag had gezien, onderstreepte de theorie van de fantaste die zijn grootmoeder soms was. Ze had een schotel op de grond laten kletteren toen Remus haar vertelde dat hij het meisje opnieuw had gezien.

'Zie je wel,' foeterde grootmoeder, 'ze heeft gevoeld dat ik haar betovering wegnam. Ze wil de macht over jou niet verliezen. Arme kleinzoon. Je lijdt eronder,' zei ze, terwijl ze Remus weer op de stoel drukte en het ritueel nogmaals wilde uitvoeren, langer en sterker. 'Je oogt bleek en ongelukkig.'

Het is winter en ik bén ongelukkig, dacht hij. Hij wilde tegenstribbelen, maar voor hij goed en wel zijn stem kon verheffen, had grootmoeder haar afgelikte wijsvingers weer op zijn slapen gedrukt en was ze verzonken in een extreme smeekbede gericht aan de Vader, de Zoon en de Heilige Geest.

'Het heeft niet geholpen, als ik je zo bekijk,' zei Emil. 'Betoverd, verliefd, het zijn maar woorden, toch, taalman?'

'Ik vertrouw liever op de adviezen van Ovidius, dan op de trucjes van mijn grootmoeder,' zei Remus met een grijns. Emil keek hem glazig aan. 'De Romeinse dichter, Ovidius? Die door de keizer naar de uithoek van het rijk werd verbannen, ons eigen Constanța aan de Zwarte Zee – toen de stad nog Tomis heette. Over die Ovidius heb ik het.'

'Er begint mij iets te dagen. Wat is er met hem?'

'Hij haatte het hier en noemde ons barbaren. Geef hem eens ongelijk: hij was Rome gewend. Voordat hij naar de Zwarte Zee werd verjaagd, schreef hij *Remedia Amoris*, waarin hij remedies tegen de liefde beschrijft. Zoals: focus op de onplezierige consequenties van een relatie, ga veel affaires aan of, een van mijn favorieten, neuk op een onaangename manier. Volgens Ovidius scheelt dat een hoop rompslomp en zelfmoorden. En toch: hij had wanhopig al zijn verzen verscheurd als hij haar glimlach had gezien.'

Emil kreeg de kans niet om te antwoorden, op een bulderlach na. Nicu en Pinu daalden de trap af en verschenen lallend over een militaire fanfare in de deuropening. Ze moesten al behoorlijk wat gedronken hebben, want het vergde heel wat promille voordat Pinu ook maar een noot durfde te zingen. 'Wat zijn de plannen voor vanavond?' vroeg Nicu nieuwsgierig.

Emil gebood hem zachter te spreken. Hij wees met zijn neus naar de hoek naast de deur. Een man zetelde in een stoel met uitzicht op de vriendengroep. Hij hield zijn hoed op en sloeg de krant open. Remus vroeg zich af of hij genoeg licht had om ook maar een zin propaganda te kunnen lezen.

Een troep blonde toeristen kwam ook de bierkelder binnen. De man in de hoek rechtte alert zijn rug. Remus herkende de hak die hij had gerepareerd. De vrouw kwam direct op hem afgelopen, zonder acht te nemen op de geheime agent die hen onmiskenbaar vanonder en boven zijn krantje in de gaten hield.

Emil boog zich vooorover en vroeg aan Remus: 'Hebben ze allemaal zulke mooie tanden in Nederland?'

Nog voordat de vrouw haar hand strekte, vroeg Remus haar met het gezicht naar de bar te gaan staan, alsof ze wachtte tot ze kon bestellen. Met zijn hand voor zijn mond, zodat het leek alsof hij kuchte, stelde hij haar voor aan zijn vrienden. Pinu bestudeerde verlegen de vloer, Nicu zei iets in het Duits en Emil kuste onverschrokken haar hand en vroeg of ze toevallig een zus of vriendin had meegenomen. 'Het maakt niet uit als ze iets minder knap is, want dan zal ze alsnog wonderschoon zijn.'

In de hoek klonk een kuchje. Emil liet snel haar hand los.

'We kunnen hier niet praten,' zei Remus tegen de blonde vrouw, terwijl hij voorzichtig naar de man in de hoek knikte. 'Niet meteen kijken, maar we worden in de gaten gehouden.' De Nederlandse keek direct naar de man die in zijn krant zat verdiept. Remus schudde zijn hoofd. Ze was duidelijk niet gewend om in het communistische systeem te manoeuvreren. 'Jou kan niet veel gebeuren, maar ik ben strafbaar,' verduidelijkte hij.

Dat leek de vrouw wel spannend te vinden, maar voor Remus waren de geheime agenten als strontvliegen die om je oren zoemden, zonder dat je ze mocht doodslaan. Ze giechelde verlegen en fluisterde haar hotelkamernummer in zijn oor. Ze knipoogde. 'Twaalf uur.' Alsof er niets was gezegd, bestelde ze glazen wijn voor haar en haar vriendinnen.

Remus keek haar na, vluchtig, en kruiste daarbij de ogen van de geheim agent die zijn krant inmiddels had opgevouwen en op de rand van de tafel had gelegd. Hij staarde hen onbeschaamd aan. Onrustig keek Remus weg.

'We hebben iets belangrijks te spreken,' begon Emil.

'Niet hier.' Remus pakte hem bij zijn bovenarm en nam hem mee naar buiten. De rest volgde.

De man in de hoek nam de groep kort op toen ze langsliepen. 'Bonjour,' zei hij met een grijns tegen Remus. Het was de reisgids. Dat stelde Remus weinig gerust. Hij prevelde wat terug.

'Het vriest,' zei Pinu ontsteld, toen ze door de draaideuren naar buiten gingen.

'Hoe kouder, hoe beter,' zei Remus. Bevroren oren hoorden minder, dacht hij erachteraan. Hij haalde de fles brandewijn die hij had meegesmokkeld onder zijn jas vandaan en gooide deze naar Pinu.

'Dat is beter,' zei Pinu enthousiast. Alleen drank kon zijn enthousiasme de laatste tijd opstoken.

Nicu schudde zijn hoofd. 'Wat gaan we buiten doen wat binnen niet kan?'

'We willen het over iets belangrijks hebben,' zei Emil, terwijl ze door het parkje liepen dat voor het Carpați-hotel was aangelegd. Terwijl ze met de punten van hun schoenen de sneeuw voor zich uit schoven, kwam de berg achter het park steeds dichterbij. De parklantaarns waren weer eens uit om stroom te besparen. Ze zagen niets van de aangelegde bloemenperken en volgden de scheuren in het sneeuwvrijgemaakte asfalt totdat ze midden in het park een bankje troffen waar alle geluiden wegstierven. Dat is de plek waar alles zou veranderen, dacht Remus, die zich bezorgd liet neerstorten op het ijskoude hout.

Met een klein zaklampje uit de Sovjet-Unie bladerde hij door zijn notitieblokje.

'Het recht is krom,' las hij voor. Gedachtedwarrels. Onsamenhangend. Pulp. 'Als de duivel sterft, kun je naar de goede kant varen. Maar vaart het goede dan niet naar waar we reeds zijn?' Dat beschouwde Remus als een goede inleiding voor het gesprek.

Emil knikte alleen maar, waarschijnlijk blij dat hij eindelijk iets van Remus' schrijfsels te horen kreeg.

'Ik begrijp er niets van,' zei Pinu, 'en dat is misschien maar beter ook'.

'Roemenen kunnen niet van dit land houden,' zuchtte Emil. 'Maar ze doen het wel. Ze houden van deze aarde, de rivieren, de bergen, de Zwarte Zee, de mensen. Daarvoor hoef je alleen de ballade van Ciprian Porumbescu te luisteren.'

'Jullie twee hebben duidelijk meer gedronken dan wij,' zei Nicu. Hij wees eerst naar zichzelf en daarna naar Pinu, die als een ballerina op zijn tenen danste om het warm te krijgen. Pirouettes in het donker. 'Meer dan ik, in ieder geval.'

'Ik draag Porumbescu mee in mijn hart... én in mijn rugzak als ik straks de grens oversteek,' zei Emil en hij keek zijn vrienden strak aan. 'En Remus gaat met me mee.'

Hij heeft het gezegd, dacht Remus, *dus het staat vast*. 'We gaan naar het westen,' hij hield de fles omhoog, maar voelde zich er minder zeker over dan dat hij zich voordeed, 'waar deze drank wordt gemaakt.' Hij voelde zich een balling in eigen land. Een tegenpool van Ovidius.

Pinu viel omver. Hij vloekte. Remus bescheen hem met het zaklampje. Het licht reikte net niet ver genoeg. 'Waarom moeten jullie daar over beginnen waar ik bij ben? Ik wil helemaal niet weg. De pot op met jullie! Laat me met rust!'

'Ik dacht dat ik de nationalist was,' zei Emil. 'Al moet ik toegeven dat ik niet precies weet waar je van houdt Pinu.'

'Mannen?' opperde Nicu.

Pinu had genoeg gehoord. Hij trok de fles weer uit Remus' handen en duwde de hals bijna achter zijn huig. Zonder verder wat te zeggen, waggelde hij het park uit.

'Ik denk dat Pinu liever in Roemenië blijft,' merkte Remus droogjes op, terwijl hij zijn vriend vertwijfeld nakeek. Hij bad dat Pinu niets doms zou zeggen, nu hij aangeschoten was. 'En jij Nicu?'

'Iemand moet op Pinu passen,' antwoordde Nicu. Hij aaide met zijn duim over het middenstuk van zijn enkele wenkbrauw. 'Ik begrijp jullie, maar ik blijf bij mijn familie. Volgens mij ben ik in het buitenland net zo'n buitenstaander als hier,' zei hij.

Geritsel sloeg het gesprek dood. Een zwerfhond liep voorbij, zijn lange nagels tikten onbezorgd op het asfalt.

'Je bent een van ons,' zei Remus, toen het getik weg was gevloeid in het besneeuwde gras.

'En daarom zal ik jullie helpen waar mogelijk.'

Remus knikte en keek naar de discrete lichtjes op de berg Tâmpa. 'Het wordt zwaar. We moeten trainen. Anders komen we niet ver.' Hij sloeg zijn armen om zich heen. Iets in hem hoopte dat ze niet ver zouden komen. Dat er geen andere keus restte dan te blijven in het land. Hun land.

'We moeten vooral een plan hebben,' zei Emil.

'En bovenal geluk,' zei Nicu. 'Jullie zullen niet de eersten zijn die als gatenkaas terugkomen in een loden kist.'

'Dat zeg ik: een goed doordacht plan,' verbeterde Emil zichzelf. Iedereen keek in gedachten verzonken voor zich uit.

Geluk, dacht Remus, of een loden kist. Hij zag de ogen van de zigeunerin voor zich. De kleur van oud lood. Keek hij over het geluk heen? Lichtjes schoten aan op de berg. Vlak achter het park stond een kerk. De klok stond stil en de klokken waren onklaar gemaakt.

'Het is vast geen vijf over vier,' concludeerde Remus.

'Nee, het is net twaalf uur geweest,' antwoordde Emil, die opschrok uit zijn gedachten en de tijd las van het erfstuk om zijn pols.

'Dan word ik weer in het hotel verwacht,' zei Remus. Hij stond op en keek Nicu en Emil veelbetekenend aan voordat hij zich excuseerde. Vlug liep hij terug naar het Carpați en snelde ongezien de trap op.

Aan het einde van de gang klopte hij op de hotelkamerdeur die hem was ingefluisterd. Opgewonden, maar niet omdat hij Ovidius' adviezen opvolgde. Hij besloot om de zigeunerin te vinden, zeker, maar eerst zou hij van het vrije Westen proeven. Het Westen binnendringen in het Oosten, dacht hij. Zelf vond hij dat wel poëtisch, maar nog voor hij zijn notitieblokje kon pakken, ging de deur open. De Nederlandse vrouw verwachtte hem. Ze imiteerde de vrouwelijke filmsterren van weleer door met haar elleboog op het deurkozijn te steunen en haar hand in haar blonde haren te steken. Ze had haar lippen rood gestift. Socialistisch rood, zag Remus, maar het kon hem even niets schelen. Een gladde rode stof hing over haar borsten. Haar witte benen waren onbedekt.

'Sorry hoor, ik ben geneigd om hotelkamers eigen te maken door een puinhoop te creëren,' verontschuldigde ze, terwijl ze Remus aan zijn hand naar binnen sleepte. Haar drie koffers hadden overal merkkleding uitgebraakt. 'Let er maar niet op.'

Remus lachte. 'Ik zal doen alsof de kamer netjes opgeruimd is,' zei hij, 'op een voorwaarde'.

'En dat is?'

'Ik wil er mijn pantalon en overhemd bij gooien.'

De vrouw peuterde ondeugend aan de slierten die haar nachtjurk op haar heupen hielden. 'Zolang je jouw boxer erbij doet, ga ik akkoord.'

Remus wist niet wat dat was, een boxer, maar met een weggeslingerde witte ballenknijper bleek de Hollandse ook akkoord te gaan. Of vooral met wat daaronder vandaan kwam. Het zou wel even duren voordat Remus zijn kleding weer bij elkaar zou hoeven te zoeken.

'Wil je met me trouwen?' grapte hij.

'Vraag je vrouwen altijd zo snel ten huwelijk?'

'Alleen als ze uit het Westen komen.'

'Pas maar op met wat je vraagt,' waarschuwde ze, terwijl ze met haar neus door Remus' schaamhaartjes kroelde. 'Voor je het weet ben je gebonden.'

'Vrij, bedoel je.'

6

Florica ijsbeerde gefrustreerd door de kamer. Ze hield het niet langer uit. Haar toekomst was nooit eerder zo troebel geweest. Het gezicht van haar oom hield haar wakker als ze probeerde te slapen en als ze uit bed was, was hij nooit ver weg. De druppels zweet in zijn snor, het rood in zijn oogwit en de gouden tanden die op elkaar klapten bij elke beweging. Hij benauwde haar. Ze moest naar de waarzegster toe, besloot ze. Ze bezocht haar niet vaak – haar vader en moeder hadden het haar verboden de charlatan te bezoeken – maar ze zag geen andere mogelijkheid. Ze moest weten waar ze aan toe was.

'Waar ga je heen?' schreeuwde de bulibaşa haar na toen ze het pand uitstormde. Zijn stem sneed met hetzelfde gemak door haar hart als de wind door haar haren.

Florica's vader zat op de bank naast hem op tabak te kauwen.

'Ze doet wat een Rrom op een dag als deze hoort te doen,' zei hij onverwacht bruusk. 'Laat haar, broer.'

Met tegenzin nam de bulibaşa een hijs van zijn peuk. Hij wapperde met zijn hand dat Florica kon opsodemieteren. Tot zijn tevredenheid – de grijns van een overwinnaar – droeg Florica een fleurige jurk met bijpassende grote oorbellen. Ze voelde zich er vreselijk in. Normaliter probeerde ze zich zo grijs en grauw mogelijk te kleden om niet bij de rest van haar familie te horen, maar ze had een aantal kleurrijke kledingstukken onder haar bed liggen voor als haar oom bij hen was.

Ze knikte dankbaar naar haar vader. Ooms schoven aan om een dobbelspel te spelen, belust op de overwinning die niet zou komen zolang de bulibaşa met zijn gouden stenen dobbelde.

Florica liep zo snel als ze kon door de straat. In het meest gammele huisje woonde de waarzegster. Klanten hoefden niet aan te kloppen; ze verwachtte hen immers al. Dus Florica liep gejaagd naar binnen.

'Je weet dat de toekomst een duur goed is,' zei de waarzegster met haar rug naar Florica gekeerd. Ze schoor haar benen met een fruitmesje. Het kaarslicht bescheen de vrouw in het zwart.

'Ik heb geld, vrouwe,' antwoordde Florica.

'Dat weet ik,' zei de vrouw. 'Dat heb ik gezien in de bol.'

Florica had niet veel vertrouwen in de bol, die meer weg had van een omgekeerde vissenkom dan een kristallen bol waarin de toekomst woonde. Sterker nog: ze twijfelde of ze wel geloofde in waarzeggerij. Haar tante, de Gek, wel. Maar Florica wist niet of dat een goed teken was. Ze durfde haar twijfels echter niet te onthullen, dus hield ze het op een 'ja, vrouwe'.

De waarzegster draaide zich om. Niet alleen haar benen waren naakt. Men zei dat ze compleet gestoord was, omdat haar familietraditie sinds mensenheugenis gebood om als broer en zus met elkaar te trouwen en twee kinderen te baren: een jongen en een meisje die ook elkaar moesten huwen en wederom slechts twee kinderen mochten krijgen. Dit om de erfelijk bepaalde bovennatuurlijke gaven te behouden. Haar ouders kregen alleen een meisje. Niet dat ze er verdrietig om waren. Ze hadden het immers al voorspeld.

'Ik heb ervoor gewerkt,' zei Florica. Ze ritselde met het geld. Dat was gelogen. Ze had wat biljetten uit een portemonnee gepakt die haar broer had gejat en die zij naar het pand moest meesmokkelen. Heet het nog wel stelen als je steelt uit de gestolen buit, vroeg Florica zich af, en ze besloot van niet.

'Geld is geld,' zei de vrouw resoluut.

'Ik ben hier voor een voorspelling, vrouwe,' stamelde Florica. Ze keek de zieneres strak aan, zodat ze het naakte onderlichaam niet hoefde te zien.

'Dat weet ik,' mompelde de vrouw. Ze sloot haar ogen.

'Dat heeft u natuurlijk gezien.'

'Nee,' zei de vrouw met een lage stem, 'men is gewoon om mij te negeren, behalve als men naar de toekomst verlangt. Jij verlangt naar de toekomst.' Ze hield haar hand op. De lange nagels geboden Florica om elke lei die ze in haar zak had erin te leggen. 'Je hebt meer,' zei de waarzegster toen ze maar de helft van het geld overhandigde. 'De toekomst is een duur goed, dat weet je.'

'Dat weet ik,' verzuchtte ze en haalde de andere helft uit haar zak.

'De toekomst,' begon de zieneres, 'is onveranderlijk. Dat maakt haar zo gevaarlijk. Als je over zeven dagen moet sterven, moet je over zeven dagen sterven. Maar die zeven dagen zijn prettiger als je niets van je nabije eind weet. Dat spreekt voor zich.' Ze klikte met haar nagels tegen elkaar. 'Als je wilt, kun je nu nog weglopen en gaan naar waar je vandaan kwam,' waarschuwde de waarzegster, 'maar het geld houd ik. Een koopje, omdat je daardoor niet bang hoeft te zijn voor wat komen gaat.'

Florica ging er goed voor zitten. 'Ik blijf, vrouwe.'

'Dat dacht ik al,' verzuchtte de vrouw. 'Waar zijn die klotekaarten? In dit licht zie ik niets.' Ze drukte het geld tussen haar borsten en struinde door het donkere kamertje. Haar kont lubberde bij elke stap. Overal lagen vuile borden, papieren, potjes waarin ondefinieerbare objecten, vloeistoffen en mengsels zaten en oude boeken waarvan Florica zich afvroeg of de waarzegster ze kon lezen. De waarzegster plofte weer neer op de stoel tegenover haar met een set tarotkaarten in haar handen. Met haar onderarm zwiepte ze de salontafel leeg. Florica voelde hoe koude thee – ze hoopte tenminste dat het thee was – over haar jurk stroomde, maar dat deerde haar nu niet. Nu had ze tenminste een excuus om een grijzere variant aan te trekken.

De vrouw begon langzaam de kaarten te schudden. En langdurig. Onderwijl mompelde ze verzen die klonken als een debat tussen oermensen. Florica keek ongemakkelijk om zich heen. De kaars danste op de tonen van de toekomst. De waarzegster legde drie kaarten op tafel. Florica hield haar adem in terwijl, alsof de stilte de kans op een goede uitkomst opschroefde.

De vrouw liet haar lange nagel over de verkreukelde kaarten gaan: 'Verleden, heden en,' ze liefkoosde de laatste kaart met het topje van haar vinger, 'toekomst. We beginnen met wat was,' zei ze. Voordat ze de eerste kaart kon omdraaien, doofde de kaars. De gordijnen wapperden opzij. De wind sloeg het raam helemaal open en ontvoerde de kaarten met een stoot. Florica's toekomst waaide van de tafel, tussen stof, kruimels en huidschilfers.

'Je toekomst,' gilde de waarzegster. Ze sloeg zichzelf hard tegen haar wangen. In haar vuisten klemde ze lange zwarte haren die correspondeerden met de kale plekken op haar hoofd. 'Je toekomst,' gilde ze nogmaals. Haar stem bleef steken in hysterie.

'Wat houdt dit in?' vroeg Florica angstig.

De vrouw krijste aan een stuk door.

'Ik vroeg u wat vrouwe,' schreeuwde Florica, die door het gekrijs nog zenuwachtiger werd.

Het gegil hield op slag op. De zieneres staarde haar cliënte aan. Haar lange wimpers bewogen niet. De waarzegster wist het niet. Of ze wilde het niet zeggen. Ze keek slechts in het rond met de oogopslag van een fossiel. Haar ogen begonnen te tranen. Plotseling klapte ze vanaf haar middenrif ineen en de rest van haar lichaam volgde de val naar beneden. Het slappe lichaam hing half over de stoel.

Florica rende huilend het huis uit. Ze snelde voorbij haar eigen huis, waar de mannen nog steeds dobbelden. Een aantal maakte zich klaar om koopwaar te verkopen op de zwarte markt. Ze beet op haar lip, dan zou niemand haar staande houden en vragen wat er gebeurd was, dacht ze. Vader zou haar een klap verkopen als hij hoorde dat ze bij die 'heks had gebedeld om haar toekomst'.

Dus sprintte Florica zand en stof op haar jurk. Ze rende de stad in. Naast haar kwam een overvolle tram moeizaam in beweging. Het onderstel schaafde nagenoeg over de grond. De deuren stonden open om het opeengepakte blok mensen van zuurstof te voorzien. Florica zette aan en sprong met open armen de tram in. Ze werd een met het blok dat rook naar knoflook, alcohol, zweet en de penetrante geur van de olijfgroene Cheia-zeep waar elk huishouden kleren en huid mee schoon schrobde. Bij elke hobbel kraakte de vloer vervaarlijk. Florica drong zich bij de deuren vandaan, bang om eruit te vallen en haar toekomst te verliezen. Wanneer ze zich langs een man of vrouw wurmde, zag ze dat diegene controleerde of de portefeuille nog in broek of tas zat.

Ze snoof een wegglijdende neusdruppel terug. Ze snikte om niet te hoeven gillen. Ze jammerde. Ze traande. Ze begreep nergens meer wat van. Zowel de tram als zijzelf schraapten met hun ziel over de grond. Ze wilde haar tranen wegvegen, maar haar handen stonden strak tegen haar bovenbenen gedrukt. Er ontsprong een vochtige vlek op de rug van de bejaarde vrouw voor haar. Moeizaam dwarrelde ze met de stroom mee, de tram uit, en sprintte iedereen voorbij. Opnieuw voelde ze de tranen warm over haar wangen rollen. De mensenzee waardoor ze waadde keek haar na. Haar onderbewustzijn leidde haar naar de enige bestemming waar ze op dit moment kon en wilde zijn: de in onbruik geraakte kerk waar Constantin inmiddels woonde en werkte. Ze bonkte op de poort die voor 1945, voor de intrede van het communisme, altijd open had gestaan, maar nu stevig op slot zat.

'Ik wil je hier voorlopig niet zien, lieve meid,' zei de stem die net genoeg ruimte had om te klinken door de op een kier geopende deur. Florica wist niet of de snik die ze hoorde hem toebehoorde of van haarzelf was.

'Waarom niet?' vroeg ze. Ze wilde de vraag herhalen, maar die smoorde in hevig gehuil. Sinds ze klein was rende ze naar Constantin om getroost te worden wanneer nodig, of om te lachen wanneer er iets te lachen viel. Hij was de eerste en de enige die voor haar zorgde door met haar te praten en, voornamelijk, te luisteren. En naar mate haar babyvet verdween en zijn rimpels verschenen, zorgde zij soms ook voor hem. Voornamelijk wanneer hij zijn lever vol had getankt. Dat melancholische zuipen van hem haatte Florica, maar ze kon niet boos worden. Niet op hem. Constantin was de man in het driedelig pak die haar als kleintje één van de drie afdrukken van de werkelijkheid had gegeven.

Op de achterkant van de foto had hij het adres van zijn atelier geschreven. Wat zijn letters toch mooie tekeningen, dacht Florica als kind toen ze het adres bestudeerde. Toen ze diezelfde week voor het eerst naar school werd gestuurd door de communisten, leerde ze dat het een adres was. Haar juffrouw had haar uitgelegd waar ze ongeveer moest zijn. Sindsdien bezocht Florica haar officieuze peetvader, zoals ze hem noemde.

'Een moment van zwakte,' had Constantin tegen haar gezegd toen ze mettertijd vroeg waarom hij zijn adres op de achterkant had genoteerd. 'Ik was jong en onbezonnen. Ik wilde onze samenleving verbeteren.'

Florica had hem bedankt en gezegd: 'Dat heb je ook gedaan.' Destijds had hij een traan gelaten. Van dankbaarheid, verklaarde hij. Daarom zei ze het nu opnieuw en opnieuw tegen de houten deur die op een kier stond. Maar haar woorden boekten geen resultaat.

Even verscheen er een rode neus door de kier. 'Het spijt me.' De deur sloeg dicht.

'Constantin,' fluisterde ze met haar voorhoofd rustend op het hout. Berustend. Zijn voetstappen schalden zwaar en traag. Ze hoorde glas uiteenspatten.

Verslagen struinde ze door de stad, op weg naar huis. Ze was bang dat haar tranen vast zouden vriezen op haar wangen. Ze kreeg een ingeving, droogde vastberaden haar tranen en liep direct naar het 23 augustusplein. Als zelfs Constantin er niet meer voor haar was, dan restte haar hier niets meer, besloot Florica. Ze versnelde haar pas. Mensen keken haar na, de snikkende zigeunerin. Misschien was hij aan het werk, dacht ze, of misschien was hij bijna klaar. Ze zette het op een hollen en hield pas halt toen ze voor de schoenenzaak stond. De ruiten waren beslagen. Ze zag een silhouet, meer niet, dus nam ze een hap lucht en ging naar binnen.

'Kan ik je helpen?' vroeg een meneer, die een verfrommelde schoen in vorm probeerde te duwen.

Florica's maag kromp samen. Ze herkende hem niet. Degene die ze zocht was er niet. Ze bestudeerde gespannen de ruimte, alsof de jongen elk moment kon opspringen.

'Is hij niet aan het werk?' vroeg ze. 'De jongen?'

'Remus?' vroeg de schoenenhersteller. 'Die is net weggelopen.'

'Waarheen?'

'Als jij het weet, mag je hem vertellen dat hij hier niet meer terug hoeft te komen. De onbetrouwbare schoft.'

'Bedankt,' zei Florica. Ze verliet onvoldaan de kleine winkel, terwijl ze proefde van de naam Remus. Het was een goede, krachtige naam. Een lichtpuntje. Ze zong zijn naam, binnensmonds, maar zuiver, terwijl ze naar huis liep. Ze was hem misgelopen, ja, en daar baalde ze van, maar zijn naam had ze wel alvast te pakken. Hij moet mij meenemen, dacht ze, en ze koesterde haar wens, greep ernaar, voordat de eenzaamheid haar zou opslokken.

Maar hij is er niet voor me. Niemand is er voor mij. Ik ben alleen. Haar oom was de enige die haar wilde ontvangen. Ze rochelde op de grond – iets wat ze bijna nooit deed, behalve als de bulibaşa haar gedachten besloop. *Wie houdt er van mij? Remus? Zal hij van mij houden?*

Het kleine beetje hoop verdampte toen ze bijna thuis was en langs het huisje van de waarzegster liep. Plotseling dacht ze weer aan de wegwaaiende kaarten en aan de onheilspellende reactie van de zieneres. Ze zette het opnieuw op een rennen, bang dat de vrouw naar buiten zou stormen en haar zou vervloeken, en stopte pas toen ze in de huiskamer was en aan de voeten van haar grootvader neerstortte.

'De kaarten waaiden weg,' gilde ze tegen haar grootvader, die lijdzaam het vuur voedde met gehavende kledingstukken die zendelingen in de naam van hun Heer brachten als wering tegen de winter, maar wat had hij aan broeken zonder kniestuk of een aan flarden gereten shirt van een Amerikaanse rockband? Aandoen hield hem niet warm, had de oude man gezegd, dus brandde hij het katoen in het kacheltje. Dat hielp.

'Grootvader,' ze schoof op haar knieën dichterbij, 'wat betekent dat?'

'Dit is meer gat dan sok,' mopperde hij, terwijl hij zijn trillerige vinger door de stof stak. 'Wat zijn ze genereus in het westen.' Hij wierp de sok in het vuur. Rook steeg geleidelijk op met Florica's hoop.

'Wil dan niemand zeggen wat het betekent?' jammerde Florica. Ze wilde naar haar bed stormen, maar grootvader pakte haar bij haar arm vast.

'Kind,' begon hij, 'ik weet waarom je deze fleurige jurk hebt aangetrokken. Ergens is het mijn schuld, omdat ik de hand van mijn dochter aan jouw vader gaf. Je moeder is gelukkig hier, en gelukkig maar. Ongeluk slaat schijnbaar een generatie over.'

'Grootvader?'

'Houd toch op met je grootvader,' zei de oude man. Hij lachte de rimpels in zijn wangen. 'Je bent een buitengewoon slimme meid. Een vrouw inmiddels.'

Ze begreep waar hij het over had. Zijn vrouw, Florica's oma, was de stallen ingedoken met een protestantse missionaris uit Denemarken. De twee hadden zijn eer vernield met het stro tussen de billen. Wat had hij kunnen doen om zijn eer te herstellen? Zijn vrouw wegjagen? Doodslaan? Dat was niets voor hem. Het enige wat hij kon doen om te ontsnappen aan hoon was hun oudste dochter uithuwelijken aan de eerste de beste buitendorpse zigeuner die hij tegenkwam: een in vodden gehulde reiziger van ver die koperwaar verkocht met een gouden grijns. Florica's vader.

Na een zware reis over beek en berg arriveerden de jongeman, het jonge meisje en de vermoeide oude vent met twee andere dochters in hun nieuwe thuis. Florica's vader paradeerde met zijn aanstaande bruid en zijn in gedachten verzonken schoonvader door het kamp naar de hut van de zigeunerchef, de bulibaşa. Het huwelijk werd van beide kanten goedgekeurd en bezegeld met een hap zout bloedbrood. Er werd twee weken gedanst, gedronken en geschranst – de sloddervos die hij had aangewezen als zijn schoonzoon bleek tot grootvaders verbazing de tweede zoon van een machtige bulibaşa. Grootvader had Florica het verhaal vaak genoeg verteld om de treurnis van zijn klanken te bespeuren. Hoe had hij kunnen weten dat de jongen aan wie hij zijn dochter gaf gebogen ging onder kilo's gouden kettingen onder de lorren om zijn borst?

Op de familiefoto leek hij echter in zijn sas, net als Florica. Ze wist nooit of dat de waarheid was of slechts haar eigen wens. Maar zojuist bevestigde grootvader het: hij was een nepzigeuner, een verrader, het laagste van het laagste. Net als ik, dacht ze.

Stiekem had ze het al die tijd geweten. Hij werd niet voor niets de naakte zigeuner genoemd door de rest van de familie, omdat hij geen gouden sierraden droeg.

'Waarom gaat u niet weg?' vroeg Florica.

'Dat ga ik ook,' zei hij, terwijl hij de rimpels in zijn handpalm aaide. 'Tot die tijd moet ik op mijn dochters passen. Dat is mijn taak.'

'En ik?'

'Jij hoeft op niemand te passen. Alleen op jezelf. Jij moet leven. En beter trouwen dan je moeder.'

'Maar mijn toekomst...'

'Die heb je wel,' zei hij. Hij slingerde een bijbehorende sok achter zijn collega aan.

'Maar de kaarten zeiden...'

'Niets,' verzuchtte grootvader. 'De kaarten zeggen niets. Het kan van alles betekenen. Misschien mag jij jouw toekomst zelf invullen, misschien kon die feeks niets zien, misschien neemt de toekomst jou mee, of,' hij verschafte zichzelf een denkpauze, 'wellicht wijst de wind je een richting. Hij arriveerde uit het oosten en blaast richting het...'

'Dus mijn toekomst ligt niet hier?' zei Florica, terwijl ze haar tranen droogde. Dat kwam niet als een verrassing.

'Hij heeft hier nooit gelegen,' zei grootvader.

'Maar wat voor lessen kan ik uit de wegwaaiende kaarten trekken?' vroeg Florica. Ze hunkerde naar zekerheid. 'Wat staat vast?'

Grootvader haalde zijn priemende schouders op. 'Dat het vandaag winderig is, me dunkt.'

Florica wilde er tegenin gaan, maar rumoer van buiten weerhield haar daarvan. Tot hoorbare onvrede van haar oom – 'opflikkeren, klootzakken!' – reed er de hele tijd een toeterende auto door hun wijk. Florica stormde nieuwsgierig de trap op en ging op het balkon staan om te kijken wat er aan de hand was, ondanks de waarschuwingen van haar moeder dat het balkon onbegaanbaar was wegens betonrot. Ze hing tegen de balustrade. De zon vloekte met de kou. Met haar ellebogen steunde ze op de betonnen reling en keek naar het schouwspel. Een rode Dacia 1310 schreef met de banden een halve cirkel in de sneeuw en kwam weer richting het huis rijden. Beneden schreeuwde de bulibaşa naar Florica's vader om de auto tegen te houden. De auto raasde met rokende banden voorbij en reed hem bijna omver, zonder dat Florica kon zien wie erin zat. Ze geloofde niet dat het Rroma waren, die net als de Roemeense boeren veroordeeld waren tot paard en wagen. Het was ook geen Securitate, want die reden in het zwart. Pochers? Had haar broer een Dacia gestolen? Ze dacht twee jongens te zien. Vader vloekte, omdat zijn hoed in de blubber viel die de smeltende sneeuw achterliet.

'Dat je hele familie mag doodvallen,' schreeuwde vader de auto na.

De bulibaşa was het inmiddels volkomen zat, mieterde zijn shirt over een stoel en floot een groep mannen om zich heen. Als Rrom-jongen werd je snel tot de mannen gerekend, waardoor ook Florica's broers moesten aantreden om de velgen van de auto te innen als represaille voor vaders hoed.

De auto draaide opnieuw om. Florica zag de lichtreflectie in de lak van de toeterende auto. Haar ogen groeiden van groot naar gigantisch toen ze beter keek. De bijrijder zag haar ook en klom uit het raam. Ze herkende hem meteen, maar nu had ze niet de behoefte om weg te rennen. Ze stond aan de grond genageld.

'Remus,' ze proefde weer van de naam die zijn baas had prijsgegeven. De jongen hing wanhopig uit het raam en reikte naar haar, zonder ooit bij haar te kunnen.

'Pure zelfmoord,' stamelde Florica ontredderd, maar haar hart lachte. Hij wuifde dat ze naar beneden moest komen. Ze schudde haar hoofd. Dan had ze net zo goed direct naar de kamer van haar oom kunnen lopen om haar straf te ontvangen. Ze zag haar broers de auto bestormen. En als ze bleef, zei een stemmetje in haar binnenste, zou hij haar ook ontbieden. En nog veel vaker.

Remus viel bijna uit het raam toen de bestuurder het gaspedaal indrukte. Florica slaakte een gilletje. Hij kon zich nog maar net vastgrijpen aan het dak van de auto. De banden beschreven een donker spoor in de mix van zand en grind die de weg voorstelde. Florica twijfelde niet langer. Ze denderde van de trap. Haar moeder barricadeerde plotseling de voordeur.

'Nog voordat je een woord zegt,' begon ze met een beringde vinger die voor Florica's neus deinde, 'wil ik je actie afkeuren. Ik ben niet dom. Niemand heeft gezien waarom die auto stopte. Daarvoor waren je vader en oom te woest. Maar ik...'

'Zag en zeg niets,' klonk het uit de hoek van de kamer. Grootvader keek Florica aan vanachter 'de troep die gadjo's lezen', zoals de bulibaşa boeken noemde. Florica glimlachte een bedankje naar haar grootvader.

'Wees alsjeblieft voorzichtig,' zei haar moeder. Ze frutselde aan de ketting die ze van haar man had gekregen. 'En houd je benen bij elkaar.' Grootvader sloot het boek met een klap. 'Wat nou?' beet ze haar vader toe. 'Ik wil mijn dochter graag maagd houden. Voor...,' ze zweeg even, 'later'.

Florica kon alleen maar beduusd knikken en stormde naar buiten. Iedereen lachte om een van haar broers, die behendig jongleerde met de buitgemaakte wieldoppen. Niemand had oog voor haar.

'Voorzichtig zoon,' bromde vader onder het spuwen van tabak. 'Ik wil ze nog verkopen.'

Ze negeerde iedereen en volgde de groeven van geluk die de auto in de weg had gegraven. Ze sloeg haar blote armen om zich heen, omdat ze wist dat ze het koud hoorde te hebben. In werkelijkheid hielden de sporen die ze volgde haar warm. Het plan was begonnen, verzekerde ze zichzelf. De sleep van haar jurk veegde het stof en de losse sneeuw van de weg. De sporen leidde haar van de weg af. De auto had een geïmproviseerde afslag genomen naar een aftandse fabriek die sinds de dalende vraag naar hun machines failliet was verklaard. Er werd daar niets meer gemaakt. De ruiten waren ingeslagen. Florica wist van haar broers dat ze alle verkoopbare materialen hadden meegenomen om te verkopen op de zwarte markt. En precies op dezelfde plek waar haar broers de kar hadden bevracht met defecte boormachines, boutjes en moertjes, stonden de twee jongens op elkaar en op de auto te vloeken. Eerst in potjeslatijn, maar later luid en duidelijk verstaanbaar voor Florica. Remus stond met een metalen bus in zijn handen.

'Ik woon hier al mijn hele leven,' zei de ander, 'maar dit heb ik nog nooit meegemaakt. We hadden wel dood kunnen zijn.'

'Twee keer misschien wel,' zei Remus.

'En alle keren zijn jouw schuld,' verzuchtte de jongen, terwijl hij een trap tegen de plastic grill gaf. Rook omsloot zijn voet. 'Ik wil best spoedig sterven, maar dan wel over de grens. Of als het moet tegen de grens aan.'

Florica wachtte haar moment af en riep toen ongemakkelijk: 'Remus'.

Remus draaide zich naar haar toe. Te verbouwereerd om te antwoorden. Hij ontving haar met een verontschuldigende glimlach en wees naar de auto die in puin lag alsof hij wilde zeggen dat hij dat voor haar over had. Hij liep naar haar toe. Zijn armen spreidden zich langzaam, alsof hij met uiterste precisie en reserve een kat probeerde te vangen. Florica liep op hem af als een gedomesticeerde poes die blij was haar baas te zien nadat ze verdwaald was in een wijk vol straathonden. Ze wist niet waarom ze het deed. Soms moest je erop vertrouwen dat je iemand kon vertrouwen. Ze legde haar hoofd tegen zijn borst. Ze luisterde naar zijn hart. Opeens realiseerde ze wat ze hoorde.

'Ik hoor het ritme van de liefde,' zei ze.

'Klopt jouw hart hetzelfde ritme als het mijne?' vroeg Remus.

Florica glimlachte schuldbewust. Ze dacht: *nee, het antwoord is nee, hoort nee te zijn, want ik heb jou nodig om hier weg te komen, jij bent mijn plan.* Maar dat kon ze niet antwoorden. En nu ze haar hoofd lostrok en in zijn ogen keek, naar de donkergroene spikkels in zijn iris, donkere eilanden in een lichtgroene oceaan, wist ze dat de waarheid was gewijzigd.

'Mijn hart klopt nog heviger,' antwoordde ze.

'Hoe heet je?'

'Florica.'

'Mooie naam.'

'Dank je,' antwoordde Florica giechelig.

Remus boog zich voorover, maar ze ontweek zijn lippen.

Zinnelijk zei ze: 'Later. Jullie moeten hier weg, voordat ze genoeg hebben van de wieldoppen en meer van jullie willen.'

De ander kreunde toen ze de wieldoppen benoemde.

'Mag ik eerst mijn ziel terug?' vroeg Remus. Hij grijnsde.

Florica schudde haar hoofd: 'Jij hebt mijn hart'. Ze lieten elkaar los.

'Aangenaam hoor. Ik ben Emil,' zei de ander driftig, terwijl hij de demper in de achterbak gooide en daarna naar het chauffeursportier liep. 'Je lijkt me een prima meid, maar je hebt geen smaak.' Hij vloekte toen hij met zijn vinger over een deuk wreef. 'Dus jullie passen uitstekend bij elkaar.'

Remus drukte Florica een papiertje in haar vuist en kuste daarna haar handrug. Verlegen liep ze achteruit, terug naar de weg. Ze wuifde. Remus stapte ook in Dacia 1310 en keek over de stoel achterom. Hun blikken bleven met elkaar verstrengeld totdat de auto met een oorverdovend kabaal uit haar zicht verdween.

Toen begon ze te rennen. Over het spoor dat de auto achterliet. Ze ging terug naar de stad en was vastbesloten om Constantin te spreken. Wist zij veel, misschien was dit wel de laatste keer.

'Ik moet je iets belangrijks vertellen,' schreeuwde Florica tegen diezelfde halfdichte deur als die ochtend. Deze keer klonk haar stem hoopvol. Ze hupte ongeduldig op en neer.

'Wat moet mijn vrouw hier wel niet van denken? Je bent een volwassen vrouw geworden. Je hebt zelfs van die dingen,' zei Constantin onhandig, en hij wees vanachter de houten deur ongemakkelijk naar haar borsten.

'Kleine meisjes worden groot,' zei Florica boos. 'Dat had je kunnen bedenken toen je mij die foto gaf met je adres erop.'

'Het zijn nare tijden meid,' verzuchtte de stem.

'En dan laat mijn zelfbenoemde peetvader mij verkleumen in de kou, rijp om gepakt te worden door de communisten die zich afvragen wat een zigeunerin de godganse dag voor die deur uitspookt.' Er flitste een licht uit de kier.

'Een prachtig plaatje,' mompelde Constantin door het kraken van de deur heen. 'Kom snel binnen dan,' zei hij, terwijl hij zijn blik liet varen op de hoogbouw om zich heen. Hij controleerde de hoeken van de straat voordat hij de deur dichtsloeg. Een zigeunerkindje schoot weg voor zijn blik. 'Ik weet dat je niet van die kleurrijke jurken houdt,' zei hij, 'maar het rijmt prachtig met je tong vol furie, je boze frons en het verdriet in je ogen. En ik heb het moment gevangen.' Hij wapperde met het velletje.

'Ik ben je werk niet,' zei Florica. Desalniettemin was ze gevleid, en vooral opgelucht dat ze eindelijk binnen werd gelaten. Er lag een verhaal op haar tong.

Constantin doolde doelloos rond met zijn armen vol paperassen. Hij hing rondslingerende fotocamera's tussen de heiligen aan de muur, gooide de papieren bij de uitpuilende prullenbak en probeerde omzichtig de flessen drank achter zijn rug te verbergen en schuifelend op de binnenplaats te storten. Het gerinkel van glas verraadde een rustplaats van flessen. Veel flessen. Constantin verontschuldigde zich voor de rotzooi.

'Mijn vrouw is een vrijgevochten Griekse communiste, door de kapitalisten aldaar verbannen naar het beloofde land,' zei hij terwijl hij zijn handen hief alsof hij Florica duidelijk wilde maken dat ze zich in het walhalla bevonden. De Grieken hadden communistische families verbannen naar Roemenië. 'Ze laat me gewoon in mijn eigen troep zitten.'

'En terecht,' zei Florica.

Hij glimlachte. 'Maar ze heeft ook voordelen hoor. Als ze, en dat komt eens in de zoveel tijd voor, alle benodigde ingrediënten heeft kunnen verzamelen, maakt ze bijvoorbeeld de meest verrukkelijke salades van de wereld.'

'Dat weet ik,' zei Florica. Ze had wel eens met hen meegegeten. Constantins vrouw had Florica altijd hartelijk ontvangen. 'Daarom geloof ik ook niet dat jouw vrouw mijn bezoekjes afkeurt,' zei ze streng. Van kleins af aan had Florica Constantin al in haar macht. De laatste tijd werd ze zich daarvan bewust. In de zomer droeg hij steevast sokken in zijn sandalen. Zijn vrouw vond het vreselijk, maar pas toen Florica zich achter haar schaarde, zwoor Constantin de sokken af en drukte zijn harige voeten bloot in de sandalen. En dat was nog iets kleins.

'Ze vroeg zich al af wanneer je weer eens zou langskomen,' mompelde Constantin, terwijl hij een fotorolletje terugdraaide. 'Maar ze is nu bij een vriendin op visite.'

Florica knikte. Ze struinde door het atelier dat vroeger een orthodox kerkje was geweest. De koepel hoog in de nok liet het winterlicht door. De kamer waar vroeger priesters zich hadden omgekleed, had Constantin, met de hulp van zijn broer die de kost verdiende als timmerman, uitgebouwd tot een aparte ruimte waar hij de fotorollen ontwikkelde. Ze mocht soms van hem toekijken hoe hij zijn foto's in bad stopte, zoals Constantin het noemde wanneer hij de vellen onderdompelde in de chemicaliën. Hoewel ze misselijk werd van de zure lucht en niets zag omdat het in het donker moest gebeuren, had ze het als een wonder ervaren toen hij de foto's ophing om te drogen.

Inmiddels had hij twee waslijnen tegenover elkaar gespannen. Aan de ene hingen portretten van partijbonzen, lachende families aan uitpuilende eettafels, blauw-geel-rode parades en scholieren die een eerbetoon aan de Leider in elkaar knutselden. Foto's van tandeloze oude vrouwtjes, doodgereden zwerfhonden, besneeuwde en afgetakelde steden, ineenstortende herenhuizen, een lachende familie met een half brood en wat boter op tafel, zigeuners op rottende huifwagens, brullende bulldozers en vooral veel rijen voor lege schappen hingen aan de andere lijn. Maar alle prenten waren kundig vastgelegd. Fotograferen is wrochten, was zijn credo.

'Mijn werk moet in balans zijn als ik met pensioen ga,' verklaarde Constantin. 'Ik schiet propaganda voor kranten als România Liberă en hun collega's,' hij verfrommelde geïrriteerd een verkeerd belichte foto van de burgemeester van Brașov, 'zodat mijn vrouw en ik in leven blijven. En ik maak foto's die vrienden en kennissen de grens over smokkelen om daar te publiceren. Een deel van diezelfde lijn gaat het archief in. Voor na de omwenteling.'

De omwenteling, daar zijn we weer aanbeland, dacht Florica. Constantin had het graag over revoluties en het uitschakelen van het systeem, zoals er zovelen in het geniep over spraken. De paar dichters die hun mond opentrokken werden heimelijk in huis opgesloten of geëxecuteerd. Het gepeupel werd meteen tot stilzwijgen gemaand. Dus Constantin zei het binnensmonds of tegen zijn vrouw, vrienden of tegen Florica. Hij had met haar gedanst toen hij haar vertelde over de Praagse Lente die een jaar voor haar geboorte plaatsvond in Tsjecho-Slowakije. De Leider was zijn communistische broeders in het Noorden afgevallen door niet met hen op te trekken naar Praag om de opstanden neer te slaan. Hij keurde het af. 'West-Europa kreeg hoop. Wij kregen hoop. Ik kreeg hoop,' zei hij, met tranen in zijn ogen. Nadien werd het Roemeense regime erger. 'Het was een farce.' Na een bezoek aan Noord-Korea werd de Leider de Messias van de angst die Florica nu kende. 'Als ik een spleetoog zie...,' had Constantin dreigend gevloekt toen hij Florica weer op de grond zette.

Sindsdien droomde hij van een Roemeense Lente, al mocht het van hem ook een Roemeense Zomer, Herfst of Winter worden, als historici het seizoen maar met een hoofdletter in ongemanipuleerde geschiedenisboeken zouden schrijven. Als het even kon met Constantins foto's erbij. 'Het is bijna lente,' zei hij dromerig. 'Na de winter.'

'Het is lente in mijn leven,' zei Florica.

'Dat is het zeker,' zei Constantin en zijn neerslachtige fonkeling maakte plaats voor de heldere oogopslag die Florica kende, 'want het borrelt in de stad'.

'Nee, je begrijpt het niet,' zei ze, en haar lippen liepen over met woorden die ze met geen mogelijkheid in een heldere volgorde kon zetten. Desalniettemin wist ze hem duidelijk te maken dat een Roemeense jongen haar had gevonden. En zij hem.

'Dus je hebt de liefde gevonden?' vatte Constantin haar relaas samen.

'We hebben geknuffeld,' zei Florica dromerig – ze staarde naar een foto van een zigeunerfamilie op een huifkar, zonder er iets van mee te krijgen.

'Die zijn van de Securitate,' besloot Constantin. 'Hoe komen jonge jongens anders aan een gloednieuwe auto? Of überhaupt aan een auto? Ik heb een verdwaalde autoband op mijn binnenplaats liggen. Mijn vrouw heeft er aarde ingegooid en kweekt er kruiden in. En daar zijn we blij mee. Er zijn maar weinig Roemenen met een kruidentuin in een autoband.'

'Een Securitate-auto zonder wieldoppen in ieder geval,' zei Florica. 'Ik denk dat de Securitate zich niet zo makkelijk laat beroven. Dus het waren geen agenten. Het waren ridders.'

'Wat weet jij van liefde?' vroeg Constantin. 'Mijn vrouw en ik houden van elkaar. Je kunt niet van liefde spreken als je elkaar amper gesproken hebt. Hoe lang ken ik mijn vrouw nu al? Ik kan er niet eens meer bij met mijn hoofd. We hebben kinderen proberen te maken, maar die werden ons niet gegund,' zei Constantin, terwijl hij naar de onschuldig kijkende Jezus Christus wees die de koepel leek te dragen. 'We zijn verraden door vrienden en hebben vrienden verraden. We zijn communist geweest, zij dan, en kapitalist, ik. Ik zou voor haar sterven als het moet, wat geen prestatie is. Ik blijf voor haar leven.'

'Liefde heeft geen tijd nodig. Liefde heeft twee harten nodig,' zei Florica. 'En dat andere hart gaat mij meenemen naar een betere plek.'

Constantin proestte: 'Weet hij dat ook?'

Nog voordat Florica kon antwoorden, werd er op de houten deur achter hen gebonsd. Een ring tikte tegen het raam. Een gouden ring. Florica wilde gillen dat Constantin de deur dicht moest laten, maar het was te laat. Ze was verraden, wist ze, en alle lucht werd uit haar longen gezogen.

Het was niet de Securitate die voor de deur stond. Het was nog veel erger. Haar oom stond te vloeken in de deuropening. Gezien zijn vocabulaire was hij niet bang voor de toorn van de afgeplakte heiligen in Constantins atelier.

'Meekomen, nu,' was alles wat hij daarna tegen zijn nichtje zei. Zijn rode ogen voerden verder het woord.

Constantin ging in het gezichtsveld van de bulibaşa staan en drukte ongezien zijn horloge in Florica's handen. Omkopen kon je leven redden, dus in Roemenië was iedereen vingervlug. 'Ze heeft mijn horloge gestolen,' bulderde hij en Florica begreep hem. Niet dat het horloge haar kon redden van haar ooms kamer.

'Dank je,' mimede ze.

'Liefde is alles,' riep hij haar na toen haar oom Florica meetrok met een norse frons. Haar oom stak zijn middelvinger op als dank voor de tip.

Florica zag hoe Constantin in paniek naar een fles drank zocht. De foto die hij van haar had gemaakt, hing aan de waslijn tussen de tandeloze vrouw en de familie aan een karig gedekte tafel. De goede lijn.

Hoe harder de bulibaşa in haar arm kneep, hoe zekerder Florica wist wat de tarotkaarten betekenden. Zonder dat Remus het kon weten, had hij het antwoord op het papiertje geschreven. *Morgenvroeg vraag ik het genoegen om je mee te nemen naar daar waar we elkaar alles kunnen gunnen. 10 uur, voor de Zwarte Kerk.*

Haar grootvader had gelijk. Haar toekomst was niet hier, niet bij haar briesende oom die haar meesleurde en voor van alles uitmaakte. Maar was het antwoord niet te laat tot haar gekomen?

7

'Blonde vrouwen zijn de ondeugendste,' zei de schoenmaker tegen Remus terwijl hij zich uitleefde op de zool van een diplomatenschoen. 'Waar kwam ze vandaan?'

'Nederland,' zei Remus.

Hij probeerde positieve noch negatieve accenten te plaatsen, omdat hij de politieke voorkeur van zijn baas niet goed kon taxeren. Over vrouwen had de man het echter graag en daar konden weinig staatsgevaarlijke situaties uitkomen. Behalve als Remus de zelfbenoemde moeder van Roemenië, mevrouw Ceauşescu aansneed, maar dat deed hij niet. Over haar werd niet gesproken. Niet zonder te vloeken in ieder geval.

'Juist,' antwoordde zijn baas, waarschijnlijk smachtend naar een Nederlandse. Die waren zeldzaam. Er waren Irakezen en Afrikanen, Cubanen en Oost-Europeanen, meestal studenten of zonen en dochters van diplomaten, maar westerlingen kwamen het land steeds moeilijker binnen. 'Als je maar niet met haar wegvlucht,' zei hij. Remus probeerde een glimlach te ontdekken, maar niets op het gezicht van zijn baas wees op een grap.

'Natuurlijk niet,' antwoordde Remus zo neutraal mogelijk. Hij liet onhandig een schoenborstel vallen.

Toen hij de hotelkamer uitsloop, nadat hij onder aanmoediging van het geronk van de Nederlandse een versje had geschreven aan het bureau, gaf hij de dichter Ovidius ongelijk. Hoe langer hij in de kamer bleef, hoe meer hij smachtte naar de zigeunerin. Zelfs zijn liefde voor Roemenië bleef intact.

'Ik wil hier niet eens weg,' zei Remus met stemverheffing, terwijl hij de gevallen borstel achterna dook. Zelf wist hij niet of dat gelogen was.

De baas negeerde de opmerking: 'Ik ben lang geleden gestrand in een Lipovaans dorpje God weet waar in Dobroedzja, in de buurt van de kust. Mijn Aro-terreinauto begaf het, opnieuw, en er was helemaal niets in de buurt. Behalve het dorp waarvan ik de naam niet kon uitspreken. Ik bevond mij in een Russische enclave en ik sprak geen woord Russisch. Al snel liep een blondine naar mij toe, iets jonger dan ik, en nam mij bij mijn hand.' Hij legde de schoen op de werkbank en keek Remus grijnzend aan. 'Ik ben daar twee weken gebleven. In bed gilde ze naar God in het Oud-Russisch. Haar dorpsgenoten dachten dat ze mij bekeerde. Nou, ik ben bekeerd hoor.'

'Tot blondines zeker,' zei Remus, ietwat afwezig, omdat hij de Russische kreten bijna hoorde. Hij was een van de weinigen die de lessen Russisch bijwoonde, samen met de strebers en angsthazen. Hij behoorde volgens Emil tot de eerste groep; Emil lag steevast in zijn bed te stinken terwijl Remus struikelde over keelklanken van de Kozak. Nicu deelde hem in bij de angsthazen. Ze hadden beiden gelijk. Zelf beschouwde Remus zich als een weetgraag. De taal had hen niets misdaan, maar de mensen die de taal spraken. Hij wilde het gouden werk van Dostojevski en Tolstoj lezen in de geschreven taal. En toch. Bij elk mondeling dat hij haalde, voelde hij zijn tong vies worden. Hij keek op tegen Emil die het merendeel van de klas had overgehaald om slapend verzet te plegen.

'Het is het kleine beetje protest dat wordt gedoogd,' was de redenering van Emil.

'Tot blondines,' bevestigde de baas. Daarna trok hij een vies gezicht: 'Maar ik wil nooit naar Zweden of Nederland. Vuile kapitalisten. Geef mij maar een Lipovaanse.'

'Dat zal best,' zei Remus kortweg, omdat hij de politiek niet wenste te bespreken. Zeker niet met zijn baas. Hij poetste de schoenen die vandaag opgehaald werden en sorteerde ze op familienaam in een handgetimmerde stellage. De vooroorlogse schoenen uit Milaan blonken weer.

Via de transistorradio deelde de Leider het volk mee hoe goed het ging met het land. De aankomende oogst zou groots worden, de fabrieken liepen over van het werk en niemand had honger. Hij herhaalde, niemand had honger. Bij elk zinseinde ruiste applaus uit de speakers. Het applaus overtrof de duur van de zinnen.

Twee heren vielen met veel aplomb de zaak binnen. De kleine dikkerd had een zonnebril op zijn neus. In de winterse Transsylvanische Alpen, waar zonnebrillen schaars waren, dacht Remus. Zenuwachtig staarde Remus naar beneden en zag dat hun schoenen verzorgd waren. De magere dunne deed een stap naar voren en gaf de schoenhersteller een hand. Ze kenden elkaar. Dat zou Remus moeten ontspannen, maar de dikkerd hield hem over zijn zonnebril in de gaten.

'Kameraad,' zei hij met zijn ogen strak op Remus gericht, maar met zijn dikke vinger wijzend naar de schoenhersteller, 'wil je ons even alleen laten met deze knaap?'

De Leider verklaarde op de achtergrond dat hij het volk had geadopteerd en van zijn zonen en dochters hield als een vader. De luisteraars scandeerden zijn naam. Ceaușescu, de held, Roemenië, communisme. Applaus en leugens, de cadans van het communisme. De radio had geen muziek nodig. Zoiets zou Emil sarcastisch hebben opgemerkt als de dikke en de dunne voor hem hadden gestaan.

Maar ze stonden voor Remus die slechts braaf 'mijne heren?' piepte en aan de veters van de schoenen in zijn handen friemelde. De baas boog kort en liep naar buiten, waar hij de pekel van het etalageraam begon te poetsen.

'Wij hebben via via vernomen...' begon de dikkerd.

'Zoals wij dergelijke zaken altijd vernemen...' vulde de lange zijn collega aan.

'Dat er zaken in jouw kop omgaan...' de dikkerd tikte tegen Remus' voorhoofd, '... die zich daar niet horen af te spelen'.

'Ik hoopte eigenlijk dat jullie mij kwamen vertellen dat mijn verzen groen licht krijgen van de schrijversvakbond, *Uniunea Scriitorilor din România*,' zei Remus, moediger dan hij zich voelde. Hij wist wel dat hij niet tot de 'nieuwe mens' hoorde die Roemenië naar voorbeeld van de Sovjet-Unie aan het bouwen was door middel van manipulatie der letteren. De vakbond zag zelfs in het snijden van een aubergine een metafoor voor een beraamde moord op de geliefde Leider. De kans dat hij gepubliceerd werd, in welk tijdschrift of dagblad ook, bleef minimaal. Ondanks dat zijn ingestuurde verzen neutraal waren, die wel, en hij in een daarvan zelfs het Roemeense communisme roemde voor de gelijkheid tussen man en vrouw – *God nam Adams rib en gaf hem Eva, Wij pakten Eva van Adam af en gaven Eva aan Eva terug.*

De lange schudde zijn hoofd, terwijl de dikkerd naar een stapel onherstelbare schoenen liep in de hoek van de zaak. Remus' knieën knikten. Hij begreep dat hij te ver was gegaan. Goddomme, hij was Emil niet, hij had meneer Noica niet achter zich, hij had grootmoeder en haar verdomde bloed van adel.

'Pardon, u bent niet van de schrijversvakbond,' mompelde hij schoorvoetend.

'Hebt u uw dichtsels uitgetypt, alvorens ze op te sturen?'

Het was de eerste keer dat Remus, naar zijn weten, contact had met de Securitate en Emil had hem eens gezegd dat ze ondoorzichtig en dom waren. Angsthandelaars. Boeren die van het platteland werden geplukt om agent te spelen. De vraag was zo ondoorzichtig, dat Remus had gelachen als hij niet zo bang was geweest: 'Maar natuurlijk niet. Wij hebben thuis geen typemachine.' Zijn stem trilde. Typemachines waren strikt verboden. Ze werden gebruikt om manifesten tegen het regime te kopiëren. 'Ik schrijf alles met een vulpen.'

De lange man wroette met de punt van zijn schoen door het kerkhof van leer, zolen en veters. De bruikbare onderdelen had Remus eruit gefilterd, want 'weggooien is zonde' was het credo van de baas en het land in het algemeen.

De dikke: 'Zorg jij er maar voor dat jij en je vriendjes niet net zo eindigen als deze schoenen. Daar heeft de Socialistische Republiek Roemenië niets aan.'

'Dit is een waarschuwing,' onderstreepte de andere man. 'Houd je koest.'

Ceaușescu voltooide zijn slotrede. Onder daverend applaus verlieten de dikke en de dunne de schoenherstellerij.

'Nooit zeggen wat ze zeiden,' waarschuwde de baas bij zijn rentree toen Remus zijn mond open wilde doen. 'Nooit,' herhaalde hij.

'Dat was de Securitate,' stamelde Remus vol ongeloof. Hij zag de geheime dienst altijd en overal en waarschijnlijk ook waar ze niet waren, maar hij had nooit direct met ze te maken gehad. Een bedreiging, dacht hij, om me in toom te houden.

'Stil,' zei de baas en hij duwde zijn hand tegen Remus' mond. 'Zeg me niet waarom of waarover. Ik wil het niet weten en jij wilt niet dat ik het weet. Houd je kop en ga aan het werk.'

'Nee, ik moet gaan,' zei Remus. Zonder het fiat af te wachten, gespte hij de vuile voorschoot los en stormde het pand uit. Hij gleed bijna uit, maar na een korte dans wist hij op de been te blijven.

Op draf kruiste hij het plein. Achter elk voorbijgaand gezicht zag Remus een verlinker en zij achter het zijne. Een zigeunerjongetje schreeuwde naar hem, 'meneer, meneer', maar Remus negeerde hem, omdat hij geen cent had om weg te geven. Alles wat hij had, kon hij zelf gebruiken. Hij keek bij La Nisip naar binnen, maar het koffiehuis was nagenoeg leeg. Alleen de plaatselijke idioot hing aan een tafeltje, in discussie met zichzelf, te wachten totdat iemand hem op een Turkse koffie zou trakteren. Remus hoopte er de heer Doinaș aan te treffen. Hij had wat gedichten bij zich om te laten lezen. Opgefokt ging hij naar binnen en liep naar de koffievrouw in het gat van de muur. Ze oogde bijzonder onuitgeslapen.

'Wanneer is mijnheer Doinaș hier meestal?'

De vrouw haalde haar schouders op. 'Sinds de inval is hij hier niet meer geweest.'

Remus werd aan zijn mouw getrokken. De jongen was hem gevolgd. Hij negeerde hem: 'Ik wil hem iets laten lezen'. Hij begreep zelf niet waarom hij dat zei.

'Zal ik het hem geven, zodra ik hem zie?' vroeg de vrouw. Ze wachtte gretig zijn antwoord af.

'Meneer, meneer.' De jongen.

'Nee, bedankt.' Remus twijfelde geen moment en wilde La Nisip verlaten. Toen kreeg de koffievrouw de zigeunerjongen in de gaten. Ze stormde uit haar hokje en dreigde de jongen met een koperen pan haar koffiehuis uit te rammen. De jongen verschanste zich achter Remus' rug.

'Wegwezen,' gilde ze. 'Voordat je weer iets van mij wegneemt. Weg! Jullie allebei.'

De idioot veerde op uit zijn conversatie met zichzelf en vroeg wie van hen een Turkse koffie voor hem ging halen.

De zigeunerjongen rende de zaak uit. Remus liep hem ongeduldig achterna en ging in een rechte lijn naar het woonblok van Emil. 'Meneer, meneer,' begon de jongen weer, terwijl hij achteruit liep.

'Ik heb geen geld, dus ik kan niets voor je betekenen.'

De jongen schudde zijn hoofd. Hij glunderde: 'Meneer,' zei hij, 'meneer. Ik heb uw sigaret terugverdiend.'

'Wat bedoel je?' Plotseling herkende Remus hem.

'Het meisje,' zei hij, 'ik weet misschien wie je bedoelt'.

Remus hield halt met zijn handen op zijn brandende bovenbenen. 'Vertel,' zei hij, of dat dacht hij tenminste, want er kwam iets piepends uit zijn keel.

'Ze hoort bij de Cioba-clan,' zei de jongen triomfantelijk. Hij ging op zijn tenen staan zodat hij bij Remus' oor kon. De jongen ruikt naar sigaretten, meende hij. 'Gevaarlijke ooms, zegt mama. Ik mag eigenlijk niet met hun kindjes spelen, maar ik doe het lekker toch,' fluisterde hij.

'Hoe kan ik haar vinden?' vroeg Remus.

'Ze wonen aan de rand van de stad. Het is niet heel ver. Ik loop het wel eens, maar alleen als ik uit de tram wordt gesmeten.'

'Kun je mij erheen brengen?'

De jongen schudde wild zijn hoofd. 'Ik woon daar in de buurt. Ze maken me af als ze me met jou zien.'

'Je praat nu toch ook met me?'

'Nee, ik ben aan het bedelen,' zei hij en hij keek Remus met grote ogen aan. Hij schraapte met zijn vinger over Remus' schoen en smeerde de smeer uit over zijn besmeurde appelwangen. 'Geld,' fluisterde hij met een zwak stemmetje. 'Ik heb nog acht broertjes en zusjes.'

Remus kon de blik van de jongen maar lastig weerstaan. Hij aaide door zijn stroeve haardos. De jongen stak zijn hand uit. Remus voelde in zijn achterzak waardeloos kleingeld zitten waarvan hij niet eens wist dat hij het had. Hij schepte het eruit en legde de centen in het vieze handje. 'Je moet iets met je talent doen,' glimlachte Remus. 'Ga de filmwereld in als je later groot bent. Of de politiek.'

De jongen glunderde verlegen en deed een stap naar achter. 'Bedankt meneer. Het is een oud gebouw in onze wijk. Volg gewoon de kleuren en gezelligheid.'

'Is dat wel veilig?' vroeg hij. 'Voor mij?'

Het jongetje trok zijn schouders naar zijn oren, draaide zich om en rende weg.

'Hoe weet je eigenlijk dat zij het is?' riep Remus hem na.

'Dat weet ik niet,' werd er teruggeschreeuwd. Hij deed een handstand tussen zijn huppel door en ging het hoekje om.

Remus glibberde vlug verder over de ijzige klinkers. Hij schaamde zich voor de vingers die in zijn broekzak naar zijn portemonnee zochten. En al helemaal toen hij het leer voelde waar het hoorde.

'We hebben koffie,' zei Emil vergenoegd, terwijl hij een kleurrijk kopje met koffie vulde. 'Maar vertel verder.'

'Ik hoef je verdomde rijkeluiskoffie niet,' schold Remus. 'En ik heb je alles verteld. Meer is er niet. Ze gingen net zo snel weg als ze gekomen waren.'

'En die ene was klein en gedrongen?' Emil tikte met zijn vinger tegen zijn kin. 'Volgens mij heb ik mijn vader eens met hem zien spreken – zoveel dikke mensen heb je immers niet in het land. Het zou dezelfde kunnen zijn. Mijn vader schonk hem een krat wijn. Die dikke wil nog wel eens mensen doodslaan als hij gedronken heeft en dat terwijl hij maar tot hier komt,' zei Emil en hij hield zijn hand boven zijn navel.

'Geruststellend,' snauwde Remus.

'Er staat iets te gebeuren,' zei Emil mysterieus. 'Ik kom zojuist van de zolder van ene Mihai. Een stuk of wat martelaars van de toekomst spraken tussen de rattenlijken over een nieuwe revolutie. In een manifest riepen ze het volk op om de straat op te gaan,' zei hij en hij gaf het pamflet aan Remus. 'Maar die revolutie gaan wij niet meer meemaken,' voorspelde Emil, terwijl hij uit het raam neerkeek op een iele man die tegen een lantaarnpaal rustte. Remus herkende hem meteen. 'Je bent op de weg hierheen geschaduwd. Ze wilden weten met wie je het land gaat ontvluchten. Zie hier, een tactisch stukje spionage achter een lantaarnpaal.' Hij zwaaide naar beneden.

Remus sloeg Emils hand naar beneden.

'Ben je gestoord geworden?' vroeg hij aan Emil. De man schuifelde naar het bushokje en keek de passerende bussen na.

Emil negeerde hem. Hij rommelde wat in een keukenla en hield een cassettebandje voor Remus' neus.

'Gekocht van een straathandelaartje. Het heet Iron Maiden, of zoiets, wat ijzeren maagden schijnt te betekenen. Een nummer gaat over ons, over Transsylvanië. Ik heb nog nooit zoiets gehoord. Het is kabaal met klasse,' verklaarde Emil en hij sloeg een kruis, 'en ik hoop dat de wijlen Roemeense maestro's mij vergeven. Dit is vrije muziek Remus. Hier gaan we heen.'

De loeiende gitaren maakten Remus nog meer van streek. Hij gaf Emil een tik tegen zijn achterhoofd. 'Jij waant je mijn grote broer, maar voor een grote broer ben je een grote imbeciel. Je luistert dit,' Remus hield het plastic doosje voor Emils neus, 'met het raam open én je zwaait naar de Securitate. Schrijf anders gewoon "Ik ben Emil Noica en ik vertrek naar het Westen" op je voorhoofd.'

'Heb ik geprobeerd, maar het is verrekte lastig om dat zelf te doen. Zou jij het voor me willen opschrijven?' vroeg Emile.

'Er is iets goed mis met jou,' concludeerde Remus. Hij verhakte de lettergrepen van zijn angst: 'Ik ben zojuist bedreigd door de Securitate. Ze achtervolgen mij en jou dus ook. Je vader kan een kogel door je hoofd niet wegspoelen met wijn. Gebruik die kop van je.'

'Als je rebellie wilt, lieve dichter, dan krijg je dat,' zei Emil en hij spitste zijn oren. 'Dit is de muziek van rebellie.'

'Ik wil geen rebellie. De Securitate weet alles,' zei Remus nogmaals en hij smeet het manifest ongelezen van zich af. Hij had het gevoel dat ze langs elkaar heen spraken.

'Ze vermoeden veel, maar ze weten nog niets. Sterker nog, wij weten zelf nog niet eens hoe we het aanpakken. Dus waar kunnen ze ons voor oppakken? Er zijn geen bewijzen.'

'Een ding weten we wel: iemand heeft ons verlinkt,' fluisterde Remus. Hij tikte met zijn vinger tegen het koffiekopje. Overal konden microfoons inzitten. 'De kok, de barman, de spionerende gids of hotelbedienden?'

'Of Pinu of Nicu. Of misschien jouw Nederlandse scharrel.'

'Dat weiger ik te geloven.'

'Je hebt hoe dan ook gelijk. Iemand heeft ons verlinkt. Maar wie, doet er nu niet toe,' zei Emil, 'want ik kreeg een plannetje in mijn schoot geworpen. Mijn vader heeft namelijk een visum voor het buitenland ge-kregen. Hij moet de Roemeense wijnindustrie vertegenwoordigen in Frankrijk. Een wijnwedstrijd. Een kansloze opdracht, maar ons biedt het juist kansen.'

'Want wij verstoppen ons in zijn koffer?' vroeg Remus.

Het was Emils beurt om een tik uit te delen. 'Dat trucje werkt al-lang niet meer. Ze controleren alles tegenwoordig. Bovendien zit hij nu in Parijs. Maar daardoor kunnen we zijn nieuwe Dacia 1310 pakken. Hij heeft een oneven nummerplaat, dus we kunnen er alleen doorde-weeks mee rijden. Regeltjes van de staat hè? Maar dat maakt niet uit. We rijden door de bergen en dan, dan zien we wel.'

'Goed plan,' zei Remus. 'We rijden onszelf over de grens. De douane laat ons vast door. En waar zitten we dan?'

'Joegoslavië natuurlijk,' zei Emil. 'Misschien dat we met honderd kilometer per uur de grens over moeten beuken, maar dan zijn we in ieder geval in de buurt van het westen. Dood of levend.'

'En we laten onszelf over aan de grillen van de Joegoslaven. Een waterdicht plan.'

'Ze hebben daar wel iets anders aan hun hoofd dan twee Roemeen-tjes,' zei Emil zelfverzekerd. 'De broer van een vriend van mijn vader is ook gevlucht via Joegoslavië. Hij is gepakt door agenten aldaar en vriendelijk afgezet bij de grens met Italië.'

Remus snoof. 'Een uitzondering. Een kleindochter van een kennis van mijn grootmoeder is anders met het zaad van een Slaaf in haar baarmoeder en meer dood dan levend teruggestuurd naar Boekarest in ruil voor een wagon zout. Geadresseerd aan onze Leider, met de vriendelijke groeten van Maarschalk Tito.'

'Ik ben banger voor Joegoslavisch teelvocht dan voor de dood,' zei Emil en hij trok Remus aan zijn mouw van de eettafel. 'En Tito is dood. Bovendien was niemand wispelturiger dan de Maarschalk. We broe-den nog wel op het plan. Laten we er nu eerst voor zorgen dat we niet gepakt worden, letterlijk en figuurlijk.'

'Sukkel,' zuchtte Remus, die plotseling een ingeving kreeg. Hij greep Emil in zijn kraag. 'Pak de sleutels van je vaders Dacia.'

'Wat gaan we doen?'

'Een stukje rijden,' antwoordde Remus. Emil kreeg niet de kans om te vragen waarheen, want Remus rende de trap af en verliet het ge-bouw aan de achterkant van het blok. Hij kon zijn vriend niet bepaald overrompelen met een onweerlegbaar plan. Integendeel zelfs. Maar dat meneer Noica via het vliegveld van wijlen Klein Parijs, Boekarest, was vertrokken om een paar uur later te landen in Groot Parijs en daardoor zijn auto in de handen van zijn zoon liet, was een cadeautje.

'Voordat ik de auto start, wil ik weten waar we naartoe gaan,' zei Emil streng. Hij verstelde de spiegels.

'We gaan haar zoeken,' zei Remus. Hij schaamde zich niet.

'Op zigeunerjacht,' vatte Emil de missie samen, die het risico wel aan leek te spreken.

'Een jongetje zei dat we de kleuren en de gezelligheid moesten volgen,' zei Remus, die enig idee had waar ze moesten zijn.

'Ik vraag me af of het heel gezellig wordt als ze ons in de smiezen krijgen,' zei Emil toen hij de koude motor trachtte te starten. 'Het is koud,' zei hij, toen de auto weigerde.

Remus stapte uit en duwde de auto totdat hij aansloeg en ze naar de rand van de stad konden rijden. Emil draaide de kachel open en drukte een cassettebandje in de autoradio. Bij de eerste gitaaraanslag draaide Remus Iron Maiden weg en zocht naarstig naar de frequentie van Radio Free Europe. Zonder succes. Hij kon alleen de propaganda-zenders van de Leider vinden. De held van Roemenië, zo noemde de diskjockey hem. Remus onderbrak zijn lofzang met de bijtende gitaren van de Britten.

'Dit is ook het vrije woord,' zei Emil, die zichzelf moest inhouden om het volume niet voluit te draaien, terwijl ze door Braşov reden. Ze wilden niet te veel opvallen. Voor zover dat mogelijk was voor twee jongemannen die traag toerden in buurten waar ze niet thuishoorden achter het stuur van een blinkende rode Dacia dertien-tien incluis wieldoppen, autoradio en speakers gevuld met ruige rock-'n-roll.

'Wat nu, meneer de dichter?' vroeg Emil toen Remus hem voor de zoveelste keer langs het grote roze pand liet rijden, op zoek naar Remus' liefde. Remus voelde dat zij in de buurt was. Buiten stonden mannen te roken en te spugen. Er stonden wat afgedekte kraampjes op het terrein en een geïmproviseerde loods met handelswaar. De staat van het pand zou doctor Arcos doen janken, vermoedde hij, maar het was sterk genoeg om er flink wat Rroma in te herbergen. Waaronder wellicht zijn zigeunerin.

'Toeteren,' commandeerde hij, terwijl hij tegen het raam geplakt zat om te kijken of hij haar zag.

Of de claxon genoeg aandacht trok was geen vraag, maar of het de juiste persoon wekte wel. Een man met een bescheiden snor en een zwarte hoed liep op hen af. Zijn gouden tanden kwamen hen boosaardig voor. Remus draaide soepel het raam open. De zigeuner wilde zich vooroverbuigen toen Emil plotseling gas gaf en de arme man naar achteren duikelde.

Daar stond ze. Hoog boven alle anderen verheven. Het voelde alsof Remus' maag van binnen werd gekieteld. Hij klom uit het raam, alsof dat hem dichter bij haar bracht.

'Stop de auto,' zei hij tegen zijn beste vriend. Hij probeerde naar haar te reiken. Emil luisterde maar kortstondig. De mannen die eerder vreedzaam rookten stormden op de wieldoppen af. Remus gebaarde dat het meisje naar beneden moest komen. Haar ontkennend schuddende hoofd trof hem als een kapmes in zijn hart. Een van de mannen probeerde Remus naar buiten te trekken, maar de autobanden spinden de zigeuners net op tijd vaarwel.

Tweede versnelling.

Derde versnelling.

Hij had zelfs een vierde. De Dacia ging snel. Te snel, over de gladde weg die zorgvuldig om kuilen en kraters geboetseerd leek. Emil gooide het stuur om om zo een krater te omzeilen. Ze kletterden schreeuwend over stenen en mos. Kiezelstenen kusten de Dacia. Remus voelde zijn nek verkrampen. Hij kreeg de indruk dat Emil expres de kuilen opzocht. In een kuil die meer op een krater leek brak met veel kabaal de uitlaatdemper af. De remmen jankten hysterisch toen Emil de auto op het verlaten bedrijfsterrein de handrem aantrok.

Emil bonsde met zijn voorhoofd tegen het stuur om in ieder geval een beetje gewond te raken, zodat zijn vader van geluk mocht spreken dat zijn zoon nog in leven was. Remus kraakte de pijn uit zijn nek.

Ze hadden op elkaar gescholden toen ze uitstapten in de zwarte rook van de auto. Emil omdat de Dacia niet meer in onberispelijke staat verkeerde, Remus omdat hij het meisje niet had kunnen overhalen om mee te komen. Remus viste de uitlaatdemper uit de krater.

'Dat ziet er niet goed uit,' zei Emil toen hij het gewonde stuk staal in de handen van zijn vriend zag rusten. Hij schopte naar de rook die uit de grill kwam. 'We hadden wel dood kunnen zijn.'

'Twee keer misschien wel.' Remus had niet gehoord wat Emil daarop zei. Hij had zelfs niet door dat hij de demper naar zijn vriend had gegooid. Hij wreef stof en olie in zijn ogen, maar zij verdween niet. Ze zei zijn naam, zacht en teder. Hij had geen idee hoe ze zijn naam wist en eerlijk gezegd maakte hem dat niet uit. Niet nu. Ze stond tegenover hem en leek niet van plan weg te rennen. Ze deden simultaan een stap naar voren. En nog een. En dat herhaalden ze totdat ze elkaar omhelsden. Hij drukte zijn lippen in haar hals, voorzichtig, alsof ze breekbaar was. Remus voelde haar lichaam tegen het zijne. Dit was niet alleen het begin van iets moois, maar ook van iets bijzonder ingewikkelds.

Het was alsof hij had gedronken, zo voelde hij zich. Hij was dronken van de geur van haar huid. Ze zei dat ze Florica heette, dat wist Remus nog, maar verder leek hij de controle over zijn stem en geheugen verloren te hebben. En toen zei ze hem weg te gaan, want het kon wel eens gevaarlijk worden. In een helder moment drukte hij het papiertje in Florica's handen waarop hij haar vroeg om naar de Zwarte Kerk te komen.

Volgens Emil stonden ze wel uren in elkaars armen te deinen in de schaduw van de fabriek, zo vertelde hij op de terugweg. Remus vond het veel te kort.

'Ik wil niet vervelend zijn, maar mijn vaders auto ligt op sterven,' beet Emil hem toe, terwijl ze terugreden. 'Hoewel ik als romanticus veel over heb voor de liefde, vind ik het een beetje zonde om te wachten tot mijn vader terug is om mij huisarrest op te leggen. Als hij dit ziet ontsnap ik straks nog makkelijker uit Roemenië dan uit het appartement van mijn ouders.' De uitlaat was afgebroken. De pijp hing radeloos onder de carrosserie. Achter de achterklep zaten een paar flessen wijn. Mocht de politie of de douane onverhoopt de auto aanhouden, dan had de vader van Emil altijd wat waar om een boete te omzeilen. Of hij kon de vloeistof omruilen bij de benzinemannetjes die met jerrycans door de stad struinden en overal opdoken waar auto's brandstof behoefden. De flessen waren in ieder geval niet bedoeld voor zijn zoon om moed in te drinken na een ongeluk.

Remus luisterde niet naar zijn vriend en deed niet zijn best om hem te kalmeren. Ineens sloeg hij zichzelf op zijn voorhoofd. Hij voelde zijn wangen gloeien en vroeg, lichtelijk in paniek: 'Vroeg ik haar om me mijn ziel terug te geven?'

Zwijgend reden ze terug naar de stad. Emil doorbrak de stilte alleen om te mopperen dat Remus hem een extra reden had gegeven om te vluchten. Weg van het regime, de armoede, de lege toekomst én weg van zijn bloedeigen vader.

Emil parkeerde de Dacia 1310.

'Dit alles is vergeten als we het land uit zijn,' zei hij afgemat. 'Ik stuur mijn vader wel wat geld vanuit Frankrijk of Italië. Laten we trainen voor de vlucht. Maar eerst moet ik iets voor ons ophalen.'

Ze liepen via de stegen die Remus zo liefhad naar een bescheiden woning die tussen twee monumentale panden geklemd zat. Emil klopte op de houten deur, die krakend meegaf op de dreunende melodie van Emils knokkels.

'Politie,' schreeuwde hij met overdreven zware stem, 'aantreden'. Er klonk plotseling paniekerig gestommel in het huis. Emil grijnsde naar Remus, als antwoord op de stilgehouden vraag waarmee hij in godsnaam bezig was. Emil knikte dat hij naar binnenging en dat Remus hem moest volgen.

'Wegwezen,' schreeuwde iemand van boven.

'Geintje,' riep Emil terug, deze keer met zijn eigen stem, 'ik ben het maar'.

'Wie?' zei de stem schuchter.

'Emil.' Remus wroette met de punt van zijn schoen in het stof dat op hopen rustte op de verweerde vloer. 'En een vriend.'

'In dat geval kom ik naar beneden,' antwoordde de stem gehaast. 'Kom niet naar boven.'

'Trek het je niet aan,' fluisterde Emil, 'standaardprocedure'.

Het interesseerde Remus niet. Hij wilde niet naar boven, hij wilde hier weg. Je hoefde geen geleerd persoon te zijn om te realiseren dat dit pand door dissidenten en studenten werd gebruikt om zolder-congressen te houden, waarin snode zaken werden bekokstoofd. Een ideaal oord voor verklikkers en geheime agenten, dacht Remus, terwijl hij op zijn horloge keek.

'Beste Emil en vriend,' zei de stem, die de trap af kwam en een man toebehoorde die een paar jaar ouder was dan zij. Hij gaf Emil een hand en nam Remus in hem op, voordat hij zijn automatisch uitgestoken hand met enige reserve beantwoordde en zei dat hij hem Mihai mocht noemen. Daarna zwaaide hij met een plastic zak. 'Goede kwaliteit,' zei hij, meer tegen Emil dan tegen Remus.

'Dat hebben we ook nodig,' antwoordde Emil, terwijl hij de zak aan-pakte en er twee paar beige bergschoenen uit haalde alsof hij een pas geschoten haas bij zijn nekval greep. Hij liet de schoenen voor Remus bungelen, die ze aanpakte en de zool probeerde dubbel te vouwen.

'Stevig,' zei hij. En vrijwel nieuw, dacht hij erachteraan.

'Remus is een schoenmaker,' verduidelijkte Emil. Als ik dat nog ben, dacht Remus, omdat hij was weggerend uit de schoenherstellerij

'Bijna als nieuw,' zei Mihai. 'Het zijn de beste schoenen die we heb-ben. Ze waren eigendom van de Duitsers of de Joden die de Roemeense staat aan Duitsland en Israël hebben verkocht.'

Remus gaf de schoenen aan Emil, die de maten controleerde en Mi-hai op zijn schouder klopte: 'Waren er geen Duitsers of Joden met iets kleinere voeten?'

Met hun eigen schoenen om hun nek gebonden, plaatsten ze hun berg-schoenen op de huid van de berg die Tâmpa werd genoemd.

De berg had Remus vanachter het raam aangestaard toen de Neder-landse vrouw zich om hem heen vouwde in de hotelkamer. Hij moest aan haar denken, terwijl Emil zich aan de voet van Tâmpa openlijk af-vroeg of het wel slim was om in de winter door het berenterritorium te stampen.

'Laten we hopen dat ze slapen,' zei Remus. Meer werd er niet ge-zegd. Remus kon slechts gissen naar Emils gedachten. Waarschijnlijk dacht hij aan de Dacia van zijn vader of misschien aan een composi-tie of de toekomst in het buitenland. Remus haalde een zakmes uit zijn jaszak en kerfde in elke boomstam een letter. Ondertussen hield hij Emil in de gaten en zocht naar de juiste woorden. Hoe kon hij zijn vriend vertellen dat hij niet meeging?

8

Op de richels van de gotische Zwarte Kerk doezelden de duiven. Florica was veel te vroeg. Het was nog geen tien uur. Ze ijsbeerde over de binnenplaats, waar het standbeeld van Honterus onvermoeibaar naar voren wees, naar het gymnasium dat hij had laten bouwen om de Saksen in Transsylvanië het Lutheranisme te onderwijzen. Het enige wat ze van Honterus wist, had ze geleerd van het Duitse klasgenootje die als kind elke dag naar het standbeeld ging om hem te bedanken voor alles wat hij had gedaan voor de Saksen in Roemenië. Een verheerlijking die eigenlijk niet hoorde bij die sobere protestantse lui. Ze vroeg zich af wanneer de Rroma een standbeeld kregen dat ze konden bedanken. Het zou een tegenpool worden van Honterus, dacht ze. In plaats van de ernstigheid die de Saksische weldoener uitstraalde, zou 'hun' standbeeld een lichtzinnige grijns meekrijgen. Het beeld zou opgetrokken worden uit sober brons, met tanden en sieraden van goud. Een ding wist ze zeker: zelfs als het standbeeld ooit gehouwen werd en niet neergehaald zou worden door verbolgen Roemenen, zou ze er nooit heengaan.

Ze struinde door het zand en grind dat om de kerk lag. De bulibaşa had gezworen dat Florica nooit meer buiten zou komen. Vanmorgen vroeg werd er in de huiskamer vergaderd: mannen en vrouwen stonden door elkaar te schreeuwen en tegelijkertijd te luisteren. Alleen Lala lag nog in de slaapkamer. Florica had geen moment geslapen – niet omdat de slaap haar zoals gewoonlijk strafte, maar omdat de liefde haar wakker hield. Ze luisterde naar de stemmen, die ongetwijfeld gepaard gingen met veel en hevige handgebaren.

De stemmen van haar vader en de bulibaşa klonken het krachtigst: 'Jullie moeten haar allemaal in de gaten houden.' Haar oom.

Haar vader: 'Het is klote, maar het moet'.

'Als ze ergens heen wil, gaat er altijd iemand mee.'

'God, pas toch op haar.' Haar moeder. De andere vrouwen jammerden met haar mee en mannen brulden hun vrijblijvende adviezen er doorheen.

De bulibaşa streng: 'Aan God alleen heeft ze niet genoeg. Ze heeft een Rrom nodig.'

'Goed,' schreeuwde haar vader kort. 'En wij moeten praten, broer. Nu meteen.'

Florica wist niet welk gebaar haar vader bij die zin had gemaakt, maar de rest van de aanwezigen klapten en joelden. Dat was voor haar het teken om vlug een jurk onder haar bed vandaan te grissen en zich snel aan te kleden. In het voorbijgaan greep ze de kleinste oorbellen van een kastje.

'Wat ga je doen?' vroeg de halfslapende stem van Lala.

Florica kuste haar zusje op haar voorhoofd en kroelde door haar haren, waardoor Lala weer insliep, zoals altijd. Op haar tenen liep ze de kamer uit en pikte het Bulgaarse reukwater van de kast. Hij moest haar leuk vinden, dacht ze, en ze liet veel te veel reukwater over haar hals glijden. Haar tijd raakte op. Het rumoer beneden hield aan. Ze moest weg. Nu. Stilletjes opende ze de deur naar het balkon, spiekte over de balustrade en zag dat de straat nog leeg was. Ze schatte de afstand naar de grond in. Anderhalf tot twee meter. Niet onoverkomelijk. Ze gooide haar benen over de reling en ging aan haar handen hangen. Het bloed stroomde naar haar voeten. Haar buik kriebelde. Loslaten lukte pas toen ze aan de kop van haar oom dacht. Toen ze met een plof op de grond landde, luisterde ze met ingehouden adem of iemand haar sprong had ontdekt.

Maar de vergadering ging onverstoord voort en ze kon wegrennen, dacht Florica, terwijl ze op haar tenen op en neer wipte voor de Zwarte Kerk. Het was een koude dag. Ze vroeg zich af waarover haar vader en haar oom op dit moment spraken. Eigenlijk wist ze het antwoord al: over mijn toekomst. Ze streelde haar ringvinger en vloekte krachtig. Daarna keek ze verschrikt naar boven, alsof God elk moment een van de machtige stenen van de kerk los kon wrikken en op haar zou kunnen laten vallen.

'Het zal bijna tijd zijn,' prevelde Florica voor zich uit en probeerde te kalmeren. Hinkend op het ene been begreep ze niet waarom ze hier stond te wachten op een jongen die ze nauwelijks kende. Maar ze hoefde alleen maar terug te denken aan de ontmoeting bij de fabriek en al haar zorgen waren verdwenen. Bovendien is alles beter dan thuis, besloot ze tot slot, huppend op het andere been.

Tegen de muur van het gymnasium leunde een man. Zijn gezicht heulde met de schaduwen van het gebouw. Florica pelde onrustig het vuil onder haar nagels vandaan. Ze wilde de onbeweeglijke schaduw in de gaten houden, maar tegelijkertijd probeerde ze niet naar hem te kijken. Af en toe spiekte ze over haar schouder. De schaduw bleef bewegingloos.

Florica zocht de nabije dennenboom op en ging zo staan dat de man haar niet kon zien. Ze rechtte haar rug en keurde haar jurk. Ze droeg een dieprode laagjesjurk met pofmouwen. Ze was blij met haar gehaaste keuze. Het was geen bont samenspel tussen felle kleuren, maar een vrij sobere en toch aantrekkelijke jurk. Daarover droeg ze een gevoerde jas, want ja, het was koud. In haar oren had ze oorbellen in de vorm van een bal, met daarin kleurrijke diamantjes. Ze rukte de elastieken uit haar haren en kneedde de vlechten zoek. *Nu ben ik wie ik ben*, dacht ze. Ze spiekte langs de boom, maar de man was verdwenen. Securitate, vermoedde Florica, die alles behalve een gevaar voor de staat was. Ik ben maar een zigeunerin.

'*Bună dimineaţa*,' fluisterde een stem achter haar.

Met een ruk draaide ze zich om. Ze keek recht in de ogen die haar wakker hadden gehouden. 'Hoi, Remus,' verzuchtte ze, meer van de schrik dan als groet. Ze wilde zich tegen hem aan vlijen, maar plotseling durfde ze niet. Ze streek haar jurk recht en controleerde met haar nagel of ze slaap in haar ogen had. Ze wilde er mooi uitzien. Perfect zelfs. Onhandig pakte ze zijn vingers en aaide de rivieren in zijn handpalm. 'Jij ook goedemorgen,' zei ze. Ze kon een gegiechel niet onderdrukken.

'Hoe kan het,' begon hij, 'dat ik de hele tijd aan je heb gedacht, maar dat je er nog fantastischer uitziet dan in mijn herinnering?' Hij vouwde zijn hand dicht, waardoor Florica's vingers klem zaten tussen de zijne, en kuste haar op de rug van haar hand. Daarna beroerde hij haar beide wangen met zijn lippen, voorzichtig, alsof ze breekbaar was. Ze voelde zijn adem langs haar oren en hoopte dat de Bulgaarse parfum niet te sterk was. Ze beet op de binnenkant van haar wang.

'Ik heb gewoon wat aangetrokken,' antwoordde ze.

'Prachtig,' zei Remus. Hoe langer hij naar haar keek, hoe mooier Florica zich voelde worden. Hij bood haar zijn arm aan. Hoe kan het dat ik mij nu al zo thuis voel bij hem, vroeg ze zich af, en ze haakte haar arm in de zijne. Vluchtig keek ze waar de man was gebleven. Hij was tevoorschijn gekomen en stond met zijn in zwart leer gestoken armen over elkaar te staren naar Honterus. Het was in ieder geval geen oom, dacht ze gerustgesteld, en direct daarna weer nerveus: inmiddels zullen ze wel naar mij op zoek gaan.

'Ik... kan niet in de stad blijven,' stotterde ze.

'Dat doen we ook niet,' antwoordde Remus. Zijn kalme stem stelde hem enigszins gerust. 'Heb je huisarrest?'

'Behoorlijk.'

'Net als alle Roemenen,' fluisterde Remus zo zacht dat alleen zij het kon horen.

Ze kneep in zijn hand: 'Ben je altijd zo onvoorzichtig? Je kent mij nog helemaal niet.' Ze ging uitdagend voor hem staan en probeerde hem uit zijn tent te lokken. 'Misschien ben ik wel een verklikker.'

'Ik vertrouw je. Ik wil je vertrouwen.' Hij pakte haar hand en leidde haar om de Zwarte Kerk heen naar het 23 augustusplein. Remus knipoogde: 'En als iemand mij moet verraden...'

Florica bloosde. Ze was vereerd. Ze voelde hetzelfde voor hem. Niemand had ooit tegen haar gezegd dat ze haar vertrouwde. Haar, Florica, slechts een zigeunerin. Constantin wilde haar niet binnenlaten. Dat getuigde van weinig vertrouwen. Haar grootvader vertrouwde haar, hoopte ze, maar hij zei het nooit. Maar hij wel, dacht ze, terwijl ze naar Remus keek.

Samen renden ze over het plein, voorbij de schoenherstellerij waar ze elkaar eerder achter een groep Nederlandse toeristen vandaan zagen komen, kriskras langs de geparkeerde auto's en de struinende arbeiders gehuld in hun stoffige kleding, en doken de taxi in die Remus aan had gehouden door op zijn vingers te fluiten.

'Waar gaan we heen?' vroeg de taxichauffeur binnensmonds via de achteruitkijkspiegel. De auto rook naar de bestuurderskater. Pruimenţuică en varkensvlees.

Florica keek Remus verwachtingsvol aan. Ze gaan de stad uit, dat wist ze, maar niet waar ze terecht zouden komen.

'*Poiana Braşov,*' antwoordde Remus en hij wees naar de bergen.

De chauffeur had het begrepen. Hij zuchtte, waarschijnlijk omdat hij twaalf kilometer kronkelende weg voor de boeg had om zijn klanten af te zetten. En dan moest hij ook weer terug.

Florica wreef in haar handen, opgetogen en nerveus tegelijk. Ze was nooit in Poiana geweest. Daar feestten, skieden en wandelden vooral toeristen en rijke Roemenen – zij was geen van beiden. In het hoogseizoen verzorgden haar broers in enkele hotels de muziek.

'Ik hoopte al dat je het leuk zou vinden,' zei Remus. Hij glunderde.

Het bleef stil in de taxi. Dat hoorde zo, wist Florica, ondanks dat ze nooit de taxi nam. Als je het autoportier sloot, liet je de gespreksstoffen achter in de kou. En als er gesproken moest worden, stipte men het weer aan of de pracht van Roemenië. Maar bij voorkeur het weer. Aan een sneeuwstorm had kameraad Ceauşescu geen schuld.

Ze zwegen echter en gluurden stiekem naar elkaar. Poiana! Plots vroeg ze zich af hoe hij aan het geld kwam. Kort werd ze verteerd door bijtend verdriet toen ze bedacht dat hij ook bij de Securitate kon horen. Waarom niet? Hij was jong en ambitieus. En ze wist wat ze zeiden over jongens met ambities. Verward draaide ze het raam een stukje open, om de alcohollucht en haar malende gedachten naar buiten te laten wapperen.

Remus schreef iets in een notitieblokje. De taxichauffeur spiekte constant naar achteren vanonder zijn harige wenkbrauwen. Ze durfde niet te vragen wat Remus noteerde. Hij scheurde het papiertje uit het blok en stopte pen en notitieblok weer in de binnenzak van zijn colbert. Zijn wijs- en middelvinger liepen over het vale bloemendesign van de achterbank naar Florica's rustende hand. Hij draaide haar hand om en legde het papiertje in haar handpalm.

Jij geeft alles kleur wat de Ceauşescu's grijs hebben gemaakt.

Florica drukte het gerafelde stuk papier tegen haar hart. Iemand van de Securitate kon zoiets niet opschrijven.

'Dat meen ik,' zei Remus, met de meest beminnende glimlach die ze ooit had gezien. Hij gebaarde dat hij het papier terug wilde. Ze gaf het hem, waarop hij het in drieën verscheurde en een voor een in zijn mond stopte. Haar hart ging tekeer. Hij is erg voorzichtig, dacht Florica, en stiekem vond ze dat wel interessant. Ze begreep het en kon het hem niet kwalijk nemen: haar broer vertelde dat een kennis van hem was opgepakt toen hij iets te hard een mop over Ceauşescu vertelde.

'Wat meen je?' vroeg de bestuurder gretig.

Remus slikte het laatste papiertje door en zei met een rafelige stem: 'Dat ik zin heb om door de bergen te wandelen'.

'Het zijn mooie bergen,' beaamde de taxichauffeur en Florica dacht teleurstelling te horen in zijn stem, omdat hij zoiets onbenulligs niet kon rapporteren bij de geheime dienst. De man stak een Carpaţi in zijn mond en stak deze aan met een lucifer. Fijn, nu rook het naar alcohol en zure sigaretten, dacht ze, en draaide het raam verder open. Ze snoof de koele boslucht op. Niets was haar liever dan de geur van bomen.

De Dacia-taxi besteeg met hoorbare moeite de berg. Hun gevolg bestond uit een ver reikende rookwalm. Ze slingerden langs rijen ranke dennen met witte toppen, die een erehaag vormden voor de passerende auto's en bussen die naar het skiwalhalla van de Karpaten reden. Florica keek graag naar het uitgestrekte groen, maar nog liever keek ze naar de jongen naast haar, die haar hand zo vasthield dat ze zich inbeeldde dat hij haar nooit meer los zou laten. Met een onverwoestbare grijns keek ze door het stoffige raam.

Maria Tănase, de vorstin van de Roemeense folklore, verzorgde de achtergrondmuziek vanuit de luidsprekers, aangedreven door het cassettebandje dat de chauffeur met zijn dikke vinger in de autoradio drukte. Ze pakten net de laatste noten mee van het lied dat verhaalde over de zorgen van een mooi meisje. Florica murmelde mee. Ze kende elk woord van het lied. Samen met de Rrom-zangeres Romica Puceanu was Tănase ook haar vorstin. Daarna bezong de zangeres het zigeunerhuwelijk, een lied als de Donau. Op sommige momenten kabbelt het rustig voort, om dan opeens in een stroomversnelling te raken. Bijna net als een echt zigeunerhuwelijk, dacht Florica, die aan haar nichtje dacht die na het feest vertrokken was met haar nieuwe man en schoonouders naar een dorp in de buurt. Ze zou bij hen inwonen, totdat ze een kind zou krijgen. Florica begreep niet hoe ze daar blij mee kon zijn. Ze werd onrustig van het lied en vroeg of de chauffeur het bandje door wilde spoelen. De vraag verbaasde haarzelf, omdat ze zich normaal gesproken nergens mee durfde te bemoeien. Ze voelde zich gesterkt door Remus' hand in de hare. Hij versterkte haar, merkte ze op.

'Nee,' antwoordde de man kortaf. Zijn vingers tikten op het stuur. Uit de maat.

Ze trok haar hand uit die van Remus en kruiste haar armen. Hoewel ze haar best deed om niet aan haar vader en oom te denken en hoe ze met elkaar om de tafel zaten, met de vuisten op het tafelblad, dwong het lied haar om het tafereel tussen de twee mannen in te beelden. Ze prikte Remus in zijn bovenbeen.

'Vertel eens iets,' zei ze haast smekend.

'Een vriend van mij rijdt ook taxi,' antwoordde hij, een beetje overvallen.

'Wie?'

'Nicu.'

'Dat is niet die jongen, van die rode Dacia, toch?'

'Nee, dat is Emil.'

'Heb je veel familie?'

'Alleen mijn grootmoeder.'

'Waar is de rest?'

Remus wees met zijn neus naar de taxichauffeur. Hij kon niet antwoorden. Met zijn vingers in elkaar gevouwen, kraakte hij zijn gewrichten. Florica voelde zich schuldig en streelde zijn verstrengelde handen. Samen keken ze hoe de auto Poiana Brașov inreed, langs eclatante Tiroolse chalets en pompeuze communistische hoogbouw. Alles onder de witte laag van Moeder Natuur. De taxi passeerde een dichtgevroren meer dat Miorița heette volgens Remus.

Florica kon een lach niet onderdrukken, omdat ze zich voorstelde hoe de staat het water had weggepompt en de gelijknamige Miorița-staatsmelk terug had gegoten.

De auto stopte voor het restaurant Şura Dacilor, een houten gebouw tussen de bomen, en waarschijnlijk in beheer van een vriend of familielid van de chauffeur, die Remus aanraadde om daar te gaan eten.

'Geweldige schnitzels,' probeerde hij een tweede keer, toen Remus hem het geld gaf voor de rit.

'Maar niet als ontbijt,' antwoordde hij, terwijl hij vlug uitstapte en gehaast rondom de taxi liep om de deur voor Florica te openen. Ze wipte onhandig op en neer. Moest ze nu op hem wachten? Ze was niet gewend om zich te laten leiden. Overleven deed ze in haar eentje. Remus holde zo hard, dat ze niet lang hoefde te wachten. De deur ging open. Ze legde haar hand in die van Remus en liet zich uit de auto optrekken. Ze keek hoe haar nagels witte maantjes in zijn huid drukten. Dat deerde hem niet. Hij lachte alleen maar en sloeg, weifelend, zijn arm om haar heen. Ze pakte de grote hand die over haar schouder hing en drukte deze stevig tegen zich aan. Het was goed zo, probeerde ze daarmee te zeggen. En ze zag in de twinkeling van zijn ogen dat hij het begreep.

'Zullen we een stukje wandelen?' vroeg ze en voordat hij antwoord gaf, trok ze hem al naar de bomen.

'Alsof je mijn gedachten kunt lezen,' antwoordde hij. Hij drukte haar nog steviger tegen zich aan. Ze liepen heup aan heup. Even was Florica alles vergeten. Als één wandelden ze het pad af en verdwenen in de bomenmassa. In de verte bungelden stoeltjesliften. De meesten waren leeg, een enkeling droeg een verdwaalde skiër die over de bergen heerste. Vast de burgemeester of een andere hoge pief, dacht Florica walgend. De hoogtijdagen van Poiana Braşov lagen achter hen, in de 'vrije' jaren voordat Ceauşescu zijn boerenverstand geheel verloor en hij nog een graag geziene gast was in het buitenland en buitenlanders graag geziene gasten in de opgetrokken kustplaatsen en wintersportgebieden van Roemenië. Maar voor Florica voelde het alsof ze hier liep in de beste tijd van het gebied.

De bevroren takken en bladeren knisperden onder hun schoenen.

'Als ik goed genoeg ben, schrijf ik een gedicht over je,' zei Remus. Hij keek strak naar beneden, hoe zijn schoenen in de sneeuw zakten.

'Wauw,' giechelde ze onhandig, omdat ze niet wist hoe ze op zo'n eerbetoon moest reageren.

Hij stopte plotseling en keek haar verschrikt aan: 'Ik denk niet dat ik ooit goed genoeg ben om jou te beschrijven'.

'Daar geloof ik niets van,' antwoordde ze. Ze aaide hem onzeker over zijn wang. 'En anders blijven we net zolang bij elkaar totdat het je lukt.' Van het idee alleen al werd ze warm van binnen.

'Waarschijnlijk heeft de romanticus Eminescu jou al beschreven. Of in ieder geval mijn gevoel voor jou.'

Florica wist bijna niets van poëzie of schrijvers, maar elke inwoner van Roemenië hoorde Mihai Eminescu te kennen. Het was de eeuwige Dichter des Vaderlands.

'Ik ken niets van hem,' bekende ze. 'Alleen zijn naam.'

'*Luceafărul*,' zei hij mysterieus. Ze staarde hem niet begrijpend aan, wachtend op een vervolg. '*De Avondster*. Zijn meesterwerk en tevens het langste liefdesgedicht dat ik ooit heb gelezen. Misschien wel het langste liefdesgedicht ooit geschreven.' Hij pauzeerde even, gewichtig. 'En het beste.' Bij die laatste woorden keek hij droevig. 'Het gedicht gaat over de Avondster die zo intens verliefd wordt op het mooiste meisje van de aarde, dat hij God smeekt om een man te worden. Zijn onsterfelijkheid is hem niets waard als hij niet naar haar kan reiken, behalve met zijn lichtstralen. De Avondster heeft smaak. Ik denk dat hij ook verliefd is op jou.' Hij sloeg zijn arm weer om haar heen. 'Maar ik ga er mooi met jou vandoor. Eigenlijk precies zoals in het gedicht.'

'Waar gaan we heen dan?' vroeg Florica. Ze wilde niets liever dan weggaan. Maar niet nu. Nu was het goed. Ze wenste niet te denken aan straks, wanneer alles anders kon zijn.

'Daarheen,' antwoordde hij, terwijl hij naar de dennenbomen en struiken in de verte knikte. 'We zijn er bijna.'

Het bos werd dikker, waardoor er minder sneeuw op de grond lag. Ze waren omgeven door pijnbomen en beuken.

'Bomen zijn de filters van de wereld,' zei ze opeens. Dat had haar grootvader eens verteld. 'Ze hebben hier zelfs het communisme gezuiverd.'

'Dat is een mooie gedachte,' zei Remus. Hij pakte zijn notitieblok. 'Mag ik die opschrijven?'

Ze boog kort, gevleid.

'Ik begrijp niet hoe het kan,' zei hij tenslotte. 'Jij en ik.'

Florica slikte. Ik ook niet, dacht ze, maar het is gebeurd.

'Liefde op het eerste gezicht?' vroeg ze, schuldbewust. Ze probeerde niet aan haar plannetje te denken. Dat bestaat niet meer, besloot ze. Alles is nu anders. Ik vind hem echt leuk. Ze balde haar vuisten.

'Zeker,' zei hij enthousiast. 'Al moet ik van mijn grootmoeder rekening houden met een betovering.' Hij lachte hard. Een betovering? Florica wist niet of ze vereerd moest zijn dat hij het thuis al over haar had gehad of dat ze gekwetst moest zijn door zijn grootmoeders vooroordeel. 'Maar eigenlijk is dat hetzelfde,' ging hij verder. 'Liefde is magisch. Toen ik je zag, wist ik meteen dat ik niet zonder jou zou kunnen. Ik zag alleen jouw ogen, maar daarin scheen mijn Avondster.'

Bij elk lief woordje voelde Florica zich schuldiger. Ze wilde iets terugzeggen, maar Remus hield zijn wijsvinger voor zijn lippen. Hij wees naar de boomstammen. In elke boom die ze passeerden stond een letter gekerfd. Florica vormde elke letter met haar lippen en sprak deze uit in een fluistering. W. I. L. Een onaangetaste boom doorbrak de rits van letters.

'Wil,' vatte ze samen.

J.E. Weer een boom zonder letter. M.I.J.N.

'Wil je mijn,' zei ze, terwijl haar hartslag omhoog sloeg. Ze straalde. 'Is dit oud of heb jij...?'

'Vers van het mes,' antwoordde Remus guitig.

Daarop stapte ze stevig door over de weer aflopende aarde en snelde langs de bomen. M.E.I. Een rode eekhoorn schoot voor haar weg. Bij elke letter groeide haar schuldgevoel. Ze begon te rillen, alsof ze werd verrast door een koortsaanval. Remus deed zijn jas uit en wikkelde haar erin. Daar werd het niet beter op. Eigenlijk wilde ze zich laten vallen en uitschreeuwen dat ze hem wilde gebruiken. Hij zou het niet begrijpen, dus moest ze het hem uitleggen. Ze kon hier niet blijven. De lopende band, haar ouders, het gebrek aan toekomst, haar huidskleur, haar vlechten, haar oom, haar godverdomde oom. Maar ze bleef op de been. De letters wekten niet alleen haar schuld, maar ook haar levensvuur. S.J.E.

Ze had de andere bomen niet meer nodig om de zin af te maken. Ze kwam tot stilstand. Haar Hongaarse laarzen dronken van de sneeuw. Ze keek Remus vragend aan. Even was het schuldgevoel en de twijfel terug, maar toen schudde ze die van zich af: 'Ja, ik wil je meisje zijn'.

Opgelucht trok Remus haar aan haar pols naar zich toe. Daar had ze niet op gerekend en samen vielen ze achterover. In elkaar verstrengeld rolden ze over hopen bladeren en dennen, door zand, modder en hard geworden mos, en kwamen tot stilstand in de sneeuw in een dal. Ze kreunden tegelijk. Remus lag met zijn rug in de sneeuw. Florica grinnikte bovenop hem. Ze bleven bewegingloos liggen, beloerd door een haag van hoge bomen. Ze haalde het gras uit zijn donkerbruine haar. Van haar had het rollen eeuwig mogen duren. Rollen door de tijd, samen, ver weg van haar benauwde wereld die Roemenië heette.

'Ik ben blij dat je mijn meisje bent,' zei Remus met een verbeten plooi onder zijn ogen. Er stak een dennenappel in zijn rug. Hij gooide hem van zich af en legde zijn armen om haar heen. 'Dat zul je altijd blijven.' Hij glimlachte. Langzaam bracht hij zijn gezicht naar het hare.

Even, in een flits, veranderde Remus' gezicht in dat van haar oom. Toen zijn lippen bijna die van haar raakten, draaide ze haar hoofd weg. Half gewillig, half beschaamd. Ze klom gehaast van hem af, kruiste haar armen en bood hem haar handen aan. Zo takelde ze hem omhoog en stonden ze weer buik aan buik. Natuurlijk wil je hem wel kussen, zei Florica in gedachten tegen zichzelf. Toch deed ze een stap naar achteren. Achter hen kraakte een tak. Ze sprongen tegelijkertijd op. Ze zag hoe Remus' adamsappel in zijn keel danste.

'Daar is iets,' zei ze. Ze keek naar de plek waar het geluid vandaan kwam. Elk moment verwachtte ze een paar oplichtende ogen tussen de takken. Securitate, een beer, een roedel wolven, een lynx. De wilden van Roemenië.

Nog een brekend takje.

'Laten we gaan,' fluisterde Remus, die haar bij haar pols pakte en een stap achteruit deed.

In de verte knarste er nog iets. Dat was het startschot voor de twee, die zo snel mogelijk wegrenden. Hoe ze gelopen waren, kon Florica zich niet herinneren, maar al snel stonden ze opnieuw voor Șura Dacilor. Waar ze aan ontsnapt waren, wist ze niet, maar van een ding was ze direct overtuigd: het voelde goed om samen met hem weg te rennen voor het gevaar. De dakpannen van het restaurant lichtten zilver op onder de doorgebroken zon.

Toen ze weer adem konden halen, vroeg hij: 'Zin in een schnitzel?'

Remus liet haar met een grijns voorgaan door de hoge poort van hout die naar het restaurant leidde. Aan de muren en over de stoelen hingen dierenvellen. Het leek alsof het hele dierenrijk van Poiana was afgemaakt om het interieur van het restaurant te beleggen. Prominent aan de muur hing een berenvel, volgens de inscriptie geschoten door de Leider zelf. Dat kon ook niet anders, wist Florica, want berenjacht was streng verboden in het land. Alleen de Leider zelf mocht op ze jagen. Daarom tierde de berenpopulatie welig, want volgens de verhalen was Ceaușescu een belabberde schutter. De grap ging dat er altijd twee Securitate-agenten vanuit de struiken met hem meeschoten, zodat hij de beer nooit miste. Hoofdschuddend liet Florica zich naar een tafeltje begeleiden. Bij elke stap kraakte het parket. Net als de vloer bij ons thuis, dacht ze. Ze zag hoe Remus kritisch de ruimte scande. Hij ging zo ver mogelijk van de twee mannen zitten wiens leren jassen over de stoelen hingen en die alleen een fles mineraalwater op tafel hadden staan.

'Mannen die water drinken,' fluisterde hij, 'zijn verdacht'.

'Je hebt gelijk,' antwoordde Florica. Ze zag hoe een tweetal Rroma om de mannen heen cirkelde en Roemeense volksmuziek speelden. Florica dacht een van de muzikanten te herkennen, maar ze wist niet waarvan. Hij hoorde niet bij haar stam, daar was ze van overtuigd. Hij droeg een meerdere malen met stofdoeken gerepareerde spencer, een rode strik, een kleurige pantalon en een exorbitant hoedje. Het was een opvallend figuur, met twee gouden tanden, maar het was de warme stem die haar in werkelijkheid opviel. Hij zong en speelde viool, zijn partner was het koortje en de gitarist in een. Een goed duo, dat steeds geld en Kent-sigaretten toegestopt kreeg van de vermoedelijke agenten en daarom bleven spelen.

Aan de andere kant van de ruimte zaten drie dronken oude mannen met hun echtgenotes. Bij elk woord van een man, schudde de vrouw tegenover hem afkeurend haar hoofd. De meest bezopen kerel trok de serveerster, die op weg was naar Florica en Remus, aan haar blouse.

'Mogen wij zo naar achteren? We willen Cleo de beer een biertje geven. Dat beest is vast in geen tijden meer dronken geweest.' Ze hikten van het lachen.

'Romantisch hè?' vroeg Remus met een knipoog. Hij vouwde zijn handen om de gaslamp die in het midden van de tafel stond.

'Ik ben nog nooit ergens gaan eten,' bekende ze. Ze zag geen afkeur in zijn gezicht, maar opgetogenheid.

'Dan hebben we beiden wat in te halen.'

Hij bestelde twee rode wijn bij de serveerster die de bestelling opnam in traditionele Transsylvanische kledij, een witte wijde blouse met rode stiksels. Florica vroeg zich af hoe hij aan het geld kwam en besloot meteen daarna dat ze het niet wilde weten. Al snel kwam de mevrouw terug met twee tot de nok toe gevulde aardewerken bekers.

'Op jullie gezondheid,' zei ze vriendelijk. Ze kneep hen allebei in de wang. 'Jullie zijn een mooi stel.' Ze klemde een haarlok achter Florica's oor. 'En jij bent een prachtig meisje. God, wat ben jij mooi.' Florica wist niet waar ze moest kijken. Zoiets had een vreemde nog nooit eerder tegen haar gezegd. De aanwezigheid van Remus had haar opgewaardeerd van zigeunerin naar mens. Vandaag is een wonder, meende ze.

'Ik ben het volkomen met u eens,' antwoordde Remus. 'Daarom is ze ook mijn meisje.'

Ze bestelden vijf gegrilde gehaktrolletjes, mici, met mosterd en brood voor Remus en de aangeraden schnitzel voor Florica.

'Ik heb het enorm naar mijn zin,' zei Florica, toen de serveerster weg was om de bestelling in orde te maken. Ze had nooit kunnen raden dat haar verliefdheid in zo'n stroomversnelling kon raken. Als haar vader zou vragen met wie ze wilde trouwen, had ze een antwoord klaar. Niet dat hij een gadjo zou accepteren. Hij hoefde niets te accepteren, dacht ze, terwijl ze Remus aankeek en zich afvroeg waaraan hij dacht. Het leek alsof hij iets wilde zeggen, iets wilde bekennen wat de eerste bouwstenen van hun relatie alweer om zou gooien, maar dat niet kon. Dat gevoel herkende ze. Maar wat zat hem dwars? Misschien mocht hij niet met een Rrom omgaan. Haar eigen geheim speelde weer op. Ik moet het gewoon zeggen. Zo erg is het niet. De liefde kwam iets later. Ze sabbelde op de uitlopers waar haar vlecht vanochtend nog zat.

Florica trok hem aan zijn kraag naar zich toe en waar ze hem in zijn oor wilde fluisteren dat ze weg wilde, weg moest, gaf ze hem een kus op zijn wang.

'En ik maar denken dat je iets gevaarlijks ging zeggen,' zei Remus. Op zijn wang prijkte de rode lippenstift die Florica ook op de lippen van haar nichtje had gesmeerd. 'Mijn ouders zijn in een zwart busje gesmeten en nooit meer teruggekomen,' zei Remus plotseling heel zacht, met zijn ogen strak op de twee mannen gericht. Florica las vooral berusting in zijn ogen. Oud verdriet. Ze knikte, alsof ze het begreep, maar stiekem vroeg ze zich af of zij verdrietig zou zijn. 'Mijn grootmoeder heeft mij opgevoed. Ik miste niets.' Hij lachte ingetogen. 'Behalve jou natuurlijk.'

'Hoe gaan we nu verder?' Ze verborg de vraag in een fluister.

Hij haalde zijn schouders op.

'Een liedje?' De muzikanten onderbraken het gesprek. Florica zag hoe de mannen aan het andere tafeltje nog wat mineraalwater inschonken en hen vuil aankeken.

Remus haalde geld uit zijn zak en mompelde een liedje in het oor van de Rrom. De exorbitante violist knikte opgetogen, knipoogde naar Florica en zette de strijkstok op de snaren.

Een rilling klom van haar tenen naar haar hoofd. De man bezong, in zijn kenmerkende warme stem, de liefde op het eerste gezicht. Remus hief zijn aardewerken beker en lachte naar zijn meisje. Naar mij, dacht ze blij.

Plotseling stierf Remus' lach in een ontstelde grimas. Florica draaide zich om. Een vreemdeling liep gedecideerd op hen af. De man was dik en kort. Op zijn lage voorhoofd stak een zonnebril. Hij werd bijgestaan door een lange man, die gebogen liep om zijn hoofd niet te stoten tegen de laaghangende balken. Ze wist direct dat het de verkeerde kant op ging. De vreemdelingen grijnsden. Hoe dichterbij ze kwamen, hoe witter Remus werd. De muzikanten speelden door. Elk woord over de liefde, over de eeuwigheid, over kracht, over het leven, elk woord werd versterkt door de twee naderende mannen.

'Niet nu,' prevelde Remus.

In paniek vroeg Florica wie die twee varkens waren. Ze was bang, maar niet voor hen. Ze bad zoals ze nooit gebeden had. De dikke haalde handboeien uit zijn broekzak.

'Uitgegeten?' vroeg hij schertsend. 'Speel gerust door hoor,' zei hij, toen de tonen uit de instrumenten twijfelden. 'Dat is wel zo leuk voor de sfeer.' Hij wierp de boeien naar zijn kameraad, die ze omdeed bij Remus.

'Je bent gearresteerd,' zei hij.

'Waarom?' gilde Florica. Ze gooide haar wijn om.

'Pittig zigeunerinnetje heb je daar,' zei de dikke. 'Neem maar afscheid van haar, want jullie zullen elkaar een tijdje niet zien.'

'Hij heeft niets misdaan,' schreeuwde ze, overstemd door wanhoop.

De dikke man sloeg met zijn onvermurwbare vuist op tafel. 'Ik ben jou,' hij drukte zijn vinger tegen Florica's neus, 'helemaal geen uitleg verschuldigd. Zigeunerin.' Ze klemde haar tanden op elkaar, omdat ze anders zijn vingertopje eraf had gebeten.

De lange agent greep Remus onder zijn oksel en takelde hem omhoog. Remus stribbelde niet tegen. Gedwee liep hij met hen mee.

'Blijf rustig,' zei hij. Zijn stem stokte. 'Ik heb niets gedaan.'

Dat stelde haar niet gerust. Integendeel. Er werden meer onschuldige mensen vermoord of gevangengezet dan schuldige. Ze liep met hen mee naar buiten, trok aan de schouders van de lange man, die onverstoorbaar doorliep. Op de stoep wachtte een oud zwart busje op hen.

'Stap in,' beval de lange man. Remus keek om naar Florica. Hij was bleker dan de vier bergtoppen om hen heen. Verslagen zag ze hoe hij instapte. Hij zei haar niet ongerust te zijn, dat hij terug zou komen. Zijn loze geruststellingen draaiden langzaam weg.

'Ik ga je terugvinden,' stamelde ze. Ze herhaalde het opnieuw en opnieuw, nog lang nadat het busje uit haar zicht was verdwenen.

9

Het ongelijke beton pijnigde Remus' rug dwars door het haveloze matras heen. Ik ben een dichter in lompen, dacht hij, terwijl hij zichzelf warm rolde in het wollen kleed. De ratten hadden zich in het gevangenisuniform genesteld en droegen stukken mee in hun darmpjes, alvorens de communisten hem erin hadden gehesen. Hij rook zelfs naar rat. God jojode met hem. Dat wist hij zeker. En nu liet Hij de hond uit – de jojo rolde ratelend over de grond. Het dieptepunt.

'Een jojo voelt zich altoos zozo,' mompelde Remus zacht. Hij miste zijn notitieblok dat ingenomen was voor nader onderzoek.

Wel had hij een boek gekregen toen hij erom vroeg. Slechte lectuur over het belang van het communisme voor de Oost-Europese staten. De hoofdstukken over Roemenië waren eruit gescheurd, waarschijnlijk omdat de inhoud niet overeenkwam met de gemaakte waarheid. Het peertje boven zijn hoofd was kapot. Of verwijderd om elektra te besparen. Als hij strategisch ging zitten, bescheen het ganglicht de letters in zijn handen. Josip Broz, geboren in 1892, werd bedreven door het slijk gehaald, omdat hij een 'onbetrouwbaar partizanenproleet was' een 'wisselvallige koers voer die niet gelijk stond met het ware communisme van de Sovjet-Unie'. Gestorven als maarschalk Tito in 1980. De opvolging werd geregeld en vooral betwist door namen die eindigden op ski, vic en ov. Remus kon alleen maar hopen dat de hoge heren aldaar te druk met elkaar waren om de vluchtplannen te dwarsbomen. Niet dat hij nog weg durfde. Hij zou het communisme uitzitten. Het dissidentschap was toch niets voor hem. Hij zou afwachten tot Roemenië inzag dat de afgedragen grijze jas van het socialisme niet meer te herstellen was. Ondertussen zou hij zich concentreren op de universiteit, versleten schoenen en vooral op Florica.

Hoog bovenin de muur kwam geluid en lucht uit een raampje – zes spleten tussen de stenen. Remus had geen idee hoe laat het was. Of hoelang hij hier zat. Hij kreeg taai brood en water als ontbijt en avondeten. Het enige wat hem werd gezegd, was poftă bună, eet smakelijk. En zelfs die woorden had hij inmiddels een tijdlang niet gehoord. Dat bevestigde zijn maag om de paar minuten. Er stond wel een kop koud geworden surrogaatkoffie bij de celdeur. Remus durfde er niet uit te drinken, omdat hij bang was dat het gebakken graan met warm water was aangelengd met rattengif. Zijn maag borrelde een langgerekte vloek.

'Stil maar,' troostte hij. 'Het komt wel goed.' Weer een krachtterm als antwoord. Mijn hemel, dacht Remus bevreesd, voeren mijn maag en ik een conversatie? Hij kroop naar de koffie en bevochtigde zijn droge tong. Het smaakte lang niet gek. Inmiddels lustte hij alles, wist hij. Met zijn neus dichtgeknepen vond hij het zelfs smakelijk. Bij elke teug voelde hij hoe God de jojo omhoog trok.

Remus voelde zich hemels. Hij dacht aan zijn grootmoeder, een vrouw met een handleiding. Bloemen accepteerde ze niet, omdat die haar deden denken aan het overlijden van haar ouders, haar man, haar zoon en zijn vrouw. Ook al ging het om een boeket met een oneven aantal bloemen, bestemd voor de levenden. Ze wilde pas bloemen, zei ze, als ze in een kist lag en werd omringd door biddende priesters met hun wierook. Géén bloemen. Nooit. Hetzelfde gold voor portretten. Die van haar ouders – geschilderd door een jong meisje dat later zou uitgroeien tot een begenadigd portrettist annex kunstschilderes – waren heel wat waard, maar lagen ingepakt in goudronpapier, verscholen achter lege kratten in de lege voorraadkast. Ze had een bevriende fotograaf uitgescholden voor Turk toen hij had voorgesteld om een portretfoto van haar en Remus te schieten.

Maar nee. Er was iets bij haar geknapt toen haar hele familie werd afgevoerd naar de hemel. Ze weigerde kussen en van knuffels wilde ze al helemaal niets weten. Een kus op de hand vond ze afdoende. En zelfs dan veegde ze de rug van haar hand snel af aan haar schort. Remus realiseerde zich dat hij simpele, ongeforceerde en liefdevolle omhelzingen had gemist.

'En zij gaf het me,' zette hij uiteen tegen de donkere muren.

Volgens Emil stonden ze wel uren in elkaars armen te deinen in de schaduw van de fabriek. Remus vond het veel te kort. Hij voelde nog steeds de blijdschap en opluchting door zijn lijf gieren, die waren ontketend toen hij Florica om tien uur bij de Zwarte Kerk trof. Precies zoals hij had gevraagd, zoals hij had opgeschreven op het papiertje dat hij uit zijn notitieblok had gescheurd, uit zijn hart. Ze stond daar voor hem. Dat beschouwde hij als een wonder. Hij had haar hand gepakt, zachtjes, precies zoals geoefend, en er een kus op gedrukt. De tijd verliep stapsgewijs. Soms pakte hij haar hand, soms zij de zijne. Elke aanraking voelde als een stroomschok. Een tinteling en daarna een ingehouden gegiechel. Remus kon er nooit aan wennen. Toen ze samen door het bos rolden, wenste hij dat de berg oneindig afliep. Dit was niet alleen het begin van iets moois, dacht hij, maar ook van iets bijzonder ingewikkelds. Hij voelde haar lichaam tegen het zijne en werd overmeesterd door de macabere wens te sterven in elkaars armen in de koude Karpaten. Maar ze bleven leven.

Zij daar, ergens, en hij in deze cel. De Almachtige liet de jojo vieren. Gulzig dronk hij de laatste slok bittere cichoreikoffie en gooide de kop tegen de muur. Het ijzerwerk stuiterde door de cel. Door de sleuven in de muur schalden schoenen op weg naar het werk. Voetstappen voor de staat. Remus voelde zich licht in zijn hoofd worden. Scherven knarsten onder zijn voeten. Hij had weer trek. Lekkere trek, vette trek. Allesverslindende trek. Honger.

'Eten,' smeekte hij toen de deur openging en een man binnenstapte. 'Geen eten?' vroeg hij verward, toen hij zag dat de man alleen handboeien in zijn handen had. 'Handboeien zijn niet eetbaar,' concludeerde Remus jolig. Hij wist niet of hij moest lachen of huilen, dus deed hij het beide. De man kreeg hulp van een tweede en samen takelden ze Remus ruw aan zijn armen omhoog. 'Dat kan zachtaardiger,' probeerde hij. 'Ik ben toch geen Turk, zou mijn grootmoeder tegen jullie hebben gezegd. Hebben jullie haar weleens ontmoet? Vast niet, dan hadden jullie betere manieren gehad,' zei hij en incasseerde de klap tussen zijn ribben die de opmerking hem opleverde.

Hij probeerde zich te beheersen, maar zijn tong leek een eigen wil te hebben. In bepaalde gevangenissen schenen professoren idiote proeven te doen, dacht hij. Remus vroeg zich af of ze Emils tong in zijn mond hadden geïnstalleerd. Hij poogde zijn begeleiders te bestuderen of hij de vraag kon stellen, maar de felle lichtgevende buizen aan het gangplafond zorgden voor vlekken op zijn netvlies.

'Hebben jullie geen last van die kwallen? Ze vreten aan jullie.' Remus schopte naar de vlekken. 'Ze zitten overal.'

'Kop houden,' bromde de bewaker en leidde hem naar een kleine kamer waar enkel een ijzeren tafel stond. De man ontkoppelde Remus' handboeien en liet hem zonder verdere instructies achter.

Remus leunde met zijn armen op de tafel. De deur achter hem stond open. Een briesje van vrijheid blies zijn nekharen overeind. Hij waggelde een paar ronden om de tafel en verzette zich tegen de drang om zijn hoofd door de deuropening te steken. Zijn leven was hem te lief. Hij aaide zichzelf over zijn hoofd. Dat maakte hem rustig. Ze hadden zijn haar afgenomen met een ijzeren kniptang. Ze willen mij alles ontnemen, vreesde hij.

Gods jojo knapte. De deur klapte dicht. De binnengekomen man drukte zijn neus tegen die van Remus. Er werd niets gezegd. Remus deed een stap naar achter. Hij voelde hoe de ijzeren tafel in zijn billen prikte; hij deed zijn best om in balans te blijven en niet op de tafel te belanden.

'Goed,' zei de man uiteindelijk. Hij plette zijn haar in een scheiding en bevochtigde het puntje van zijn vinger om zijn wenkbrauwen te borstelen. Een weifelende druppel bloed verried dat de man zich zojuist had geschoren. 'Tomescu, Remus,' las hij voor, terwijl hij het meegenomen krukje neerzette. Hij smeet het dossier op tafel en ging zitten. 'Correct?'

'Ja,' zei Remus. Hij knikte ter ondersteuning.

'Meneer,' vulde de man aan.

'Ja meneer.'

'Goed.'

Remus voelde zijn spieren klagen. Hij zag dubbel en had honger.

'Waarom ben ik hier? Ik heb niets misdaan. Lang leve de Leider. Wie bent u eigenlijk? Heeft u niet een kruk voor mij? Of mag ik op de grond zitten?'

'Je tong is los, Tomescu,' concludeerde de man zonder zijn ogen van het dossier af te houden.

Remus stak zijn tong uit en wees ernaar: 'Is dit wel de mijne?' Hij kucht een 'meneer' eruit.

'Wiens anders?'

'Je hoort wel eens van proeven in de gevangenis,' verduidelijkte Remus zijn vraag.

'Dit is geen gevangenis,' hoonde de man. 'Je bivakkeerde in een hotel vergeleken met een echte cel,' zei de man met een grijns. 'Maar die vergelijking mag je straks zelf trekken. En nu: kop dicht.'

'Maar.'

De man tikte ongeduldig met zijn nagels op de ijzeren tafel. De twee bewakers kwamen binnenlopen. Ze gingen aan weerszijden van hem staan en haalden ieder uit naar Remus' wang met hun volumineuze vuisten. De man zwiepte het tweetal met een handbeweging terug de schaduw in. Kop houden, dacht Remus, en hij vroeg zich af hoeveel kop hij nog over had. Hij proefde bloed. Zijn tong speelde met een afgebroken stuk tand.

'Je gebruikt die tong van je pas als ik wat vraag. Begrepen?'

'Ja,' zei Remus, 'meneer'.

'Goed.' De man sloeg het dossier dicht en haalde een notitieblok uit zijn binnenzak. Remus' notitieblok, dat hem was afgenomen toen hij afgevoerd werd door de gedecideerde agent van de Securitate in Poiana. Het vuur uit de aansteker likte vervaarlijk aan Remus' notitieblok. Remus smeekte en blies, maar de ondervrager tegenover hem grijnsde alleen maar.

'Er is veel aan gelegen om gevaarlijke lieden te weren uit onze maatschappij.' Vrijwel elke pagina had Remus volgeschreven, soms hinderden de letters elkaar. Notitieblokken waren schaars. Het vuur klom via het bladwijzerlint naar het papier. Remus had er te veel voor betaald. Een Iraanse loopjongen had het voor hem gehaald bij de dollarwinkel. Drie pakken van het nationale sigarettenmerk en heel wat lei in ruil voor een blocnote. Maar dat vond Remus het waard. De kwaliteit van het leer en papier paste bij zijn ambities. En nu gingen zijn hersenspinsels en verzen in rook op, net als de Iraniër zijn sigaretten had opgebrand.

'Zoals je ziet, mats ik je. Al je staatsgevaarlijke rijmelarij is verdwenen. Ik kan je weliswaar verdenken, maar ik kan het niet meer bewijzen.' Hij flikkerde het nasmeulende leer in de hoek van de kamer. Remus kon er niet naar kijken. Al zijn werk, zijn ziel, zijn leven was gedood door een klein vlammetje dat ontsproot in de hand van een ongeletterde klootzak. Hij dook ineen van de pijn die van binnenuit aanzwol. Een pijn die niet te negeren was, zoals de klappen van de bewakers.

'Goed,' de man haalde een verfrommeld papiertje met vragen uit zijn binnenzak en startte het verhoor met een vlakke hand in Remus' gezicht. 'Heb je een typemachine?'

'Nee,' antwoordde Remus naar waarheid. Hij wenste er wel een, maar zelfs als hij het geld had, durfde hij er geen te kopen.

'Nee meneer,' vulde de man hem aan en commandeerde de mannen om Remus met een houten stok een tik op zijn blote voeten te geven. 'Je hebt er wel een, zo blijkt uit mijn notulen. Maar je hebt de staatsgevaarlijke machine niet geregistreerd. Correct?'

Tranen ontsproten in Remus' ogen, terwijl hij over de grond rolde.

'Ik heb geen schrijfmachine, meneer. Ik had alleen een notitieblok.' Drie stoten op zijn wreven.

'Dus deze pamfletten voor de vrijheid zijn niet door jou geschreven, noch heb je er ook maar iets mee te maken? Mijn mannen vinden ze door de hele stad. Het pamflet rept over revolutie. Zoiets zag ik ook in jouw boekje staan,' de man knikte naar de hoek. 'Maar je verklaart onschuldig te zijn?'

Remus durfde niet te antwoorden, maar toen de twee mannen hun stokken hieven zei hij snel 'ja meneer'.

'Leugens,' snauwde de man. Remus sloot zijn ogen, maar de mannen aan weerszijden bleven stokstijf staan. 'Er zijn manifesten gevonden in het huis van een zekere Noica, Emil, heel toevallig een goede vriend van je. Eerste versies, uitgetypt zodat we de handschriften niet kunnen identificeren. Die vriend van jou studeert aan de faculteit muziek. Een musicus, geen schrijver. Jij daarentegen...'

'Ik heb niets geschreven,' stamelde Remus. Inwendig vervloekte hij Emil, met zijn bijeenkomsten op zolderkamertjes. 'Ik schrijf alleen lofzangen op de staat en op onze Vader. In mijn jas zat een gedicht voor het twintig jaar staatshoofdschap van Ceauşescu, bent u deze niet tegengekomen?'

De man grijnsde geniepig: 'Nee'.

'*De duiven bovenop de woonblokken, overzien de weeldespurt van een porseleinen periode*,' reciteerde Remus, zonder te weten of hij het goed zei of dat hij de woorden door elkaar husselde.

'Klinkt vaag,' besloot de ondervrager.

'Maar ik houd van Roemenië.'

'Juist,' zei de man kortaf. 'Mijn informanten noemen je echter een tegenstander van de partij en spreken bovendien van vluchtplannen. Met deze informatie in je achterhoofd, is het wel heel toevallig dat je hebt aangepapt met een Nederlandse toeriste. En je valt niet eens op blond,' schamperde hij. 'Ja, wij horen alles. Je bent een hoer, Tomescu. Je verkoopt je lichaam om je vaderland te verraden.' De mannen lieten de stokken op Remus neerdalen waar ze maar konden. Remus voelde zijn huid openscheuren. 'Heb je haar zwanger gemaakt? Ga je met haar trouwen? Ik walg van jou en jouw generatie.'

'Ja meneer, nee meneer,' gilde Remus in de hoop dat de twee zouden ophouden. Maar dat deden ze niet.

'Jij hebt die pamfletten geschreven en gedrukt. Jij hebt een zuigeling in een Westerse gespoten in ruil voor amnestie. Je bent een verrader van de Socialistische Republiek Roemenië.' Hij haalde een papier tevoorschijn en legde deze, samen met een pen, voor Remus neer. 'Beken dat jij achter de manifesten zit.'

Remus schudde zijn hoofd. Een bekentenis kon meer kwaad doen dan goed, meende hij. Wat wilden ze met hem doen? Slaan? Doden? Hij was op het punt dat het hem niets meer interesseerde.

De man streek weer over zijn scheiding: 'Beken dat je wilt vluchten'.

'Ik ken tweeëntwintig miljoen mensen die willen vluchten,' flapte Remus eruit. Hij spande zijn spieren aan, maar de man tegenover hem gaf geen kik.

'We praten later,' zei hij uiteindelijk. 'Uit mijn ogen met hem.'

De twee mannen tilden Remus op zijn voeten. Hij kon amper blijven staan. Zijn voeten tilden hem slecht. Hij trilde.

'De Leider is net jarig geweest, dus je mist zijn genereuze generale gratie,' riep de ondervrager hem na. Hij sloot het verhoor. 'Sublieme timing.'

Remus werd door een lange donkere gang gesleept. Ze hielden halt daar waar het geluid van water onder de deur door klonk. Ze kleedden Remus uit en duwde hem onder de douche. Hij krabbelde op via de muur en liet het koude water over zich heen kletteren. Zijn oog zat dicht, zijn kaken los en zijn wreven waren verwoest. Hij spoelde de doucheput rood.

'Ze hebben je flink te grazen genomen,' bromde een gedetineerde naast hem.

'Ik ben onschuldig,' antwoordde Remus.

'Ik niet,' zei zijn buurman. Hij deelde zijn zeep met Remus. 'Ik sprak Hongaars in het openbaar en daar nam iemand aanstoot aan.' De twee mannen douchten zwijgend naast elkaar.

Een cipier commandeerde Tomescu bij hem te komen. Remus hulde zich in droge lompen en werd naar een nieuwe cel gebracht.

'Meneer de cipier, dit is mijn cel niet,' probeerde hij voorzichtig toen een man of zestig opdoemde achter de geopende traliedeur en hij naar binnen werd geworpen. Angstig tuurde hij door de ruimte, een voorportaal van het vagevuur.

'Meneer Tomescu, dit is Roemenië,' lachte een stem uit de donkerte. Remus veerde opgelucht op. Hij kende die stem. De andere mannen gingen weer op de torenhoge stapelbedden zitten of leunden tegen de muur met een sigaret tussen de lippen toen de stalen deur dicht gonsde. 'En zeuren mag je trouwens niet. Ik kom uit een cel die niet veel groter is, maar ik moest de ruimte delen met tweemaal zoveel slapies. Dat wil behoorlijk stinken als je eens in de twee weken mag douchen.'

'Je bent een klootzak, Emil.' Hij stormde op de figuur af, niet wetend of hij hem moest stompen of omhelzen.

De schaduw ging hem voor naar de hoek van de cel. Ze liepen over de scherpe roosters die als vloer dienden. Emil wees naar het stapelbed in de hoek, de derde verdieping. 'Dit bed heb ik voor ons gereserveerd,' zei hij sarcastisch. 'Men slaapt hier met zijn tweeën in een bed. Ik neem aan dat je liever bij mij slaapt, dan bij een andere crimineel.'

'We moeten hier weg,' zei Remus. 'Zo snel mogelijk.'

'Daar ben ik het mee eens. Maar we blijven nog even. We kunnen het hier immers rustig over de Grote Ontsnapping hebben. Hier worden onze woorden slechts opgevangen door moordenaars, dieven, verkrachters, zigeuners, verklikkers en vooral veel staatsgevaarlijke lui zoals wij. Ondertussen wachten we tot mijn vader terug is uit Parijs om ons vrij te kopen met zijn flessen château migraine.'

Na een dag werden ze al de flikkers genoemd, maar dat interesseerde Remus niet. 'Smaakt het, flikker?' en 'stil iedereen, de flikkers pitten'. Waar Emil was, was hij en vice versa idem dito. Remus vouwde zijn handen achter zijn hoofd, telde de tussenpozen van lichtflits tot donder en probeerde zijn ogen open te houden. Hij vocht tegen de slaap. Hij was bang voor de ratten die over de muren liepen, onder de roosters vandaan kropen en in mensenvlees beten. Hij bleef zover mogelijk van de wapenhandelaar vandaan, omdat deze de doodstraf hoorde te krijgen. Dat hij in de cel rondliep, betekende maar een ding: hij was een verklikker. Remus zorgde wel dat hij uit zijn buurt bleef. Hij was ook angstig voor de zigeuners, waarvan hij de zigeuner die tot zijn navel kwam steevast meed, omdat het mannetje volgens Emil een verkrachter dood had geslagen die pochte over het uit elkaar rijten van een zigeunerinnenkut. Als hij mij bedreigt, nam Remus zichzelf voor, vertel ik hem dat ik verliefd ben op een Rrom-meisje; en dan maar hopen dat hij niet hard slaat. Ook was hij bang voor de kruimeldieven, die het boek dat hij al driemaal uit had konden gappen. Als ze wilden. Niet dat een verhaal veel waard was tussen de vier muren, maar omdat het papier transparant was, dienden de pagina's als vloei.

De andere gevangenen hadden tabakwaar. Elk stompje sigaret dat op de grond werd gegooid, werd meteen opgeraapt door een onfortuinlijke roker en leeggegooid in een verzamelvloeitje. Dikwijls stortten meerdere gevangenen zich op een stompje sigaret en stompten elkaar om wie het sigaretrestje het eerst zag.

Remus probeerde de hele dag zo stil mogelijk in zijn hoek te zitten. Hij ontliep zelfs de andere zogenaamde staatsverraders en Hongaren, omdat hij niet wilde dat de cipiers hem aan hen lieerde. Hoe lang was hij hier – een paar dagen? En nu al dacht hij erover om zichzelf open te krabben en door de rattenstront te rollen, net zolang totdat hij door allerlei infecties naar het ziekenhuis gebracht werd. Volgens de gevangenen was dat de enige route naar buiten.

Eigenlijk was Remus voor iedereen bang, uitgezonderd Emil. Nee, zelfs voor Emil was hij bang, omdat hij ook in de gevangenis de beschermende vleugels van zijn vader voelde. Opvallen was nooit goed in Roemenië, zeker niet achter de tralies.

Emil neuriede zichzelf in slaap. Zoals elke nacht moest Remus raden welke compositie van Porumbescu Emil ten gehore bracht, voordat ze naast elkaar in slaap vielen. Elke avond gokte Remus op Balada. Hij wist niet veel van klassieke muziek – 'misdadig weinig,' volgens Emil –, maar het meesterwerk moest toch een keer langskomen. 'Balada is correct,' zei Emil soezerig. 'Maar alleen omdat ik je een fijne afsluiter van een fijne dag gun.'

Het was inderdaad een fijne dag, dacht Remus, voor zover mogelijk. Hij dartelde rond in verlangen en zelfmedelijden die de dag hem had gebracht.

Het was donker. Overal dacht hij afwachtende rattenoogjes te zien, klaar om zich op hem te storten. Aan de ander kant van de kamer licht-te een sigaretpunt rood op. Die persoon had rookdienst. Niemand van de zestig man had een aansteker, maar iedereen wilde roken. Er moest dus altijd iemand zijn met een smeulende sigaret om een andere te doen ontbranden. Remus zag hoe de rode punt even doofde om daarna te verdubbelen. Er dansten twee rode sigarettenuiteinden. Het oude puntje belandde op de grond.

Telkens wanneer zijn ogen dichtvielen, gaf Remus zichzelf een klap in het gezicht. Met trillende vingers knoopte hij een wit en een rood touwtje aan elkaar en draaide de rode om de witte als een snoepstok. Hij durfde zijn ogen niet dicht te doen. Er was hem weliswaar niets overkomen, maar het idee alleen dat verderop een veroordeelde moor-denaar lag, was voldoende om niet te willen slapen. Een paar dagen geen slaap of de eeuwige slaap: Remus had weinig moeite met kiezen.

Dus herbeleefde hij het hoogtepunt van de dag opnieuw en op-nieuw, totdat de dageraad zou aanbreken en ze weer naar de lopende band in de nabije fabriek werden gebracht.

'Zuig mijn eikel uit,' had de dwergzigeuner in de middag gezegd toen een forse boer tegen hem opbotste. Hij werd door de andere zi-geuners onthaald met gelach.

De boer kon er niet om lachen en besprong de dwerg. De twee ont-ketenden een groepsgevecht.

'Doen jullie niet mee, flikkers?' schreeuwde de kleine zigeuner naar Remus en Emil, die tegen de muur rustten. Emil maakte van het ru-moer gebruik de vlucht nogmaals door te nemen. Een andere gevange-ne porde wanhopig met een paperclip in het slot.

Remus keek waar de wapenhandelaar was en las de woorden van Emils lippen: 'Zodra we vrij zijn,' Emil wierp zijn dikke duim over zijn schouder, 'gaan we meteen naar het Westen. In de trein zijn te veel ogen, de Dacia van mijn vader valt te veel op, lopen is te ver, dus...'

'Dus we vragen Nicu om ons in zijn taxi naar Băile Herculane te brengen, waar we met een koffertje vol badkleding beweren gebruik te maken van de geneeskrachtige kuren.' Remus droomde het plan inmiddels. Hij had nog niet durven zeggen dat hij niet meekon, niet mee durfde en niet mee wilde. Emil had een blauwdruk van de vlucht in hun hoofden geprent. Zijn vader had enig vermogen, dus was het niet verdacht dat zijn zoon zich een week liet verwennen in een kuuroord en een vriend meenam ter gezelschap. Het gevangenisleven was zwaar en ze hadden genezing nodig, net als Hercules uit de legende. Ze zouden niet opvallen tussen de ambtenaren die hun vakantievouchers van de staat spendeerden en de gepensioneerden die soepele gewrichten wensten. Emil zou een tweepersoonskamer voor een week reserveren in het betonnen hotel Roman en na een nacht, een croissantje en een koffie zouden ze de bus naar het dorp aan de rivier de Nera nemen. Aan de andere kant van het water wachtte Joegoslavië.

'Je gaat gewoon mee,' zei Emil, die de twijfels in Remus' ogen leek op te merken. We gaan naar Zuid-Spanje. Daar schijnt het te stikken van de zigeunerinnen. Je kunt iedereen krijgen.'

'Maar ik wil niet iedereen.' Remus dook weg toen Emil hem tegen het achterhoofd wilde tikken. In een vloeiende beweging raakte Remus het gemillimeterde achterhoofd van Emil. Vlakke handen vlogen over en weer. De flikkers vochten als wijven, zei de moordenaar tegen hen voor ze gingen slapen.

Een zestal cipiers stormde de cel binnen om de knokkende mannen uit elkaar te drijven. De paperclip die de gevangene vrijheid moest geven, stuiterde over de grond. Remus drukte het verbogen metalen draad achterover.

'We zijn alleen maar aan het spelen,' protesteerde de kleine zigeuner met bloed aan zijn knokkels. De cipier sloeg de dwerg een bloedneus.

Een jonge bewaker gebaarde dat Remus bij hem moest komen.

'Tomescu?' controleerde hij.

Pips, trieste oogopslag, wat dons op zijn bovenlip, brede kale kaken en nog ieler dan de meeste misdadigers die jaren vast zaten. Een Moldaviër vanachter de rivier de Proet waarschijnlijk, gevlucht uit het door de Russen gestolen land. De Roemeense tongval van de cipier was geschoffeerd door de Sovjets. Hij sliste de medeklinkers en slikte de klinkers. Remus was als de dood voor de woorden van de bewaker en waar hij hem heen zou brengen. Hij werd iedere dag verhoord, steeds op een ander tijdstip, volgens Emil omdat ze hem 'probeerden te breken in dit rattenhol'. En het verhoor van die dag had in de morgen al plaatsgevonden.

De Moldaviër pakte hem zachtaardig bij zijn bovenarm. Remus vreesde voor hetgeen er zou gebeuren. Een extra verhoor? Hij kon de reguliere ondervragingen al amper verkroppen – minutenlang slaag met rubberen stokken incasseren, terwijl de leidinghebbende verwijten schreeuwde en met een verklaring wapperde waarop hij Remus' handtekening verlangde. Een verklaring die hij niet prijsgaf, want hij had goddomme niets te maken met manifesten. Hoe meer hij verhoord werd, hoe meer hij wenste dat hij wel had meegeschreven.

'Staan blijven,' mompelde de Moldaviër, toen hij Remus in de hoek van de cel drukte. Remus' lip trilde. Wat was de man met hem van plan? Zijn hoofd schudde, eerst onmerkbaar, daarna ontoombaar. De priemende ogen van de bewaker stonden dicht op elkaar, leunend tegen de beide zijden van de lange neusbrug. Remus zag iets in die ogen wat hem nog minder beviel: onrust, menselijkheid, misschien wel een vlaag van mededogen. De berekenende blik deed zijn benen weigeren, zijn knieën knikken. Remus herinnerde zich de spookverhalen over vreselijke proeven in de gevangenis, maar twijfelde plots of het wel spookverhalen waren. Zijn nagels schraapten over de muur achter hem. Wat gaat de man hem vertellen? Misschien zegt hij niets en dien ik als voorbeeld voor de gevangen, dacht Remus. Een loop op mijn voorhoofd en alles is voorbij. Zou hij net zo verdwijnen als zijn ouders? Zijn grootmoeder zou in onwetendheid sterven. Remus wilde huilen, maar zelfs zijn tranen deinsden terug. De hand van de bewaker gleed langzaam naar de binnenzak van zijn lange jas.

'Flikker,' fluisterde de moordenaar die naast hen tegen de muur zat en op zijn nagels kloof, 'ga je me nog vertellen wat je hebt misdaan?'

'Ik slaap,' antwoordde Remus.

'En ik niet,' zei de stem. 'Het onweert.'

'Dat hoor ik,' zei Remus. Het kon hem niets schelen. Als hij zich inspande, kon hij de dikke vingers van de bewaker in zijn bovenarm voelen.

'Kalmeer Tomescu,' had de bewaker gezegd. Hij greep Remus steviger vast, 'u hebt post'. Opgelucht liet Remus zijn achterhoofd tegen de muur achter hem rusten. De man haalde een geelbruine postkaart uit zijn binnenzak en grabbelde daarna een potlood niet groter dan een vingerkootje tevoorschijn. Meer punt dan achterlijf.

De Moldaviër hield het schrijfgerei voor Remus neus en zei: 'Dit potlood is om een antwoord te schrijven aan je geliefde, op de achterkant van de kaart, Tomescu, niet om er iemand mee neer te steken'. Remus griste hebberig naar de postkaart toen deze hem werd voorgehouden, maar de bewaker trok de post terug. De kaart verdween achter zijn bolle achterhoofd: 'Begrepen?'

'Ja meneer,' antwoordde Remus gedwee. Hij vroeg zich af wie hem had geschreven en, opmerkelijker nog, waarom de Moldaviër zich persoonlijk geroepen voelde om hem de postkaart te overhandigen. Remus dacht aan zijn grootmoeder, maar zijn hart smeekte om woorden van Florica. Zigeuners hier wisten de weg, dacht hij hoopvol, en hij schaamde zich voor zijn discriminerende, blije gedachten. 'Ik versta u luid en duidelijk.' Daarna zei hij snel dat hij hem 'volkomen begreep', omdat hij bang was dat de Moldaviër zou denken dat hij zijn accent belachelijk maakte.

De man knikte inschikkelijk en gaf hem de postkaart. Het was een handschrift dat Remus niet herkende. Hongerig naar liefde las hij de korte boodschap.

Ik heb je gevonden.

Zo begon de brief. Het is mijn Florica, had Remus gedacht. Volgens mij vond ik jou eerst, dacht hij daarna, terwijl hij een zenuwachtig lachje liet ontsnappen dat al sinds zijn onderonsje met de bewaker boven in zijn keel had gezeten. De cellen waren van dikke muren gemaakt. Beton, ijzer en mensenhuiden hielden het geluk buiten, maar zo nu en dan drong er een zweempje van door waaraan de uitgekozen gevangene zich kon laven. Het geluk koos de persoon, niet andersom. Vandaag was het Remus' beurt.

En ik hoop dat je mij zult terugvinden. Ik ga weg bij mijn familie. Je begrijpt, denk ik, wel wat dat betekent. Ik wacht op je bij de fontein. Als ik daar niet meer ben: zoek me. Vind me voordat je mij vergeet.

Ik verlang naar je.

Florica

Hij huilde als een klein kind en het kon hem niets schelen. Carrièretechnisch hoopte de poëet in hem altijd al dat hij in het gevang zou belanden, maar nu wilde hij niets liever dan uitbreken en haar meenemen naar waar dan ook. Het geluk liet zich niet tegenhouden door tralies, besefte Remus. Alles viel op zijn plek. Hij zuchtte de twijfels uit zijn lijf. Hij wist wat Florica's brief betekende. Een zigeuner kon niet breken met zijn familie, zeker een vrouw niet. Zoveel wist hij ook nog wel. Als zij niet kon blijven, kon hij dat ook niet.

'Ik ga met je mee,' beloofde hij haar, terwijl hij dwars door de starende blik van de bewaker keek.

De Moldaviër kuchte ongemakkelijk.

'Pardon,' antwoordde Remus en hij gaf het puntje potlood terug, zonder dat hij er gebruik van had gemaakt. 'Ik weet haar adres niet, dus schrijven heeft geen zin.' Bovendien, dacht hij, is het mengsel van grafiet en klei in het potlood veel te bescheiden om er de woorden die in mijn hoofd en buik circuleren mee over te brengen op de eveneens te kleine postkaart. Ik kan ermee schrijven noch steken.

Ook al had hij haar adres wel geweten, dan had hij nog niet durven te schrijven wat hij wilde. Hij zou haar willen overtuigen dat ze zich geen zorgen hoefde te maken, dat hij haar mee zou nemen naar Parijs, naar Rome, naar Wenen, naar een dorpje in Zwitserland als ze dat liever wilde, weg van hier, weg van haar familie en weg van de grijze deken die over Roemenië was gelegd. En hij zou haar verzekeren dat Emil ook was opgepakt en dat ze verwachten dat zijn vader ieder moment uit Frankrijk kan terugkeren en direct naar de gevangenisdirecteur zou rijden om zijn zoon en Remus vrij te krijgen. Hij zou afsluiten met: Ik zoek je niet bij de fontein; ik zal je daar vinden. Zijn antwoord zou volstaan met uitroeptekens, terwijl hij deze normaliter verafschuwde. Maar dat was omdat hij nooit eerder verliefd was geweest.

Hij zweeg totdat de Moldaviër de stilte doorbrak door te zeggen dat Remus het zelf moest weten. Hij sloeg Remus tegen zijn bovenarm.

'Dat ging wel hè,' zei hij met typisch Moldavische nuchterheid. Natuurlijk wist hij wat Florica had geschreven en dat interesseerde Remus niets. Alles wat binnenkwam moest gecontroleerd worden, zeker postkaarten. Niet alleen de lagen papier werden uitelkaar gereten, om verborgen vellen met geheime boodschappen te ontmaskeren, maar ook de geschreven woorden werden woord voor woord geanalyseerd. Florica's brief kon er blijkbaar mee door.

Ja, het ging zeker, dacht Remus, terwijl hij in bed de uiteinden van de twee draden aan elkaar knoopte. Hij peuterde een pluim aan het rode en witte touwtje door het draad uit elkaar te trekken. Zijn maag sprak weer tegen hem, maar trek had hij niet. Remus dacht alleen maar aan zijn meisje. Dat was een voordeel, want de dagelijkse soep met schapenogen trok hij slecht. De soep tuurde terug. Hij rilde bij het idee.

'Beloof me dat we vluchten,' mompelde Emil in zijn slaap.

'Dat beloof ik,' antwoordde Remus. En Florica zou meegaan.

'Smoel dicht flikkers,' vloekte de moordenaar. 'Het is gestopt met onweren.'

God had zijn jojo voorzien van nieuw draad.

10

De bulibaşa zag op het horloge van Constantin dat het tijd was. Hij slobberde de melk rechtstreeks uit het pak. Florica besloot terstond dat ze geen melk meer lustte. Melk deed haar toch te veel denken aan het bevroren Mioriţa-meer waar Remus en zij langs waren gereden in Poiana. Toen waren ze nog samen. En dat zouden ze snel weer zijn, dacht ze verbeten, terwijl ze naar haar vader keek. Hij knikte dat zijn broer gelijk had. De twee hadden een tocht langs de cafés gepland met de mannen. Iedereen had vrij genomen van zijn dagelijkse besognes. Florica wilde niet eens weten waarop ze zouden proosten.

'Nou?' vroeg haar moeder toen de bulibaşa en zijn manschappen naar de eerste de beste kroeg marcheerden. Florica keek ze na. Lala liep voorop en leidde de stoet de stad in. Ze zouden haar bij school afzetten. Lala zwaaide opgewekt naar haar zus. Florica zag vanachter het raam hoe haar vader naar haar en haar moeder knikte. De bulibaşa keek haar streng aan. De rest van de ooms kuierde bezield door en keek uit naar de schuimkraag in hun gekamde snorren. De vrouwen bleven achter om het eten te prepareren dat de mannen zouden opeisen zodra de drank hen hongerig had gemaakt. Grootvader bleef als enige man achter en zat in zijn stoel. Hij verbrandde het boek dat hij na de laatste zin had dichtgeslagen. Een socialistische roman, niets bijzonders.

'Ik ben ook nieuwsgierig,' zei hij tegen zijn kleindochter en hij lachte; de tanden die hij over had, waren gelig van de pijptabak, niet van het goud. 'Inmiddels kun je er toch wel iets over zeggen? Zwijgende mensen zijn verliefd, oké, maar jij bent wel heel erg verkikkerd op die jongen.'

'Hij is...,' begon Florica

'Een gadjo,' sneerde haar moeder. Ze trok haar neus op.

'... leuk,' maakte Florica haar zin af, meer tegen haar grootvader dan tegen haar moeder. 'Maar voorlopig zien we elkaar niet meer.' Ze had besloten om zo weinig mogelijk over Remus te vertellen. Hoe minder ze wisten, hoe beter.

In paniek greep haar moeder Florica bij haar onderarm vast: 'Je hebt je toch niet laten nemen?'

'Nee moeder.' Florica rilde bij het idee. Laten nemen, schamperde ze in gedachten, zo gaat dat niet in de liefde. Ze keek haar moeder vuil aan en dacht aan haar oom. Wist haar moeder wat hij haar aandeed? Niets ontging haar; ze kende iedereen, wist wie het met wie deed, waar die werkte, wie zijn of haar vader en moeder waren en wat die en die hadden gestolen en waarom. Florica wilde naar haar schreeuwen dat het allemaal haar schuld is, alles, maar ze zweeg en liep rood aan.

'Ik vind het hoe dan ook niets,' besloot haar moeder terwijl ze een doos vol botten ondersteboven hield boven een gigantische pan. Vier vallende varkenspoten spetterden kokend water over haar handen. Ze gaf geen kik. 'Die Duitser had op een punt gelijk: rassen moet je niet mengen.'

'Dochterlief,' begon grootvader vinnig, 'je weet dat "die Duitser" honderdduizenden van jouw "soort" heeft afgemaakt alsof we ratten waren? Alsof we joden waren?' Hij wachtte het antwoord niet af. 'Hoe eerder we opgaan in een ras, hoe beter. Wat zou de wereld mooi zijn als iedereen een iets, een mix, was. Een groot vuilnisbakkenras in een wereld zonder grenzen.'

Ik zal mijn best doen grootvader, dacht Florica zonder haar gedachten uit te spreken. Ze stortte zich met haar vaders zakmes op de aardappelen. In de tekeningen op de schil zocht ze een aanwijzing wanneer Remus weer bij haar kon zijn. Haar weke knieën knikten bij het idee dat hij nooit meer vrij zou komen.

Als ze met haar ogen dicht de lucht inhaleerde, rook ze niet het merg dat uit de botten dreef, maar louter Remus' mannelijke geur. Florica verdween in een aardappelschilroes. Ze hoorde haar moeder vaag zeggen dat 'zigeuners geen grenzen erkennen' en haar grootvader die stelling weerleggen met 'we wonen jaren in dit pand en hebben de grens van de provincie geen enkele keer gezien'.

Haar geest trok zich niets aan van grenzen. Groene ogen sloegen haar verlegen gade. Knappe man, lieve man, moedige man. Zijn neus schreed stap voor stap naderbij. Ze voelde zijn rafelige lippen op de hare. Zachtjes beroerden de tongpunten elkaar. Met haar handen pakte ze hem bij zijn hals. Hij boog zich galant voorover, lichtjes, zodat Florica geen last van haar nek kreeg. Zijn grote mannenhanden rustten op haar onderrug. Statisch. Ze wilden wel, maar durfden niet naar beneden te glijden. Of ze durfden wel, maar ze wilden nog niet. Een heer had geen haast, zo dacht ze. Wat doet een dame? Ze vroeg het zich af. En: kan een zigeunerin een dame worden? Ach, wat maakt het uit! Ze

zette haar nagels in zijn achterste: ik ben immers maar een zigeunervrouw. Dat beschouwde hij als het startschot. Zijn handen omvatten
haar billen. Hij tilde haar op. Wat is hij sterk. Zij omsloot hem met benen en armen. Zijn guitige lach kietelde haar buik. Hield ze van hem?
Ja.

'Godverdomme,' schreeuwde ze in de taal die haar moeder en grootvader niet begrepen. De aardappel in haar hand dronk haar bloed.

'Pas dan ook op,' zei haar moeder. 'Je weet dat je vader niet van botte messen houdt.'

'Gooi die pieper maar weg,' zei grootvader, die zich had genesteld
met een ander boek. 'En verbind je vinger. Anders gaat het etteren.'

'We gooien helemaal niets weg,' mopperde moeder en ze trok de
aardappel uit haar dochters handen. Ze sneed het rood weg. 'Dat is
zonde.'

Florica hield zich buiten de discussie en rolde het restant van een
afgeknipte sok om haar vinger totdat het bloed zich niet meer door het
papier kon vechten. Voor de zekerheid pakte ze het verband in met een
stuk oude krant, alvorens haar vinger te verzegelen met een elastiekje.
Ze staarde naar buiten. De sneeuw liet een drabbig land achter. Iemand
slofte voorbij. Florica deinsde achteruit toen ze de persoon herkende.
Schichtig schuifelde de waarzegster door de straat. Over haar schouder hing een propvolle tas, in haar handen droeg ze twee kleinere
equivalenten. Haar grote ogen schoten alle kanten op, bij elk geluidje
begon ze sneller te lopen. Florica schoot naar buiten.

'Je moet binnen blijven,' foeterde haar moeder. Grootvader verdraaide zijn nek, maar richtte zich teleurgesteld op het boek toen hij
zag dat zijn kleindochter op de waarzegster afrende.

'Vrouwe,' zei Florica, maar de waarzegster reageerde niet zoals ze
hoopte. In plaats van stil te staan en Florica's vraag af te wachten, holde ze als een op hol geslagen pakezel de straat uit. 'Wanneer komt hij?'
riep Florica haar na. 'Dat is alles wat ik u wil vragen.' Gevloek en getier
was het antwoord. De waarzegster drukte de tassen tegen haar bovenbenen en hield met haar vingers de zoom van haar jurk van de grond,
zodat ze niet struikelde over haar haast. 'Wat betekenden de kaarten?'
riep ze haar na.

'Het is maar goed dat je meteen terug bent gekomen,' gilde haar
moeder toen Florica met hangende schouders binnenkwam en zich op
de overgebleven aardappels stortte. 'Je vader en je oom zouden niet
blij zijn als ze hoorden dat jij wegliep. En jij uiteindelijk ook niet.'

'Dat weet ik moeder!' zuchtte Florica. Daar hoefde haar moeder
haar niet aan te helpen herinneren. Haar vader sprak enkel met de

teleurstelling in zijn ogen, maar ze voelde nog steeds het speeksel van haar oom dat op haar gezicht belandde terwijl hij haar de hele weg van Constantins atelier tot thuis uitkafferde. Het spuug schoot van zijn gouden tanden toen hij haar een hoer noemde, een verraadster, een smakeloze snol, een zigeunerschande, erger dan een gadjo, een ondankbaar secreet, een hersenloos gleufdier en meer, maar ze bleef een familielid en door zijn onbegrensde goedheid zou hij familie in nood altijd helpen.

'Het is niet eens zozeer jouw schuld,' had hij gezegd, 'maar vooral dat van jouw zwakke ouders en die imbeciele grootvader. Haar oom beschouwde zijn vuisten als een tuchtschool; Florica moest nog veel leren. 'Ik wil je nooit meer ergens aantreffen waar je niet hoort,' gromde hij. 'Je bent een van ons. En als je dat niet wilt, ben je van ons. Ik weet je overal te vinden.' Na het onderricht kwam de ware straf.

Dus nee, Florica durfde de waarzegster niet te achtervolgen. Dat ze ongezien naar de Zwarte Kerk was geglipt, vond ze al een wonder.

'Je weet dat het een oplichtende kuttenkop is,' zei haar moeder. 'En dat is verder prima, maar ze moet geen geld van haar eigen soort aftroggelen.'

Maar Florica moest weg. En snel ook. Hoe langer ze wachtte, hoe meer ze overtuigd was dat ze niet langer kon wachten. Maar waar moest ze heen. Naar Constantin? Ze zou hem willen smeken haar mee te nemen, haar de vrijheid te schenken, haar Remus Tomescu te brengen. De bulibaşa zou haar daar als eerst zoeken en een dolk in Constantins buik rammen. Een hoge prijs voor de liefde van twee anderen. Constantin had genoeg voor haar gedaan.

'Je moeder heeft gelijk,' zei Florica's grootvader. 'De waarzegster is een oplichtster. Net als velen van ons. Word anders, lieverd.'

'Ja grootvader,' zei Florica. Met het mes kleedde ze de aardappels uit. Wat waren het er veel, dacht ze. Elke nieuwe pieper prikte ze met het mes uit de berg. In elke aardappel zag ze het hoofd van haar oom. Af en toe spiekte ze naar haar moeder, maar ze kon haar niet betrappen op het aanvullen van de aardappelberg. Het enige wat ze deed, was een oud Rroma-lied neuriën en bonen doppen. Treurig keek moeder terug naar haar dochter. Florica glimlachte. Zou zij zich ook afvragen of ik haar bonen bijlaad? Florica haakte in en zong de woorden mee. Grootvaders zolen klakten op de maat. Hij omlijnde de melodie met gefluit. De zon danste laag mee aan de hemel. Het waren zulke zeldzame momenten die Florica een partje geluk aanreikten. Nu ze pas kennis had gemaakt met het ware geluk, was het partje niet meer voldoende, realiseerde ze zich, terwijl ze mistroostig neuriede.

Haar grootvader vroeg of ze met hem meekwam naar de schuur achter het huis. Met kramp in haar handen volgde ze hem. Beiden tilden twee emmers water. Moeder keek hen wantrouwig na en bleef achter om de botten met de gedopte bonen en geschilde aardappelen te koken.

De achtertuin rook naar etensresten, schimmels, paddenstoelen, nat plastic, rubber, mest en al het andere waar een achtertuin niet naar hoorde te ruiken. Florica en grootvader baanden zich een weg door het vuilnis. De geur in het schuurtje beviel hen beter. Een kwartier ademen was genoeg om ladderzat te worden, dacht Florica, en uit ervaring wist ze dat ze gelijk had. Grootvader plukte de lege kruiken, beugelflessen, kannen, veldflessen en jerrycans van de muren, terwijl Florica de zware mandflessen naar het heilige der heiligen schoof: in het midden van de schuur pruttelde de koperen distillatie-opstelling pure alcohol. Grootvader maande zijn kleindochter naar de hoek, waar hij een houten vat ontkroonde. Drie maanden geleden waren ze hier ook, toen om de zelfgestookte alcohol in het vat te gieten en er dennennaalden, een paar verdwaalde kruidnagels, suiker en een emmer vol jonge lichtgroene dennenappels die Florica bij maanlicht had geplukt bij te voegen.

'Het is tijd om te oogsten,' glunderde grootvader, toen hij haar had gevraagd te helpen. Op zijn aanwijzing legde ze een theedoek over een leeg vat. Ze hield de doek stevig vast, terwijl grootvader met een pannetje de dennendrank erover goot. De kruidnagels, dennennaalden en -appels kieperde Florica eraf. Een tijdrovende klus, 'maar elke minuut waard,' aldus grootvader, die de drank een van de voordelen van het zigeunerschap noemde. Hij tilde het vat boven zijn hoofd om het laatste beetje niet verloren te laten gaan. Florica keek verbaasd naar de trillende bovenarmen van haar grootvader. Ze hoopte net zo kwiek oud te worden als hij, maar niet hier en niet net zo eenzaam.

'Het water kan erbij,' zei hij. Hij liet Florica de eerste emmer in het vat gieten. 'Voorzichtig, we willen geen alcohol morsen.' Hij besloot om de vierde wateremmer buiten leeg te gooien. 'Niemand wordt blij van zwakke drank.'

Florica drukte een trechter in een mandfles en hield de fles naast het vat, zodat haar grootvader de voltooide dennenraki zonder te knoeien overschonk. Elke kan, kruik of fles ging vol. Het laatste beetje ging in grootvaders flacon, die door zijn grootvaders grootvader was gesmeed. Hij nipte de allereerste slok en knikte tevreden. Florica mocht ook proeven. Ze vond het vreselijk, maar nam na een korte denkpauze gulzig een tweede. Ze veegde haar mond schoon en mouw vies.

'Met drank is nog nooit een probleem opgelost,' zei grootvader belerend.

'Maar wel vergeten,' zei Florica. Ze voelde zich een Constantin en haatte zichzelf.

'Mijn ouders waren arm, nog armer dan andere armen.' Grootvader onderbrak zichzelf voor een slok moed om het verhaal voort te zetten. 'We waren slakken. Met een tent op mijn rug liep ik mijn voeten kapot. Mijn vader had ergens een ezel vandaan gehaald. Een bejaard koppig dier. Zijn bek was wit en zijn poten onvast. Vader gooide een kleed over de ribben van het beest en prikte er pannen, kleren, hoeden en ander spul aan. Bij een boer bedelde hij om een pastinaak, om de ezel welwillend te stemmen. De boer was bereid om hem een bos pastinaken te geven, maar op een voorwaarde: mijn vader moest met zijn familie binnenkomen om gerechten van zijn vrouw te keuren.

'Het is immers de dag van Sint Alexandru, mijn naamdag,' had de man gezegd.

Grootvader grinnikte ingetogen – wat houd ik toch van hem, dacht Florica, die er niet aan wilde denken om hem achter te laten. Hij schudde zijn glimlach van zijn gezicht en vervolgde: 'Ik vond het geen type voor een Alexandru, met zijn dikke kop en zijn muffige pet, maar zijn ontluikende lach en zijn vrijgevigheid kwamen mij wel heilig voor. Ik wil je graag vertellen hoe heerlijk we van de kookkunsten van zijn vrouw hebben genoten, maar dat kan ik niet: we vraten als wilden. Daarvoor hadden we wekenlang geleefd van wilde bessen. Mijn handen plakten. Ik had het zilveren bestek geen moment aangeraakt. We werden nors aangestaard door de vrienden van de boer, maar wij trokken ons daar niets van aan en de vrouw van de boer evenmin. Ze klapte blij toen mijn vader zei dat het heerlijk was. En of er nog meer was. Mijn moeder stond op om de gastheer en -dame te bedanken met een lied. Een ballade. Ze zong de tranen in ieders ogen. Ze had een prachtige stem, die overgrootmoeder van jou. Mijn vader bedankte de boer uit de grond van zijn hart.'

Grootvader vertelde niet meer, realiseerde Florica, maar herbeleefde het moment.

'De boer zei: "Zeg maar Sandu. En geen dank." Ik vond het wel een type voor een Sandu. Ik gaf hem twee kussen. Het was de vriendelijkste gadjo die ik ooit heb ontmoet.

Mijn vader plukte zijn ezel tussen de paarden van de boer vandaan en we liepen verder langs de Donau. Zelfs de ezel luisterde nu hij pastinaken had gegeten. Het gewicht van de maaltijd drukte zwaar op mijn voeten, maar ik liep lichtvoetig. Totdat mijn vader zilverwaar uit zijn omgeslagen trui rolde. Het bestek van Sandu. Mijn vader walgde van mijn weerzin. Hij legde uit dat hij het nodig had om de prijs voor mijn bruid te betalen.

De prijs voor jouw grootmoeder ja, Florica. Ik wilde geen bruid, maar ik kreeg er toch een. Mijn vader bood een mes en vork voor een meisje van een oude vriend van hem die omkwam in de dochters, waar we al die tijd naar op weg waren zonder dat ik het wist. Zilver of geen zilver, zijn vriend lachte erom – helemaal toen mijn vader ook de ezel op de bruidsschat inzette. De Rrom wees naar een hoop aarde en zei dat mijn vader voor die prijs alleen zijn pas overleden dochter mocht hebben. Mijn vader was gekwetst, dat zag ik, maar hij knikte alleen inschikkelijk toen zijn vriend hem vroeg "op te lazeren".

Florica zuchtte. Haar grootvader was een begenadigd verteller. Haar zucht was voor hem het teken een nieuwe slok te nemen. Hij vroeg of hij haar niet verveelde.

'Natuurlijk niet opa.' Hij vroeg of ze het zeker wist, want het werd laat. 'Ga verder.'

'Die nacht sliepen we met het hoofd tegen een boom. We mochten de tent niet opzetten van mijn vader. De ezel kauwde een pastinaak weg en dutte ook in. De nacht was van de uilen en vleermuizen. En van mijn vader. Hij fluisterde mij wakker. Ik moest meekomen. We lieten mijn moeder achter en slopen terug naar het minikamp van mijn vaders oude vriend. Ik moest de stal, voor zover het een stal voorstelde, in brand steken. Als de man op de stal afstormde om het vuur te doven, zou mijn vader de woonwagen binnenstappen en een dochter meenemen. Hij kon niet misgrijpen, vertelde hij later, toen we beiden een arm van het tegenstribbelende meisje vasthielden en begonnen te hollen. Het gejammer van het meisje sneed mijn ziel in stukken. Ik durf mij nog steeds af te vragen wie van ons de bruidsroof het meest betreurde.

Mijn moeder was wakker en had de ezel volgepakt. Ze wist ervan. Ze drukte het tuig in de handen van haar schoondochter. Ze kuste de tranen van mijn bruid en vroeg haar goed voor mij te zorgen. Mijn vader drukte zijn flacon in mijn handen,' grootvader nam illustratief een teug, 'en beval me via de rivier naar het zoute water te trekken. En dat deed ik. Ik liet mijn ouders achter. De oude vriend zou hen vermoordden en dan was alles vergeven en vergeten. Ik ruilde mijn ouders voor mijn bruid, mijn vrouw, jouw grootmoeder.

Zij was vanaf dat moment alles wat ik had. Ik begon haar tevergeefs te verafgoden. Je hebt jouw schoonheid aan haar te danken,' zei hij, terwijl hij Florica's wang streelde. Hij keek alsof hij zijn vrouw zag, in plaats van zijn kleindochter. 'Ze heeft mij nooit vergeven, weet je. Ze schonk me alleen hatelijke blikken, en een dochter. Dat was alles. Ze verraadde mij in het hooi met een ander, een Deense gadjo, een missionaris nota bene. En geef haar eens ongelijk. Uit liefde liet ik haar in leven, uit liefde voor haar eigen leven haatte ze mij.'

Florica wist niet wat ze moest zeggen. Dit was precies waarom ze weg wilde, weg moest van hier, weg voordat ze geroofd werd. Ze kon weinig zeggen, behalve: 'Is het zeldzaam dat de liefde mij heeft gevonden?'

'Voor onze familie is liefde zeldzaam,' zei grootvader. Hij kneep oud zeer uit zijn ooghoeken.

Florica kuste zijn rimpelige hand. Zwijgend liepen ze terug naar het huis, waar haar moeder en de vrouwen uit de buurt pannen en ovens gadesloegen.

Aanvankelijk hoopte Florica dat het haar kleren waren, maar de alcoholwalm die ze rook trad eerder binnen dan de lallende mannen. Ze paradeerden direct door naar de schuur toen grootvader zei dat daar flessen verse dennendrank stonden, klaar voor gebruik. Florica's oom en vader trapten verrukt van de alcohol de buitenplee van de buren kapot. Florica zag hoe ze lachend het hout naar de straat sleepten en er pure alcohol overheen goten. De bulibaşa opende het kampvuur met een smeulend stompje sigaret en eiste dat ze buiten zouden vreten. Tafels werden aangerukt. Vrouwen met pannen verschenen. Florica vroeg zich af waar ze de ingrediënten vandaan haalden, maar men had zo zijn maniertjes. Haar broers sjouwden de reuzenpan van hun moeder, met daarin de gekookte varkensbotten, aardappels en bonen. De bulibaşa eiste het grootste bot op en slurpte het merg eruit. Met het bot in zijn hand dirigeerde hij ritmisch het spontane gezang. Het vuur verdreef het daglicht en daarmee ook ieders zorgen. Behalve die van Florica. De flessen alcohol gingen rond. Florica dronk van de eigengemaakte aangelengde raki. De wereld vervaagde, haar bloed verdunde. Het krantenpapier om haar vinger vloeide rood. Ze trok zich er niets van aan. Haar jurk mocht vies worden. Het was een klotejurk in klotekleuren. Ze bietste een sigaret en ontbrandde hem in het kampvuur. Haar oom hield een jerrycan boven zijn mond en haar vader een mandfles. Hun snorren raakten doordrenkt. Ze lijken op elkaar, dacht Florica, maar mijn vader zou een betere bulibaşa zijn. Of in ieder geval niet zo'n slechte.

Ooms sleepten hun instrumenten erbij. Lala pakte haar broers viool af en fiedelde uit de toon. Als je van haar hield, klonk het niet slecht. Iedereen lachte om haar, de bulibaşa nog het hardst. De rest speelde met haar mee, om uiteindelijk een lied in te zetten dat verhaalde over een zigeunerin die met een immens rijke gadjo ging nadat haar dronken man haar in elkaar sloeg. Mannen en vrouwen bralden mee. Applaus klonk toen het lied was afgelopen en de vrouw terug was bij haar zigeunerman, omdat hij het hele land af had gereisd om berouw te tonen. Het geklap ging over in een opzwepende klankmaat. Men sloeg zichzelf op de dijbenen, knieën en de zijkant van de voeten bij wijze van dans. De enige tekst die klonk was 'hé, hé, hé', 'aiaiaiai' en 'hoppa, hoppa'. Er doorheen fluiten mocht altijd. Wie het het hardst kon.

Florica kon niet goed fluiten, maar met haar heupen wiegen kon ze als de beste. Aan de andere kant van het vuur zag ze hoe haar oom het zilveren horloge van zijn pols wrikte en in het vuur gooide. Zijn shirt ging er achteraan.

'Wat moeten de Rroma met tijd?' filosofeerde hij en de mannen om hem heen lachten hun goud bloot. Florica stopte met dansen toen ze zag dat hij op haar af kwam waggelen. Het scheelde niet veel of hij donderde in het vuur, maar haar broer ving de bulibaşa op. Sukkel, dacht ze, had hem laten vallen. Hij bedankte zijn neef en zette zijn tocht voort. Florica deinsde naar achter, maar zijn hand striemde haar onderarm.

'Ik heb een verrassing voor je,' zei hij. Ze voelde zijn snor. De haartjes roken naar dennen. Hij trok een ketting uit zijn broekzak en deed deze om Florica's nek. De gouden munten aan de ketting rinkelden. Nee, dacht Florica, niet nu. Ze wilde kotsen, flauwvallen, sterven, maar ze keek alleen maar naar de gouden munten en de grijns van haar oom. 'Geef je aanstaande schoonvader een kus,' zei hij.

'Broer,' brulde een stem achter hen, 'er wordt straks gebokst. Dat wil je niet missen.'

'Juist ja,' zei de bulibaşa verward en hij liet Florica los.

Florica keek naar haar vader. Hij ontweek haar blik en draaide zich om. Het was gebeurd. Het handelsspel zat erop. Florica werd een bruid.

Ze glipte de trap op. Bij elke stap rinkelden de munten om haar hals. Tranen rolden over haar wangen. Van verdriet, verlangen, dronkenschap en van een tegennatuurlijke opluchting. Nu was het echt voorbij. Ze liep naar haar bed zonder aandacht te schenken aan haar broer en het buurmeisje een matras verderop, en trok een andere jurk aan. Een grijze. De rest van de jurken propte ze in een tas, voor als ze het koud zou krijgen. Ze hulde zich in de warme jas die Remus had achtergelaten voor zijn arrestatie. Het krantenpapier om haar vinger verving ze voor een oude sok. Ze stopte haar bezittingen, elastiekjes, ondergoed, wat jurken en de foto in haar oude schooltas en slingerde de rugzak op haar rug. Ze haalde een brief uit haar kussen en legde het erbovenop.

Het afscheid. Ze had zich op dit moment voorbereid. De ketting wierp ze op het bed. Eigenlijk mocht ze deze pas af doen als het huwelijk was voltrokken, maar dat zou nooit gebeuren. Dat zweerde Florica. Het buurmeisje kreunde.

'Zigeuner zijn heeft ook zo zijn voordelen,' zei grootvader, toen Florica door de huiskamer sloop. Zijn stem trilde. Hij las een boek bij kaarslicht. Zijn voeten volgden de melodieën van buiten. 'Een avond als deze is daar het bewijs van. Maar daar moeten we teveel voor opofferen.' Hij knikte naar Florica's rugzak. 'Zit 'ie helemaal vol?'

'Bijna, grootvader,' antwoordde Florica.

'Uitstekend,' zei hij en hij maande zijn kleindochter dichterbij te komen. Hij drukte een katoenen zakje in haar handen en kuste beide handruggen. Florica voelde zijn tranen regenen. 'Maak de wereld mooi.'

Ze zweeg en kuste de natte wangen van haar grootvader gedag. In de schaduw zag ze hoe haar broertje een buurtjongen een scheve neus sloeg. De mannen juichten, de vrouwen gilden. Lala moedigde haar grote broer aan om 'die vuile rotzak er nog een te geven.' Die zou zich wel redden. Toch? Florica werd uiteengereten. Ze besloop haar zusje en omhelsde haar van achter. 'Doe beter dan je best,' fluisterde ze een laatste maal. Nog voordat Lala zich kon omdraaien, was Florica verdwenen. Ze sprintte van schaduw naar schaduw, sneller en sneller met de gift van haar grootvader in haar handen geklemd.

Pas in de tram durfde ze het touw los te peuteren om in de zak te kijken. Haar lach dissoneerde met de opgedroogde tranen op haar gezicht. Op haar schoot rustten een zwart uitgeslagen mes en vork. Antiek zilverwaar. Ze stak omstanders aan met haar aanstekelijke gegrinnik. Ze drukte de kraag van de jas in haar gezicht en snoof Remus op. Ze vroeg zich af waar ze zou uitstappen. Waar zou de waarzegster zijn uitgestapt?

Naast de gouden oorbellen lag Florica. Haar tanden klapperden een ritme gedicteerd door de kou. De straatpolitie zag haar over het hoofd, evenals de wind die Siberië door de stad rondleidde. Florica lag verdekt in de fontein op het 23 augustusplein. Ze had zich onder de stakende watersproeiers genesteld en hoopte dat Remus snel vrij werd gelaten. Ze beet op haar lip, zich afvragend hoe lang ze dit zou overleven. De nacht verdoofde de felle kleuren van de plooi-jurken die ze over haar grijze jurk had aangetrokken. De lantaarns stonden uit wegens bezuinigingen.

Alleen de nachtogen van een zwerfpoesje ontdekten Florica in haar schuilplaats en het poesje checkte hoe de vondeling het maakte. Florica voelde een ruwe tong over haar neus schuren. De tong stonk naar huisafval, maar ze verwelkomde de warmte. De poes verschoof haar aandacht van Florica's neus naar de helende wond op haar vinger. Florica zag dat de poes zwart was. Ze probeerde er geen voorteken in te zien.

'Zwart zijn we allemaal op dit uur,' mompelde ze en ze gleed met haar hand over de zwarte vacht. Het gespin verraadde dat de poes het trillende geaai meer dan goedkeurde. Het zwervertje wurmde zich tussen Florica's kin en borst. Ze zwiepte zichzelf in slaap met haar staart in Florica's gezicht. Florica probeerde het voorbeeld staartloos te volgen, maar de slaap strafte haar voor haar ontsnapping. Te zwaar, vond ze zelf, want wat had de slaap ermee te maken waar ze sliep? Gadjo's slapen ook, dacht Florica, dus de slaap kan mij niet straffen omdat ik geen zigeunerin wil zijn. Dus laat me slapen zodat ik de kou niet hoef te voelen.

De wolken verhulden de maan met een trage dans. Hier en daar prikte een ster een blik op Florica. Ze keek terug.

'Ik noem je La,' fluisterde ze tegen haar metgezel. De poezelige oortjes sloegen de woorden weg. 'Naar mijn zusje.' Het plein was sneeuwvrij, op een witte heuvel na die door de grote hoeveelheid langzaam smolt, maar Florica was bang dat haar lippen aan elkaar vast vroren.

De laatste keer dat ze buiten had geslapen was het zomer geweest. Ze had haar armen om een boom geslagen en was naar een brede tak geklommen. Daar bond ze zichzelf stevig aan de tak vast met het meegenomen touw, hing haar sieraden aan een ontluikend takje en sloot haar ogen. De zon bruinde haar huid, maar dat kon haar deze ene keer niets schelen. De natuur omsloot haar. De specht beitelde onvermurwbaar door, de eekhoorns trippelden boven haar, mieren beklommen haar vlechten, de rode en blauwe rotslijsters bestreden elkaars liederen en een everzwijn snuffelde in de tas met besjes die ze onder de boom had neergelegd om de beren tevreden te stemmen, zodat ze niet naar boven zouden klimmen om zich tegoed te doen aan haar vlees. De overgebleven bessen zou ze proberen te verkopen aan Roemenen. De slaap was haar welgezind; toen wel.

Alleen was het nu winter, en de zwerfpoes verving de bosbeesten. Florica vroeg zich af of ze niet beter op Constantins uitnodiging had kunnen ingaan. Hij had een warm bed voor haar klaarstaan. Florica had viermaal moeten weigeren voordat Constantin haar vroeg of ze dan tenminste wel een koeienmaagsoep met hem en zijn vrouw wilde delen. Ze had de kom rap leeg gelepeld. Haar familie mocht haar daar niet vinden en het was waarschijnlijk de eerste plek waar haar oom zou zoeken.

De poes draaide haar kont in Florica's gezicht en sliep verder. Florica had de hele dag in een café vertoefd met uitzicht op het plein. De man achter de bar excuseerde zich voor de afgeslagen verwarming. Thee bood als enige warmte. Pas toen de thee ruimschoots verwerkt was, bestelde ze een nieuwe om niet weggestuurd te worden. De klok op het stadshuis annex provinciemuseum tikte het ongeduld in Florica's lichaam. In elke voorbijganger die naar de fontein liep, zag ze Remus en sprong ze tot hoorbare ergernis van de ober op.

'Ik betaal heus wel,' snauwde ze naar hem, toen haar geliefde voor de zoveelste keer een oude vent, een strompelende zigeuner of een dik ingepakte vrouw bleek. Hij komt naar de fontein, dacht Florica, dat had hij beloofd.

Eenmaal zag ze haar broer aan voor Remus. Hij keek haar glazig aan. Ze dook achter de menukaart en bad dat hij haar niet had gezien. Hij rookte een sigaret op een bankje en applaudisseerde terwijl zijn zoon een twee keer zo stevig neefje ramde. Haar broer lachte, dutte, spuwde, corrigeerde, pieste, dronk, sloeg, schreeuwde en vertrok weer met zijn zoontje op zijn nek, maar Remus verscheen enkel in anderen.

Ik wil niemand ongelukkig maken, dacht Florica in de fontein, maar ik moet zelf gelukkig zijn. De slaap accepteerde haar excuus. Een waargebeurde droom overviel haar na een stuiptrekking. De poes miauwde klagerig, omdat ze zich door de schok moest verzetten. Florica hoorde de miauw, maar registreerde die niet. Ze liep als klein meisje over de markt waar haar ouders en ooms goederen verkochten of apparaten repareerden om bij te klussen naast het zware fabriekswerk. Kinderen bedelden of visten naar portemonnees. De straten waren bedekt met bladeren. Het was fris, niet koud, maar Florica klaagde bij haar vader dat ze het steenkoud had. Haar moeder hoorde haar geklaag en zei dat ze niet moest zeiken, maar haar vader had geglimlacht en trok zijn eigen jas uit. Met zijn zakmes halveerde hij de mouwen op maat en hielp zijn dochter in zijn oude jas.

'Beter lieverd?' Veel beter, had Florica gezegd. Ze had het niet koud meer. Haar vader bewaarde de mouwen om ze later weer aan de jas te naaien. Florica huppelde over de markt, door de stad, naar de donkerte waar haar droom in duigen viel en die twee zwervers sluimerend in de fontein achterliet.

'Wakker worden,' zei een lage stem. Florica verstijfde. De kou trok uit haar wangen. Ze beet op haar uitgedroogde onderlip.

'Laat me met rust,' schreeuwde ze. Ze begon te huilen. Van La was geen spoor meer te bekennen. Die had op tijd onrust geroken.

Haar broer hurkte naast Florica en trok zijn zus overeind.

'Lik mijn ballen,' startte hij zijn relaas, 'want je mag dankbaar zijn dat ik je ophaal en niet de bulibaşa.' Zijn pupillen werden zo groot als de maan toen hij hoorde dat je was weggelopen. Ik heb hem nog nooit kwader gezien dan toen Lala hem jouw afscheidsbriefje gaf.'

'Breng me niet naar hem toe,' smeekte Florica. Ze liet zich op haar knieën vallen. 'Hij doet,' een brok blokkeerde haar woorden, 'me pijn'.

'Je stelt je aan. Hij is onze bulibaşa en oom. In godsnaam, het is de vader van je aanstaande man.'

'Ik smeek het je. Je bent mijn broer, geloof me.'

'Ik ben je broer, maar jij bent mijn zusje niet meer. Het zijn je eigen woorden,' schokschouderde haar broer.

'Zo bedoelde ik het niet.' Florica zuchtte het schuldgevoel weg. 'En hoe weet je dat?'

'Oom stormde meteen naar vader, smeet jouw brief in zijn gezicht en vroeg aan die "nul" wat dit te betekenen had. Vader had natuurlijk geen flauw idee. Hij kan net zomin lezen als de bulibaşa. Samen zochten ze naar grootvader. Ik lag potverdomme verrukkelijk te slapen na een heerlijk feest. Wat een lawaai maakten ze zeg. Ik voelde hun gestamp in mijn ballen.'

'Je bedoelt dat je te veel naar je scharrel gaat,' schamperde Florica.

Haar broer beantwoordde haar opmerking met laaghangende wenkbrauwen. 'Ik sprong op om de herrie te volgen. Uiteindelijk stonden we allemaal om grootvader heen, die langzaam het papier openvouwde en een beetje kuchte. Die ouwe zak hoopte zeker ter plekke dood te vallen om de brief niet te hoeven voorlezen, vermoedde ik, en vader vloekte dat hij moest opschieten. Terwijl grootvader jouw laatste woorden voorlas, liet de bulibaşa iedereen zijn gouden ringen kussen, fluisterde wat in vaders oor en vertrok vloekend naar zijn dorp. Vader kreeg weer de leiding over het pand en zei ons jou te zoeken. En hier lig je. Ik heb mooi een gouden armband verdiend.'

Florica trok zich los uit haar broers armgreep en sprintte een overdekte steeg in. 'Laat me,' gilde ze, 'ik wil vrij zijn.'

'Dan ren je precies de goede kant op,' schreeuwde haar broer terug. Hij sjokte achter haar aan en floot op zijn vingers. Aan het eind van de steeg stond een paard en wagen. Een besnorde man sprong van de bok en barricadeerde Florica's vrijheid. Ze kon geen kant op. De voetstappen van haar broer galmden Florica naar de man voor haar. Onder de hoedrand verschenen de vochtige ogen van haar vader. Hij opende zijn armen en ving zijn dochter op. Hij stamelde iets, kuste haar voorhoofd, hielp haar de kar in en gebood haar in het hooi te liggen. Florica wilde aan de andere kant uit de kar springen en terug naar het plein rennen, maar werd het hooi ingetrokken door twee onverbiddelijke handen.

11

Het roodwitte draad gleed door Remus' vingers. Aan het uiteinde bungelde het hartje dat hij had gebogen van de paperclip uit de gevangenis. De tram naar de stad zat volgepakt met arbeiders en schoolkinderen, maar Remus had de ruimte, omdat iedereen hem ontweek. Hij rook naar gevangenis.

Zoals Emil voorspelde, had zijn vader de twee vrijgekocht met sigaretten, wijn en lei. Remus had geen idee hoe hij hem ooit kon bedanken. Hij dacht terug aan het moment dat ze de gevangenis achter zich lieten. Meneer Noica leek grijzer dan voorheen. Het zilver in zijn slapen was inmiddels opgeklommen naar zijn scheiding. De rode Dacia 1310 stond buiten geparkeerd. Remus keek naarstig om zich heen, op zijn hoede voor Securitate-agenten die hem elk moment weer naar binnen zouden slepen. Hij was als de dood dat hij de wettelijk toegestane dertig dagen moest zitten en dat de Securitate hem daarna een dag vrij zou laten, om hem direct weer op te pakken, tot aan de dood van de Leider en daar voorbij. Maar nu was hij vrij.

Emil kuste zijn vader op beide wangen en liet zich daarna op de grond vallen om zijn lippen op het zand te planten. Niet omdat hij graag de grond wilde kussen, vertelde hij terwijl ze naar de stad reden, of omdat hij blij was dat hij slechts een paar dagen gevangen had gezeten, maar omdat hij de cipiers, het gevang en dus de staat en de Leider wilde laten zien waar zij hun lippen mochten plaatsen: zijn kont. Meneer Noica rukte zijn zoon aan zijn kraag omhoog en smeet hem op de passagiersstoel.

'Stap in Remus,' zei hij, 'ik breng je naar huis.' De stad schoof voorbij, terwijl meneer Noica geïrriteerd aan het stuur trok bij elke kuil in het asfalt die hij moest ontwijken. Emil speelde ongeduldig met het dashboardkastje. Er viel een muziekcassette uit. 'Een presentje uit Parijs,' zei meneer Noica en daarna voegde hij er sarcastisch aan toe, 'voor mijn voorbeeldige zoon.'

'De beste chansonniers van Frankrijk,' las Emil voor van de zijkant van het doosje. 'Merci.' Remus hoorde de ironie in de stem van zijn vriend.

Ook meneer Noica leek dat op te merken: 'Een Fransman heeft op mijn verzoek composities van Debussy op de A-kant en de B-kant opgenomen. Voor mijn zoete zoon.'

Niemand zei wat: de uitlaat voerde het woord.

'Ik wilde voor ik jullie ophaalde wat flessen wijn inladen,' verbrak meneer Noica de door Remus gekoesterde stilte, 'en toen zag ik een uitlaatdemper in mijn achterbak liggen. Het is zeker onwaarschijnlijk dat jullie daar ook maar iets vanaf weten?' Remus voelde hoe de azuurblauwe ogen van Emils vader via de achteruitkijkspiegel op hem gericht waren, zoals in hun kindertijd als Emil weigerde te antwoorden, maar Remus staarde strak naar buiten alsof het de eerste keer was dat hij de stad wakker zag worden. 'En de putjes en deuken in de Dacia?'

Emil schraapte zijn keel: 'Het hagelde?'

Meneer Noica drukte de koppeling in, remde, zette de auto in zijn vrij en trok de handrem aan. Remus herkende het appartementenblok van zijn grootmoeder.

'Ik zal je even naar binnen brengen,' zei Emils vader, maar voordat hij kon uitstappen stond Remus reeds buiten en liep in versnelde vaart naar de portaaldeur.

'Dank u wel voor alles meneer Noica,' riep Remus. Hij knikte naar Emil, die met een beschaamd gezicht terugknikte, en drukte op de bel naast het naamplaatje van 'Gabriela Tomescu'. De rode Dacia 1310 bulderde hem gedag. Door de achterruit zag hij hoe meneer Noica met handgebaren een tirade ontvlamde. De deur zoemde van het slot.

De tram hobbelde voort. Remus schrok op uit zijn gedachten toen de machinist toeterde, omdat een paard en wagen haastig voor de neus langs schoot. De koetsier schreeuwde het beest in galop vanonder de rand van zijn donkere hoed. Het blanke hutje mutje schudde collectief het hoofd; de zigeuners tuurden of ze de hobbelende menner herkenden. Remus keek de koets na en dacht aan het platteland waar de overvloedige paard en wagens een doorn in het oog van de Leider waren. Socialisten hoorden tractoren te berijden, tractoren die gebouwd werden in de fabrieken van Brașov. De tram hield halt bij hoge grijze woonblokken en wisselde ambtenaren in voor bejaarden. Remus juichte de ruil toe. Als hij iemand niet vertrouwde, waren het wel ambtenaren. *Al zijn we hier allemaal een beetje ambtenaar*, dacht hij zwartgallig.

Hij herkende de oude man die hem de kolen had gegeven. Hij droeg dezelfde lange jas en dezelfde hoed rustte op zijn hoofd. Zijn leren schoenen uit Milaan schitterden alsof het vuile stof van Brașov hen niets deed. Hij keek Remus kort aan en schuifelde toen achter een andere bejaarde, leunde met zijn rug tegen een stoffige ruit en sloot zijn ogen om niets te hoeven zien. De herkenning was niet wederzijds. Remus' glimlach maakte de oude man er niet geruster op. Een Tsjechische lijnbus reed de tram tegemoet. Remus staarde naar zijn flikkerend spiegelbeeld.

'Vandaar,' zei hij stemloos tegen de verwilderde weerspiegeling. Hij had een blauw oog, een afscheidscadeau van de verhoorchef. Zijn stoppels waren in een paar dagen uitgegroeid tot een baard waar de Turken aan de kust jaloers op konden zijn.

Thuis had hij zijn bajestuniek ingeruild voor het beste overhemd dat in zijn kast hing. Het gat onder zijn rechteroksel had hij snel gedicht met naald en draad, terwijl zijn grootmoeder haar handen onophoudelijk van haar bovenbenen naar haar vermagerde wangen bracht en haar tranen van blijdschap afwisselde met die van verdriet.

'Je bent er net en je wil alweer weg,' snikte grootmoeder. Hij had niet willen praten over de tijd in de gevangenis. Ze sloeg een kruis of tachtig. In het hele appartement brandden vetkaarsen en gaslampen, omdat de elektriciteit elk moment afgesloten kon worden. De geur kruiste de degens met de stank die uit zijn lompen drong. 'Ik heb het bad vol laten stromen met schoon water,' zei grootmoeder, 'het is koud en meer is er niet, de kraan is al twee dagen leeg, maar het is voldoende om je wat lekkerder te laten ruiken. Zal ik een pannetje voor je halen?'

'Ik moet gaan,' zei Remus. Met zijn armen zocht hij de mouwopeningen van zijn shirt. Daarna vond hij een spijkerbroek. Met gat. Dat was modern, dacht hij, en hij schopte zijn benen door de pijpen. Hij kuste zijn grootmoeder en voor deze ene keer hield ze een omhelzing niet af.

'Je prikt. Mijn vader prikte ook altijd,' haar rimpelige vinger gleed over haar bovenlip. 'Ik ga je verliezen, net zoals ik hem, mijn moeder en mijn zoon verloren heb.' Een constatering, geen vraag. Ze droogde haar tranen en vroeg of hij meeat of dat het laat werd.

'Mag ik iemand meenemen?' vroeg hij. Zijn grootmoeder glimlachte. Haar verdriet verdween in de kanalen van haar gelaat. Was ik maar een schilder, dacht Remus, dan had ik haar geschilderd en elk druppeltje smart, berusting en plaatsvervangend geluk recht gedaan. Maar ik ben een poëet; een versschrijver van niks. Hij vond niet de juiste woorden om het beeld te vangen.

'Alleen als ik dat ook mag,' antwoordde ze.

De tram piepte tot stilstand. Hij rolde het roodwitte draadje om het hartje en borg het op achter een knoopje in zijn borstzak. Terwijl hij uit de tram sprong – tegen zijn natuur in maakte hij gebruik van een plattelands vrouwtje met hoofddoek die hem angstvallig voor liet gaan –, deed hij het borstzakknoopje vast. Hoe dichter hij bij het 23 augustusplein kwam waar Florica op hem zou wachten, hoe nerveuzer hij werd. Zou ze wel op hem wachten? Vanachter het glas zag Remus hoe de oude man zijn ogen opende om hem na te kijken.

Bij een kiosk vroeg Remus om een pakje Carpaţi, niet de goedkoopste, maar ook niet de duurste binnenlandse sigaretten. De uitbaatster analyseerde hem op haar gemak. Met een Hongaars accent zei ze dat ze eerst het geld wilde hebben. Hij haalde een biljet uit zijn broekzak met daarop de bedrijvige haven van Constanţa en zei dat de Magyar het wisselgeld mocht houden. Ze schoof het pakje sigaretten van zich af en trok haar hand vlug terug. Remus bedankte overvriendelijk en holde langs groene, gele, rode en witte gevels naar het centrum. In een nauw steegje glipte hij door de deur van een geïmproviseerde kapperszaak.

'Goed sluiten jongen,' bromde een man, 'tot 'ie klik zegt. De verwarming doet het nog steeds niet. En goedemorgen trouwens.' De man, een afgekeurde arbeider met zwakke enkels uit de vrachtwagenfabriek die zich nuttig probeerde te maken voor de maatschappij, begeleidde Remus naar een kruk voor een spiegel en zei hem te gaan zitten. Het liefst wilde Remus doorrennen naar het plein om Florica te zoeken, maar zijn spiegelbeeld in de tram zei hem dat hij met zo'n tronie niet kon komen opdraven. De kapper was een hoofdzaak.

'Ik moet er goed uitzien,' zei hij.

'Dan zit je hier goed. Letterlijk en figuurlijk.'

De fluitketel floot de kapper naar het keukentje. Vanaf de grijze muur hield een illegale Amerikaanse Playmate de klant in de gaten, na een lange reis door de lucht en over zeeën was ze aangemeerd aan de kust van Roemenië en werd ze tussen de dozen pornografie landinwaarts gesmokkeld. In de spiegel zag Remus hoe de man het stomende water over een handdoek goot. Hij hinkte terug en dempte de doek voorzichtig tegen Remus' wangen, hals en kin. De man masseerde drie druppels olie in zijn wangen. De menthol beet zich vast in zijn neus. Hij doopte een dikke schilderskwast in een pot met geparfumeerde yoghurt en verfde zijn donkere baard wit. Met elke haal schraapte de kapper zijn vel tevoorschijn en zijn gezicht raakte kaal, de kom met water behaard. De man veegde de resterende scheerzeep weg met de doek.

'Remus,' zei de man met gespeeld enthousiasme, 'jij bent het! Nu herken ik je pas. Maar de prijs blijft vier en dan krijg je er een gratis shot parfum bij. Dat heb je wel nodig.'

'Een koopje. Daarom kom ik ook hierheen,' zei Remus goedkeurend en hij wrikte vier Carpaţi uit het sigarettenpakje dat met de lichtgroene Karpaten was versierd en gaf ze aan de man. Met de doek sloeg de kapper de verdwaalde baardharen van Remus' schouders. Dit was niet alleen de beste kapper annex barbier van de stad, maar ook de allersnelste. Hij gaf hem een hand en ging er vlug vandoor.

'Denk aan de deur,' bromde de man, die weer in zijn oude humeur verviel, een sigaret opstak en naar zijn Amerikaans speelmaatje knipoogde.

Het plein was uitgestorven. Waar de Saksen eeuwen terug hun koetsen parkeerden om de dienst in de Zwarte Kerk bij te wonen of hun kraampjes op te zetten, wachtten nu Dacia's in verschillende kleuren op hun staatsteunende baasjes. Remus probeerde te sjokken om niet op te vallen, maar zijn hart en benen wilden rennen. De fontein kwam dichterbij. Hij was gewend aan de leegte. Alleen tijdens buitenlandse delegaties en de verjaardag van de Leider wilden de sproeiers wel eens spuiten, maar het grijze beton op de bodem van de fontein deed Remus huiveren. Leegte. Ze was er niet. Met grote ogen keek hij om zich heen. Misschien was ze even weg of zat ze in een café. Ook buitengewone schoonheden moesten tenslotte eten en drinken.

Onder hem klonk gerinkel. Een jong poesje sloeg met zijn pootjes tegen een gouden oorbel. Het vermagerde beest liet zich op zijn rug vallen met de oorring in zijn poten en beet erin, alsof het wilde controleren of het sieraad van echt goud was. Met zijn achterpoten lanceerde hij de oorbel in Remus' richting. Hij probeerde het poesje te aaien, maar het zwervertje schoot onder zijn hand door en hupte als een bezetene de fontein uit. De oorbel klingelde tot stilstand. In het midden lag er nog een. Hij griste de sierraden van de grond en rende in cirkels om de fontein heen. Hij herinnerde zich het Sherlock Holmes-boek dat hij ooit had geruild tegen een Franse oestrogeenroman en probeerde zich dezelfde scherpzinnigheid als de Engelse detective aan te meten, maar wat hij zag was onbezoedeld beton en het enige wat een arrestatie of een vlucht tegensprak was het achtergebleven paar oorbellen. Of wellicht was ze de sierraden vergeten en scharrelde ze nietsvermoedend rond op zoek naar een stuk droog brood. Hij hoopte het, tegen beter weten in.

Remus liep nogmaals een rondje over het plein. Hij dook achter een Dacia en zag door het autoraam hoe zijn baas – of ex-baas, dacht hij

– in de winkel discussieerde met een dikke en een dunne man. Ze voltooiden hun discussie met een lach en schouderklopestafette. De baas knikte inschikkelijk en hield zijn hand op zijn hart. Het werd Remus duidelijk waarom de schoenherstellerij een familiebedrijf bleef. De vuile verklikker, dacht hij walgend.

In de schaduw van de auto's sloop hij naar het café en spiekte naar binnen. De stoelen stonden nog op de tafels. De barman hing met zijn kin op zijn gekruiste armen en richtte zich alleen op om de sigaret tussen zijn lippen vandaan te pulken en rook uit te blazen.

Daar was ze ook niet. Waar was ze dan wel? Bij elke stap rinkelden de oorbellen in Remus' broekzak. Koffiehuis La Nisip was drukker. De plaatselijke idioot die er altijd stond en altijd met engelengeduld wachtte tot iemand hem zou trakteren op Turkse koffie, had gezelschap gekregen van de vaste gasten. Daar was Florica er geen van, dacht hij triest. Ook de heer Doinaş ontbrak. Alweer, dacht Remus bevreesd. Iets zei hem dat hij de oude man nooit weer zou zien. Hij begreep dat dit het leven in Roemenië was: mensen verdwenen zonder reden. Dit is geen roman, besefte hij zuur. Dit is geen boek waarin geïntroduceerde personages een rol van belang moeten spelen. Nee. Geïntroduceerd en geëxecuteerd. Dat is Roemenië.

Hij balde zijn vuisten en liet de geest van de heer Doinaş voor wat het was. Hij moest Florica vinden. De stad was groot, dacht hij, en mijn vindkansen klein. Hij veegde wat losse haartjes van zijn lippen en liep doelloze rondes over het plein. Ze was nergens te vinden. Hij voelde zich als de heksen die lang geleden op het plein waren verbrand. Ik kan slechts een kant op, concludeerde hij met tegenzin en hij zette het op een lopen.

'Remus,' zei een jongen om het daarna te schreeuwen, omdat Remus niet van plan was te stoppen met rennen. Hij herkende Pinu. 'Je bent vrij. Goddank,' zei Pinu, terwijl hij naast Remus rende en hem aarzelend opnam. 'Blijf alsjeblieft even staan. Je bent toch niet boos op me?'

'Waarom zou ik boos zijn? Ik heb gewoon geen tijd,' antwoordde Remus.

Pinu zuchtte opgelucht. De tram reed voor hen uit. Remus versnelde. Pinu staarde ontzet naar de verwonde handen van zijn vriend. Zijn stem sloeg over. 'Maar ik moet je wat vertellen,' zei hij. 'Ik smeek je om even te luisteren. Heel even maar.' Hij bond zijn handen samen voor zijn borst.

'Ga naar Emil en dan zie ik je vanmiddag in de bierkelder onder het hotel,' hijgde Remus. Zijn benen verbaasden hem. Pinu de Atleet haakte af en Remus de Verliefde sprintte met ziel en spier verder.

'Maar het is belangrijk,' jammerde Pinu. Zijn geklaag stierf weg. De tram kwam dichterbij. Bij de halte slingerde Remus zichzelf via de handgreep de tram in en plofte neer op een vrije stoel. Zweetdruppels voerden de laatste losse haartjes af.

Stemmen stegen op in de tram door het rumoer daarbuiten. Mensen tikten elkaar aan alsof de Messias zelf buiten liep. Maar het was nog beter. Een groep van duizenden koppen toog in tegengestelde richting naar de stad. Vuile overalls en bruine kledij. Het zijn stakende arbeiders, zeiden de passagiers verrast tegen elkaar, en zo klonken ze ook. Ze wilden brood, geld, warmte en licht en ze waren tevens behoorlijk duidelijk over wat ze niet wilden: 'Weg met Ceaușescu, weg met het communisme, weg met de dictatuur en weg met de tiran!'

Eindelijk, dacht Remus, eindelijk! De tram werd staande gehouden door de groep. De plastic stoelen geraakten leger en de stoet demonstranten langer. Veel eenduidiger konden de communisten het volk niet krijgen. Remus wurmde zich door het geschreeuw en wenste dat hij het niet kon nalaten om in hun midden om de val van de Leider te schreeuwen. Maar hij hield zijn mond. Er was altijd wel iemand die in de gaten hield wie wat schreeuwde. Als het kon, was hij blijven staan en had het protest gadegeslagen. Vandaag werd er geschiedenis geschreven. Hij moest echter door: hij moest Florica vinden.

Het uiteinde van de stoet poepte Remus uit. De demonstranten liepen van hem weg. De leuzen werden ingeruild voor een lied. De Roemenen waren ontwaakt.

Remus rende over het zand. Hij was niet moe te krijgen. Zijn doel in de verte, roze en parmantig, moedigde hem aan. Hij rende door de straat. Kippen vulden het verlaten straatbeeld op. De stalletjes waren weg. Remus vermoedde dat iedereen aan het werk was. Hij kroop langs het hekwerk. De buitenplaats van het roze pand leek uitgestorven. Er was niets te bekennen van de zigeuners die pas geleden nog een spuugwedstrijd deden. Hij rustte met zijn rug tegen het hek en kwam op adem. Een kip scharrelde nieuwsgierig bij zijn voeten; een zigeunerjongen huppelde op blote voeten langs en zwaaide olijk naar Remus. Remus staarde naar zijn voeten. Waar laat ik mij mee in? Hij schudde alle twijfels van zich af. Trei, hij sloot zijn ogen, doi, hij ademde in via zijn neus, unu, hij perste alle lucht uit zijn longen, zero: hij opende zijn ogen, sprong over het hek en rende met zijn schouder vooruit op de voordeur af. De deur vloog open nog voordat hij hem raakte. Remus kukelde over de drempel naar binnen.

'Welkom jongen, welkom,' zei een rauwe stem. 'Ik vroeg mij al af wanneer God je zou sturen. En hier ben je. Mijn geluk komt gewoon binnenvallen.' Remus krabbelde op. De stem rook naar dennenbomen. 'Je hoeft niet bang te zijn hoor.'

'Ik ben niet bang,' zei hij vastberaden tegen de oude man tegenover zich. De man was witgrijs. Hij droeg een bruin overhemd met de bovenste knoopjes open. De tanden die hij had, lachte hij bloot, wat detoneerde met de opgedroogde tranen op zijn gelaat. Remus kon de oude man lastig plaatsen. 'Bent u een Rrom?' vroeg hij.

'Je hoeft niet zo te slijmen hoor,' grinnikte de man. Hij nam een slok uit een zilveren flacon. 'Ik ben een Rrom, een zigeuner, volgens sommigen de naakte zigeuner, en bovenal Arpi Fedrovi. Maar jij moet me "opa" noemen.' Zijn gezicht verstrakte. 'Net als Florica.' Zijn ogen verdronken.

Remus belandde in een waas van paniek toen hij een traan zag verdwijnen in het borsthaar van de man.

'Waar is ze?' Hij pakte de oude man bij zijn schouders en probeerde het antwoord uit de verstarde mond te schudden. 'Waar is ze,' herhaalde hij, harder en bars.

'Ik weet waar ze is,' antwoordde hij. Hij bracht de flacon weer naar zijn mond. 'Als het goed is, word ik er vandaag of morgen heengebracht. Ze gaat namelijk trouwen,' zei grootvader en hij mompelde bruuske woorden in een taal die Remus niet verstond. 'Met een van hun, een van ons.'

Trouwen, het woord echode tussen Remus' oren. Hij voelde alle energie uit zijn benen wegvloeien en viel achterover. 'Hoe?' vroeg hij. 'Gedwongen?'

'Knappe kop,' zei Florica's grootvader, terwijl hij hurkte en zijn gebogen wijs- en middelvinger in Remus' wang liet happen. 'Haar vader ziet geen andere mogelijkheid. Zijn dochter met een gadjo: dat schaadt zijn eergevoel. Hij is bang dat jij zijn dochter zal stelen.' Hij zweeg en keek Remus langdurig aan. Tot zijn schaamte dacht Remus aan zijn grootmoeders waarschuwing voor de magie die in zigeunerogen verschool. 'En dat ga je ook doen.'

'Ik weet het niet,' stamelde Remus. Grootvader gooide de zilveren flacon naar hem en gebood hem een slok te nemen. Remus nam een neut die zijn strotklepje niet verwachtte. De tranen klommen uit zijn ogen en hij kuchte het vuur uit zijn keel. 'Merci, ik houd van dennendrank.'

'Nonsens,' lachte de oude man, voorovergebogen over een papiertje. 'Niemand lust het!' Hij cirkelde een spikkel die hij Braşov noemde en tekende een weg door de bergen. Routinematig kuste Remus nogmaals de mond van de flacon en bekeek het samengeraapte meubilair.

In een vuurkorf zag hij een versmeulde leren boekkaft liggen, waarin hij een toneelstuk van de verboden Roemeense meester Ion Luca Caragiale dacht te zien dat hij nog nooit had gelezen. Sinds de jaren '80 werd het lezen en opvoeren van Caragiale niet meer gewaardeerd, omdat Ceauşescu zich steeds vaker gedroeg als de onbenullige politici uit Caragiale's werken en die overeenkomstigheid moest gemaskeerd worden. En dat voedde Remus' interesse. Maar toch was het verbrande boek slechts een korte blik waard. Hij maande Arpi Fedrovi verder te gaan. 'Hier wacht ze op je,' zei hij en hij gaf het papier aan Remus. 'Een kamp in de buurt.'

'Wacht ze op mij?' vroeg Remus in een vlaag van kwellende onzekerheid.

'Het is waarschijnlijk het enige wat haar op de been houdt.'

'Is het gevaarlijk om daar heen te gaan?'

'Het is nog veel gevaarlijker om zonder liefde te leven. Neem dat maar aan van een ervaren en versleten zigeuner.'

Remus wilde de flacon teruggeven, maar grootvader legde zijn handen afwijzend op die van Remus. 'Je bent nu familie – Remus was het toch? – en wat je in handen hebt, is een familiestuk.' De oude armen omhelsden hem en de rimpelige lippen kusten de mentholwangen. 'Maak haar gelukkig en je maakt mij gelukkig.' Hij krulde zijn mondhoeken. 'Vort nu,' siste hij en met zijn handen wapperde hij Remus uit zijn buurt. 'Voordat de anderen terugkomen. Ksst.'

'Bedankt,' fluisterde Remus schor. Hij liep naar de voordeur. Door het raam zag hij dat de tuin en straat op de kippen na nog steeds verlaten was. 'Mag ik deze lenen?' vroeg hij, terwijl hij naar een bontjas wees.

Florica's grootvader haalde zijn puntige schouders op. Zijn kromme vinger wees naar een plank. 'Neem ook zo'n hoed mee.' Hij dacht even na. 'Op de kast ligt een brief voor Florica. Misschien is het belangrijk.'

Remus knikte, zette de aangewezen hoed op en deed hem daarna even af om zijn nieuwe grootvader te groeten. 'Adio!'

12

Paardenhoeven klakten de binnenstad uit. Florica voelde de middeleeuwse klinkers in haar maag.

'Dag zusje,' riep de verdomde stem van haar broer de kar na. Lik mijn kut, dacht ze, maar ze zei het niet. Ze was goddomme geen zigeunerin meer en zou het ook nooit meer worden.

'Jij houdt je koest,' zei haar moeders stem. 'Je wilt toch zeker niet te laat komen op je eigen bruiloft?'

Haar moeder jengelde de hele rit tegen haar. 'Kind wat ben je koud', 'wat heeft je bezield?', 'je vader en oom waren doodongerust', 'schei eens uit met die Roemeen, want je bent meer waard', 'luister meer naar die Duitse dictator en minder naar mijn vader', 'die brief van je trof ons allemaal in het hart', 'nog even en je vervloekt je bloedeigen familie', 'dit gedrag wordt je dood, afkloppen', 'je oom zorgt ervoor dat dit nooit meer zal gebeuren, reken daar maar op', 'wil je niet weten waar we nu heengaan?', 'nou, dan zie je het vanzelf wel' en 'zeg eens wat kreng of versta je geen Romanes meer en moet ik mijn bloedeigen dochter verdomme in het Roemeens aanspreken?'

'Politie, stil,' schreeuwde Florica's vader. Hij trapte met zijn hak tegen de bok. Moeder trok Florica en zichzelf dieper in het hooi. 'Agenten zijn niet gewend aan pratende hooibergen.'

'Stil,' herhaalde Florica's moeder. Florica's rug deed pijn en het hooi kietelde onder haar jurk. Haar moeder hield haar adem in. Ze hoorden hoe een auto de koets naderde. Zand kraakte onder de wielen. De auto ging naast de koets rijden en een mannenstem wenste de koetsier bună dimineaţa, goedemorgen, en vroeg waar de reis heenging.

'Een dorp in de buurt,' antwoordde haar vader. 'Een paar kilometer verderop.'

De agenten dachten hoorbaar na. Florica overwoog om op te springen en zich met het hooi in de haren terug te laten brengen naar Braşov, maar haar moeders nagels nagelden haar vast aan de wagen. Ze zou kunnen schreeuwen, maar wat had het voor zin? Ze zag eruit als een zigeunerin. Ze dacht aan haar grootmoeder, die Florica's geliefde grootvader had verraden in het hooi. Verraad ik nu mijzelf, vroeg Florica zich af. Misschien was het haar enige kans om aan haar familie te ontsnappen, terug te gaan naar de stad om haar afgebrokkelde droom te herstellen, maar ze durfde niets te ondernemen. De agenten zouden haar arresteren wegens smokkel, poging tot vluchten of werkweigering, of ze zouden hun creativiteit gebruiken, maar ze zou hoe dan ook gevangen worden genomen en vastzitten wanneer Remus vrij was. Zij vast, hij vrij en toch beiden gevangen. Nog waarschijnlijker was het dat de agenten hun schouders zouden ophalen als haar zagen. Dat bracht haar helemaal niet verder. Integendeel. Dan zou ze zeker vermoord worden door haar oom. Een machteloze zucht ontsnapte haar. Die wel. Ze hoopte dat niemand haar gesnik hoorde.

'Het zal wel zigeuner,' zei de politieagent en grind schoot onder hun autobanden vandaan. Met een opgeluchte zucht sloeg Florica's vader het tweespan in galop.

Bij elke hobbel kraakte het onderstel onheilspellend.

'Heeft de duivel mijn dochter afgenomen?' hernieuwde Florica's moeder haar relaas. 'O God,' brabbelde ze daarna, 'dat mag ik niet zeggen. Gesproken woorden kunnen waarheid worden,' leerde ze haar dochter.

Florica hoorde hoe haar vader onophoudelijk zonnebloempitschillen uitspuwde. Ze prevelde de naam van haar ware in een gebed. Het beeld van een ongeduldige Remus bij de fontein viel haar lastig. Ze beeldde zich in hoe hij morrend naar huis liep en besloot om haar te vergeten. Hij zou gelukkig worden met een Roemeense en zijzelf zou hetzelfde slingerpad bewandelen als haar grootvader.

Op het moment dat Florica twijfelde of ze de reis nog langer vol zou kunnen houden, briesten de paarden en minderde haar vader vaart. Ze hoorde meerennende kindervoeten en blijde stemmetjes. Met een tik en een hinnik stonden de paarden stil. De kinderen gilden toen moeder uit het hooi klom. Florica sprong uit de huifkar en werd met gejuich ontvangen. Ze klopte de droge stengels van haar rugtas. Ze rook naar paardenvoer. Haar vader vroeg een jongen om twee emmers water te halen voor de paarden, omdat hij direct weer terug naar de stad moest om de anderen op te halen. Florica keek om zich heen. Waar kon ze ontsnappen? Haar ogen schoten over het terrein. Landelijk Roemenië openbaarde zich. Hier en daar stonden bewoonde huifwagens, maar de meeste woningen hadden muren van steen of hout en een dak van metaalplaten. De gewassen kleren die buiten hingen te bevriezen gaven het armetierige dorp kleur. Florica's moeder wees naar een deurloos huisje met hemelsblauwe muren.

'Daar ben je geboren,' zei ze met haar elleboog in haar dochters zij.

Op een krat bier voor een tent gaf een zigeunerin haar peuter de borst. De vrouw krijste wat in het Romanes. De tentflappen wapperden er een volwassen man uit. Florica herkende haar oom, de bulibaşa. De tatoeages op zijn buik rekten zich uit. Hij grijnsde en kwam op haar afgelopen, met de rest van het kamp in zijn kielzog. Ooms met en zonder hoeden en vrouwen met en zonder diklo-hoofddoeken liepen opgetogen en in hun handen klappend naar de geparkeerde wagen en omhelsden moeder kort en Florica verdacht lang. Ze begon te rillen. Ze wist waarom ze allemaal zo vreemd, zo vreugdevol, deden, maar weigerde de gedachte een plek te geven in haar verbeelding. Een bankje vol ouderen probeerde overeind te komen met behulp van kromme stokken. Florica was omsingeld door fonkelende gouden tanden. Iedereen was opgetogen, behalve zijzelf. Wanneer zou het gebeuren?

'Welkom thuis,' zei haar oom. De gouden ketting met munten zwiepte heen en weer in zijn massieve handen.

Ze probeerde hem weg te duwen, maar de bulibaşa verzette geen stap. Hij hing de ketting opnieuw om Florica's hals en trok haar daarna woest naar zich toe. De ketting en de munten striemden in haar nek. Zijn woorden roken naar drank en sigaretten: 'Vanaf nu zul je altijd bij mij blijven.' Hij keek haar dwingend aan.

'Nooit,' beet Florica hem toe.

Haar vader kwam tussenbeide. Zijn neusvleugels gingen heen en weer. Zo wist ze dat ze haar vader nerveus had gemaakt.

'Dit is je nieuwe thuis. De oom aan wie je straks je excuses gaat aanbieden, wordt je schoonvader. Dat weet je. Na het huwelijk schenk je hem veel kleinkinderen,' zei hij en hij keek zijn dochter leeg aan, 'want hij heeft meer voor je betaald dan je waard bent'.

Het zand zakte onder Florica's voeten vandaan. Ze kon het allemaal niet meer aan. Haar leven, dat volgens haar vader en oom nu pas zou beginnen, was geëindigd. Het applaus van de toeschouwers ebde weg, kippen hielden op met tokken, de pas aangezwengelde muziek verzwakte en de paarden draafden op hun hoeven terug naar de stad om Florica's broers en zusje op te halen. De pietepeuterige wereld waarin ze was beland draaide weg.

'Ik ga godverdomme niet trouwen!' Florica was ontwaakt in het huisje waar ze was geboren, omsingeld door haar smiespelende tantes, nichtje en moeder. Haar moeder reageerde niet en prikte nog wat naalden in haar dochter. Nu was het haar nichtje die Florica opmaakte. Ze had Florica blij onthaald en zei haar dat het huwelijk geweldig was.

Niets om zenuwachtig voor te zijn, had ze haar verzekerd. Haar nichtje had alle nieuwtjes in een stortvloed van zinnen over Florica uitgestort. Haar man was goed voor haar, net als haar schoonouders, maar – ze had over haar buik gewreven toen ze het zei – het was gelukkig bijna tijd voor een eigen huis. Ze was zwanger. Ze glunderde. Het zou een jongen worden, dat had iemand haar voorspeld, en ze zouden hem Toni noemen, naar Toni Iordache, de virtuoze cimbalomspeler.

Florica wilde niets weten van de aanstormende Toni of het huwelijksgeluk dat haar nichtje gegund was.

'Ik doe het niet, klaar!' Ze onttrok zich aan haar moeders spelden en haar nichtjes rouge, griste haar rugzak onder een stoel vandaan en vluchtte door het lege raamkozijn naar buiten. Ze rende het koude zand tussen haar tenen. Kippen en kinderen vluchtten voor haar haast. Toen ze zag dat er geen uitweg was, glipte ze ongezien de buitenplee van een verdwenen buurman binnen. De vliegen om het houtwerk waren zo talrijk, dat haar moeder haar propere dochter overal zou zoeken, behalve waar zij zich bevond: stampend van woede in de oude urine van de buren.

Ze bad tot God om haar hier weg te halen, maar Hij gaf geen gehoor aan haar smeekbeden. Ze liet de jurk, die haar moeder vóór haar had gedragen op haar dag des oordeels, op de grond glijden. De buurman had met gebroken bierflesjes en aluminiumfolie een spiegelmozaïek gemaakt op de houten wand. Florica trok de fleurige oorbellen uit haar oren. Ze gooide haar diadeem in het toilet, een grof gegraven gat in de grond, waardoor het urinewater naar Florica's tenen werd gestuwd.

De door haar moeder gevouwen witte rozen van gebleekt krantenpapier lieten los en dobberden in het water. Ze braakte over haar diadeem. Bonen en botmerg. Ze zou nooit met een jongen uit hun gemeenschap trouwen. Met haar eigen neef, verdomme. Nooit. Ze pulkte een stuk glas uit de spiegel en voelde of het scherp was. Haar wijsvinger perste er een druppel bloed uit.

Florica rilde en sloeg haar armen om zich heen. Trouwen. Ze gaf wederom over. Gal kletterde over Nicolae Ceaușescu's gebleekte gezicht, diep weggedoken in het hart van een krantenroos.

Haar moeder riep haar. Ze commandeerde Florica haar make-up te ondergaan voor de grote dag. Florica kokhalsde zo geruisloos mogelijk. Ze mocht niet betrapt worden. Ze dook onder voor haar eigen huwelijk, niet bang voor het oordeel van haar ouders.

Met haar ogen open zag ze Remus en zijn verlegen lach voor zich, met haar ogen dicht zag ze de bulibaşa die haar met zijn bruidsschat had 'gekocht' voor zijn zoon. Natuurlijk wist ze waarom hij zijn zoon aan haar wilde koppelen. De traditie eiste dat Florica na het huwelijk de blauwe hut die ze deelde met haar moeder moest verlaten en bij haar schoonfamilie introk. Pas wanneer haar aanstaande man haar bezwangerde, konden ze uitkijken naar een eigen wagon of huis in het kamp. Net als haar nichtje. In het eigen huis zou ze nog tien kinderen baren – zoals de Leider van Roemenië het graag zag – om uiteindelijk te sterven van de honger, drank of rubberkanker in haar longen. Misschien zou haar aangewezen man mongooltjes in haar baarmoeder planten. Zou de bulibaşa deze verdrinken onder een ijswak? Zou hij haar verdrinken, als ze hem zijn zin niet gaf? Niemand kon haar tegen haar oom beschermen.

Hij zat het liefst aan sigaretten te lurken in de schommelstoel die hij op zijn koets had laten zetten. Zo overzag hij het kamp en, belangrijker nog, zag het kamp de bulibaşa. De communisten hadden een deel van de Rroma naar het oude pand van de stad geëxporteerd en een deel in het kamp gelaten. De bulibaşa kocht zijn vrijheid met het goud dat de gemeenschap bijeen sprokkelde. Hij perfectioneerde zijn rookcirkels, terwijl de mannen en vrouwen hem hun inkomen van die dag voorlegden. Door zijn wimpers controleerde hij elke stap die Florica had gezet sinds haar aankomst in het kamp. Ze voelde zijn ogen van bruinkool op haar achterwerk branden. Florica keek hem zo min mogelijk aan. Hij lachte goud wanneer ze hem een blik vol afkeer gunde.

Deze avond zou hij het huwelijk van haar en de jongen bezegelen. Haar twaalfvingerige darm wrong haar overgebleven gal uit. Tranen vermengd met mascara spatten uiteen op de houten planken. Ze wilde er niet aan denken. Ze wenste niet te trouwen, niet met haar neef die ze een paar keer had gezien en nog een kind was. Niet in dit kamp, niet met de zoon van de bulibaşa en niet als zigeunerin. Ze wilde zijn kinderen niet. Zo wilde Florica niet leven, laat staan leven geven.

Florica ritste haar rugzak open. Ze nam de tas overal mee naartoe. Als ze de kans kreeg, zo had ze de eerste nacht in het kamp besloten voordat de slaap haar kwam halen, ging ze ervandoor. Helaas hielden haar oom en zijn externe ogen de grenzen van het kamp constant in de gaten. Tussen een dubbelgevouwen jurk lag de foto van haar familie die Constantin had geschoten. Met haar vinger ging ze de bekende en onbekende gezichten langs. Ze bleef hangen bij haar broer.

'Verdomde verrader,' vloekte ze en ze kuste hem. 'De hel is een speeltuin in vergelijking met dit kamp, mijn toekomst.' Haar broer had net zo weinig keus als zijzelf, wist ze, maar het kon haar niets schelen. Haar vinger gleed naar haar grootvader. Zijn lach op de foto maakte haar aan het lachen. 'Grootvader,' fluisterde ze. Er zat een schamel voordeel aan het huwelijk: hij en Lala zouden bij de plechtigheid aanwezig zijn. Florica had gedacht hen nooit meer te zien.

De buurman had een fles zelfgestookte țuică verborgen onder de kranten waarmee hij zijn achterwerk strontvrij maakte – Florica vermoedde dat hij op deze manier kon zuipen zonder dat zijn vrouw het zag. Maakte de tijd țuică beter, net als wijn? De buren waren door het regime verwijderd. Niemand in het kamp wist waarom en niemand wilde erachter komen. Haar moeder vermoedde wapenhandel of smokkelactiviteiten; Florica's tante de Gek, die opnieuw zuchtend en steunend haar berg had achtergelaten, dacht te weten dat ze waren teruggekeerd naar Noordwest-India om het zigeunerschap van zich af te schudden en op te gaan in de Indiase bevolking. De buren waren hoe dan ook verdwenen. Hun achtergebleven spullen waren verdeeld, hun paarden werden bij de bulibașa's verzameling ingelijfd, hun wagon hield de haarden brandend.

En nu had Florica stilletjes het toilet en de geheime fles țuică veroverd. Er was niets meer van hun erfenis over. Ze zette de fles aan haar lippen en liet het samenspel van pruimen, alcohol en koper haar gemoed sussen. Alleen de drank en de gedachte aan haar Remus hielden haar kalm.

'Een huichelachtige en slavendrijvende Roemeen,' noemde haar vader hem, toen ze zei dat hij haar ware was en ze haar vader smeekte om de bruiloft af te breken. De lofzang op haar geliefde leverde haar een zeldzame tik van haar vader op. En een fluim in haar gezicht van zijn broer. Maar 'de klote gadjo', zoals haar vader Remus noemde, was elke blauwe plek en knoflookklodder waard. Zelfs nu het kamp met een deprimerende blijmoedigheid het huwelijk tussen Florica en haar aanstaande man aan het voorbereiden was, had ze geen spijt van haar zogenaamde eerloze affaire. Ze hield van haar gadjo. Dat mocht niet strafbaar zijn. De herinnering aan Remus hield haar staande. Hij had haar opgeladen met liefde. Ik kan alles aan, zei ze in zichzelf, zonder het echt te geloven. Ze zou op hem wachten. Of naar hem toe gaan. Als het kon.

Ze huiverde. De spiegel toonde haar borsten met hun tepels als kronen. Na dagen van zachte zon, tooide de hemel zich weer met winters wit. Florica droeg enkel een kippenvel, maar ze weigerde de trouwjurk weer aan te trekken. Alleen Remus mocht haar warm houden. De liefde.

Ze schrok wakker. Het hok rook naar alcohol en kots. Enkele zigeuners gilden en brulden enthousiast. Florica hoorde hun aanmoedigingen. Violen jankten en verwekten geestdrift. Ze gokte op een spontane bokswedstrijd. Haar naam echode door het kamp. Moeder was gestopt met zoeken, vermoedde Florica, en had anderen aan het werk gezet om zelf de vele gangen voor te bereiden. Ze was vast gerustgesteld dat Florica nog ergens in het kamp moest zijn. Vluchten was onmogelijk, wist zij. En Florica ook. Maar al te goed.

'Florica,' bulderde de stem van haar oom die ze met ziel en zaligheid haatte. Haar armharen stonden overeind. Ook haar lichaam haatte de bulibaşa. Al haar vastberadenheid van kort daarvoor vloeide uit haar lichaam bij het horen van zijn stem. Ze hield haar adem in, pakte het stukje spiegel van de grond en prikte de punt behoedzaam in haar pols. Als hij binnenkwam, hoefde ze alleen door te drukken.

'En ja, ik doe het,' fluisterde ze tegen zichzelf. Florica bekeek zichzelf. Haar huid zat onder de blauwe plekken en krassen. De kleur beviel haar beter dan haar bronzen huid. De huid van een zigeunerin. Als kind krabde ze zichzelf soms open, zodat de korsten haar afkomst verborgen voor de andere kinderen. Ook haar kleurrijke kleding ontzag ze niet. Voor de schoolbel rolde Florica zichzelf door het stof. Haar klasgenoten vonden haar vies en zielig, maar geen zigeunerin.

Haar maag knorde. Sinds ze in het kamp was had ze niets gegeten. Haar moeder spaarde voor een groots bruiloftsmaal. Florica probeerde haar darmen in bedwang te houden, terwijl ze dacht aan het stuk brood dat besprenkeld zou worden met zout en het bloed van haar en haar aanstaande man. Zodra ze hun tanden erin hadden gezet, waren ze man en vrouw.

Voeten schuifelden dichterbij. Gehijg naderde de buitenplee. In paniek liet Florica het stuk spiegel vallen in haar eigen braaksel. Ze griste ernaar in de val, maar tevergeefs.

'Florica, ben je daar?'

Ze ging met haar hoofd tegen haar knieën zitten en vouwde haar armen om haar enkels. Ze probeerde stil te zijn, maar haar tanden klapperden. Ze bad om vergiffenis, om vrijheid, om liefde, om alles wat haar en haar familie ontbeerde. De gammele deur ging krijsend open. Het licht verblindde haar. Ze deinsde terug. Haar vingers vonden het stuk spiegel terug. Rozenbladeren waaiden naar binnen en kusten zich vast op Florica's blauwe huid. Berekenend bracht ze het glas naar haar pols.

13

Remus groef in zijn kortetermijngeheugen naar het vers dat hij in gedachten voor Florica had geschreven, terwijl Nicu hem in zijn taxi naar het kamp bracht dat grootvader Arpi Fedrovi had aangewezen. Hij wist precies hoe en waar hij begonnen was met het in elkaar puzzelen van de zinnen, maar de woorden zelf zaten verscholen in een mistbank van zenuwen. Binnensmonds poogde hij de woorden aan elkaar te lassen met Florica in zijn gedachten.

De Karpaten openden zich voor Nicu's taxi. In een afgetrapte variant op meneer Noica's auto scheurde Nicu langs honden, weggebruikers, zigeuners die in het geniep kweeperen of bessen verkochten en legerauto's die naar de stad reden om de protesten te smoren. Remus was doodsbang, niet voor de opdoemende tegenliggers op smalle paden, maar voor wat er zou gebeuren als ze waren gearriveerd in het zigeunerkamp waar Florica elk moment in haar bruidsjurk gehesen kon worden. Zou hij haar kunnen vinden? En kon hij haar meenemen? Nicu kende het kamp op het papiertje niet, vertelde hij aan Remus, maar het nabije dorp wist hij te vinden op de wegenkaart.

Ze waren er sneller dan Remus wenste en langzamer dan hij hoopte. Hij kon niet wachten om Florica mee te nemen, maar zijn grootmoeder had hem meer dan eens gewaarschuwd om nooit te verdwalen in een Rroma-kamp.

'We zijn gewoon mensen,' probeerde Nicu Remus' angsten te relativeren. Al dacht Remus aan Nicu's trekken rond zijn bovenlip te zien dat ook hij niet gerust was op een afloop als 'ze leefden nog lang en gelukkig'. 'Normale lui,' zei Nicu nogmaals, ditmaal zekerder. 'Jullie proberen ons altijd te mythologiseren.'

Het kamp was net zo druk als het zigeunerpand van grootvader rustig was. Nicu parkeerde de auto achter een boom, maar de metershoge stofwolk had hun komst verraden. Remus drukte de kunstsnor onder zijn neus aan. De tube atoomlijm, die hij in de schoenherstellerij had verdonkeremaand op een onwaakzaam moment van de baas, stopte hij in het dashboardkastje. Dit was het domste wat hij ooit had gedaan, dacht hij, maar hij had geen keuze.

'Ik blijf in de auto?' probeerde Nicu nogmaals. Remus wist dat zijn vriend niet graag achterbleef, maar hij wilde hem niet in gevaar brengen.

'Dit is mijn probleem. Eigenlijk heb je al te veel voor me gedaan door me hierheen te brengen.'

'Je zegt het maar chef,' zei Nicu en hij haalde zijn schouders op. Remus had er een hard hoofd in dat hij daadwerkelijk bleef zitten, want tijdens de bespreking in de kroeg was Nicu erop gebrand om zoveel mogelijk te betekenen voor zijn 'beste vrienden die hij waarschijnlijk nooit meer zou zien.' Dronken of niet: hij leek het toen te menen. Misschien omdat hij nog een schuld te vereffenen had. Als tiener struinde Remus met Emil door het bloeiende park, hetzelfde park waar Nicu rondhing en uitgescholden werd door een groep kinderen. Ze grepen Nicu's schooltas en gooiden deze naar elkaar over. De schakende bejaarden staakten hun oorlog en keken geamuseerd toe. De jonge Remus, schuchter als hij was, werd tot zijn eigen verbazing overrompeld door een onhoudbaar rechtvaardigheidsgevoel, plukte de tas uit de lentelucht, siste dat de kinderen moesten wegwezen en gaf – niet wierp – de schooltas terug aan Nicu. Emil jaagde de groep het park uit.

'Niemand is loyaler dan een Rrom,' zei Nicu meer dan eens. En zo was hun vriendschap beslecht.

'Alleen als ik gescalpeerd word, mag je ingrijpen,' knipoogde Remus. Hij sloeg het portier achter zich dicht. Voorlopig bleef Nicu zitten. Remus wandelde zo kalm mogelijk het kamp binnen en keek af en toe achterom, waar hij zijn vriend op en neer zag deinen op zijn versleten autostoel, hoofdknikkend op het oriëntaals klinkende cassettebandje met zigeunermuziek.

Remus werd meteen omsingeld door blije kinderen. Verderop deed een jong meisje haar broek omlaag en hurkte haar blaas leeg. Plas sijpelde over het zand. Remus sprong over het stroompje en probeerde de kinderen weg te jagen met gesis. *Ik grijp Florica en ben weg voordat ze mij doorhebben*, dacht hij, zonder dat hij zichzelf geloofde. Hij aaide zichzelf over zijn snor. Daar werd hij niet veel rustiger van. Met zijn wijsvinger tikte hij de hoedrand naar beneden. Zijn ogen zagen alles, maar niemand zag zijn ogen. Een jongen bleef om hem heen dartelen en begon te schreeuwen in de hoop dat Remus hem dan wel verstond. Een vrouw maakte gebruik van het waterige zonnetje om haar natte haren te drogen. Haar plooijurk kwam tot haar naakte schouders. Boven op een wagon zat een harige zigeuner, zonder shirt, een sigaret te roken. Hij schommelde heen en weer in zijn schommelstoel. Zijn opgezette buik rekte zijn tatoeages uit. Remus rilde door de aanblik. De man deed hem denken aan de harige maskers die de provincialen gebruikten in hun folkloristische vieringen van het leven. Als kind kreeg hij nachtmerries van die maskers.

'Hallo oom,' zei het joch dat onveranderlijk voor zijn voeten liep in het Roemeens en tegen Remus' schenen schopte, omdat hij hem negeerde in de hoop dat de jongen zou verdwijnen. 'Spreek je soms geen Romanes?'

'Natuurlijk wel,' beet Remus de zigeunerjongen toe en tikte hem op zijn achterhoofd. Hij spitte door zijn gedachten op zoek naar een verklaarbare reden en dacht aan iets wat Nicu een poos geleden had uitgelegd over de diversiteit van het Romanes: 'Ik kom uit een zuidelijke stam. Dus ik versta niets van wat je zegt.'

'Ik was al even bang dat je een gadjo was,' grinnikte het joch en greep naar zijn kruis om kenbaar te maken wat hij van vreemdelingen vond. Daarna voegde hij er beschimpingen in zijn eigen taal aan toe die Remus vanzelfsprekend niet verstond. Een ander dialect hè, dacht hij, nerveus grinnikend om zijn ontoombare overpeinzing. De jongen sprintte naar de dikke zigeuner, klauterde op de wagon en fluisterde hem wat in het oor. Remus durfde er niet op te vertrouwen dat de jongen hem niet door had en hem zou verraden, dus versnelde hij zijn pas en keek of hij zijn geliefde ergens zag.

Uit alle hoeken en gaten verschenen zigeuners om hun gast te verwelkomen. Remus ervoer de gastvrijheid van de gemeenschap, zonder dat hij dat wilde. Nu niet. Hoe meer mensen hem groetten, hoe meer hij zichzelf verfoeide en wenste dat hij in de taxi was gebleven, wachtend totdat Florica een keer langs zou lopen om water te halen.

Hij zag hoe een man een andere man op zijn nek droeg, zodat die met een mesje uiterst behoedzaam een inkeping kon maken in een stroomkabel. Een jongetje keek toe en knoopte koperdraad aan een uit de kluiten gewassen vishaak. Anderen strikten kerstverlichting van boom tot boom. Remus slaakte een zenuwachtig zuchtje. Het huwelijk moest dus nog volbracht worden. Hij struikelde bijna over een kip die voor zijn voeten wegschoot.

De ogen van de grote zigeuner volgden elke stap van hun gast. Remus' oksels lekten. Hij glimlachte gejaagd naar de man in de schommelstoel.

Onder een tentkap keurden jonge meiden de arrivé en spraken af wie vanavond zijn eerste danspartner mocht zijn. Zijn hart versnelde toen hij hoorde hoe vrouwen en mannen de naam van zijn geliefde riepen: Florica, Florica. Een zigeunerin met een groene diklo-doek om haar hoofd kwam op Remus afgestormd en omhelsde hem. Onwennig kuste hij haar handrug en bedankte haar in het Roemeens voor haar gastvrijheid.

'*Bine ai venit*, welkom,' zei ze tweemaal om duidelijk te maken dat hij zeer welkom was. 'U komt natuurlijk voor het huwelijk. Hartstikke mooi dat u er bent.' Ze boog voorover en testte hem: 'Die stofwolk verraadt een prachtig huwelijkscadeau voor het trouwende paar. Wat zullen ze blij zijn met een auto! U bent een goede man, oom.'

De vrouw lachte en omdat Remus twee gouden tanden telde, besloot hij om zijn eigen witte rij te maskeren met een summier glimlachje.

'Waar is de bruid? Ik zou haar graag persoonlijk willen feliciteren.'

'Dat weet niemand,' zei de vrouw en maakte een wegwerpgebaar. 'Mijn dochter heeft soms een lik-mijn-kut-mentaliteit en moet dan even uitrazen. Ze komt wel terug hoor, wees alstublieft niet ongerust.'

'Laten we het hopen,' zei Remus, terwijl hij zijn stem in bedwang probeerde te houden. Wat als ze was weggelopen? Hoe kon hij haar dan ooit vinden?

'Maar daar is de bruidegom,' zei de moeder van de bruid en ze wees een bespikkelde jongeman aan die zichzelf uitrustte met een paars gilet en een voorgestrikte vlinderstrik. 'U kunt hem alvast feliciteren.'

Remus knikte naar de knaap, die zijn geel gerookte tanden blootlegde en duidelijk vergenoegd was met zijn aanstaande vrouw. En hij kon hem geen ongelijk geven. Toen hij zo jong was als de bruidegom, verloren Emil en hij hun kinderlijke onschuld voor de televisie tijdens een vakantie aan zee in Costineşti, waar de antennesprieten met moeite Turkse kanalen binnensleepten en ze zich koortsig vergaapten aan de ene na de andere adembenemende buikdanseres.

'Mijn gelukwensen,' zei Remus van een afstandje en hij wenste de bruidegom een 'casa de piatră', een huis van steen dat een onverwoestbaar huwelijk representeerde. Vrolijke meisjes hupten door het kamp met emmers fleurige rozenblaadjes en strooiden de grond roze. De moeder van de bruid stortte zich met wat giechelende vrouwen en meisjes op een berg aardappels. Dat was de eerste en laatste ontmoeting met mijn aanstaande schoonmoeder, dacht Remus, en stiekem hoopte hij dat ook.

Hij wilde verder lopen, rennen als het kon, maar de dikke zigeuner sprong opeens uit zijn schommelstoel en landde exact op zijn pad. Een gouden kruis bungelde op zijn buik toen hij zich oprichtte en zijn gast uitfoeterde. Remus staarde hem vol onbegrip aan. De getatoeëerde buik raakte inmiddels zijn bontjas, terwijl speeksel langs zijn schouders schoot. De donkere ogen schoten bijna uit hun kassen.

'Ik begrijp u niet,' sprak Remus bedachtzaam, bang voor elk woord dat over zijn eigen lippen kwam.

De zigeuner explodeerde. Zijn handen zwaaiden mee met zijn snaterende zinnen.

'Rustig oom,' zei een stem in het Roemeens. Remus draaide zich om en zag Nicu staan met een papierblok in zijn arm. Nicu stelde zichzelf en Remus voor en vervolgde zijn verhaal in de taal die hij had geleerd van zijn ouders, omdat zij het belangrijk vonden dat hun zoon nooit zou vergeten waar hij vandaan kwam. Remus durfde de ziedende zigeuner niet aan te kijken, dus keek hij naar de knopen op zijn jas of naar de feestvoorbereidingen. Onder luid gejuich gloeiden de kerstlampjes inmiddels rood, geel, groen en blauw. De zigeuner stak zijn harige hand naar voren. Remus bekeek de gouden ringen. Hij kuste de hand die hem werd voorgehouden. De dikke vingers roken naar sigaret.

'Goed,' zei Nicu, 'dan gaan wij weer verder met de inspectie. Uw blok, professor,' zei hij tegen Remus, terwijl hij de papieren overhandigde. De ogen van de zigeuner volgden het tweetal. 'Jij bent hier om de architectuur van verschillende Rroma-kampen op te tekenen,' fluisterde Nicu, terwijl hij geïnteresseerd op de blauwe muur van een hut klopte. 'Steen,' zei hij luid genoeg voor meerdere oren.

'In de naam van de Leider?' vroeg Remus. Inwendig prees hij zijn vriend.

'Absoluut,' antwoordde Nicu.

Remus durfde niet te lachen, dus tikte een dankjewel op Nicu's schouders. Dat kon van alles betekenen: goed dat je dacht aan het meebrengen van mijn notitieblok, bedankt voor het vertalen of vier ogen zien meer dan twee. Maar dat betekende het niet. Remus wilde niet eens weten wat de zigeuner met hem gedaan had als hij erachter was gekomen dat er een nepsnor voor hem stond.

'Ze is kwijt,' fluisterde Remus, 'maar volgens haar moeder heeft ze zich hier ergens verstopt.' De vliegen om een wc-hok trokken zijn aandacht. Remus wist niet waarom, een ingeving die zijn grootmoeder misschien aan God of Moeder Maria zou toeschrijven, maar hij riep 'Florica!' Nog voordat hij zijn fout inzag, voelde hij een hand op zijn schouder en een vuist op zijn oog. De dikke jas van berenbont brak zijn val.

'Florica?' schreeuwde de dikke Rrom woest. 'Ik wist dat je niet te vertrouwen was.' Hij liet een dolk van zijn ene naar zijn andere hand

160

dansen. 'Jullie allebei niet.' Remus kroop naar het toilet om zichzelf op te sluiten. Nicu versperde de woedende man de weg en trok een zakmes. Hij riep dat Remus het meisje moest zoeken. Remus wenste dat hij net zo moedig als Nicu was, maar dit waren geen jongens die hij het park uit moest jagen. Bovendien wist hij dat zijn vriend behoorlijk met een mes overweg kon. Mannen en vrouwen vormden een kring om de twee en schreeuwden aanmoedigingen. Remus krabbelde op en trok de deur van de buitenplee open. Hij reeg een blijde brul en een angstreet aaneen. Daar zat zijn Florica, in een vernederende naaktheid, omhuld door alcohol en urine. Ze kromp ineen, zichtbaar beschroomd door haar eigen verwilderde voorkomen. Toen ze hem herkende, gooide ze iets scherps van zich af.

'J...Jij,' stamelde ze, terwijl Remus haar voorzichtig omhoog trok. Ze griste een rugtas van de grond. Hij verborg haar kippenvel in zijn jas. Hoewel de heer in hem zijn ogen wilde sluiten, moest hij wel naar de borsten kijken die onder Florica's verhullende armen schuilden voor zijn blik. Vlug knoopte hij de jas dicht. 'Mijn held,' fluisterde Florica uitgeput, en direct daarna, bewust van de toestand waarin hij haar had aangetroffen: 'Vergeet dit alsjeblieft.' Ze leunde op Remus, omdat de alcohol en de slaap haar voortdurend probeerden te vloeren. Ze strompelden zo snel mogelijk langs de groep die alleen maar oog had voor het gevecht.

Nicu en de man – die Florica's biologische oom bleek, zo fluisterde ze met afschuw – stonden nog steeds tegenover elkaar. Ze dansten om elkaar heen. Nicu soepel, zijn tegenstander log. Remus wierp een steen naar de Rrom, maar miste jammerlijk en raakte een oude vrouw vol op haar neus, die het direct op een krijsen zette en Remus in alle talen zijn vruchtbaarheid ontnam met haar verwensingen.

'Nicu, rennen,' schreeuwde Remus toen wanhopig. Hij sleurde Florica mee naar de taxi.

'Ga,' riep Nicu terug en met zijn zakmes haalde hij uit naar zijn tegenstander. 'De sleutels zitten in het contact. Ga!' Remus wierp zijn geliefde op de bijrijderstoel en dook over haar heen naar het stuur. Het oog van de toeschouwers viel op het vluchtende stel.

'Nee,' gilde Florica's moeder. Ze kwam op de auto afrennen. 'Help!' De rest van de zigeuners volgde haar gedwee, even luid schreeuwend, en liet de twee cirkelende mannen achter. Toen Florica's oom door had wat er gebeurde, liet hij Nicu achter in het stof en riep brullend achter de rest aan. Remus negeerde het rumoer, startte de taxi en probeerde houterig de auto de weg op te draaien.

'Mijn dochter,' huilde Florica's moeder. De bruidegom zat haar verward op haar hielen, met de rest van het gevolg achter hem.

Florica's moeder greep het dak van de taxi vast en gilde smeekbedes naar haar dochter. Remus trok op in de één en durfde niet naar de twee te schakelen. Zijn schoonmoeder holde mee. Ze weigerde de auto los te laten. Florica rolde het raam open. Haar moeders handen duwden zich door de opening. Florica pakte beide vast en plakte op elk een kus. De handen probeerden haar eruit te trekken, maar Remus slingerde de taxi over de weg waardoor zijn schoonmoeder niet genoeg kracht kon zetten. Florica wurmde zich los. 'Sorry, zorg goed voor Lala,' zei ze en mepte haar moeder vol in het gezicht. De vrouw rolde schreeuwend door het zand. Remus duwde de pook in zijn twee. In de achteruitkijkspiegel zag hij hoe Florica's moeder op haar knieën zat en de hele wereld vervloekte.

Florica keek beduusd en bedroefd naar de hand waarmee ze haar moeder van zich af had geslagen. Voor altijd. Dat besefte Remus en hij hield zijn mond, niet wetend hoe hij haar kon troosten of opbeuren. Florica keek achteruit, totdat de roepende Rroma vervaagden in opdoemend stof en zand. Ze sloot haar ogen en zuchtte haar oude leven tabee. Ze keek naar Remus, die op zijn beurt de berm afzocht voor een opdoemende Nicu. Maar zijn vriend bleef weg.

'Een bruidroof,' giechelde ze, plotseling, met zenuwachtig gespeelde opgewektheid. Hoe verder ze het kamp achter zich lieten, hoe vrolijker ze Remus voorkwam. Ze aaide hem over zijn bovenlip. 'Een snor misstaat je,' besloot ze. 'Mag ik hem eraf trekken?'

Nog voordat Remus goed en wel kon antwoorden, trok ze de snor onder zijn neus vandaan. Hij bestreed de vuurgloed op zijn bovenlip met een gekwelde kreet. Remus verfoeide zichzelf om de extra schoenlijm die hij op de plakrand had gesmeerd, voor de zekerheid. Met zijn vingers boende hij de prikkels weg. Hij vroeg zich af of daar na vandaag ooit nog een echte snor zou groeien. Ze lachte om hem.

'In het Westen schijnen vrouwen dat bijna dagelijks te doen.'

'Kunstsnorren opplakken en ze er daarna afsjorren?' vroeg Remus.

'Nee,' zei ze, terwijl ze het nephaar door het open raam stak en tussen haar vingers liet waaien. De wind plukte de haren. Uiteindelijk had ze alleen nog een doorzichtige kleefstrip vast. 'Ze verwijderen al hun haren met hars.'

'Alle?' vroeg Remus, die vermoedde dat Florica een of ander uitheems tijdschrift had bemachtigd. Het onderricht begon hem plots te interesseren.

Ze keek hem plagerig aan. 'Dit blijft,' zei ze, terwijl ze haar lok om haar wijsvinger rolde. Ze had haar vlechten uit elkaar getrokken en wat restte waren zwarte golven. De elastiekjes had ze in de rugzak bij haar voeten gestopt.

'Jij blijft,' zei Remus. Hij hield het stuur onhandig met een hand vast. Met zijn andere pakte hij de hare en kuste haar knokkels. 'Florica.' Het vers dat hij had geschreven, herinnerde hij zich nog steeds niet. Er was te veel gebeurd en er moest nog te veel gebeuren, dat maakte dat Remus de nog verse ode aan zijn liefde was vergeten.

Ze wierp de kleefstrip in de berm. De taxi klom de grote weg op bij het stadje Codlea. Remus concentreerde zich op het omzeilen van de kraters in het wegdek. De schakelpook en hij begrepen elkaar steeds beter, waardoor hij zo nu en dan de tijd vond om naar zijn verovering te spieden.

'Wie was die jongen die jou hielp?' vroeg ze plotseling.

'Nicu,' antwoordde Remus kortaf. 'Een geweldige vriend.' Hij zweeg. Hij wilde niet aan Nicu denken, om zo zijn schuldgevoel te onderdrukken, omdat hij hem achter had gelaten. Remus kon alleen maar hopen dat hij was ontkomen. Hij streelde Florica's vingers en leidde zijn zorgen af door een onder onderwerp aan te snijden. 'Ik heb je toch niet tegen je zin geroofd?' vroeg hij haar als onzekere meester van de retoriek.

Florica antwoordde met een grijns van oor tot oor. Ze drukte het cassettebandje met Taraf -muziek uit de radiospeler en kwakte het op de achterbank.

'Wat gaan we nu doen?' vroeg Florica plotseling angstig. Ze beefde, maar niet van de kou, beweerde ze. Ze keek om zich heen. Haar borstkas ging rap op en neer. Ze stak haar hoofd uit het raam om naar lucht te happen. 'Ik ga eraan,' huilde ze. 'Breng me terug! Alsjeblieft.'

'Kalm,' probeerde Remus, terwijl hij zijn hand op haar been legde. Hij begreep er niets van. Eerst was ze neerslachtig, toen monter en nu in blinde paniek.

Ze sloeg hem weg. 'Hij gaat me vermoorden. Ze zullen me vinden, waar ik ook ben.'

'Ik bescherm je,' zei Remus zacht en toen harder om haar gerust te stellen: 'Maar hij zal je nooit vinden. We blijven niet in Roemenië. We gaan naar het buitenland.'

Het Făgărașgebergte vergezelde de taxi richting het westen van het land. 'Het buitenland,' herhaalde Florica verbouwereerd. 'Het Westen,' schreeuwde ze luid. De wind nam haar blijde kreet mee door het open raam. Remus deed het plan uit de doeken, waarna ze enthousiast knikte.

De witte toppen wezen de weg naar Sibiu. Het was de kortste noch de snelste route die hij had genomen, maar hij wilde absoluut niet afdalen richting de hoofdstad, omdat hij verwachtte dat de autoriteiten de weg naar Braşov extra in de gaten hielden vanwege de recente onrusten. Sibiu was om, maar veiliger. Hoopte hij. Vanaf daar zouden ze naar het zuiden afdalen en zich bij Emil voegen. Mits alles zou verlopen zoals Remus de middag daarvoor had besproken met zijn vrienden – wat nu al, met het achterblijven van Nicu, niet meer opging. Nicu had hem toen bezorgd vastgepakt en naar zijn handen en oog gevraagd en of het niet wijzer was om nog even te wachten, totdat de Securitate hen zou vergeten; Pinu had slechts schichtig naar Remus gestaard.

'Rebellie,' jubelde Emil toen Remus de hoteltrap was afgedaald en de bierkelder binnenstapte. 'Braşov komt in opstand. Arbeiders en studenten halen op dit moment het gemeentehuis ondersteboven. Het regent staatsieportretten,' grijnsde hij. 'Zullen we kijken?'

Remus duwde Emil hardhandig op de barkruk. Hij boog naar Emil en fluisterde: 'Het is eigenaardig. Hierdoor wil ik eigenlijk niet meer weg en tegelijkertijd is dit hét moment om weg te gaan. We bespreken wat we gaan doen, zacht, en gaan daarna over tot actie. Bij de rebellie blijven we vandaan. We praten er niet eens over.'

'Kijk om je heen,' zei Emil. Het was Remus ook opgevallen. Er leek niemand van de geheime dienst te zitten, hoewel je dat nooit met zekerheid durfde te stellen. 'Maar je zal wel gelijk hebben. Ik stel voor om vanavond nog te vertrekken en gebruik te maken van de puinhoop in de stad.'

Nicu knikte dat hij daar een voorstander van was en Pinu gaf aan dat hij het woord wilde, maar Remus schudde zijn hoofd.

'Morgen is het nog net zo onrustig. Ik wil haar meenemen Emil. Zo gek is dat toch niet, om je geliefde mee te nemen naar de spa van Băile Herculane? Ik weet waar ze is en ik weet hoe ik daar wil komen.' Hij keek Nicu veelbetekenend aan. 'Als het me niet lukt en ik ben er overmorgen nog niet, dan zwem je maar alleen de grens over.'

'Dus ik ben daar al?' vroeg Emil met ingetogen woede.

'Om onze kamer in orde te maken,' bevestigde Remus. 'Kijk niet zo naar me. Iemand van ons moet de omgeving verkennen en de vervolgstappen bepalen. En het is van belang dat je een goed restaurant vindt waar we mici kunnen eten. De laatste mici die we ooit zullen eten.'

'Kortom: ik mag verrekken in die klote trein en daarna mag ik me zorgen maken of je ooit komt opdagen met die trien van je!'

'Koop een ticket eerste klas. Er is niets moeilijks aan. Je gaat niet naar het buitenland! Je gaat naar een fabuleuze Roemeense spa,' zei Remus hard genoeg om de argwaan van de meeluisterende barman weg te nemen. Emil wist dat elk protest kansloos was. 'Waar is de oude barman eigenlijk?' vroeg Remus aan de nieuwe, terwijl hij vier bier bestelde.

'Verdwenen,' zei de barman bruusk. Hij liet het bier dood kletteren in de glazen en knalde ze een voor een op de bar.

'Ik moet wat bekennen,' schreeuwde Pinu harder dan hij wilde. De weinig aanwezigen keken hem aan. 'Ik houd van ons Roemenië,' stamelde hij met dubbele tong, waarop de barman een glas voor zichzelf vulde en iedereen instemmend proostte op de gezondheid van het land en de Leider. 'En nog iets,' zei hij, zo zacht dat Remus hem met moeite kon verstaan. Dat Pinu zich in rap tempo had volgegoten met vloeibare moed, vertelde Remus dat er geen fraaie bekentenis zou volgen. 'Ik wilde het eerder vertellen, maar.' Er volgde een biecht als een eruptie: 'Ik ben een mol, een verrader, een adder en vooral een slechte vriend. Jullie hebben mij betrokken bij iets waar ik niets van wilde weten. Ik kon niet anders, ik moest het wel vertellen.' Hij wees naar Remus' oog en kapotte wenkbrauw: 'Ik heb jouw oog blauw geslagen. Ik heb jullie twee opgesloten in de gevangenis. En dat wil ik goedmaken.' Dat laatste verstond Remus wederom slecht, door het hevige schokken van Pinu.

Remus had altijd gedacht dat hij in razernij zou uitbarsten als hij hoorde dat hij was verlinkt, maar hij haalde slechts zijn schouders op. Hij kende verhalen over broers die elkaar verlinkten, geliefden die dubbelspel speelden; natuurlijk moest er iemand zijn die hen tegenwerkte in ruil voor privileges, voor een leven. Pinu was altijd al een angsthaas geweest en zelfs de dapperen hielden geen stand tegen de geheime dienst. Remus' opstelling verbaasde hemzelf. Hij zag dat Emil zichzelf meer moest inhouden.

'Jij hebt ons niet verraden,' zei Remus tegen Pinu die hem bijna niet durfde aan te kijken. 'De Securitate en Roemenië zijn de verraders. Je blijft onze vriend.'

'Ja,' bevestigde Emil en hij plantte een harde tik op Pinu's achterhoofd, 'maar die heb je alsnog verdiend. Stommeling.' Van opluchting klokte Pinu in een teug zijn glas leeg en betaalde de volgende ronde, terwijl de anderen nog hun volle bier voor zich hadden. De barman zette deze keer vier Azuga-bierflesjes op de bar – het bier dat Ceaușescu dronk, Remus dus niet. 'Vanaf nu ben je eerlijk. Heb je ze van onze plannen verteld?'

'Nee en ja,' stotterde Pinu. 'Ik heb alleen verteld wat ik heb gehoord: dat jullie twee wilden vluchten. Maar niet hoe, want daar wist ik niets vanaf, omdat ik ben weggelopen bij jullie bespreking.'

'Om alles goed te maken,' begon Remus, 'ga je ze straks alsnog alles vertellen over de rest van het plan. Hoe Emil en ik een boot hebben aangeschaft en daarmee vertrekken uit de haven van Constanța, om langs de kust van Bulgarije Turkije te bereiken. Van daaruit wandelen we naar de grens met Griekenland, kussen we hun mediterrane tenen in ruil voor een verblijfsvergunning en gaan daar de filosofen uithangen.'

'Maar,' begon Pinu.

'Het zou opvallen als je ineens niets te rapporteren hebt,' zei Remus. 'Ze weten heus wel dat je hier met ons zit.'

'En als blijkt dat je het mis had, dan zeg je gewoon dat wij jou hebben voorgelogen, omdat we je doorhadden,' zei Emil. 'We hadden door dat er een verrader in ons midden was. Dat zeg je als ze ernaar vragen, maar ik vermoed dat ze ons laten varen. Wat zijn twee vluchtende jongens als de hele stad zich tegen de kameraden keert? Ik heb zelfs het revolutionaire lied meegezongen dat riep om het ontwaken van de Roemenen. Kippenvel ontwaakte in ieder geval bij mij. Dat lied betekent niet veel goeds voor de gevestigde orde, geloof me maar.'

'Stil,' sliste Nicu.

Twee mannen in leren jassen stampten de trap af en trokken de aandacht met hun geschreeuw. 'Deze tent is vanaf nu gesloten,' riepen ze. 'Iedereen wegwezen.'

Remus trok meteen zijn jas aan en hoopte dat Emil geen rotzooi zou trappen. Niet nu. Emil boog gedwee voor de mannen en ging de groep voor naar de receptiehal. Remus fluisterde een tijdstip in Nicu's oor en zei de anderen gedag. Hij kuste Pinu op zijn wangen en bedankte hem voor alles. Nicu stapte in zijn geparkeerde taxi, Emil sjokte naar het treinstation en Pinu bleef achter in de hotellounge. Remus liep de schoenmakerij binnen. Zijn baas keek verrast op.

'Ik wil even melden dat ik niet meer voor je kan werken,' zei Remus droogjes. 'Ik ga namelijk verhuizen.'

Zijn baas hapte: 'Boekarest?'

'Athene,' antwoordde Remus. Een tube atoomlijm gleed ongemerkt in zijn broekzak.

Rustiek Roemenië raasde voorbij. Florica weigerde het autoraam dicht te draaien. Ze wilde de geur van vrijheid opsnuiven.

'Maar we zijn nog niet vrij,' zei Remus. 'Nog lang niet.' En diep van binnen vroeg hij zich af of ze dat ooit zouden zijn, en zo ja, wat de vrijheid hen zou kosten. Nicu's leven wellicht? Hun eigen leven? Een gebroken familie?

'De bomen zijn vrij,' zei Florica.

De weg beschreef een bocht. Remus zette de auto stil in de berm. Koppeling indrukken, remmen, in zijn vrij en de handrem stevig aantrekken zonder dat hij knapt. Eindelijk waren ze verlost van het idee dat Florica's familie elk moment achter hen kon opduiken. Toch bleef Remus op zijn hoede. Voortvluchtige Roemenen hadden niet veel vrienden in het land. Florica stapte uit. Hij wendde zijn blik af toen Florica een zwarte jurk uit haar rugtas aantrok onder de jas van berenbont. Vogels zongen hen toe alsof er geen dictatuur bestond en ze zich louter zorgen hoefden te maken om de kou en een stapsgewijze of gezwinde intrede van de lente die nog ver weg was. De zon spiekte over een bergpiek en kuste de hoge bomen. Florica scheurde de envelop open die ze in de binnenzak van de jas vond.

'Ik moet in de vrachtwagenfabriek werken,' zei ze. 'Nadere details volgen zodra ik me daar na ontvangst van deze brief binnen drie dagen meld.'

'Dat ga je niet redden, vrees ik.'

De brief verdween als propje in de bosjes. Ze lachten erom. Je hoeft nooit meer te werken, dacht Remus, ik zal voor je zorgen. In het dal rookten de huizen van Sibiu.

'Hermannstadt, zoals de Saksen haar noemen,' zei hij, terwijl hij ernaar wees. 'Ik ben er slechts eenmaal geweest met mijn grootmoeder, maar het is een stad als geen ander. Ik beloofde haae daar te gaan wonen als ik later groot was. Zij moest natuurlijk mee. Wat was ik zonder haar? Wat ben ik zonder haar?'

Florica sloeg haar arm om Remus heen en drukte haar lippen op zijn wang. 'Ik verlies mijn grootvader,' zei ze, 'maar ik krijg jou ervoor terug. Samen worden we ook grootouders.'

'Ik hoop dat we ze ooit nog terug zullen zien. Je grootvader leek me een vriendelijke man,' zei Remus. Hij vertelde hoe hij hem had ontmoet. De belofte die Remus de oude man deed, liet hij achterwegen. Die wilde hij niet vertellen, maar nakomen.

Florica pompte koel bergbeekwater in haar hand en probeerde de druppels die niet ontsnapten op te drinken. Remus nam de pomp over en zei Florica een kom met beide handen te maken. Hij pompte het water in haar handen.

'Nog een keer,' zei ze nadat ze haar mond had afgeveegd. Het water kletterde in haar handpalmen. 'Kom eens hier.' Remus liep naar haar toe. Florica kuste hem met haar ijskoude lippen. Remus liet zijn handen over haar lichaam glijden. Zijn hart ging tekeer. En niet alleen zijn hart. Hij greep Florica bij haar lendenen en duwde hun liezen tegen elkaar. Verschrikt worstelde Florica zich los. 'Moeten we niet verder?' vroeg ze. Ze bloosde en stapte in de auto.

'Misschien wel,' mompelde Remus. Hij opende de kofferbak en ritste een boek uit zijn tas. Het enige boek dat hij had meegenomen, eigenlijk het enige wat hij überhaupt had meegenomen, op wat kleding na.

Hij drukte het boek in Florica's handen en startte de auto. Ze gingen bergafwaarts Sibiu voorbij. '*Das Kapital*,' las ze voor. '*Erster Band*. Van Karl Marx. Kun jij Duits?'

'*Nur ein Bisschen.*'

'Ik ook,' zei Florica. Haar blosjes verdwenen. '*Arschloch und so weiter.*'

'Charmant,' lachte Remus. 'Ik kijk graag in het boek.' Florica sloeg het werk open en haalde er een handvol geldbiljetten uit. Remus had met een scherp mes een gat in de bladzijdes gesneden. Jarenlang had hij daar kleine restjes opgespaard tot een grote stapel spaargeld. 'Het werk van Karl Marx is een veilige investering.'

'Dit is veel,' zei Florica. Ze wapperde de muffe geur in haar neus. 'Maar wat moeten we ermee? Dit is waardeloos in het buitenland.'

Daar had Remus nog niet aan gedacht.

'We vinden daar vast wel iemand die naar Roemenië gaat. Een politicus, een journalist of een andere idioot.' Hij koerste de taxi naar het zuiden. Ze doorkruisten stadjes van beton, maar ook historische kerken en kastelen en dorpen met ongemoeide houten huizen. Radio Free Europe repte tussen de ruis door over onlusten in Braşov. Op de dag van de lokale verkiezingen protesteerden arbeiders tegen salarisverlaging en massaontslagen. Ze bestormden het stadhuis en andere overheidsgebouwen. Daar vond het volk feestvoedsel dat alvast was bestemd voor het vieren van de verkiezingsoverwinning. De Securitate en het leger probeerden een eind te maken aan de opstand. Of dat gelukt was, kon de radio nog niet bevestigen. En er was ook nieuws uit Polen. Florica keek bedenkelijk.

'Maak je je zorgen om iemand?' vroeg Remus

'Een beetje,' antwoordde ze. 'Iemand die ik goed ken, wilde altijd al een opstand vastleggen op camera. Ik hoop dat het hem gelukt is. En dat hij niet te beschonken was om weg te komen. Zes jaar gevangenis is lang voor een paar kiekjes.'

Remus knikte. Een paar dagen voor het vervaardigen van pamfletten die je niet had geschreven was al lang, maar hij hield zijn gedachten voor zich.

De rooksignalen uit de staalfabrieken van Hunedoara bevestigden dat de taxi op de goede weg was. De Transsylvaanse bergen vlakten af tot de heuvels en graanvelden van de Banaat. De radio viel in een stille ruis. Florica draaide naar een dissidentvrije frequentie met volksmuziek. Een hoorbaar uitgebreid ensemble verzorgde een melancholische *doina Oltului*, inclusief gillende en ratelende vrouwen. Hé, hé, brrra, brrra, hop hop.

Florica snurkte aandoenlijk haar roes uit. Dit wil ik mijn hele leven horen, dacht Remus bij zichzelf. Ze trok haar knieën op in het berenbont. Af en toe dacht Remus haar te horen mompelen over het Westen en over vrijheid. De volksliederen leken geschreven voor een rit als deze. Instinctief nam Remus een afslag naar Plugova. Een lange weg scheidde de grauwe huizen met hun oranje daken. Elektradraden verbonden de ooievaarsnesten met elkaar. Hij stopte voor een winkel met handwerk. Behoedzaam pakte hij Das Kapital van Florica's schoot en liep de winkel binnen. Remus zocht wat handgemaakte kleien kruiken, koppen, kannen, potjes en mokken uit en wees wat priegelwerk van hout aan. Alles zelfgemaakt door haar ouders, zo vertelde het verkopende meisje, van materialen uit de omgeving.

'Heeft u uw servies laten vallen meneer?' vroeg ze. Ze pakte alles voorzichtig in. De vraag ontlokte Remus een glimlach en hij gaf het kleintje wat extra. 'Dat hoeft niet hoor meneer,' zei ze, maar in plaats van het wisselgeld terug te geven, gaf ze hem een halsketting geweven met piepkleine kraaltjes. 'Voor uw mooie vriendin,' zei ze, wijzend naar Florica die nog in de taxi sliep. Terwijl Remus terugliep naar de auto, wenste hij dat ze over de grens net zo aardig waren. Daar buiten was alles toch beter, dacht hij. Hij probeerde het vraagteken niet te horen. Remus verstopte de overgebleven bankbiljetten in het kleiwerk en rolde alles veilig tussen zijn kleren.

Een oude vent leunde op zijn stok en staarde met half dichtgeknepen ogen naar de kentekenplaat. Toen Remus voorbijreed, liet de man zijn stok vallen en begon onverwacht te applaudisseren.

'Braşov,' schreeuwde hij. Remus zwaaide ongemakkelijk terug en draaide de grote weg op om de laatste kilometers naar de eindbestemming te bevechten.

'Daar staat Hercules,' zei Remus, terwijl hij Florica voorzichtig wekte. De bronzen Hercules keek niet blij toen hij hen zag, maar Remus was opgelucht dat ze waren gearriveerd. De enige zorgen die hij had, was het welzijn van Nicu, en de vlucht over de grens. En als hij toch bezig was: wat er met zijn grootmoeder zou gebeuren als hij eenmaal in het buitenland was en of Emil überhaupt Băile Herculane had bereikt en niet voortijdig was opgepakt dankzij zijn grote mond. Maar Remus was voornamelijk gelukkig, omdat hij de prinses naast hem wakker mocht kussen. Hij parkeerde de taxi voor Hotel Roman. Het hotel leek vastgeplakt aan de rotsen.

'Welkom in het dorp van mijn voorouders,' zei Emil toen ze hem aantroffen op de bank in de hotellobby, terwijl hij zijn spieren balde. Hij tikte met zijn vinger tegen zijn slapen. 'Goed, ik heb spieren in mijn kop.' Emil kuste Florica's hand en nam haar rugtas aan. 'Leuk om je weer te zien.' Remus wist dat Emil het niet meende of hij was simpelweg blij dat de eerste horde erop zat. 'Ik zal jullie begeleiden naar onze hotelkamer.'

'Heb je iets gehoord van Nicu?' vroeg Remus onrustig in de krakende lift.

'Ja. Hij heeft gebeld vanuit de stad, zei de receptioniste. Ze had het bericht opgeschreven. Codetaal. De ontcijfering luidt als volgt: de taxi moeten we hier laten, dan haalt hij hem morgen op.'

De kamer oogde degelijk. Naar goed communistisch gebruik correspondeerden de bloemetjesgordijnen met het bloemetjesbeddengoed en de bloemetjesbank. Op de salontafel lagen drie kaartjes voor de eerste bus van morgen.

'Ik heb alles voorbereid en betaald,' zei Emil. 'Het Westen wacht.'

14

Florica kuchte het ijskoude water uit haar longen. Toen Emil geritsel hoorde, had hij zich bovenop Remus en haar gestort en hen zo de rivier ingeduwd.

'Misschien was het maar een beer,' foeterde Florica, terwijl ze met haar tenen wanhopig naar de zompige bodem tastte. Ze zuchtte opgelucht toen ze de ondergrond vond. Ze was voor niets banger dan voor water. Haar haren plakten tegen haar wangen.

'Des te beter dat we in de rivier staan,' rilde Emil, met het water tot zijn middel.

'Beren zijn anders gek op water,' beet ze hem toe.

Remus kroop vloeken fluisterend het land op. 'Hier leven geen beren.' Hij wrong zijn shirt uit. 'Maak je liever druk om giftige zandadders.'

Precies op dat moment voelde Florica iets via haar onderbeen naar boven zwemmen. Met een gilletje zat ze op een boomstam die boven de rivier hing. Ze had geen idee hoe ze daar was beland en dat interesseerde haar ook niet. Ze graaide wild tussen haar benen en viste een slap stuk riet van haar bovenbeen. Opgelucht smeet ze het riet naar Emil. Omdat ze alleen plooijurken in haar rugzak had zitten, moest ze van Remus per se een van zijn broeken aan. Ze drukte de pijpen in haar doorweekte sokken en liep over de boomstronk naar het land waar uitgedroogde papaverbollen zich lieten overrompelen door de winter.

'Er is hier niemand,' zei ze. Ze zei het, maar ze hoopte het nog harder. Ze kneep haar ogen samen en staarde door de struiken, naar ritselende vogels of een beer die hier niet hoorde te leven. Zolang er maar geen geweerloop van een grensbewaker door het groen spiekte.

Ze hadden de hele morgen gelopen. Op vriendelijk verzoek – een pak Marlboro en een pak Carpaţi – had de buschauffeur hen afgezet bij een naargeestig dorpje dat vrijwel volledig was leeggeplukt door de communisten, omdat de Joegoslavische grens te veel naar de inwoners zou lonken en de ijzer- en staalfabrieken van de meer landinwaartse stad Reşiţa gevuld moesten worden.

'Misschien heb ik het me ingebeeld,' excuseerde Emil zich gespannen, terwijl hij het water uit zijn oren sloeg. 'Die rivier maakt verdomd veel herrie.' Het water sloeg op de rotsen. De Nera brulde inderdaad als een beer, dacht Florica. Niet dat ze Emil zijn gezeur licht zou vergeven. Het was Remus' beste vriend en dat respecteerde ze, maar hij werkte haar op haar zenuwen. Misschien omdat hij haar telkens verafschuwd gadesloeg, totdat Florica ongemakkelijk terugkeek en hij halsoverkop de modder onder zijn nagels begon weg te schrapen. *Ik mag hem niet, omdat hij mij niet mag*, dacht ze, terwijl ze toekeek hoe Emil een boot uit de blubber trok.

'Deze stamt nog uit de Eerste Wereldoorlog,' verzuchtte hij, terwijl hij zijn hand door een gat in de bodem drukte. Hij liet de boot varen en klauterde ook naar de kant. Hij verstapte zich en gleed weg. Florica reikte hem instinctief haar linkerhand aan. 'Bedankt,' stamelde Emil. Hij veegde zijn haar naar achteren. Remus slaakte een kreet, waardoor Emil bijna opnieuw in de rivier belandde. Zijn vinger wees trillend naar het water. Niemand zei wat, wist wat te zeggen. De hakken van twee bergschoenen prikten door het groenbruine water. Een lichaam dreef voorbij, meegevoerd door de Nera die al zoveel lijken had verzwolgen. Gedrieën volgden ze de onbekende dode met hun ogen. Vermoord voordat hij Joegoslavië kon bereiken, omringd door schuim en vissen. Plotseling was Florica niet zeker meer van het plan. Ze staarde naar het samenspel van twee van haar grootste angsten: de dood en het water. Als de dode haar oom bleek, waren al haar angsten samengekomen.

Het lijk botste tegen de boot die Emil had teruggegooid en draaide zich door de klap kort op zijn kant. Florica twijfelde er niet aan dat iedereen zag wat zij had gezien: een slaphangend gezicht zonder lippen, oren en neus, met lege oogkassen die hen alle drie waarschuwde dat ze de vlucht nu nog konden ontvluchten.

'Kom,' zei Remus en hij pakte Florica bij haar schouder. Kom, een kort woordje waardoor ook zij in de Nera terecht konden komen, wist ze.

Nu pas was de vlucht echt geworden. Florica had Remus leren kennen als een introverte jongen, maar vanochtend was hij overduidelijk rusteloos. Hij kon zijn mond niet houden toen ze 's morgens aankwamen bij de rivier. Hij vertelde dat hij bang was dat de staat het pensioen van zijn grootmoeder zou stopzetten. Florica merkte dat hij zich schuldig voelde dat hij haar zou verlaten, net zoals zij haar grootvader en zusje achterliet.

Hij ratelde zenuwachtig door: 'Ik ga haar missen. Grootmoeder had *salata de boeuf* gemaakt voor ons laatste avondmaal waarvan zij niet eens wist dat het ons laatste zou zijn. Ze had het ook een beetje voor jou gemaakt, omdat ik zei dat ik iemand zou meenemen. Maar ik kon je nergens vinden. De tranen stonden in haar ogen. Doctor Arcos van twee boven ons was er trouwens ook,' zei hij. 'Wij noemen hem de buiktrompettist – dat leg ik je nog wel een keer uit. Hij wilde die avond eigenlijk naar Boekarest vertrekken en zich vastbinden aan een of ander klooster dat het regime wilde slopen. Maar toen nodigde grootmoeder hem uit voor het diner. Dat durfde hij niet te weigeren. Hij had zelf gevulde eieren gemaakt en brood en een zakje kruiden meegenomen. Ik kende hem niet als een vrolijke man, maar dat bleek hij die avond wel. En zijn pretogen keken de hele tijd naar mijn grootmoeder. Toen ik zei dat ik mijn tas moest inpakken, zei doctor Arcos dat hij helemaal niet meer naar Boekarest wilde. Nooit meer.'

Emil floot.

'Dat betekent in ieder geval dat je gemis wordt opgevangen,' zei Florica.

'Ik hoop dat je grootmoeder ergens een gasmasker vandaan kan toveren,' grapte Emil. 'Het blijft doctor Arcos.'

De grens werd goed bewaakt. Vanuit de verte hadden ze behoorlijk wat grenswachters in hun groene wachtposten geteld. Bij elke houten puist op het land, kropen ze ineengedoken over verharde modder. Ze hoorden de banden van een auto over de weg razen. Het water werd kalmer en de rivier nauwer.

'Het volgende dorp komt te dichtbij,' zei Remus. Ze moesten naar de overkant van de Nera om ongezien te blijven, realiseerde Florica zich. Ze was niet de enige. Emil schatte de afstand naar de overkant in en nam een aanloop.

'Springen,' riep hij in de lucht. Florica volgde hem, bang om de sprong niet te halen, gevolgd door Remus die vloekend met een voet in het water landde. 'Verderop verbreedt de Nera zich weer,' zei Emil. 'Mochten we gezien worden door de dorpelingen, kunnen ze in ieder geval niet zomaar bij ons komen.'

'Maar we zitten nu wel dichterbij de grens,' wierp Remus tegen, wijzend naar de blauwe lucht boven Joegoslavië. En dus dichterbij schietgrage wachten, dacht Florica, en ze probeerde niet te denken aan hoe de rivier haar lichaam zou opdienen aan de vissen.

'We hebben weinig keus,' zei Emil. 'Zolang we tussen de bomen blijven lopen, is de kans klein dat we gepakt worden. De grens ligt hier verder dan het lijkt.'

Dat klopte, dacht Florica. Toen Remus haar de plannen uitlegde, had ze in de taxi naar een kaart gezocht en deze bij zich gestoken. Op de wegenkaart zag ze dat ze de hele morgen evenredig aan de Joegoslavische grens liepen, op zoek naar een veilig oversteekpunt.

'Laten we hopen dat het niet veel uitmaakt of we aan de ene of de andere kant van de rivier lopen schat,' zei Florica. Het was de eerste keer dat ze Remus 'schat' noemde. En het voelde goed. Waar ze eerst nog bang was dat ze zichzelf zou verfoeien, omdat ze hem wilde gebruiken om haar situatie te ontvluchten. Daar was geen sprake meer van. Hij was haar schat.

'Het is kaal en heuvelig aan deze kant,' mopperde Remus, maar hij bond ietwat in toen hij naar Florica keek. Hij probeerde zich groot voor haar te houden, realiseerde ze. 'Het wordt prijsschieten als we van de rivier moeten wegrennen.'

'Bid maar dat we dat niet hoeven te doen,' zei Emil. 'Ik heb nooit de ambitie gehad om een functie als schietschijf te bekleden.'

De struiken ritselden door de wind. Bij elk geluidje sprong Florica in de lucht. Haar hart sprong mee. Het dorp aan de andere kant van de rivier kwam dichterbij, te dichtbij, waardoor het drietal moest uitwijken.

'Het heeft niet mijn voorkeur, maar we moeten over de heuvel rennen tot de rivier weer op ons pad komt,' besloot Remus en hij wees naar het eindpunt bijna twee kilometer verderop. 'We kunnen onmogelijk de Nera volgen en riskeren dat we gezien worden.'

'Dus we rennen een onbeboomde heuvel over met aan de ene kant het dorp en aan de andere kant grenswachters met verrekijkers?' vroeg Florica. Het leek haar geen waterdicht plan. De mannen hadden hiervoor getraind, had Emil verteld in het hotel waar alles haar nog voorkwam als een ver visioen, en daarna vroeg hij haar of ze zeker wist of ze mee wilde. Ze had slechts dromerig geknikt als antwoord, maar nu twijfelde ze of ze daar op terug moest komen.

Emil zette zich af met zijn tenen en sprintte de heuvel op. Hij was sneller dan Florica vermoedde gezien zijn bescheiden alcoholbuikje.

'Vrouwen eerst,' zei Remus met een lichte, nerveuze, buiging. Toen ze weer wat achter haar hoorde ritselen, was haar besluit genomen. Met een ingetogen gilletje rende ze in het spoor van Emil, met Remus vlak achter haar aan. De helling was steiler dan hij leek. Haar kuiten klaagden bij elke stap, maar ze wilde niet opgeven. Ze sprong over de lage haag prikkeldraad die als een spiraal was uitgetrokken op de top van de helling en daar leek te wachten op onbezonnen voetstappen.

'Doorgaan,' schreeuwde Remus achter haar, 'we zijn er bijna!'

De smaak van ijzer en bloed vermenigvuldigde zich in haar keel. Ze beeldde zich in dat de douaniers haar ontdekten door hun verrekijkers. Klonk daar een startende terreinwagen? Ze bad dat niemand hen zag. Emil verdween voor haar in de bosjes. Florica hoorde hoe de rivier dichterbij kwam en haar aanmoedigde. Haar benen gingen sneller naar beneden dan zijzelf aankon, waardoor haar voeten aan elkaar bleven haken en ze de heuvel af rolde. Stof en zand stoof omhoog. Ze was bang en op. Ze bleef wachten totdat ze afgevoerd werd, dacht ze, terwijl ze haar achterhoofd in het zand drukte. Als haar familie, haar soort, haar ras, was gemaakt om te reizen, dan besloot ze hier en nu dat ze was geadopteerd of gestolen, net als haar nichtje, en dat het reizen haar niet was vergund. Het stof plakte aan haar tranen. Twee armen trokken haar ruw omhoog. Remus keek haar met grote ogen aan.

'Het gaat wel,' zei Florica bits, verbolgen over haar eigen benen en nog meer over haar gedachten. Ze zette zich af tegen Remus, perste de lucht uit haar longen om de laatste meters te doorstaan en spleet dezelfde struik doormidden waar Emil in was verdwenen. Uitgeteld zakte ze ineen tegen een kale boom. Emil zat tegenover haar op een stronk en kwam op adem.

'Gered,' hijgde Remus, terwijl hij zich via de boomstam naast Florica liet glijden. 'Volgens mij zijn we niet ontdekt, maar we kunnen beter doorgaan.'

'Ik kan niet meer,' pufte Florica. Ze tufte de nare smaak uit haar keel.

'Laten we kort uitrusten,' zei Emil geïrriteerd. Zijn ogen keken Florica chagrijnig aan en hij schudde zijn hoofd. Hij herpakte zich. Emil zette zijn rugtas op de grond, haalde er croissantjes uit die hij had meegenomen van het ontbijt en gooide er twee naar zijn reisgenoten. Florica plukte de natte croissant uit de lucht. 'Omdat er geen koffie is, heb ik ze even in de Nera gedoopt,' lachte Emil, terwijl hij een handvol drassig deeg in een keer in zijn mond propte.

Remus viste zijn zilveren flacon uit zijn binnenzak en nam een slok om het warm te krijgen. Dat was haar grootvaders flacon, dacht ze, en ze keek hem vragend aan. Hij gaf hem aan Florica, die het een vreemd gezicht vond om deze flacon in de handen van haar geliefde te zien, en het zilver bestudeerde om er zeker van te zijn dat het dezelfde is.

'Ik ben goedgekeurd, denk ik,' zei Remus, die met een brede grijns zijn schouders ophaalde.

Goedgekeurd door grootvader, dacht Florica vergenoegd. Het beeld verwarmde haar nog voordat ze een slok had genomen. Remus had de dennenraki vervangen door brandenwijn. Hij trok zijn schoenen uit en liet de aanwezigen zijn blaren keuren.

'De schoenen zitten veel te strak,' zei hij tegen niemand in het bijzonder.

'En voor mij zijn ze te groot. We kunnen ze vast nog omruilen,' antwoordde Emil cynisch. 'Moeten we wel even terug naar Corona. Ga je mee Florica? Je vriend heeft au aan zijn voetjes.'

Florica verzette zich tegen een glimlach, maar verloor. Ze kuste Remus om zijn pijn en irritatie te verlichten.

'Moeten we nog ver?' vroeg ze.

'Als we in een rechte lijn zouden lopen, zijn we voor de lunch in Joegoslavië. Maar dan is de kans groter dat we in een loden kist belanden dan in het vrije land,' antwoordde Remus. 'We moeten de Nera blijven volgen...'

'En ze slingert nogal,' vulde Emil aan en maakte met duim en wijsvinger een zuipbeweging.

'Exact,' bevestigde Remus. 'We verlaten Roemenië bij het volgende dorp, waar de Nera Joegoslavië in slingert. Daar nemen we afscheid van haar, want zij gaat weer terug de grens over en wij gaan verder.'

Florica hoopte maar dat het net zo eenvoudig was als het klonk. Afscheid nemen van het water klonk haar goed in de oren. Maar ze was bang. Terwijl ze het geknik van haar knieën met haar handen in bedwang probeerde te houden, startten Remus en Emil een gedachtewisseling over het culturele leven in het Westen en hoe ze zich erop verheugden om daar deel van uit te maken. Florica wurgde een denkbeeldige hals in de hemel, omdat ze niet begreep hoe die twee een geanimeerd gesprek over de toekomst konden hebben, terwijl diezelfde toekomst verder leek dan ooit. Misschien moesten ze spreken, dacht ze, om het woord het lijk te ontnemen. Ze stopte met luisteren toen de twee een culturele namenwedloop startten en eiste de flacon met brandenwijn op. En ik dacht in de fontein dat ik het koud had, zei ze in zichzelf. Ze wilde droge kleding uit haar tas halen, maar niets was droog gebleven. In paniek haalde ze haar tas ondersteboven. Florica pakte er een kleien pot uit die Remus had gekocht en haalde de deksel eraf. Opgelucht ontdekte ze dat de pot waterdicht was. Ze haalde de opgerolde foto eruit en kuste haar grootvader en na even nagedacht te hebben ook haar ouders en haar moeders opgebolde buik. De ironie ontging haar niet. *Ik wil weg bij mijn familie, maar ik neem ze wel mee.*

De foto deed haar neuriën. Ze zong door de discussie van de jongens heen. Emil hield meteen zijn mond en staarde haar aan. Waarom wist ze niet, zo goed zong ze niet, maar wat kon het haar schelen. Ze zong langzaam over de mishandelde zigeunerin die bij haar man vandaan vluchtte en bij de gefortuneerde gadjo belandde. Ook Remus keek naar haar en tikte traag, uit het ritme, op zijn knie. Het tussenspel humde ze met een wiegend hoofd, alleen zijzelf hoorde de instrumenten het intermezzo invullen. De knappe zigeunerin wilde geen weelde meer. Ze ging terug naar haar huis. Daardoor werd ze nog mooier. Florica doofde het lied.

'Bravo,' zei Emil verlekkerd. 'Jullie maken mooie muziek.'

'Ik maak geen muziek,' snauwde Florica, 'en ik ben verdomme geen "jullie". Ik ben ik.' Ze had meteen spijt van haar felle reactie. Ze wilde niet zo reageren, het was de spanning en de koele vermoeidheid die uit zijn slof schoot. De eerste bus was vroeg vertrokken en het ontbijt voltrok zich nog eerder. Dat de slaap haar voor het eerst niet strafte, maakte het er niet beter op. Integendeel. Toen Remus haar voorzichtig wekte, had ze zich willen omdraaien en doorslapen.

'Sorry,' prevelde ze tegen Emil, 'ik ben koud en we moeten nog ver'.

'Dan gaan we,' zei Remus, omdat Emil ongeïnteresseerd zijn schouders ophaalde. Hij knoopte de schoenen weer aan zijn voeten en sprong op. 'Hoe eerder we weggaan, hoe eerder we alles achter de rug hebben. Toch schat?' knipoogde hij geforceerd opgewekt, toen hij zijn hand uitstak om Florica op te hijsen.

'Wat gebeurt er eigenlijk als we in Joegoslavië opgepakt worden?' vroeg ze.

Remus en Emil keken elkaar weifelend aan. Ze weten het niet, zag Florica, of ze wilden het niet weten. Ze begreep het.

Het landschap werd onherbergzamer. De communisten hadden het land verruwd met prikkeldraad. Bijna onverschillig waren de spiralen gedeponeerd, wat het nog gevaarlijker maakte. En dan waren er nog de giftige adders.

Remus pakte haar zij toen ze stilstond om haar bovenbenen warm te masseren en loodste haar verder langs het water. Om haar angst de baas te blijven, probeerde ze zich op de geur van de bomen te concentreren. Ze hield van het diepe boeket van het groen. Het druisen van de rivier begon haar te ergeren. God had de Nera met onvaste hand in het land gekerfd. Ze vroeg zich af hoe lang haar voeten het nog volhielden. Florica bevocht de aandrang om de vele kronkels te omzeilen en in een rechte lijn over de zandvlakten te rennen. Het was toch al eens goed gegaan? Maar net toen ze het wilde opperen, hoorden ze geluiden. Het leken stemmen. Mannenstemmen.

'Stil,' zei Remus zacht.

'Schiet je een beetje op?' vroeg een zware basstem.

Een aquaduct overkapte de rivier. Op de brug stond een vrachtwagen geparkeerd die waarschijnlijk onderweg was naar het Westen, volgeladen met voer dat het Roemeense volk harder kon gebruiken. Het betonwerk onderbrak de bomen, dus Florica, Remus en Emil konden geen kant op zonder gezien te worden.

'We moeten er weer in,' zei Remus zacht. Hij duldde geen tegenspraak en gleed het water in.

'Godverdomme,' fluisterde Emil.

Florica bad dat ze de bodem kon raken. Ze balde haar vuisten. Ze was net weer een beetje opgewarmd. Maar de stroming was hen in ieder geval welgezind, dacht ze toen ze het water instapte en zich liet meevoeren naar de brug. Haar kin roetsjte over het water.

'Ja, ik zoek een mooi plekje,' antwoordde de andere vrachtwagenchauffeur. Vanuit de rivier zag Florica hoe hij op de brug met zijn hand achter zijn gulp graaide en zijn plasser tussen de rood en witte spijlen stak.

'Aan de rand blijven,' fluisterde Remus alsof hij een was geworden met de populatie zandadders.

'Ik wil niet te laat komen,' mopperde de stem boven hen.

'Je bent toch geen zigeuner? Laat me eens rustig zeiken,' zei de ander met een hoog stemmetje. Hij staarde naar de hemel, die hij waarschijnlijk dankte om de verlossing. Florica zwom langs de lichtgele waterval. Ze verbande het bizarre idee om erdoorheen te waden om zich te verwarmen. Ze keek constant naar boven, om er zeker van te zijn dat de plassende man haar niet zag. De brug was niet ver meer, zag ze.

De ongeduldige chauffeur claxonneerde de plasser terug in de broek: 'Laten we gaan'. De ander ritste morrend zijn gulp dicht en sloeg een kruis van dankbaarheid. Toen keek hij plotseling recht in Florica's ogen. Florica vergat naar adem te happen en dook onder water. Het werd groen voor haar ogen. Met haar tenen stuwde ze zich voort en met haar handen probeerde ze sneller vooruit te komen, maar het was voornamelijk de stroming die het werk deed. Ze had geen idee of ze uit zicht was. Had de man haar gezien? Waren ze betrapt? Het lichtgroene water veranderde in donkergroen, nagenoeg zwart. Florica stikte bijna. Ze moest zich wel afzetten en luchthappen.

'Je hebt het je vast verbeeld,' zei de basstem. 'Schiet nu eens op, we hebben geen tijd voor geouwehoer.' Florica haalde opgelucht adem. Ze stonden in de schaduw van de brug, uit het zicht van de chauffeur. De vrachtwagen bulderde en reed weg.

'Ik zweerde dat hij me gezien had,' snikte Florica. Ze draaide zich abrupt om en klampte zich met armen en benen aan Remus vast. Ze weigerde om op eigen benen te gaan staan. 'Ik wil niet meer verder. Het is koud en dat klote-Joegoslavië komt maar niet dichterbij.'

Ze hoorde Emil zuchten en steunen, maar Remus trok zich daar niets van aan en kuste haar tranen weg.

'Dan ga je toch terug?' snauwde Emil. 'Dat is het snelst voor ons allemaal.'

'Ik wil al helemaal niet terug,' snikte Florica nog luider. Al hun stemmen stotterden van de kou. Ze klom verder in Remus, terwijl de rivier naar haar benen hapte. 'Ik kan niet terug. Ze zullen me vermoorden.'

Emil keek naar Remus en beet toen wijselijk op zijn lip.

'Zie je dat dorp daar?' vroeg Remus. Hij draaide zich een kwartslag om, zodat Florica over zijn schouders het dorp zag.

'Welk?' vroeg ze. Aan beide kanten van de Nera bevond zich een samenklontering van huizen.

'Scherp gezien,' antwoordde hij. 'Het ene dorp ligt in Roemenië en het andere is Joegoslavië. De Nera kijkt op dat punt hoe het bij de buren is en keert daarna terug naar Roemenië. Maar wij niet. We laten ons afzetten door de rivier.'

Florica zag het. De heuvels van Joegoslavië leken op die van Roemenië, maar toch oogden ze vele malen mooier. Alsof God daar beter zijn best op had gedaan, dacht ze. Ze liet Remus los en plonsde in het water.

'Dan zijn we er bijna,' vatte ze samen. Als we eenmaal in de lus zijn die de rivier vormt, zijn we veilig, herhaalde ze tegen zichzelf. Veilig en vrij.

Toen ze dichterbij kwamen, zag Florica dat het land voor de lus bewaakt werd en was afgezet met prikkeldraad. Nog meer prikkeldraad, verzuchtte ze. Ze telde drie bewakers die voor een hoog grensgebouw stonden te roken en drinken. Bovenin zat er nog een met een verrekijker, zo verbeeldde ze. Uit het open raam klonk de radio; volkse violen, fluiten, accordeons en een stem vol melancholie. De geur van alcohol drong haar neus binnen. En dat van zo'n afstand. Die zijn lazarus, dacht Florica, en ze betwijfelde of dat een goed teken was. Iedere vluchteling die hen ontglipte, betekende een vreselijke straf. Ze hoorden de grenzen te bewaken van het ware socialisme!

'Ze hebben het druk met andere dingen,' zei Remus zo zacht mogelijk, alsof de Nera niet haar best deed om hun geluiden te maskeren. Ze hoorde aan zijn stem dat hij het ook nauwelijks kon geloven. De geweren hielden kiezelstenen onder schot. 'Laten we het erop wagen.' De twijfel huisvestte in ieders ogen. Ze waren vastbesloten geweest, ook Florica, maar met de dood in het vooruitzicht, doorzeefd met kogels, drie nieuwe lijken in het water, was er weinig van die vastbeslotenheid over. Het leek een goed plan, maar nu scheen niemand daar meer overtuigd van te zijn. De dood, het Westen of in Roemenië blijven? Florica had haar keuze gemaakt. Remus wachtte op een knik van iedereen, die van Emil was zwakker dan die van Florica, en ging zelf voor.

Florica verloor de grenswachters een paar meter van hun vandaan geen moment uit het oog. Ze bulderden van het lachen en leken een schietpartij te reconstrueren. Veilig en vrij, dacht ze herhaaldelijk, om zichzelf moed in te praten. Meteen waren haar benen heropgeladen en verdwenen de koude rillingen. Haar hart bonsde een sneller ritme dan normaal. Ze volgde het waterspoor dat Remus had gemaakt. Mijn Remus, dacht ze. Stap voor stap waadde ze dichter naar de vrijheid. De grenswachters stikten bijna in hun lach. Er was niets moeilijks aan, dacht Florica. Als vluchten zo makkelijk was, waarom liep Roemenië dan niet leeg? Het gaat lukken, God, ik ben er bijna, God, ik word herboren.

Op het toppunt van haar euforie, zakte plotseling de drassige bodem onder haar voeten vandaan. Florica gilde zo hard dat zelfs de rivier haar niet meer kon overstemmen. Ze sloeg met haar handen op het water om niet te zinken. Ze hoorde hoe de grenswachters schreeuwend opsprongen, maar ze maakte zich alleen maar druk om het water dat haar longen wilde binnentrekken. De smaak van dood overmeesterde haar.

Geweren werden geladen.

'Ze kan niet zwemmen,' vloekte Emil achter haar. Florica zag hoe Remus zich met grote ogen omdraaide. Ze zag zichzelf, als het ware vanuit een helikopter, en vroeg zich af hoe lang het zou duren voordat haar eigen gezicht was weggevreten door de vissen. Ze voelde twee handen om haar zij klemmen. Ze verslapte en nam een hap lucht. Emil stuwde haar lichaam voort. 'Hier,' zei hij tegen Remus. Hij drukte Florica op Remus' rug. 'Vort!'

Nog voordat Florica begreep wat er gebeurde, dook Remus onder water. Florica verdween tot haar schouders in de rivier. Ze verdraaide haar nek om te kijken waar Emil bleef. Emil klauterde wild spetterend uit het water. Twee geweerlopen keken hem recht in de ogen. Hij werd ruw op de kant gedrukt. Florica sloot haar ogen en wachtte op het schot dat elk moment kon klinken.

'Kameraden,' lachte Emil met de gebruikelijke nonchalance die Florica had geleerd te haten, 'wat ben ik blij om jullie te zien. Ik kan niet ontkennen dat ik probeerde te vluchten, maar ik wil graag benadrukken dat jullie mij niet gepakt hebben. Ik heb mij namelijk overgegeven. Ineens realiseerde ik mij iets: hoe haal ik het in mijn door het kapitalisme geïnfecteerde kop om te vluchten en dit prachtige socialistische land achter mij te laten? Het land van Ciprian Porumbescu nota bene! Wat ben ik toch een stomme imbeciel.' Emil sloeg zichzelf op zijn voorhoofd. Hij trok het weinige gras uit de grond en veegde daarmee de druppels van de Nera weg die uit zijn wimpers rolden. Of zijn tranen. 'De Leider, de goede Leider, hij wil mij vast wel vergeven toch?' vroeg hij. De grensbewakers hadden nog niets gezegd en staarden hem nerveus aan. Dit hadden ze nog nooit meegemaakt. Ze hadden het bevel om vluchtelingen neer te schieten, maar de lopen namen de grond weer onder schot. Emil keek achterom, naar het wegdrijvende hoofd van Florica. Ze wilde zich schuldig voelen, of dankbaar, maar ze voelde alleen maar angst, en als ze zich ergens schuldig over voelde, was het wel daarover. 'Misschien dat jullie eerst even mijn vader willen bellen?'

Verderop klom Remus ademloos uit de rivierlus en sjouwde voort met Florica op zijn rug. De modder zoog aan zijn schoenen.

'Ik kan niet zwemmen, maar wel lopen,' zei Florica, maar hij reageerde niet. Integendeel. Hij begon te hollen. De heuvel op, voorbij het Joegoslavische dorp. Weg van de rivier. Het dorre gras ritselde langs zijn doordrenkte spijkerbroek. In de verte graasden schapen. Het is hier echt mooi, dacht ze. Mooier.

Abrupt draaide Remus zijn gezicht naar Roemenië. Hij vergat zijn hoffelijkheid en kwakte Florica neer op de grond. Hij schreeuwde de aders in zijn nek dik: 'Ceauşescu, je bent een klootviool'. Aan de overkant van de Nera keek een aftakelende Roemeens-orthodoxe kerk hem onverschillig aan. Remus viel naast Florica neer en mompelde wat over Emil. In zijn hand zaten twee sneeën, evenredig aan elkaar. Plakkerig vocht droop eruit.

'Je bent gebeten,' zei Florica onthutst. De hand zwol ter plekke op. 'We moeten een dokter vinden,' zei ze.

Remus schudde zijn hoofd. Hij greep haar ogen met de zijne. Met zijn goede hand grabbelde hij in zijn borstzak en haalde er een roodwit touwtje met daaraan een hartje van metaaldraad uit. Ze zag hoe hij de pijn verbeet.

'Ik geef je deze mărţişor om mijn eeuwige liefde en trouw te beloven. Ik weet wat je denkt: het is nog lang geen maart. Dat klopt, maar toch begint onze lente hier en nu.' Hij drukte de mărţişor in haar handen. Door haar tranen heen zag Florica het knullig gebogen hartje dat aan het touw bungelde. Ze had nog nooit zoiets moois gezien. De jongens in haar klas hadden haar nog nooit een mărțișor gegeven, want wat moest een zigeunermeisje daarmee?

'*Jouw hart is een gevang,*' begon Remus, '*dus ik geef mij aan jou gevangen. Dan rest mij slechts een verlangen: geef mij levenslang.*'

De Joegoslavische trein denderde door het land. Remus noch Florica had een paspoort mee. Die lagen bij de Roemeense overheid en werden slechts zelden afgegeven. Remus had alles meegenomen waar zijn naam opstond, van ordinaire post tot het identiteitsdocument dat eruitzag als een paspoort, maar waar je in het buitenland niets aan had en slechts bedoeld was voor binnenlandse reizen. Florica had haar document ook mee, maar wist dat het niet afdoende was om de grens van Joegoslavië naar Italië te mogen passeren. Haar buik maakte rare sprongen en het kippenvel stond op haar blote benen. Ze had haar meest sobere jurk aan, zonder nylonkous, want elk beetje bloot kon de vlucht bevorderen. Hoopte ze.

'Mijn secretaresse is nog nooit het land uitgeweest,' zei Remus vol minachting tegen de hooggeplaatste Joegoslavische socialisten die bij hen in de coupé waren gaan zitten. Zijn Russisch haperde, maar dat kwam omdat het Roemeens weinig overeenkomsten had met het Russisch, zo legde hij uit toen de Joegoslaven hem naar zijn onzekere tongval vroegen. Remus veegde met gespeelde beslistheid zijn colbert recht en controleerde of de kraag van zijn overhemd goed zat. Florica keek angstig van spreker naar spreker, zonder er ook maar een woord van te verstaan. Ze pulkte aan de kriebelige sjaal om haar hals. Van Belgrado tot Ljubljana bejubelde Remus kameraad Lenin en hield eerst voorzichtig, maar daarna steeds uitbundiger een lofrede op wijlen maarschalk Tito. Vanzelfsprekend werd ook de Leider van Roemenië geprezen. Maar hij hield zijn mond over Moeder Rusland. Zijn nieuwe kameraden gaven Remus een fles wodka, waar hij slechts summier van nipte. 'Op de vriendschap tussen onze socialistische staten,' riep hij. Ter hoogte van Ljubljana joelden de Joegoslaven schunnige Russische liederen en keken schalks naar de knieën van Remus' secretaresse. Het kostte Remus weinig moeite om zich te excuseren en samen met Florica een andere coupé op te zoeken. 'Om ons klaar te maken voor de aankomst,' verklaarde hij aan de enige wakkere Joegoslaaf. De andere twee snurkten inmiddels met de hoofden tegen elkaar. Remus schudde de Joegoslaaf de hand en nam statig de hikkende beleefdheden in ontvangst. 'Het beste,' zei Remus ter afscheid. Florica knikte alleen even, minzaam.

Ze snelden twee treinstellen verder. Het viel haar op dat de toiletten die ze passeerden allemaal bezet waren. In de verte zag ze een man in uniform op een toiletdeur bonken. Ze wilde nog veel verder plaatsnemen van de hooggeplaatste bonzen met hun koddige klanken, maar Remus hield haar tegen en duwde haar een lege eersteklascoupé binnen. Hij sloot het rumoer buiten en schoof de gordijntjes voor het raam.

'Wat een schoften,' foeterde Florica. 'Ik verstond er niets van, maar volgens mij waren ze aan het bepalen wie mij het eerst mocht nemen.'

'We hadden het over het communisme en onze gedeelde aversie tegen het Westen,' zei Remus afwezig. Hij ontdeed zich van zijn stropdas en hing hem losjes om zijn nek. Zijn hals was rood en bezweet. 'En een van hen was inderdaad bovenmatig in je geïnteresseerd.'

'De viezerik,' gromde ze. Remus nam haar wangen in zijn handen en kuste haar vol op haar voorhoofd.

'Je bent van mij,' zei hij. 'Ik bescherm je.' Op datzelfde moment kukelde Florica boven op Remus, omdat de trein abrupt afremde. Er werd hard op de deur gebonsd.

'Douane,' riep de man aan de andere kant. Florica ging vlug in de hoek van de coupé zitten. Remus wikkelde rap de das om zijn nek op de 'Roemeense manier', zoals hij had gezegd tegen de Joegoslaven toen ze vroegen naar zijn vreemde manier van knopen. 'Als u niet heel snel zelf de deur opendoet, kom ik binnen,' waarschuwde de douanier in meerdere talen.

'Kalm kameraad,' riep Remus in het Russisch en hij schoof de deur hardhandig open.

'Mijn excuses,' zei de man met zijn dikgeschoren kop, gehuld in een uniform als een koeienvlaai. Zijn ogen gleden over Remus' pak, dat Florica en Remus hadden ontvreemd uit een Joegoslavisch huisje vlak over de grens. Het was duur materiaal, dat wisten alle aanwezigen in de coupé. 'We moeten extra controleren op vluchtelingen. Niet dat ik u ervan verdenk te vluchten,' zei de man vlug met een slijmerige grijns. Het pak wierp zijn vruchten af. 'Maar het zijn procedures hè?'

'Juist,' antwoordde Remus grillig. Florica rilde en staarde gespannen naar het vlakke land dat zo-even nog prettig voorbijraasde. Ze zag niet dat Remus naar haar knikte. 'Paşapoarte,' snauwde hij naar haar. Hij zat goed in zijn rol, dacht Florica, en ze haalde gedwee de twee documenten uit haar rugzak. Ze viel de douanier nu pas op. Hij loerde naar haar blote benen.

'Mijn secretaresse,' verduidelijkte Remus met een zucht. 'We zijn op weg naar een conferentie in Venetië over het belang van socialistische partijen in de kapitalistische dictaturen van West-Europa en hoe we hun invloed op de plaatselijke politiek kunnen vergroten.'

Florica vroeg zich af hoe hij aan de praatjes kwam. Misschien hadden Remus en Emil elk mogelijk scenario voorbereid. Remus rukte de papieren uit Florica's handen en gaf ze opengevouwen aan de Joego-slaaf. Florica wilde niet aan Emil denken, schuld verteerde haar, dus staarde ze naar de douanier. De lichtbruine ogen dansten van Remus naar Florica en weer terug naar de papieren in zijn handen.

De douanier keek naar de stempels in Remus' identiteitsbewijs. Boekarest, Sibiu. Een paar dagen aan de kust bij Constanța. Hij mompelde wat. Zonder zijn ogen van de twee af te houden, grabbelde hij in zijn heuptas. Remus keek strak terug. Hij probeerde zo hooghartig mogelijk te fronsen, zag Florica. Iets waar hij beter op had moeten oefenen, dacht ze. Ze sloot haar ogen. Ze hoorde een klik. En een klap. En nog een.

'Alstublieft,' zei de douanier, 'kameraad'. Hij gaf de documenten terug en borg zijn stempel en inkt op in zijn heuptas.

Remus knikte en schoof de deur achter de douanier dicht.

'De datum van vandaag,' zei Florica vol ongeloof toen ze de documenten opensloeg. Het was de eerste stempel in haar identiteitspapieren. Opgelucht kuste Remus haar hand. Ze kon niet geloven dat dit echt gebeurde.

Hij liet haar hand snel los toen de deur weer openging en de douanier lachend in de opening verscheen. 'Vreemde manier van dragen heeft u trouwens,' sprak hij met een knipoog, wijzend naar Remus' stropdas. 'Ik wil u veel succes wensen op de conferentie.' En weg was hij. Voorgoed, hoopte Florica.

De trein bewoog langzaam voort. Remus wilde Florica weer vastpakken, maar Florica sloeg zijn hand weg. Ze konden niet voorzichtig genoeg zijn, vond ze. Ik moet me als een brave secretaresse van een hoge pief gedragen. In de verte zag ze blauw-wit-rood wapperen met in het midden de Partizanenster. Niet ver daarachter kroop de mediterrane wind onder de groen-wit-rode vlag van Italië. De vrije wereld.

'Hier is nog plaats,' zei een mollige zigeuner met het vet in zijn haar toen de coupédeur openging. Zonder de toestemming van Remus of Florica af te wachten, liet hij zijn vrouw, dochter en twee zonen voorgaan. Hij sloot de deur, alvorens naast Remus neer te ploffen. De twee jongens gooiden hun tassen op de bagagerekken boven hun hoofd. De man sloeg op Remus' bovenbeen en vroeg hoe het ging. Remus' lip trilde. Florica wist dat hij net zo zenuwachtig was als zij, maar dat hij het niet durfde te laten merken. 'Wij gaan ook naar Italië,' lachte de man. Florica staarde verbijsterd naar het massief gouden kruis om zijn nek. Als de zigeuner geen shirt aan zou hebben, zouden de handen van Jezus zijn tepels bedekken en de onderkant van het kruis op zijn navel hangen. Dit was een hele rijke bulibaşa, begreep ze. Hij had alleen zijn boventanden verguld. 'Omdat ik niet te patserig wil overkomen,' legde hij laconiek uit zonder dat iemand ernaar vraagde. 'Je wilt gadjo's als jullie geen reden geven om ons Rroma te stenigen, hè?'

Nog voordat de trein op volle snelheid was, piepte hij weer tot stilstand. In haar ooghoeken zag Florica Remus paniekerig in het gangpad spieken. De Italiaanse vlag was niet ver meer. Het was te belopen, dacht Florica, en ze keek naar de verzegelde ramen. Remus kan de ruit inslaan met het kruis van de oom, hield ze zichzelf voor. Ze verbeterde zichzelf: het kruis van de Rrom.

'Er komt iemand aan,' stotterde Remus. Hij schraapte zijn keel. 'Een vrouw in uniform.' De vrouwelijke douanier bleef voor hun coupé staan.

'Zijn die tassen van u?' vroeg ze aan Remus, terwijl ze naar de tassen op het rek wees. Haar geblondeerde haren waren strak op haar vierkante hoofd geplakt. Hij schudde zijn hoofd.

'Die zijn van mij,' zei de Rrom met een grijns.

'Openmaken,' snauwde ze. De twee jongens pakten de tassen en gooide ze voor haar voeten. 'Zou ik uw papieren mogen inzien meneer?' vroeg ze poeslief aan Remus. Haar roodgeverfde lippen glimlachten minnetjes.

Met trillende handen gaf Florica de paspoorten aan Remus, die ze weer doorgaf aan de vrouw. De vrouwelijke douanier bekeek elke pagina afzonderlijk. Ze wreef over de stempels in Remus' identiteitsbewijs. Ze keek van het document naar hem en weer terug. Florica keek naar de vlag. *We kunnen rennen*, dacht ze, *we kunnen het hoe dan ook halen!* Hoofdschuddend klapte de douanier het document dicht en opende dat van Florica. Bij elk leeg velletje ontleedde ze Florica.

'Deze documenten zijn niet geldig,' zei ze simpelweg en gaf ze terug.

'Volgens mij wel hoor,' antwoordde Remus. Florica zag hoe hij vingervlug alle Joegoslavische dinarbiljetten die ze hadden – ter waarde van een paar handgemaakte mokken en bekers die ze hadden verkocht aan dorpelingen – tussen de bladzijden schoof, opgevuld met enkele Roemeense *lei*. 'Wilt u nogmaals checken?'

Sukkel, dacht Florica, daar riskeert de douanier haar baan niet voor. Het is hier geen Roemenië. Hier hebben ze meer kansen. Dat had Emil tenminste gezegd op de avond dat ze zich bezondigden aan mici met mosterd en brood. Joegoslavië was een lusthof in vergelijking met Roemenië. Remus duwde zijn vinger tussen hals en kraag en trok de das losser. Het zweet liep over zijn voorhoofd.

'Ik zie het al,' zei de vrouw. 'Misschien heb ik me vergist.' Ze wisselde het geld in voor een paar stempels en kwakte de paspoorten op Florica's schoot. 'Zijn ze verdomme nog steeds niet open?' vloekte de douanier naar de twee jongens, die snel de tassen open ritsten. 'Haal alles eruit,' gebood ze. Er ontstonden twee stapels kleren. De ene tas stootte mannen- en jongenskleren uit, de ander fleurige jurken, sieraden en flesjes en potjes waarmee een drogisterij een dag voort kon. De vrouw eiste een flacon dure parfum op en zei dat deze Italië niet mocht betreden. Waarom, verduidelijkte ze niet. Zij zou hem weggooien voor hen. Tot zichtbare teleurstelling van de douanier bleken hun paspoorten in orde, hoe lang de vrouw ook naar het document staarde. 'Jullie tassen hoef ik niet te zien,' zei ze tegen Florica, die haar rugzak ook wilde openmaken. Haar blik bleef veelbetekenend hangen op de gouden Jezus op de borst van de Rrom. 'Fijne reis,' besloot ze uiteindelijk met een liefdevol knikje naar Remus en Florica.

'Duurt het nog lang?' vroeg de dochter aan haar moeder, terwijl ze met haar donkere vlechtjes speelde.

'Nog eventjes,' mompelde Florica tegen zichzelf. Ze keek dwars door de Joegoslavische vlag heen naar haar Italiaanse equivalent. Het groen-wit-rood werd alsmaar groter. Florica's neus plakte tegen het raam. Ze legde haar hoofd in haar nek en zag hoe de vlag hen welkom heette met een dans. 'Italië,' stamelde ze tegelijk met Remus.

De Rroma-familie liet hen alleen en liep alvast het gangpad op. De Italiaanse vlag verdween bijna uit het zicht.

'We zijn er,' stamelde Remus en hij boog zich voorover om Florica te kussen. Het voelde alsof ze binnenstebuiten was gekeerd. De zigeunerin zat nu diep in haar verscholen en ze besloot onmiddellijk om een Italiaanse te worden, te zijn. Italiaanser dan een Italiaanse.

'*Buongiorno*,' zei de Italiaanse douanier vrolijk. Hij onderbrak een aria om de persoonsdocumenten van Florica en Remus te controleren. Hij keek hen bevreemd aan toen hij de bladzijden omsloeg. Nog voordat hij zijn blauwe ogen op hun kon richten, rolden de tranen over Florica's wangen. Ze wist dat hij hen niet kon terugsturen. Het was het geluk dat haar wangen bevochtigde. Ze glimlachte naar de Italiaan in zijn blauwgrijze uniform. 'U heeft een mooie vriendin,' zei hij in het Italiaans tegen Remus, langzaam, zodat ze hem begrepen.

'Dat heb ik,' beaamde Remus. Florica moest haar tranen te veel bevechten, blij dat ze zijn secretaresse niet meer hoefde te spelen. Ze was zichzelf, voor het allereerst in haar leven.

'En wij vragen politiek asiel aan,' zei Florica in het Roemeens waarin ze achter elk woordje een 'o' plaatste, om het Italiaans te doen klinken. '*Ne ceremo azilo politico.*'

De douanier knikte. Hij verstaat mij, jubelde Florica vanbinnen. De man veegde met zijn duim haar rechterwang droog. '*Benvenuti,*' zei hij en Florica wist dat ze welkom waren.

Due

1

Remus las steevast de krant achterstevoren, beginnend bij het sportkatern en dan doorbladerend naar het gewichtige nieuws, een tic die hijzelf ook niet begreep, temeer omdat hij weinig met sport had en zich enkel interesseerde voor de beslommeringen rond 'zijn' voetbalclub Fiorentina. Zijn ogen bleven hangen bij een de kop *Internazionale: veel geld, weinig ballen*. Op de foto prijkte een donkere jongen die de dreadlocks uit het gezicht veegde. Volgens het onderschrift was Clarence Seedorf behoorlijk teleurgesteld over de zoveelste verloren wedstrijd. Op de achtergrond staarde coach Marcello Lippi naar zijn schoenen.

'Wat een sukkels,' mompelde Remus, terwijl hij een croissant eerst in de cappuccino doopte en daarna in zijn mond stopte. Christian Vieri, de duurste speler aller tijden, was te koop, maar de kampioenstitel van 2000 niet. Nee, Lippi kon beter iets anders gaan doen en de titel overlaten aan de concurrentie, Lazio Roma of Juventus.

Remus gunde het geen van de clubs, ook al wist hij dat Fiorentina, het team dat hij als inwoner van Florence plichtsmatig steunde, de titel niet zou pakken. De Paarsen deden het behoorlijk in de Italiaanse competitie, meer niet. Toch spitte hij het artikel over Internazionale geconcentreerd door. Gerommel in de keuken versnelde zijn zoektocht langs woorden. Zouden ze iets over de Roemeense wonderaanvaller Adrian Mutu schrijven? Zijn ogen gleden langs de foto waarop de gespierde kuiten van de bankspelers van Internazionale stonden. Losse scheenbeschermers onder afgerolde kousen. Welke schoenen zouden van Mutu zijn?

'Wil je een omelet, schat?' vroeg Florica. De steelpan siste tussen haar pannenlappen. 'Met kaas, bieslook, yoghurt, tomaatjes en wat dragon, peper en peterselie.'

Met een zucht vouwde Remus de krant dicht en schoof hem terzijde.

'Er staat niets over Mutu in,' zei hij tegen Florica, die haar blote schouders ongeïnteresseerd ophaalde. Ze had nog veel minder met voetbal dan hij, behalve als het nationale elftal van Italië speelde. Ze sneed de omelet in tweeën en schoof een deel op Remus' bord.

'Wat maakt het uit?' vroeg ze. De portretten van Remus' overgrootouders sloegen de conversatie gade vanaf de muur van het krappe appartement.

'Niets,' bevestigde Remus, en toch maakte het alles uit. Maar dat zou mijn vrouw niet begrijpen, wist hij. Overal zocht hij Roemenië. In de krant, op televisie en op straat. Heel soms vond hij ze zittend op de stoep, met hun stalen schoenpunten in het zand van een afgebroken wegdek. Daar dronken ze bier en aten een panini in de pauze, om daarna de klinkers van Florence weer terug te leggen. Dan luisterde Remus naar ze en voelde zich goed en slecht tegelijk.

Zijn bijna obsessieve zoektocht naar landgenoten was in de twaalf Italiaanse jaren bijna ziekelijk gegroeid, als een tumor van heimwee. Al in het eerste jaar ontdekte hij dat het Italië uit de Roemeense boeken niet overeenkwam met de werkelijkheid. Direct na aankomst in Triëst hield hij immens veel van het land en van de Italianen, die Florica en hem warm opvingen en hen een tweede leven schonken. Remus had de geografische laars die hij zijn thuis mocht noemen op een voetstuk gezet. En alles wat op een voetstuk stond, zou een keer naar beneden donderen. Dat konden de neergetakelde bronzen standbeelden van Stalin en Lenin beamen.

De eerste keer dat hij Roemenen in Florence tegenkwam, had Remus hen verbaasd aangestaard. Ze hadden dikke buiken, die ze demonstreerden door hun T-shirts tot de navel op te trekken. Roemeens zweet drupte van hen af. Hij nam plaats op het dichtstbijzijnde terras, opgezet om toeristen af te zetten, en telde veel te veel neer voor een glas verse sinaasappelsap. Daar luisterde hij naar de klanken die hij zo had gemist. Hun rollende r en compactere klinkers. Op dat moment herinnerde hij zich flarden van een citaat: 'Niemand mist zijn taal meer dan een Roemeen.' Hij vervloekte zijn geheugen omdat hij geen idee meer had wie het had gezegd, maar het moest een wijs persoon geweest zijn.

Florica had hem met veel moeite overgehaald om alleen nog Italiaans met elkaar te spreken, zodat ze de taal sneller zouden oppakken en hun accent zou slijten.

De Roemeense stratenmakers keken geïrriteerd terug, waarop Remus een flutkrantje van de grond viste en erdoorheen bladerde. Als een ware agent van de Securitate hield hij de mannen in de gaten vanachter het nieuws.

'Dit is niet egaal,' hoorde Remus de trottoirmanager foeteren tegen een ander die zijn mondhoeken liet hangen. De krant knisperde tussen zijn vingers. Hij ontleedde de woorden die hij niet begreep vanuit het Roemeens. Hoewel hij meer oog had voor de Roemeense stratenmakers, wist hij tot de dag van vandaag waar het desbetreffende krantenartikel over ging. A.C. Milan voelde de *scudetto* reeds op zijn borst prijken, aldus coach Fabio Capello van het voetbalensemble uit Milaan die zelfverzekerd zijn titelkansen benadrukte. Op de foto stond de aanvoerder, Franco Baresi, die volgens het onderschrift het kampioenschap wilde opdragen aan de langdurig geblesseerde Marco van Basten.

'Dit is een oude stad,' antwoordde de stratenmaker, 'niemand die merkt dat de boel niet helemaal recht ligt.' De discussierende mannen keken Remus nijdig aan toen hun blikken elkaar wederom kruisten. Remus verborg zich achter zijn krant. Hij scande de tekst. Van Basten en Baresi kwamen een aantal maal langs, net als A.C. Milan, Juventus, de coaches en de titel, de scudetto. Daar was hij niet naar op zoek. Hij zocht de naam van Florin Răducioiu, de enige Roemeense voetballer die voor Milaan speelde. Als hij speelde, want de coach deed maar weinig beroep op hem. En waarom zouden de kranten aandacht aan hem besteden? Het artikel eindigde met een quote van de coach Capello over de felbegeerde Champions League. Die cup wilde hij ook wel.

Op de tweede en derde pagina stond een immens verhaal over de nieuwe president van Zuid-Afrika. Nelson Mandela wilde de wereld veranderen en daardoor veranderde de wereld. Goedkeurend vouwde Remus de krant dicht en liep op de stratenmaker af.

'Ben je een nicht?' vroeg de man in gebrekkig Italiaans nog voordat Remus zich kon voorstellen.

Remus schudde lachend zijn hoofd.

'*Nu*,' antwoordde hij ontkennend in het Roemeens. Hij viste een visitekaartje uit zijn borstzak en nodigde de mannen uit om hun salaris in zijn restaurant uit te geven. 'Het is het waard,' zei hij met een knipoog.

'Een Roemeens restaurant?' De borstelige wenkbrauwen van de stenenlegger schoten omhoog toen hij de tekst op het kaartje las. 'We zullen zeker langskomen,' antwoordde hij. Het visitekaartje deed een rondje langs de eelthanden van de stratenmakers. En ook de andere mannen knikten. Een van hen riep 'bravo'.

'Tot snel dan,' zei Remus. Hij wees naar de zanderige straat. 'En succes daarmee.'

Sinds die eerste keer verschenen er steeds meer Roemenen in de stad en in de rest van Italië. Uiteindelijk begonnen ze op te vallen en niet alleen door Remus.

'Er is weer niets om op brood te doen,' verzuchtte Remus. De croissant was op en hij had de omelet verslonden, maar zijn maag rommelde en vroeg om meer. Het leek alsof zijn lichaam na twaalf jaar nog steeds bang was om elk moment terug te vallen in een communistisch dieet.

Florica rolde met haar ogen.

'Zou je nou wel meer eten?' Remus weigerde daar antwoord op te geven. 'Ruim jij straks de tafel af?' vroeg ze toen hij stil bleef. Ze schoof haar bord van zich af, plukte de rugtas van de bank en drukte er wat papieren in, ritste een vak dicht en deed de tas op haar rug. Elke dag weer moest Remus glimlachen om de verstevigde naden en de extra stofvellen die slijtage tegengingen. Het was haar geluksrugtas, had ze hem geantwoord toen hij vroeg waarom ze geen nieuwe kocht. Het was de tas die haar weinige spullen naar Italië had getorst.

'Succes,' zei Remus zacht, doelend op de examens die Florica stonden te wachten.

'Dankjewel,' antwoordde ze bits. Ze sloeg de deur met een klap dicht.

Remus pakte het overgebleven brood uit de zak. Alvorens hij het op zijn bord legde, kneep hij erin om te kijken of hij zijn tanden er niet op zou breken. Vers was anders. Hij hoorde hoe een sleutel het sleutelgat zocht. De deur vloog open.

'Iets vergeten schat?'

Florica hing met een hand aan de deurpost en met de andere wees ze naar hem. Haar lange rode nagel richtte ze vervaarlijk op Remus.

'Aardbeienjam, bramenjam, zure kersenjam, chorizo, stroop, chocoladepasta, salami uit Milaan, smeerkaas en honing,' schreeuwde ze nijdig. 'En parmaham in de koelkast.' Ze smeet een verzegelde envelop die ze waarschijnlijk beneden op de deurmat had aangetroffen naar zijn hoofd en verdween. De muren zinderden toen ze de deur weer achter zich dichttrok.

'Maar ik wil walnotenjam,' fluisterde Remus toen hij er zeker van was dat Florica het pand lang en breed had verlaten. Hij ontvelde de salami en sneed plakjes. Hij moest toegeven dat de salami smaakte. Niet dat zijn vrouw dat hoorde. Of daarom juist.

Hij liep heen en weer van de tafel naar de keuken om het beleg op te ruimen. Met de salami en de chorizo onder zijn arm en wat potjes jam in beide handen concludeerde hij dat het inderdaad niet weinig was.

Als je het moest opruimen in ieder geval. Hij zette de chocoladepasta en honing in de kast en haalde een doekje over de tafel. De broodkruimels ving hij op en gooide hij op het balkon, tussen de lege flessen. De duiven zouden de kruimels vast wel vinden.

Hij pakte de envelop die Florica naar hem had gesmeten en bekeek beide zijden. Hij streek over zijn handgeschreven naam en adres, een handschrift dat hij niet herkende. De postzegels waren gestempeld in Rome. Op de andere kant stond een stempel van een uitgeverij gevestigd in de hoofdstad. Remus twijfelde geen moment: hij vouwde de envelop doormidden en deed deze in zijn kontzak. Hij voelde zich al neerslachtig genoeg, daar had hij de zoveelste afwijzing niet voor nodig. Bovendien koesterde hij de hoop die onmiskenbaar in de achterkamers van zijn gedachten leefde zolang hij de brief niet had geopend.

Voor de neoklassieke spiegel, die de vorige bewoners hadden achtergelaten, bracht hij zijn plukken haar in model. Voor het eerst keek hij goed naar zichzelf, zijn Italiaanse ik. Hij had een extra kin opgelopen in de oorlog die hij iedere avond voerde in de keuken van zijn eigen restaurant. Het extra vet misstond hem niet. Vond hijzelf.

Hij gooide de raamluiken open en liet de bedompte zomer binnen. De domkoepel van de Sint-Laurensbasiliek staarde Remus vanuit de verte aan. Naast de koepel torende de campanile in zijn unieke kleuren van marmer. Het uitzicht vrolijkte hem altijd op. Elke morgen kriebelde de aanblik zijn onderbuik. *Florica en Florence: ik houd van jullie*, dacht hij. Hummend sloot hij de deur achter zich en daalde de smalle traptreden af. In het benedenportaal waren twee deuren. Eerst stak Remus traditiegetrouw zijn hoofd door de deur die naar het restaurant leidde. Hij telde de tafels, concludeerde dat er nieuwe bloemetjes nodig waren, zag de schilderijen en prenten van Roemeense heersers en dichters onverstoord aan de muren hangen en ook de stereo stond nog onveranderd op zijn plaats. Piekfijn. Het was een dwangmatige controle, dat wist hij zelf ook, maar toch was hij bang dat hij zijn restaurant, zijn Roemeense enclave, op een dag geschonden aan zou treffen. Niet vandaag. Alles was zoals het behoorde.

Voor het pand ontvouwde hij zijn zonnebril en trad de felle morgen geblindeerd tegemoet. Hij doorkuiste zijn straat en hield zijn bril op toen hij door een lange schaduwrijke steeg liep. In de steegjes van de stad voelde hij zich thuis. Ze waren onmiskenbaar anders dan de stegen van Braşov, maar tegelijkertijd deden ze Remus aan zijn geboortestad denken. Hij zou doctor Arcos eens moeten uitnodigen om de stad te bekijken. Die arme, oude ziel. Hij neuriede een lied waarvan hij naam en artiest nooit had geweten en hij zou nooit zijn best doen om de gegevens te achterhalen. Het was zo'n modern deuntje, zielloos zou Emil zeggen, maar o zo verslavend. Aan het einde van de steeg verdreef de zon eindelijk de schaduw en belandde Remus op het zonovergoten plein dat vernoemd was naar de anti-fascist Gaetano Salvemini.

Een afslag later stond hij in de supermarkt. Hij schudde zijn hoofd toen hij bij binnenkomst de gigantische rij zag staan. Verdomme, even vlug boodschappen doen, ja, ja. Bij de groenteafdeling gooide hij twee netten knoflook in zijn mandje, een aanbieding, waarvan hij er maar een hoefde te betalen. Daarna liep hij langs de vleesafdeling, die hij negeerde omdat hij het vlees liet bezorgen door een slager van buiten de stad, griste een blik gedroogde oregano en een potje bonenkruid mee en vroeg op weg naar de kassa een vers brood aan de bakker, die de klanten continu vermaakte met flirterige grappen. Een stellage verder zocht hij naar broodbeleg zonder dat een potje of doosje hem aansprak. Dus sloot hij achteraan in de ellendige rij voor de kassa. Hij zuchtte, maar hield zich in. Telkens als hij in de rij stond in de supermarkt, luisterend naar de roddels of het gemopper van de vrouwen voor en achter hem, dacht hij terug aan de rijen die hij met anderen had gevormd in Roemenië. De gedachte alleen al was afdoende om rustig en met enige voldoening zijn beurt af te wachten.

Het knappe meisje achter de kassa glimlachte naar hem toen hij eindelijk de boodschappen op de korte loopband zette. Hij durfde niet in te schatten hoe oud ze was. Haar lippen waren gestift en haar oogleden gekleurd. Ze verborg haar jeugdigheid onder een masker van make-up.

'Nee dank je,' antwoordde hij toen ze vroeg of hij het bonnetje wilde.

'Maar u kunt voor een pannenset sparen,' probeerde ze hem over te halen. Achter haar prijkte een poster met pannen. De hele set was voor Remus als hij genoeg bonnetjes verzamelde, deze inleverde en er wat geld bijlegde.

'Ik heb te veel pannen,' knipoogde Remus, die meteen besloot dat het meisje minder mooi was dan hij aanvankelijk meende. Hij rolde een plastic tasje los en sjouwde de boodschappen door de steegjes terug naar huis. Remus stelde zich voor hoe de zomerzon de knoflooktenen probeerde te laten ontkiemen. Hij struinde langs toeristen en Florentijnen en hield enkel halt bij de Indische bloemist om twee bloemboeketten te kopen. Rode en gele rozen.

Voor het restaurant klapte hij zijn zonnebril weer in. *Mancare*, stond er sierlijk geschreven op het uithangbord. Zijn noodgedwongen trots. Daarboven wapperde de Roemeense vlag, de glorieuze nieuwe vlag zonder communistisch embleem. Elke keer keurde hij het aanzicht goed. Hij glipte door de zware voordeur en opende de gangdeur die toegang verschafte tot het restaurant. Hij aaide de tafels met zijn vingertoppen en verzamelde de vaasjes. De netten met knoflook hing Remus onder de hoge keukenkasten en legde de potten kruiden op een plank boven de keuken. Hij ontdeed de vaasjes van de verwelkte bloemen en trok de boeketten rode en gele rozen uit elkaar om ze weer te vullen. Het kleine overschot aan rozen en het brood nam hij mee naar boven.

'*Pronto*,' zei Remus toen hij bij binnenkomst de telefoon van het geklingel afhielp. 'Met wie spreek ik?' Het draad was lang genoeg om al telefonerend het brood op te bergen en de paar rozen in een vaas te doen. Dario, dacht Remus, natuurlijk was het Dario die belde. Dario was de reden dat hij telkens weer opgelucht was als hij het restaurant 's ochtends onbeschadigd aantrof.

'Ik weet het Dario,' antwoordde Remus in de hoorn, 'maar ik heb het simpelweg nog niet voor je. Het spijt me. Het was de afgelopen tijd te rustig, maar het zomerseizoen is weer begonnen. Geef me nog heel even.' Remus zuchtte. 'Leuk geprobeerd, maar ik betaal je geen rente over de rente.' Dario toeterde Zuid-Italiaanse vloeken in zijn oor. 'Nee, sorry, je hebt gelijk. Ik doe mijn best.' Uiterst beheerst klikte hij de telefoon in zijn standaard. 'Jij ook een fijne dag.'

Dario wilde geld. Hij is niet de enige, dacht Remus, ik zou ook wel wat willen.

Het restje krant wachtte op hem. Remus liet zich in zijn luie stoel vallen. De envelop van de uitgever uit Rome kraakte tussen stoel en kont. Afwijzingen wenden niet, dacht hij, maar de mogelijkheid dat deze uitgever zijn verzen wel wilde publiceren, knaagde aan hem en weerhield hem ervan de krant open te slaan. Publicatie: de bevestiging van zijn schrijverschap. Hongerig naar erkenning scheurde hij de envelop open.

Beste heer Tomescu... Helaas moet ik u mededelen... Treffend. Maar. Niet commercieel. Beeldrijk. Maar. Wellicht. Maar. Onze excuses. Veel succes.

Zijn carrière in de literatuur kende weinig hoogtepunten, op een publicatie in een literair tijdschrift na, waarvoor hij 'vanzelfsprekend niet betaald kon krijgen' – Remus leerde al snel dat de communisten weliswaar alleen cultuur stimuleerden die zij goedkeurden, maar dat de kunst in het kapitalisme werd ingeperkt door lege portemonnees die gevuld moesten worden. En opnieuw een kenmerkende casus, de zoveelste nekslag in zijn luisterrijke loopbaan als versjesschrijver. Hij sloeg zijn vuist blauw op het tafelblad: 'Verdomme, verdomme, ver-domme!'

Morrend verscheurde hij de brief in minuscule, onoplosbare puz-zelstukken en sloeg de krant open. Hij ontleedde het bikinimodel dat een broodrooster van een bekend elektronicabedrijf aanprees op de tweede pagina. Maar zelfs haar imposante boezem kon hem er niet van weerhouden het artikel daarnaast te lezen. Italiaanse tiener bruut verkracht door twee Roemenen. Remus schudde zijn hoofd. Van ont-steltenis kon hij flarden van het artikel niet binnensmonds houden.

De Roemeense beesten zijn gepakt, aldus de burgemeester van Rome en *de politie heeft het kamp waar de twee Roemenen wonen direct plat-gegooid met een bulldozer.* Verhit sprong Remus op uit zijn stoel en voerde de pedaalemmer de krantpagina's. Hij stampte de trap af om enkele voorbereidingen te treffen in de keuken. De verkrachters wa-ren geen Roemenen, dacht hij herhaaldelijk, het waren zigeuners. *En ik ben geen schrijver, ik ben kok.*

2

De geur van boeken omringde Florica. Het rook naar inkt en vergeeld papier, naar eeuwenoude vingerafdrukken en koffievlekken, naar verhalen en kennis. En naar grootvader, dacht ze, en ze stelde zich voor hoe trots hij op haar zou zijn als hij zijn kleindochter aan het studeren zou zien. De klok tikte onverstoord boven de tweede etage boeken, die je alleen per trap kon bereiken. Voeten schuifelden van en naar de verschillende boekenstellingen. Om haar heen werd gekucht en gezucht: het geluid van kennisoverdracht van boek naar brein.

De raampartijen in de nok van de bibliotheek lieten het licht door dat ze gebruikte om een rafelig boek over de dialecten van Zuid-Italië te lezen. Ze zocht een antwoord op de vraag waarom het Roemeens woorden deelde met de zuidelijke dialecten van Italië, terwijl het standaard-Italiaans deze niet erkende, en hoe die woorden duizenden jaren geleden bijna vijftienhonderd kilometer hadden afgelegd. De onderzoeksvraag had haar naar de triomfzuil van keizer Trajanus in Rome en naar Tarente in de hak van Italië gebracht, waar ze haar onderzoek combineerde met een korte vakantie met Remus. Het antwoord was even suggestief en weerlegbaar als verhelderend en boeiend. Tot nog toe.

Haar begeleider verzekerde Florica dat haar scriptie voldoende stof tot discussie zou geven om haar te belonen met een voldoende, een titel en een diploma, maar zelf was ze ontevreden over het resultaat. Daarnaast wilde ze er absoluut zeker van zijn dat er geen enkel foutje in stond, hetgeen lastig was met meerdere talen en dialecten in een scriptie. Dat ze na haar aankomst in Italië allerlei cursussen en een studie Italiaans *cum laude* had afgerond, was niet genoeg geweest. Ze wilde een van de oudste universiteiten van het land betreden om de Romaanse talen te bestuderen. En ze werd aangenomen. De toets die ze vanmorgen had gemaakt, was bijna een belediging. Ze had slechts licht getwijfeld over twee vraagjes, die ze ongetwijfeld correct had beantwoord. Het was haar allerlaatste examen. Het enige wat ze nu nog hoefde in te ruilen voor haar bul, was een haarscherpe conclusie.

'Dit is niks,' verzuchtte ze en klapte het boek krachtig dicht. De jongedame naast haar maakte een sprongetje. '*Scusus*,' fluisterde Florica verontschuldigend tegen haar. Ze knikte en boog zich weer over haar boek.

Ze schoof het boek terug in de kast en gleed daarna met haar ogen langs de ruggen. Een ontzaglijk boekwerk over de linguïstiek van Italië, van een of andere professor met een trits aan namen, greep haar aandacht. Op haar tenen probeerde ze het boek uit de kast te wippen.

'Kan ik u helpen?' vroeg een man, die behulpzaam op haar afschoot. Gladgeschoren, een gilet, een vestzakhorloge, een dure pantalon met een bijbehorend jasje dat nog over zijn stoel hing, de mouwen omgeslagen en elk plukje haar onder controle. Een gouden ring om zijn linker ringvinger. Hij lachte guitig naar haar. Onmiskenbaar een Italiaan. 'We willen niet dat de boeken beschadigd raken, nietwaar?' Hij strekte zich uit naar het boek. De punten van zijn schoenen vouwden dubbel. Een strakke kont, dacht Florica, voor ze beschaamd haar hoofd afwendde. Italianen waren kleine mannetjes, net als de Roemenen, maar veel kleiner dan Florica konden ze niet zijn. De man kon er net bij. Het boek werd strak omsloten door zijn buren. Hij wrikte het boek los en gaf het aan Florica. Per ongeluk raakte hij haar handen.

'Duizendmaal dank,' zei Florica verlegen. Ze merkte hoe de man naar de ring om haar rechterringvinger keek. Vlug sloop ze terug naar haar bank, waar tot haar verbazing een scholier plaats had genomen en haar spullen aan de kant had geschoven. 'Pardon, dat is mijn plek,' zei ze tegen de jongen die haar niet hoorde door de koptelefoon op zijn hoofd. Of hij deed alsof. Ze tikte hem op zijn schouder. 'Ik zat hier,' zei ze nogmaals. 'Mijn pen en papier lagen hier nog.'

De jongen drukte zijn discman op pauze.

'Alsjeblieft,' zei hij. Hij stak de pen in het papierblok en hield het voor Florica's neus. De onvermurwbare nonchalance stond tussen de roze en dieprode, uitpuilende, pukkels in zijn gezicht gekerfd.

Zo'n houding was vroeger ondenkbaar, dacht Florica. We waren altijd netjes, zeker tegen de ouderen. Netjes of bang? Een zeldzame terugblik naar het Roemenië van haar jeugd. Ze had geen zin in onenigheid, dus pakte ze hoofdschuddend haar spullen aan en ging in de hoek van de zaal zitten. De jongedame die naast haar had gezeten, mompelde wat over de onaangepastheid van haar nieuwe buurjongen, maar dat hoorde hij niet, want hij had zijn rockmuziek weer aangezet en de rest van de zaal luisterde verplicht mee.

Ik wil het niet denken, God laat het me niet denken, zei Florica in gedachten tegen zichzelf, maar het was te laat: *lik mijn kut stom joch*, dacht ze, terwijl ze het boek harder dan bedoeld op de leestafel smeet. Het bloed kroop naar haar hersenen. Misschien is mijn onderzoeksvraag te lastig voor een simpele zigeunerin, schoot het door haar hoofd.

De teksten deden haar de omgeving vergeten. Ze schreef een passage over die verwees naar de Dacische Oorlogen tussen de Romeinen en de voorouders van de Roemenen, de Daciërs. De professor beschreef een diaspora van taal en noemde bronnen die deels waren vergaan. Het was in ieder geval een aanvulling op haar onderzoek en een versteviging van de literatuurlijst. Dat was ook belangrijk. De beoordelaars waren dol op bronvermeldingen.

Ze stopte het notitieblok en de pen achter de rits van haar rugtas en schoof haar stoel naar achter. Het boek liet ze op tafel liggen. Even had ze getwijfeld of ze de paladijn in pak om hulp moest vragen om het boek terug te zetten, maar ze voelde hoe hij meer oog had voor haar dan voor de boeken die hij beheerde. Ze had geen zin meer in zijn charmes, dus liep ze schuldbewust onder het marmeren borstbeeld door naar de uitgang en liet het boek achter op de tafel. Ze pakte haar paraplu uit de bak en drukte hem buiten open. Nooit binnen openen, waarschuwde moeder vroeger, want dan zou je geld verliezen of boze geesten aantrekken. Of er verschenen demonen die je geld verdonkeremaanden. De boze geesten vond Florica niet zo erg, maar Remus en zij hadden het niet breed genoeg om geld te verliezen.

De voorbijgangers keken Florica vreemd aan. Schoolkindertjes keken naar de hemel en hielden hun handen op alsof ze niet zeker wisten dat het niet regende. Florica knikte en glimlachte naar de verbaasde passanten. Inmiddels was ze gewend geraakt aan de mensen die haar groet hooghartig negeerden.

'Ik heb nog zo gezegd niet naar Florence te gaan,' zei de eerste Italiaanse vriend die ze hadden gemaakt tegen Remus, toen hij zijn beklag deed over de toegenomen arrogantie in zijn nieuwe stad. Dario. Hij had hen wegwijs gemaakt in hun nieuwe thuisland. Een vriendelijke geste. Dario had hen indertijd elke stad aangeraden, behalve de stad van de renaissance waar Remus naar smachtte. 'Florence is de arrogantie zelve. Natuurlijk ziet het er prachtig uit met al die witte gebouwen, maar dat weet de stad zelf net zo goed als wij en daarom is ze spuuglelijk. Evenals die vieze hoerenzonen van een Florentijnen. Ze wanen zich allemaal een Medici of die dichter – je kent hem wel.'

'Machiavelli of Dante Alighieri?' vroeg Remus.

'Het zal,' antwoordde Dario. 'Hufters zijn het. Stuk voor stuk. Ze kunnen niets en worden daar nog rijk van ook.' Bij elk woord wapperde hij vol afgrijzen met zijn handen. 'Moet ik een nieuw onderkomen voor jullie zoeken?'

'Alsjeblieft niet,' zei Florica, omdat ze haar opleiding in de stad had en vriendinnen maakte. Ze weigerde ooit nog te verhuizen. Ze was geen zigeunerin die van hot naar her reisde. Ze was nota bene net zo blank als een Italiaanse.

Gelukkig wilde Remus ook blijven. Dat hij werd genegeerd door twee nonnen toen hij de weg probeerde te vragen naar een voor hem onbekende boekantiquair, was geen reden om te verhuizen. Bovendien hadden ze toen net de zaak geopend.

Ze waren gebleven en daar was Florica nog iedere dag blij om. Een oude man tikte zijn grijze hoed omhoog en kraakte een '*salve signora*'. Het levende – nog wel – bewijs dat er ook vriendelijke Florentijnen waren. Niet dat ze bewijs nodig had. Ze wilde niet discrimineren. Nooit. Haar vriendinnen kwamen allemaal uit Florence, op de Siciliaanse Maria Rosalia na, die haar regio was ontvlucht en in het noorden van Italië hoopte op een maffiavrij leven. Florica kon behoorlijk met haar lachen. Conform de Westerse vrouwenmode, liepen ze altijd hand in hand met een lichte huppel in hun tred. Ze betrapte zichzelf erop dat ze het liefst naast haar liep, omdat haar eigen huid lichter leek met Maria Rosalia naast haar.

De glimlach die ze de oude man had geschonken, bleef op haar gezicht hangen. Het leek alsof het geluk probeerde te compenseren wat Florica in haar jeugd te kort was gekomen. Ze viste muntjes uit het voorzakje van haar tas en wierp het naar een beschonken blinde zwerver die voor de Ponte Vecchio om geld bedelde. Hij kon het niet nalaten om Florica na te fluiten toen ze de brug beklom die zich sinds mensenheugenis over het kalme water van de Arno boog. Haar zwarte hakken klakten op de stenen die de brug bedekten. Ze keek naar de negers die haar tassen, petjes of sierraden probeerden aan te smeren. Ze bedankte hen vriendelijk. Recht in hun vergeelde ogen en met een hartelijk knikje, in plaats van de minieme glimlach of schofferingen die ze gewend waren te ontvangen.

In het midden van de brug werd ze tegengehouden door een forse blonde vent. Hij vroeg haar in het Engels om een foto te schieten van zijn gemêleerde familie met een stukje brug op de voorgrond en de voort-kabbelende Arno achter hun lachende hoofdjes. Ze herkende de klanken die ze tegen elkaar gebruikten. Godverdomme, dacht ze vermaakt, nog meer Nederlanders in de stad. De Florentijnen zijn straks de grootste minderheid van Florence. De toeristen uit Nederland en Duitsland be-gonnen steeds meer de dienst uit te maken. Ze bedankten haar in het

Italiaans – 'kraatsie' – en Florica wuifde een geen dank. Ze gaf het foto-toestel terug en deed er een visitekaartje van Remus' zaak bij.

'Een aanrader,' zei ze. '*I can recommend this restaurant.*'

'*Mancare,*' las de bonkige man voor en hij stak het schouderopha-lend in zijn borstzak. '*We will come* langs,' antwoordde hij. 'Kraatsie!'

Florica stapte de Ponte Vecchio af en haalde een hoorn met twee bolletjes ijs. Pistache en anijs. Die laatste bol deed haar een beetje den-ken aan de smaak van dennen. Ze was er gek op. Ze had de ijsmeester eens voorgesteld om dennenijs te maken, maar hij had erom gebul-derd alsof ze een grapje maakte. Remus was jaloers op haar vermo-gen om te eten wat ze wilde. In de jaren na hun vertrek uit Roemenië verdween zijn strakke torso door het eten van Franse frieten met mici, pizza's, pasta's, worstjes, kip, koe, varken en lamsvlees met tijm zo-als grootmoeder die vroeger voorschotelde op kerstavond – gemaakt door Florica wanneer er genoeg geld voorhanden was.

'Je moet eten wanneer er eten is,' zo was Remus geleerd door zijn grootmoeder en dat had hij ook gedaan. Totdat de dokter hem had toe-vertrouwd dat hij zichzelf dood zou eten. Sindsdien bevocht hij zijn gewicht. Het diëten viel hem zwaar, maar hij ging de goede kant op.

Haar handen kleefden toen ze over de brug terugliep. De Afrikaan-se verkopers waren verdwenen. Politie paradeerde langs de juweliers. Ze grapten wat, ze lachten wat. De stad was van hen. Ze keken haar bevreemd aan, de vrouw met de paraplu, maar Florica giechelde olijk vanonder haar paraplu en hun bedenkingen smolten als het boven-ste bolletje anijsijs over Florica's vingers. Italiaanse mannen laten zich makkelijk overtuigen, grinnikte Florica, zeker als ze een officiële func-tie bekleden als beschermer van het Italiaanse land en volk.

Ze dacht terug aan de eerste Italiaan die ze in haar leven had gezien: de douanier die haar toekomst in veiligheid had gebracht door haar en Remus vanaf de trein te begeleiden naar het leven dat ze nu zo liefhad. Zelfs met de smaak van anijs en pistache in haar mond, proefde ze het zoute geluk dat destijds haar mond in rolde. Tranen van geluk. De dou-anier bracht hen naar een grijs gebouw gelijk aan de communisten-flats, maar het voelde kleurrijk. *Bella Italia.* Daar moesten ze anderhalf jaar wachten op hun staatsburgerschap. Ze kregen een klein kamertje toegewezen, omdat Florica weigerde een grote ruimte te delen met een groep Rroma. Ze werd een Italiaanse en zo wilde ze behandeld worden. De wanden waren dun en de stemmen van de Rroma waren sterk. Ze zongen en trommelden. Florica's voeten stampten mee op de muziek, totdat Remus haar wees op haar automatisme. Ze bivakkeer-den tussen Arabieren en vooral veel Bulgaren, Albanezen, Hongaren,

Joegoslaven (als je geen mot wilde: Slovenen, Kroaten, Serviërs, Bosniakken, Montenegrijnen, Macedoniërs en Herzegovijnen) en enkele Roemenen. En toch voelde Florica zich direct een Italiaanse.

'Sono Italiana,' zei ze tegen iedereen die het wilde horen. Ik ben een Italiaanse. Tot groot plezier van Remus. Toen nog wel.

Het eerste wat ze deden toen ze in hun nauwe, grauwe, vrijmoedige kamer met zigeunermuzak betraden, was het bijeenzoeken van twee vellen papier en een pen. Florica kreeg weinig tijd om te genieten van hun verworven vrijheid. Er moest direct iets gebeuren, maakte Remus haar duidelijk. Hij klemde de pen vastbesloten tussen duim en wijsvinger en schreef zonder te haperen de verklaring die hij daarna oplas, zodat zij eenzelfde tekst op papier zou zetten: 'Ik ben, samen met mijn geliefde, Florica Cioba, Roemenië ontvlucht. Het is mijn wens om in Italië te blijven of, als dat niet tot de mogelijkheden behoort, in ieder geval niet terug te keren naar het land van mijn voorouders of enig ander communistisch dan wel socialistisch land. Ik schrijf dit met een verlicht hart en een heldere geest. Dit is mijn verklaring, wat ik hierna ook – mogelijkerwijs – zou uitspreken in ondervragingen tegenover de Italiaanse staat of Roemeense diplomaten.' Zijn handtekening klonk stellig, in korte en langgerekte tonen. De pen als instrument.

'Is dat nodig?' vroeg Florica.

Remus had niet eens geantwoord. Hij gooide de pen naar haar en wachtte haar verklaring af. Ze schreef de tekst die hij had opgelezen in haar eigen woorden op en viel daarna opgelucht en uitgeput in zijn armen.

'Draag je verklaring altijd bij je,' fluisterde hij door haar gesnik heen, 'voor als je gepakt wordt door spionnen.'

Hij had zijn verklaring tot 1993 gedragen, wist ze, tot vier jaar na de val van het communisme. En zelfs nu vermoedde ze dat hij de verklaring had opgevouwen tot een minuscuul flapje en achter een rits in zijn portemonnee verstopte. 'De communisten hebben al te veel Tomescu's afgemaakt,' had hij eens gezegd toen ze ernaar vroeg.

In de nabijheid van de Ponte Vecchio gooide Florica de zacht geworden ijshoorn in een prullenbak en liet het plakkerige ijs van haar handen spuwen door het water dat uit een leeuwenkop stortte. Het standbeeld van Mercurius wendde zijn blik af, waardoor ze ongegeneerd naar het geboetseerde piemeltje kon kijken, een rimpelige larve, terwijl ze haar handen aan haar rok afdroogde. Ze giechelde. De geslachtsdelen van de standbeelden in de stad stemden haar altijd vrolijk, alsof ze een kind was dat lachte om vieze woordjes. *Maar eerlijk is eerlijk*, dacht ze, *tegenwoordig word ik overal blij van. Ik ben gelukkig.*

Ze versnelde haar pas. Ze had beloofd Remus te helpen met het voorbereiden van het diner, zodat ze rond een uur of twee konden gaan lunchen met Maria Rosalia en haar man Giotto.

De lunch, *il pranzo*. Het woord verschilde weinig van zijn Roemeense equivalent, *prânz*, en tegelijkertijd verschafte de verwantschap het bewijs dat de superieure klanken van het Italiaans in alles mooier waren dan het Roemeens. Ze dacht er vaak over na, vanuit haar wetenschappelijke expertise, en sprak er graag over met Remus, die haar genoegen leek te delen, maar het nooit met haar eens was. Het leverde speelse woordenwedlopen op. Als poëet beschouwde hij het Roemeens als verfijnder. En in het vooroorlogse Roemenië hadden poëten altijd gelijk.

Ze stak de sleutel in het slot en duwde de massieve deur open. Roemeense volksmuziek schalde onder de deur door naar buiten. Hij was al begonnen. Ze rende vlug de trap op en gooide haar rugzak op de sofa. Op de eettafel stond een vaas rode en gele rozen. Met een grijns drukte ze haar neus in het hart van een roos. Bevangen door de geur daalde ze weer de trap af om haar Remus te helpen. Hoe eerder ze klaar waren, hoe beter.

'Dus toen zette ik het op een rennen,' proestte Giotto tussen het astmatisch lachen door. Zijn eigen anekdote benam hem de adem. Florica probeerde de bekende gedachte in Remus' blik te lezen – 'zelfingenomen zak' –, maar Remus leek amper te luisteren naar Giotto. Als iedereen lachte, glimlachte hij oenig mee, en als hem iets gevraagd werd, mompelde hij enkele woorden waar de rest dankbaar een verhaal omheen bouwde. Niemand die het door had, behalve Florica, die zich afvroeg waar haar man met zijn hoofd zat. Vast bij zijn roman, dacht ze, of bij zijn ingezonden verzen. Ze besloot zijn getob te negeren en te genieten van de lunch en het samenzijn met haar beste vriendin in de warmte onder de parasol. Ze hield van middagen als deze.

'Wat kon ik anders, Remus?' vroeg Giotto, met diezelfde vettige grijns op zijn gezicht. Hij had een gestileerd sikje laten staan, zag Florica. Ze nam zich voor Maria Rosalia later te vragen wat ze daarvan vond.

Remus haalde zijn schouders op en zei de regel die een Roemeen altijd ergens in weet te passen: 'Zo is het leven, Giotto'.

De serveerster pakte de schaal van tafel waar slechts enkele kruimels en een vlek tomatensaus nog wezen op de basale pizza die ze even daarvoor met zijn vieren hadden opgegeten als voorgerecht. Een andere serveerster bracht behendig vier nieuwe borden: Florentijnse biefstuk – 'een trotse Toscaan moet daar wel voor kiezen' – voor Giotto, gebraden kalkoen voor Maria Rosalia, een niet te herlijden homp vlees met een schaaltje vol goudgele polenta voor Remus en een kabeljauw in een delicate tomatensaus voor Florica. Giotto bestelde voor iedereen wijn. Toen de vrouw met zijn order naar de bar liep, wees hij theatraal naar zijn biefstuk.

'Ik wil niet vervelend zijn, maar wij Italianen zijn alles. Kunst, architectuur, voedsel. Alles.' Hij verwachtte geen antwoord en begon.

Maria Rosalia tikte Florica's hand aan: 'Heb je al gehoord wat het zusje van Belloza heeft uitgespookt?'

'Nee?' Florica sneed de zachte vis, bracht een stuk naar haar mond en proefde de zachte zaligheid van een goed hoofdgerecht.

'Niet?' Haar vriendin legde haar mes en vork neer en drukte haar handen in haar donkere krullen. 'Ze heeft een priester verleid.'

'Dat mag toch helemaal niet bij jullie?' merkte Remus op met een zelfingenomen grijns die Giotto niet zou misstaan.

'Natuurlijk niet!'

'Als ze maar niet zwanger is,' zei Florica. 'Dan zou de duivel in haar baarmoeder groeien.'

De beide vrouwen sloegen een kruisje. Florica met haar duim tegen haar wijs- en middelvinger en van haar hoofd naar haar borst, rechteren tot slot linkerschouder; Maria Rosalia legde met haar hele hand eenzelfde route af, maar tikte haar schouders in omgekeerde richting aan. Ondanks de verschillen betekenden de handelingen hetzelfde: God sta Belloza's zusje bij. Florica maakte opnieuw het kruisteken, maar nu op de katholieke manier, die ze in haar onderbewustzijn probeerde te implanteren. Opgelucht zag ze dat Remus alleen oog had voor het stuk vlees op zijn bord.

'Hoe zijn haar ouders eronder?'

'Woedend natuurlijk,' zei Giotto. Hij tikte op zijn voorhoofd. Remus kauwde onverstoord verder en spoelde het vlees met wijn weg.

'Inderdaad,' beaamde Maria Rosalia. 'Zo'n arme man heeft het al zwaar genoeg met zijn celibaat, zonder dat Belloza's zusje opzichtig om hem heen cirkelt en met haar borsten schudt wanneer ze tijd over heeft.'

'Wie heeft er nu een achterwaartse cultuur?' zei Remus in het Roemeens tegen Florica. Hij schudde zijn hoofd.

De rest wachtte op een vertaling van Florica.

Toen die uitbleef zei Maria Rosalia tegen Florica: 'We moeten binnenkort echt weer eens winkelen. Er is een nieuw zaak geopend aan de rand van het centrum...'

'Wat vinden jullie eigenlijk van die Roemenen die dat meisje hebben verkracht nabij Rome?' vroeg Giotto, duidelijk niet geïnteresseerd
in nieuwe vrouwenkledingwinkels.

'Mevrouw, de rekening alstublieft,' zei Remus met geknepen stem
en dronk in een teug zijn wijnglas leeg.

3

Het papier staarde met eenzelfde lege blik terug naar Remus. Het leek hem uit te dagen, te tarten, uit te lachen zelfs. Onverstandig, dacht hij, want met hetzelfde gemak gooide hij het papier onbeschreven bij zijn verscheurde of samengebalde collega's in de prullenmand. Hij had een tweedehands typemachine gekocht, omdat Florica daarop had aangedrongen zodra ze het geld ervoor hadden gespaard. Remus was echter bang geweest voor het apparaat. Wat als het niet zou lukken op een typemachine? Hij mocht er eigenlijk geen hebben. Diep van binnen zag Remus de verhoorchef voor zich als hij achter zijn bureau ging zitten. Die woede en angst probeerde hij om te zetten in een gedicht of vers, maar tevergeefs. En wat maakte het uit? Of hij nu in het Roemeens of het Italiaans schreef, uitgeverijen in Italië noch in Roemenië wilden hem publiceren. Liever vergat hij alles. Officieus verliet hij de poëzie, omdat de poëzie hem verlaten had.

Hij dacht erover om een roman te schrijven. Eentje maar, alsof hij de prins van Lampedusa zelf was – al hoopte hij niet op een postume uitgave. Puur om iedereen te bewijzen dat hij kon schrijven: Florica, de Roemenen, de uitgevers die geen geld zagen in zijn oude gedichten, de verdomde beoordelaars van de oud-communistische *Uniunea Scriitorilor din România* en natuurlijk Emil. Zijn beste vriend had zich niet opgeofferd en tot de val van het communisme in gevangenschap geleefd om hem te laten zwoegen in een restaurantje. Maar waar moest hij over schrijven?

De zolderkamer was krap en muf. Het duister kwam binnen via het dakraam. Hier zat hij vaak, zo niet elke nacht. Zodra hij de laatste, dikwijls aangeschoten, gasten had uitgeleid en Mancare had afgesloten, beklom hij eerst vastbesloten de trap naar de woning, daarna de vlieringtrap naar zolder en daar draaide hij het lege papier in de typemachine. Een verdieping lager bladerde Florica door boeken die ze leende van de universiteit of de bibliotheek, nam stof en theorieën tot zich of schreef aan haar scriptie. Ze probeerde woorden op te zuigen, terwijl hij ze op zolder op papier probeerde te zetten. De eerste keren dat hij de vliering betrad, voelde hij zich schuldig dat hij niet bij haar ging zitten, tijd met haar doorbracht, maar Florica zei hem te doen waar hij zich goed bij voelde.

'We leven in een vrij land, nietwaar schat? Bovendien kunnen we ons zo allebei beter concentreren op ons werk.' Hij wist dat zij hoopte dat hij net zo zou slagen in Italië als zij. Ze zei het niet, maar bad erom. En daarom hield hij zo van haar.

Ja, zij hoort hier, dacht hij. *Hier wordt ze iemand.* Hij voelde, zag, hoorde hoe zijn vrouw steeds slimmer werd. En hij niet. Het kwam hem zelfs voor dat Florica gulzig van zijn verstand dronk, als een parasiet. Ze werd wijzer ten koste van hem. Hoe meer zij leerde, hoe verder zij kwam in haar studie en, straks, in haar carrière, hoe meer hij vastgeketend werd aan het restaurant. De keuken was zijn toekomst. Met niets in zijn gedachten worstjes draaien op de grill. Koken, uitserveren, geld bijeen schrapen van schoteltjes en sterven. De literatuur werd voor hem afgesloten, terwijl zijn vrouw alle kanten op kon. Een parasitaire liefde. Wetenschappelijk gezien klopte het van geen kant, maar toch was het zo.

Deze gedachte vergiftigde de lust tot schrijven. Als hij moest kiezen tussen Florica en de literatuur, dan koos hij zonder meer voor zijn vrouw. Eerder die avond beklom hij lusteloos de trap naar hun leefetage en drukte de televisie net zo rap aan als uit. Tussen de reclames door zag hij praatprogramma's waar het praten boven het zeggen stond, een pot voetbal, jonge vrouwen wiens zichtbare schoonheid het gebrek aan intelligentie moest redden, een andere voetbalwedstrijd en politieke propaganda waar hij immuun voor was, in tegenstelling tot zijn Italiaanse buren die uren per dag als een spons voor de tv zaten en zich een stemadvies lieten aanmeten. De oubollige Italiaanse misdaadserie die zelfs in Roemenië even op de buis was, zij het zwaar gecensureerd, deed Remus denken aan Emil en hoe ze met zijn tweeën voor de televisie zaten en de abrupte en soms onzinnige overgangen zelf invulden. Het ene moment ging een personage op onderzoek uit in een kroeg, het volgende lag hij bewusteloos op een verwilderde locatie. De enige conclusie: hij had zich laveloos gezopen. Nu werd het verloop voor hem ingevuld. Zoals met werkelijk alles hier. Hij verzette zich tegen de aandrang om de televisie dwars door het raam te gooien.

Uiteindelijk had hij toch maar de trap naar zolder uitgeklapt voor, zoals hij tegen zichzelf zei, de laatste stuiptrekkingen van zijn literaire ambitie. Een roman.

De vliering bood hem echter geen soelaas. De typemachine stond onbemand aan het bureau. Hij hing met zijn bovenlichaam uit het dakraam en overzag Florence. In de verte vlogen kleurrijke lichtgevende speeltjes door de lucht die Aziatische straatverkopers aan de kind probeerden te brengen. Met zijn middelvinger tikte Remus tegen de onderkant van een pakje Marlboro. Er sprong een sigaret uit het pakje. Het was een slechte gewoonte die hij had overgehouden aan het diëten, zo hield hij zichzelf voor. Volgens Florica was het simpelweg een buitengewoon slechte en zielige manier van integreren in Italië, want hij was begonnen met roken toen ze nog maar net in het land woonden. Zij was juist gestopt. Pas later zou de welvaart aan zijn lichaam beginnen te plakken. Natuurlijk kon hij haar argumenten niet weerleggen.

'Ik ben het gewend om sigaretten te kopen,' zei hij tegen haar, 'maar nu geen kapper of kiosk mijn sigaretten accepteert, rook ik ze zelf maar op.'

Hij rookte expres niet veel. Alleen 's avonds, als het schrijven niet wilde vlotten of juist heel goed. Of als hij piekerde. Hij koesterde de aangename lichtheid in zijn hoofd die de eerste sigaret van de dag hem bracht.

'Verdomde Giotto en Maria Rosalia,' mompelde hij. De woorden werden vergezeld door rook. Hij verfoeide die twee. Ze zeiden het nooit, maar Remus wist wat ze dachten: we gaan eten met die Oostblokkers, met die bavianen uit het oosten van Europa, barbaren die er niet toedoen. Vooral Giotto, dacht Remus, die heeft de meest vreselijke, discriminerende ideeën over Roemenië. Het is niet zozeer een strook Europa, als wel de toegang tot Azië. Zoiets. Ze kijken naar me alsof ik een aap ben, dacht Remus, een aap die toevallig heeft geleerd hoe hij met bestek moet eten. Ik ben goddomme geen Turk.

Hij schoot de smeulende sigarettenfilter met zijn middelvinger de stad in. Remus zag airco-installaties druppen op de daken tegenover hem. Eens in de zoveel tijd kregen ze een foldertje onder de deur van mannetjes die verkoeling wilden installeren tegen een zacht prijsje; de een nog goedkoper dan de ander en stuk voor stuk te duur. Remus had berekend dat hij het beter zelf kon uitzoeken en ophangen – als Florica en hij daar behoefte aan hadden. Maar de warmte was het ergste niet. De eerste zweterige nachten in Florence koesterde Remus. Dan zag hij meer baat in de ontsiering van zijn dak met een satellietschotel, zodat hij iedere dag Roemenië in zijn huiskamer kon nodigen. Dat is wat hij nodig had, dacht hij. Waarom had hij dat niet eerder bedacht?

Hij sloot gedecideerd het dakraam. Florica keek verrast op toen Remus voor haar neus stond. Ze schoof haar aantekeningen terzijde en wachtte tot haar man het woord nam.

'Lieverd,' begon hij, 'zin in een hapje eten?'

'Ik lust wel wat. Ik krijg trek van die oude Romeinen en Roemenen,' glimlachte ze.

Hij opende de deur die via de trappengang naar de buitenlucht leidde. Hij liet haar voorgaan, haalde haar in op de trap en hield ook de buitendeur voor haar open.

'Zullen we iets ophalen, shoarma of iets, of wil je naar een restaurant?' Remus had zijn voorkeur klaar en hij wist dat het Florica niet uit zou maken.

'Ik laat me verrassen,' antwoordde ze.

Ze volgden de lantaarns naar het plein van Gaetano Salvemini en gingen een Turks restaurant binnen, dat zo mogelijk nog minder ruimte tot zijn beschikking had dan Remus in Mancare. Remus bestelde twee wraps met kalfsvlees, sla, tomaten, pepertjes en een mespuntje sambal en extra veel knoflooksaus. Terwijl de Turk met zijn harige handen de wraps vulde, moedigde Remus' maag hem aan. Hij omringde zich de hele avond in de keuken met eten, maar hij had nog niets gegeten.

De Turk legde de eerste wrap op de toonbank. Remus gaf hem aan Florica.

'Weet je iets af van televisieschotels?' vroeg Remus aan de man, terwijl de Turk een spies vlees aanviel met een tondeuse. 'Kan ik hier Roemeense zenders ontvangen?'

'Weet ik het,' lachte de Turk met de lappen vlees over zijn vingers. 'Zie ik eruit als een Roemeen?'

'Meer als een Turk,' antwoordde Remus, 'en daarom dacht ik dat je het misschien wel wist'.

De Turk schreeuwde wat over zijn schouder. Een andere Turk met sluik haar voor zijn amandelogen kwam aansjokken vanachter een gordijn. De twee overlegden wat. Florica keek Remus vragend aan, alsof hij het Turks machtig was. Het enige Turkse woordje dat hij kende, was '*ceai*' voor thee, dat de Ottomaanse overheersers hadden achtergelaten in het Roemeense vocabulaire. Maar de twee mannen hadden het niet over thee.

'Mijn neef heeft een handeltje in elektronica. Hij zal contact met je opnemen,' zei de ander. 'Hoe kan hij je bereiken?'

Remus vouwde een visitekaartje tussen het geld voor de wraps en bedankte hen voor hun hulp. Grootmoeder geloofde dat de doden de levenden konden zien. Mocht dat waar zijn, dan hoopte Remus dat ze er geen probleem van maakte dat hij contact had met de Turken. Pas na haar overlijden begreep hij haar haat jegens hen. Uit de documenten die hij vond in haar appartement toen hij voor de eerste maal terug in Roemenië was na hun vlucht, bleek dat haar grootvader was omgebracht door een Turkse soldaat tijdens de Roemeense Onafhankelijkheidsoorlog. Remus' voorouders hadden geld, maar geen geluk.

Grootmoeder was – zoals velen in haar tijd – grootgebracht met een gezonde haat jegens de overheersers van weleer. Zij was de eerste Ciupe en (aangetrouwde) Tomescu in vele generaties die zowel in vrijheid als van ouderdom was gestorven.

Daar zou Remus voor tekenen. Het grijze haar van Florica dat over zijn gestorven gezicht hing, haar tranen beregenden zijn rimpels en haar lippen die zijn ogen dicht kusten.

Doctor Arcos had hem destijds opgebeld met het nieuws. Zijn stem was kalm. Waar Remus een gesprek over moderne architectuur verwachtte of de bepleistering van kogelgaten in een hogeschool van Boekarest, kondigde doctor Arcos de dood van grootmoeder aan. Om vervolgens uit te vallen in een hysterische smeekbede waarin hij Remus smeekte om te komen helpen. Er moesten priesters geregeld worden en er waren dozen vol spullen die hij, als erfgenaam, moest uitzoeken.

Natuurlijk was hij gegaan. Terwijl hij voor het eerst kennismaakte met het vrije Roemenië, nam hij afscheid van de vrouw die hem had grootgebracht. Het was de enige keer dat hij haar bloemen mocht geven. Hij groef in zijn geheugen naar de laatste woorden die ze tegen hem had gesproken, maar hij hoorde ze niet terug. Zoals dat gaat met laatste woorden, sleutelde hij net zolang aan zijn herinneringen tot hij zich een telefoongesprek voor de geest kon halen.

'Je bent getrouwd, gelukkig en je hebt werk. Je bent een man geworden. Ik heb mijn taak volbracht.'

Bij haar graf van onbegroeide donkere aarde had hij haar verzekerd dat ze inderdaad was geslaagd. Met verve. En hij had haar beloofd dat hij minder zou mopperen en het geluk zou omarmen. Die belofte hield alleen niet lang stand, waarschijnlijk omdat ze hem er niet aan kon herinneren.

Bij terugkomst stortte hij zich uitgeput in Florica's armen op het vliegveld van Pisa. Haar handen aaiden zijn rug. Ze durfde niet naar Braşov, bang om haar familie onder ogen te komen. Remus begreep haar. Ooit wenste hij dat ze zijn grootmoeder eens zou ontmoeten, en de begrafenis was Florica's laatste kans geweest, maar wat hij aantrof bij de priesters was een omhulsel van huid en haren waar ooit een prachtig mens in had gewoond. Grootmoeder was er niet meer. Het was te laat voor een eerste ontmoeting.

'Ik heb vier dingen meegenomen,' fluisterde hij tegen haar. Voorzichtig wurmde hij zich los en legde de twee tassen op de grond. Een met zijn kleren, een ander met spullen van zijn grootmoeder. Van hem. 'Het appartement houd ik voorlopig aan voor doctor Arcos. Het zijne heeft hij immers verkocht toen hij bij grootmoeder introk.' Florica knikte, dat leek haar ook het beste. Uit de tas haalde hij twee portretten. De vrouw had Remus' ogen, de man Remus' kaaklijn. In een plastic zakje zat een gouden icoon met een beeltenis van de Maagd. 'Tot slot,' kondigde Remus aan, 'een papiertje.' Hij drukte het in Florica's handen.

Ze las het. Eerst vluchtig, daarna geconcentreerd en toen las ze het hoofdschuddend voor. 'Waarom heeft ze hier geen aanspraak op gemaakt?' vroeg ze vol ongeloof. 'Ze had haar krappe appartement kunnen verlaten met doctor Arcos.'

'Bang voor het verleden, ik weet het niet. Maar het is nu van ons.'

'Een landgoed,' stamelde Florica.

'Wat er van over is,' vulde Remus aan. Hij had verhalen gehoord over communisten die feesten vierden in ontnomen huizen van Bojaren en andere aristocraten. Maar ze hadden het landgoed geërfd waar grootmoeder haar salami's had verslonden.

Papieren of niet: de staat gaf het landgoed niet graag terug aan de erfgename van de Tomescu's, zo bleek toen Remus er aanspraak op wilde maken via doctor Arcos. Er waren plannen voor een hotel, omdat het een prachtige locatie in de bergen was. Het was de start van juridisch getouwtrek. Zonder uitkomst. Doctor Arcos behartigde de belangen van Remus en Florica, blij dat hij de schaduw van de dood kon afleiden.

Ook ontving Remus het geld dat grootmoeder in haar leven had gespaard. Van het kleine geldbedrag dat grootmoeder had gespaard, aangevuld met een lening bij Dario, kochten ze het pand in de binnenstad van Florence. De dood van grootmoeder betekende een beter leven. En daar voelde Remus zich destijds schuldig over in de armen van Florica.

'Dit is het kapitalisme,' verzuchtte hij.

Dat er een landhuis op hem wachtte in Roemenië, deed zijn gemoed geen goed. Hij kreeg steeds meer twijfels over de aanwas van zonnebrillen op de geheven Italiaanse neuzen en sindsdien groeide zijn irritatie en onbegrip. Florica kreeg hem vaak, maar niet altijd, uit die momenten van zwarte stilte. Remus voelde zijn Roemeense wortels aan hem trekken. Maar hij verzette zich, aangemoedigd door Florica. Soms voelde hij een wortel scheuren. Nog even en ze zouden allemaal knappen. Maar daar wilde hij niet aan denken.

Hij sloeg zijn arm om Florica heen en drukte haar heup tegen de zijne. De knoflooksaus liep langs haar lippen. Hij kuste het weg. *Misschien heb ik geen thuis meer,* dacht hij, *en is zij mijn thuis.* Daar zat een vers in.

Zijn vingers bespeelden de zij van zijn vrouw als een accordeon. Ze giechelde en probeerde zijn hand weg te duwen met haar elleboog. Hij leidde haar naar een stenen bankje voor de roomwitte basiliek Santa Croce. De heiligen die tegen het gebouw plakten, keken toe hoe Remus in hoog tempo de shoarmawrap verslond. Zelfs het aluminiumfolie was niet veilig voor zijn tanden. Remus had de imposante kathedraal van Florence lief, maar hij verkoos dit plein met de frivole basiliek als mooiste plek van de stad. Ze trok voorzichtig het kalfsvlees uit haar wrap. Remus kreeg er trek van. Zijn maag hoopte hoorbaar dat haar maag snel vol zou zitten en dat hij zich zou moeten 'opofferen.' Weggooien was immers zonde.

Toeristen slenterden over het plein. Alle bankjes waren bezet. Voor het merendeel door Italiaanse jeugd, die luid lachend de dag doorsprak met een fles wijn en hoorntjes vol schepijs. Aan de andere kant van het plein was de politie bezig met het verwijderen van een blinde dakloze. Chinezen schoten kleurrijke ufo's af in de donkere lucht en vingen deze later weer behendig op met een stokje. Gekleurde lichten zweefden door Florence. Buitenlandse kinderen hingen aan de mouw van hun ouders om zo'n ding te bemachtigen. Dikwijls kregen ze er een, want het was immers vakantie. Terwijl Florica het restje van haar wrap aan Remus gaf, spatte een kleurenufo voor hun voeten uiteen. Het kind was niet zo kundig in het vangen als de verkoper. Met een huilend kind aan zijn arm kocht papa een nieuwe ufo van de Chinees. Het kind lachte weer, net als de Chinees.

Florica haakte haar arm in die van Remus. Hij voelde hoe ze toekeek hoe hij het laatste beetje wrap naar binnen werkte.

'Dit moeten we vaker doen,' zei ze tegen hem. 'Een beetje door de stad lopen, eten ophalen en het ergens buiten op een bankje opeten.'

'Als de zon niet door het raam komt, komt de dokter door de deur,' zei Remus dromerig. 'Het betekent dat het gezond is om buiten te zijn. Mijn grootmoeder zei dat tenminste tegen me toen ik als kind liever binnen zat om te lezen.' Hij kocht een roos van een scharrelende Indiër en gaf die aan haar.

Plotseling sprong ze in zijn armen. Ze sloeg haar benen om zijn onderrug en drukte haar lippen in zijn hals. Hij voelde de roos aan zijn oor kriebelen.

'Ik wil dat je gelukkig bent,' fluisterde ze. Ze zette haar tanden in zijn oorlel. Ze zoog de lel naar binnen en cirkelde met haar tong eromheen. 'Jij maakt mij gelukkig. Laat mij jou ook gelukkig maken.'

'Ik weet wel een manier,' opperde Remus. Hij schoof zijn handen in de kontzakken van haar spijkerbroek en sjouwde haar van het plein. Florica daalde steeds een beetje, totdat ze om zijn knieën hing. Ze wurmde zich los en zette haar zwarte hakken op de pasingelegde klinkers. Klinkend als castagnetten ging ze hem voor. Ze ontblootte haar schouders. Het vestje gooide ze achteloos naar achter. Remus ving het verlekkerd op. De straat slingerde naar huis. In de verte kon Remus de Roemeense vlag boven zijn restaurant al zien hangen. Windstil. Hij zag het blauwzwarte haar dat op Florica's schouders danste, voor het moedervlekje op haar schouder dat hij graag kuste. Tot zijn verbazing wrikte ze haar duimen onder de bandjes van haar hemd en trok hem boven haar hoofd uit. Ze zwaaide haar hemd als een lasso naar hem toe. De rode nagel van haar wijsvinger smeekte hem dichterbij te komen. De straat was uitgestorven. Remus snelde naar haar toe. Hun tongen bevochten elkaar voor de voordeur.

'Maak open,' hijgde ze. Remus wist hoe laat het was als ze in steekwoorden sprak. Haar nuffigheid als een non was lang verleden tijd. 'Vlug.' Haar handen gleden via haar borsten naar haar rug om te eindigen bij de sluiting die haar bh op zijn plek hield. Remus sidderde. Hij graaide in zijn broekzak naar zijn sleutels. Met onvaste hand probeerde hij de sleutel in het slot te steken. In zijn ooghoeken zag hij de bh over haar armen glijden. Haar tepels reikten naar hem. Hij duwde de deur open, greep Florica bij haar middel en zette haar op een traptrede. Hij kuste haar waar hij maar kon. Met zijn hak drukte hij Florence achter zich dicht. Hij knoopte haar broek los, terwijl zij zich op zijn gulp stortte. Florica was handiger dan hij. Nog voordat hij de knopen van haar broek had ontmanteld, gooide zij zijn shirt over de trapleuning. Treetje voor treetje klommen ze naar boven; zij op haar achterste, hij op zijn knieën erachteraan. Midden op de trap omsloot zijn hand haar nek. Hij tilde haar hoofd naar het zijne. Haar prachtige ogen keken hem liefdevol aan. Hij kuste haar lippen. Remus nam afstand om haar glorie te bekijken. Hij rilde.

'Ik ga je gelukkig maken,' zei Florica. Haar lange wimpers gleden voor haar bruine ogen. Kreukeltjes kerfden zich in de plooien naast haar oogleden. Ze gooide haar hoofd naar achteren. Remus was thuis.

4

Regen geselde het dak. De slaap had Florica verwend. Ze duwde Remus zachtjes uit haar naakte oksel en masseerde het bloed terug haar arm in. Met haar lange nagels kriebelde ze door zijn haar, schrapend over zijn hoofdhuid. Daar werd hij moe van, op een goede manier, net als haar zusje vroeger.

'Blijf maar lekker liggen,' fluisterde ze. Ze kuste zijn voorhoofd. Manlief begroef zijn neus nog eens in zijn kussen, terwijl Florica op haar blote voeten de kamer uit sloop om de tafel te dekken. De geur van verse koffie zou hem wel wekken. Ze zette de tv aan en schakelde naar MTV. Wuft bewoog ze mee op de bedaarde stem van Jovanotti die een ballade voor haar zong. De liederen in West-Europa en Amerika waren anders dan ze gewend was, maar ze had alle muziek even lief. Soms miste ze de violen, accordeons en blazers die haar hadden grootgebracht, al wilde ze dat niet toegeven. Ze wist dat Remus de muziek hier per definitie niets vond, maar hij wist sowieso niet welke muziek hij moest waarderen sinds hij Emil, alias zijn muzikale geweten, niet meer dagelijks sprak. Dat gaf hij zelf ook eerlijk toe. Onder begeleiding van Britney Spears bracht Florica heupzwiepend twee koppen koffie naar de eettafel. Zonder te morsen. *When I'm not with you I lose my mind.* Heup naar links, heup naar rechts, koppen op de onderzetters. *Hit me baby one more time.* Draai van honderdtachtig graden met de ogen dicht. Ze deinsde achteruit toen ze ruwe lippen op de hare voelde.

'Ik rook koffie, Britney,' gaapte Remus zijn ochtend-adem in haar gezicht. Ze hield van zijn geur, zelfs in de ochtend. Hij vouwde zijn grote handen om haar middel en samen dansten ze het nummer uit. Ze legde haar slaap op zijn sleutelbeen en deinde met hem mee.

'Je neus werkt prima,' giechelde ze.

'En niet alleen mijn neus,' zei Remus met iets meer bas in zijn stem, geveinsde mannelijkheid.

Florica duwde hem plagerig van zich af.

'Heb je brood gekocht?' vroeg ze aan hem, terwijl Remus de krant van beneden haalde en haar doorverwees naar een van de kastjes. Hij gooide de krant dubbelgevouwen en ongelezen op de bank. Florica begon zich plots zorgen te maken. Normaliter las hij altijd het nieuws onder het ontbijt. 'Is er wat?'

'Ja,' antwoordde Remus. Hij pakte haar hand en kuste de ring die hun liefde bezegelde. 'Je maakt me gelukkig.'

'Houden zo,' waarschuwde Florica, dreigend met een mes chocopasta. Ze kende haar man langer dan vandaag en vergeleek zijn geluk dikwijls met eb en vloed. Haar hand aaide zijn donkere stoppels.

Tot haar verbazing hield Remus het bij een sneetje met zure kersenjam en een kop koffie. Een karig ontbijt. Ze vermoedde dat hij weer eens naar zijn pens in de spiegel had gekeken.

De telefoon rinkelde. Florica drukte op het groene, oplichtende knopje en drukte de telefoon tegen de zijkant van haar hoofd. Ze zag hoe Remus gespannen haar reactie afwachtte. De stem aan de andere kant kondigde een huwelijk tussen een Italiaan en een Roemeense aan. De bruidegom vroeg of het mogelijk was om een diner te genieten bij Mancare.

'Dat zal mijn vrouw, die pas is aangekomen in Italië, leuk vinden.'

Remus borg het ontbijt zichtbaar opgelucht op, terwijl Florica uitlegde dat alles kon, maar dat ze rekening moesten houden met de beperkte ruimte van het restaurant. Twintig personen was het maximale, maar de Roemeense flexibiliteit kon het aantal wel oprekken tot dertig personen. De bruidegom ging erover nadenken.

'Ik wil mijn aanstaande vrouw verrassen met een feestje zoals zij dat kent. Misschien nog een paar zigeunertjes erbij voor de muziek, u kent het vast wel.'

'Ik heb enig idee ja,' prevelde Florica. 'Denkt u er maar rustig over na. U heeft ons telefoonnummer. Desgewenst kunt u langskomen om de mogelijkheden te bespreken en de locatie te bekijken. Ja hoor. U ook. *Arrivederci*.'

'Een boeking zou welkom zijn,' zei Remus toen Florica de hoorn neerlegde.

Florica glimlachte alleen maar en pakte een stapel boeken van de eetstoel en stortte zich op de Romeinse legioenen die in het oude Roemenië, Dacië, gestationeerd waren. Ze deed alsof ze las, maar in werkelijkheid dacht ze terug aan hun eigen huwelijk. Voor zover ze dat een huwelijk kon noemen. Geen gouden muntenketting, geen groot banket, geen kringdansen of haar vader die bij de voordeur vloekend en zwaaiend met gereedschap zijn aanstaande schoonzoon wegjoeg. Niets daarvan. Het feest behelsde het ondertekenen van een aantal papieren en het ontvangen van haar nieuwe achternaam: Florica Tomescu. Ze kon ervoor kiezen om haar eigen familienaam te behouden, vertelde de ambtenaar in kwestie, maar daar wilde ze niets van weten. Ze was blij dat ze eindelijk haar familienaam kwijt was.

'Zoals u wenst, mevrouw Tomescu,' knipoogde de beambte.

Er was geen familie bij de voltrekking van het huwelijk. De grootmoeder van Remus en haar nieuwe vriend zaten nog gevangen in het land van de Leider. Doctor Arcos was ontslagen na Remus' vlucht – 'vuile communisten,' had Remus dagenlang getierd, totdat zijn schuldgevoel enigszins was verschoten – en grootmoeder moest het doen met haar nietige pensioen. Zelfs als ze de benodigde papieren konden krijgen, hadden ze het geld niet om over te komen. Emil feliciteerde Remus en Florica per brief. De communisten weigerden hem voor de rest van zijn leven elk visum, als hij überhaupt ooit nog de gevangenis zou verlaten. Zelfs zijn vader kreeg hem niet meer vrij met zijn wijnen. De familie Noica leefde ondergedoken in een huisje op het platteland, omdat meneer Noica na het horen van Emils gevangenisverhalen weigerde om nog zaken te doen met partijbonzen en zijn lidmaatschap meteen had opgegeven.

Geen van Remus' vrienden kon de ceremonie bijwonen. Florica wilde alleen Lala en grootvader op haar huwelijk hebben, maar ze zag niet in hoe ze dat kon regelen zonder de aandacht van de rest van de familie op haar te vestigen. Het risico was te groot. Ze wilde er niet eens aan denken hoe het met hen ging, waar ze waren en of ze zouden willen komen als ze hen vroeg. Waarom zouden ze naar de bruiloft komen van degene die hen achter had gelaten? Dus waren ze met z'n vieren op de trouwerij: Florica in een goedkoop wit jurkje van de markt, Remus in het overhemd en de vale pantalon die hij ook had gedragen tijdens de vlucht, de beambte en hun getuige Dario.

Dario had de ringen en een fles champagne. Het was begin maart en Florica droeg de rood-witte *mărțișor*-speld die Remus voor haar had gemaakt op haar borst. Ze kusten elkaar trouw tot de dood – en daar voorbij, zo beloofden ze die nacht opnieuw en opnieuw in het huwelijksbed. Zijn lippen maakten van haar mevrouw Tomescu. Het was de mooiste dag van haar leven.

Al kwam gisteren dichtbij, dacht ze, en ze kon een giechel niet onderdrukken. Elke dag sinds hun aankomst in Italië was noemenswaardig, besloot ze, onderwijl bladerend langs reconstructies van veldslagen in het Oost-Romeinse Rijk. Misschien had haar begeleider gelijk en moest ze haar onderzoek afsluiten. Ze had resultaten geboekt en zag ernaar uit om het hoofdstuk Roemenië definitief te sluiten. Ze had het onderwerp enkel gekozen omdat de ontwikkeling van de Roemeense taal door communisten en nationalisten was gehuld in mist; en een beetje omdat ze haar kennis van de Roemeense taal wilde combineren met het Italiaans. Het was ook wel zo gemakkelijk, dacht ze destijds. Zodra ze haar diploma had, ontving ze een titel en kon ze zoeken naar een baan. Of misschien, ze keek hoe Remus de televisie uitschakelde en de luiken opengooide om de regen op Florence te zien neerdalen, een volgende stap? Kleine Remusjes, dacht ze, en ze probeerde zich voor te stellen hoe heerlijk het moest zijn om er meerdere in huis te hebben.

Remus hing met zijn ellebogen op het kozijn en stak een sigaret op. Florica hekelde zijn rookgedrag, maar vergaf het hem. Als kind had ze ook gerookt, dus ze kon het hem moeilijk verbieden. Maar hij moest nog heel lang mee. In haar ooghoeken spiekte ze hoe hij de stad over-zag, ook na de laatste hijs bleef hij voor het raam staan. Ze hoopte dat hij inspiratie aan de horizon kon vinden voor zijn schrijfwerk. Dat was wat hij echt wilde. In Brașov werkte hij als schoenhersteller, wist Florica, en hier als kok, maar hij is een taalkunstenaar. Soms sloop ze een kapel binnen of de grote domkerk, vouwde daar haar handen en smeekte de hemel om haar man te helpen. Ze wenste nog liever dat hij zijn creativiteit hervond en eindelijk de brief kreeg die hij verwachtte, verdiende zelfs, dan dat zij haar diploma haalde.

De wolken waren snel leeg. De zomerregen in Florence was altijd kort en hevig. De zon poetste als een bezetene de sporen van de stort-bui weg. Remus zei de gevulde paprika's en de *sarmale* alvast te prepa-reren voor vanavond en verdween naar de keuken van Mancare. Beide gerechten stonden de hele dag in grote pannen op een laag vuurtje.

'Goed voor de smaak,' zei Remus, al zou het Florica niets verbazen als hij het op deze manier gewoon makkelijker vond. Dan hoefde hij de paprika's of de koolrollen er 's avonds alleen maar uit te vissen en een klodder zure room op het bord te kwakken. Nou ja, en een gestileerde lijn kruiden op de rand van het bord, omdat het oog ook meeat in het Westen. Ook liet hij een pan met zure soep – die Florica in de loop der tijd had verfijnd aan de hand van het doorgefaxte recept van Constan-tin – en een kippensoepje met deegballen pruttelen.

Florica hervond haar concentratie en werkte door aan de conclu-sie van haar scriptie. Ze onderstreepte Romeinse legioenen en kolo-nisten die Zuid-Italiaanse dialecten spraken en die bepaalde woorden hadden vervoerd naar Dacië. Elke penbeweging knaagde aan haar. De overeenkomende woorden in beide talen waren een feit, net als het ontbreken van diezelfde woorden in het standaard-Italiaans, maar de weg die de woorden hadden afgelegd was echter een wetenschappelijke gok. Haar eigen gok, aangelengd met de weinige feiten die ze kon vinden.

'Maar zo gaat dat,' had haar begeleider haar verzekerd. 'Jij bewijst iets en dan is het aan een collega om jouw conclusie bij te slijpen al dan niet te weerleggen. Dat is wetenschap.'

De letters brandden op haar netvlies en haar pols verkrampte. Ze hoorde hoe Remus een verdieping lager de Roemeense volksmuziek die Emil in de loop der jaren per post had opgestuurd uitschakelde. De paprika's waren gevuld en de koolbladeren ondergedompeld. Florica's voorhoofd rustte op haar handpalmen toen Remus fluitend zijn rentree maakte. Hij ging achter haar staan en kuste haar slapen.

'Last van je hoofd?' vroeg hij, onderwijl haar schouders knedend.

'Last van mijn onderzoek,' verzuchtte ze met gesloten ogen. Hij heeft de massagetechnieken van zijn grootmoeder geërfd, dacht Florica brommend, als ze de verhalen van haar man over de krachtige vingers van haar schoonoma moest geloven.

'Ik ben klaar beneden,' begon Remus, 'dus als je wilt kunnen we met de trein naar de kust en een dagje op het strand doorbrengen.'

Ze keek naar buiten. De zon had de waterplasjes volledig weggenomen. Ze miste de zon op haar huid. Een echte Italiaanse aanbad de zon en bruinde zelfs haar borsten op het strand. Maar haar eigen huid werd heel snel en anders bruin.

'Even iets pakken hoor,' zei ze. Ze liep naar de badkamer en groef door de troep in het kastje. Nagellak, crèmes, scheerschuim, tandpasta-aanbiedingen, parfumtestertjes, pillen, condooms, wattenstaafjes, ondefinieerbare tubes en potjes. Achteraan stond een tube zonnebrandcrème factor dertig. Ze klapte het deurtje dicht en keek haar evenbeeld in de spiegel aan. Het lag niet aan het licht dat haar huid bleekgeel leek. Ze had zon nodig. Wat maakte het allemaal uit, dacht ze, en schudde haar zorgen van zich af. 'Strand, we komen eraan,' zei ze met een enthousiast hupje, de tube zonnebrandcrème boven haar hoofd houdend als een trofee.

'Goedemorgen Florica,' zei een man van hun leeftijd die midden in de woonkamer stond. Hij had zijn haar van de ene naar de andere slaap gekamd en vastgezet met een handvol sterke gel. Zijn kaak was stoppelloos. Met een lach stapte hij op haar af en kuste haar beide wangen. 'Je blijft een prachtige verschijning.' Een goud kettinkje verdween in zijn bos borsthaar. Een katholiek kruisje.

'Dario,' antwoordde ze, 'alles goed?'

'Het gaat niet heel slecht,' zei hij ernstig. Het zweet paradeerde over zijn voorhoofd. Vind je het gek, dacht Florica, als je met dit weer in volledig zwarte kleding loopt. Niet dat zij van de kleuren was, maar zwart in de zomer?

'Wat brengt je helemaal naar Florence?' vroeg ze, terwijl ze op zijn verzoek een glas met mineraalwater vulde. Ze had Dario altijd beschouwd als een vriend. Hij had hen leren lopen in Italië, hij had hen dit huis en het restaurant gebracht en ze konden hem alles vragen. Het is een goede vriend, dacht Florica, maar waarom geeft hij mij vandaag zo'n slecht gevoel? Ze keek hoe hij daar stond: een hand in zijn zak en met zijn ander druk gebarend. Of was het niet Dario's uitstraling die haar zorgen baarde, maar Remus' reactie op zijn komst? Ze zag hoe haar man bleek geworden was neergezegen aan de eettafel. Hij frunnikte de kruiden onder zijn nagels vandaan.

'Je man,' antwoordde Dario. Remus staarde zielloos voor zich uit. Florica moest hem driemaal vragen of hij ook iets wilde drinken.

'Brandewijn,' antwoordde hij kortaf.

'Maar,' begon Florica. Ze kreeg de kans niet om haar zin af te maken. Remus snauwde om brandewijn. Ze temperde zichzelf om hem niet net zo'n harde klap in het gezicht te geven als die keer dat hij haar een zigeunerin had genoemd, omdat zij hem een depressief, kansloos en bovenal slecht dichtertje had genoemd toen hij haar probeerde te verrassen met een vakantie naar Roemenië vlak na de val van het communisme. Statig verdween ze naar de keuken.

Dario en Remus smoesden terwijl Florica het bruine goedje in een glas schonk. Ze hielden abrupt op toen ze terugkeerde en het glas voor haar man neerzette. Remus goot de brandewijn zonder met zijn ogen te knipperen in zijn keel.

'Ik vrees dat ik je man even moet lenen voor een rondleiding door het prachtige Florence. Vergeef me, schoonheid,' zei Dario. Hij kuste Florica gedag. Remus volgde Dario naar buiten zonder naar Florica te kijken.

Ze snelde naar het raam om hen na te kijken en iets van het gesprek te volgen. De woorden verstomden in de drukte van de stad. Dario had zijn arm om Remus geslagen en zwaaide met zijn vrije hand om zijn onverstaanbare verhaal kracht bij te zetten. Achter hen liepen twee immense kerels in hetzelfde zwart als Dario. Hun forsheid deed hen waggelen. Het konden onmogelijk Italianen zijn. Ze deden haar denken aan Sovjets op steroïden. De vier mengden zich tussen het loopverkeer, een kudde fotograferende Aziaten, en gingen de hoek om.

Florica balde haar vuisten. Dat ze Remus niet meer kon zien, beviel haar niet. Ze wist dat Dario niet helemaal zuiver was – 'ik ben een Zuid-Italiaanse zakenman,' had hij gezegd tijdens hun eerste ontmoeting, hij legde de nadruk op 'zakenman' –, maar tegelijkertijd was het lange tijd hun enige vriend geweest in Italië. Hij had ze eten en drinken gegeven waar de andere vluchtelingen in het kamp van droomden. Het eerste blikje cola dat ze dronken, hadden ze aan hem te danken. Florica had nog nooit zoiets smerigs zo verlekkerd opgedronken.

Dario probeerde hen destijds te paaien, zo vertelde hij jaren later, omdat hij op onverklaarbare wijze dacht dat ze Albanezen waren. En hij was geïnteresseerd in Albanezen. Die waren hard en vroegen nooit om uitleg. Waarom hij hen nodig had, wilde hij niet vertellen.

De eerste dag alleen al hadden ze zoveel met elkaar gelachen, dat Dario hen weigerde te laten vallen omdat ze 'toevallig in het verkeerde land geboren waren.' Toen had hij nog een vies vlassnorretje dat paste bij zijn imposante praatjes. Zijn vader was een invloedrijke zakenman in het zuiden en had zijn bloedeigen zoon verbannen, aldus Dario, omdat hij volgens zijn papa 'een kansloos mietje was, zelfs zijn moeder was meer mans dan hij'. Dat hakte erin, biechtte Dario op, maar hij zou zijn vader laten zien wat hij waard was.

De straat vulde zich met mensen die Florica niet wilde zien. Ze zocht naar Remus, maar hij bleef weg. Het is vast niets, stelde ze zichzelf gerust. Ik heb afleiding nodig. Vastbesloten liep ze naar de slaapkamer en veegde de rommelige stapels kleding uit de kast. Met monniken-geduld vouwde en sorteerde ze haar garderobe. Haar badpak gooide ze op de grond, die kon echt niet meer, dacht ze; de kleding die ze niet meer droeg, smeet ze erbovenop. Die stapel gaf ze aan weldoeners, die de kleding naar arme Roemeense dorpjes brachten. Waarschijnlijk warmt straks een oude vent zich op aan mijn versleten truitjes, dacht Florica geamuseerd. Een man als grootvader. Of grootvader zelf.

In de diepten van haar ladekast, bedolven onder slipjes en strings, vond ze een witte blouse met wijde mouwen en een statige zwarte rok met lichte versiersels. Tussen de twee kledingstukken lag een hand-geweven riem die Florica slechts eenmaal had gedragen: tijdens de vlucht. Het waren niet haar kleren. Ze had ze geleend zonder ze terug te geven. Het bestaan van de kleren was ze compleet vergeten.

Het bloed steeg haar naar het hoofd. Ze kreeg het plots benauwd. Ze zag weer voor zich hoe Remus en zij de Roemeense grens achter zich lieten en met de ijskoude Nera in hun kleren naar de Joegoslavische huisjes strompelden. Ze was bang dat ze zouden sterven aan longont-steking. Of Remus aan de slangenbeet in zijn hand, waarvan hij nog altijd trots de littekens droeg.

Ze waren een lieflijk huisje aan de rand van het dorp binnengegaan. De deur had niet op slot gezeten. Dat hoefde in die tijd niet. Ook in het socialisme van Joegoslavië was bijna iedereen gelijk: niemand had iets om te stelen. Zonder al te veel moeite vonden ze hun weg in de woning. De eigenaar was aan het werk, waarvoor Florica God hardop dankte. Ze konden immers nooit weten of diegene hen zou verraden, waardoor ze terug naar Roemenië werden gebracht in ruil voor een wagon zout. Ze lieten een spoor achter van modder en water, op zoek naar de kledingkast, waar Remus een prijzig pak aantrok en Florica de kleren die ze op dit moment door haar handen liet gaan. De kleding die ons vrijheid en geluk hebben geschonken, dacht Florica. Toen was ze berouwvol en nu opnieuw. Maar nu niet omdat ze de kleren gestolen hadden. Ze voelde zich schuldig omdat ze zich niet langer schuldig voelde. Het was fout, maar het moest gedaan worden. En toch hoopte ze dat het voor eeuwig onbekende stel niet al te kwaad over de dieven dacht. Ze sloot haar ogen en vouwde haar handen. Ze smiespelde een gebed voor de onbekenden.

Nog meer dan haar dankbaarheid overbrengen, wilde ze vergeving oogsten. Ze hield niet van stelen. Ze was een Italiaanse.

Ze eindigde het gebed met: 'Sta Remus bij'.

5

'Nou heb je op mijn pik gepoept,' vloekte Dario. Hij sloeg zijn knokkels in Remus' schouder. 'In de eerste plaats zijn we vrienden, maar als je geld van me leent en het weigert terug te betalen, moet ik je ook mijn andere, zakelijke, kant laten zien.'

Remus wreef het beurse gevoel uit zijn schouder. Dat werd een blauwe plek, dacht hij, en hij hoopte dat het daarbij zou blijven.

'Ik weiger je niet te betalen,' stamelde hij vol ongeloof, terwijl hij de twee in mensenhuid gehulde beren die achter hem stonden dichterbij voelde komen, 'ik *heb* simpelweg geen geld. Er komen de laatste tijd maar weinig mensen naar het restaurant.'

'Bespaar me je praatjes,' zei Dario vinnig. De ene bodyguard kwam naast Remus lopen, de ander liep direct achter hem. 'Het kan me geen donder schelen waarom je mijn geld niet hebt. Ik heb inmiddels alle varianten gehoord in mijn carrière. Ik heb je destijds voorgesteld om je geld te geven als vriend, maar dat weigerde je omdat je zo zeker wist dat de zaak zich zou terugbetalen. "Lenen is lenen," zei je. Daarnaast beloofde je gedichten die goud zouden schijten. "Nee, Dario, het geld zou geen probleem zijn." En jaren later staan we nu,' Dario spreidde zijn handen, 'beiden met lege handen. In deze smeerlappenstad vol hoerenzonen.' Hij spuugde een groene fluim op de grond.

'Volgende week heb ik je geld,' verzekerde Remus. Hij wreef zijn duim en wijsvinger over elkaar. 'Alles. Ik betaal je in een keer af!' Met een handgebaar van Dario verdwenen de twee forse kerels. Remus haalde opgelucht adem. Ze deden hem denken aan ongure tijden in de gevangenis.

'Albanezen,' zei Dario. 'Groot, meedogenloos en gehoorzaam.' Hij haalde zijn schouders hoog op. 'Stronthoofden. Laten we eens een wijntje drinken. Als vrienden.' Zijn hele gezichtsuitdrukking veranderde. De boze frons verdween en Remus herkende de goedlachse Dario die hij twaalf jaar geleden leerde kennen. Exclusief vlassnor. 'Jij trakteert.'

'Dus je gaat akkoord?' vroeg Remus verbaasd.

'Maar natuurlijk,' zei Dario. 'We hebben beiden weinig keus. Ik heb niet veel vrienden, moet je weten. Dat is gebruikelijk in dit vak. Ik zou het vreselijk jammer vinden om mijn enige vriend te elimineren.' Hij knipoogde. 'Overmorgen is oké.'

'Overmorgen,' mompelde Remus binnensmonds.

Dario drukte een sigarendoos in zijn handen: 'Hier zitten geen sigaren in. Je bewaart hem ergens in je huis en laat hem dicht,' waarschuwde hij. 'Dat moet je voor mij doen.'

Remus knikte. Hij kon niet antwoorden. Zijn keel was uitgedroogd. Misschien was het fout geweest om geld van Dario te lenen. Maar hij had zo vriendelijk geholpen toen de grijze muren van het vluchtelingenkamp Remus en Florica te dichtbij kwamen. De paar handgemaakte potjes en mokjes die ze over hadden, ruilden ze bij Dario in voor twee paspoorten die hen officieel Italiaan maakten.

'Ik ken wat stronthoofden bij de staat,' had hij gezegd. 'Binnen een week heb ik staatsburgers van jullie gemaakt.'

Dat had hij inderdaad, hoewel Remus daar op voorhand wel zijn vraagtekens bij zette. 'Legaal? Ik wil geen problemen,' legde hij uit in het Italiaans dat nog moest worden bijgeschaafd, maar wel verstaanbaar was voor hun nieuwe vriend en de dorpelingen in de buurt van het vluchtelingencentrum.

'Voor zover mogelijk,' antwoordde Dario. 'Ik versnel alleen het proces even.'

Remus had zijn bedenkingen, maar Florica kuste Dario van blijdschap op zijn wang.

'Graag,' zei ze in beter Italiaans dan haar vriend. 'Ik ben deze vodden van het kamp zat.' Ze plukte aan de tweedehands kleren om haar lijf. 'Ik ben klaar om een Italiaanse te worden.' Daarnaast had ze oeverloos tegen Remus gemopperd over hun Rroma-buren. Over hun smakeloosheid, hun lawaaiige muziek en het vuil dat ze overal achterlieten. Het zorgde ervoor dat ze nog een beetje in haar verleden leefde, vermoedde Remus, en dat wilde Florica juist achter zich laten. Daarom ging hij akkoord met Dario's voorstel.

Dario gaf hen nog veel meer. Hij zorgde voor treintickets en regelde via via een klein appartementje in Florence. Dat laatste overigens onder herhalend protest.

'Florence is de arrogantie zelve,' waarschuwde hij met de minachting om zijn lippen. 'En de Florentijnen zijn vieze hoerenzonen.' Desondanks hunkerde Remus naar de stad waar hij als dichter kon floreren, zo hoopte hij, en Florica vond elke Italiaanse plaats met een universiteit uitstekend. Dario streek over zijn kin en maakte alles in orde. Hij beloofde zelfs, tegen zijn principes in, om eens langs te komen zodra ze geacclimatiseerd waren in de stad.

Zo erg waren de Florentijnen niet, besloten Remus en Florica na hun eerste jaar in Florence. Ze waren als alle Italianen: extreem vriendelijk, goedlachs, behulpzaam, nieuwsgierig naar het leven in Roemenië en openhartig.

'We worden geregeerd door maffiosi,' kniesde de jonge Italiaan die hen het appartement wees waar ze zich de eerste jaren moesten behelpen. Remus had de eerstejaars student naar de straat gevraagd. De jongen, gehuld in een absurd wijde broek, zou hen wel even brengen, geïnteresseerd in de achtergrond van de import-Italianen. 'Ik vraag me af of jullie het hier anders ervaren dan thuis,' zei de jongen, 'want ook hier zijn de boeven de baas'.

'Jij mag tenminste zeggen dat je de president een boef vindt,' lachte Remus. 'Jullie mogen zelf de boef kiezen.' Florica leek niets te horen en keek verliefd naar de straten van de buitenwijken en de blikken frisdrank op de grond. Daar ergens had Dario een appartement geregeld. 'En hier zijn de winkels vol. Je mag zelf kiezen wat je koopt,' besloot Remus.

'Als je geld hebt,' wierp de jongen tegen. 'En daarvoor moet je heel hard werken. Maar het is hier ongetwijfeld beter dan in Roemenië, ondanks de boeverij. Italië gaat namelijk boven alles. Vrouwen en eten,' knipoogde hij, 'wat wil je nog meer?'

Het zou nog jaren duren voordat Remus zelfs de weg niet meer durfde te vragen aan nonnen. De toeristen brachten geld, waarmee de Italianen hun neuzen de lucht in takelden. Niemand informeerde meer naar de erbarmelijke omstandigheden in het moederland; dat was immers bevrijd van de communisten. Italië duwde de Roemenen die ze hartelijk had ontvangen in een warme omhelzing van zich af. Het grootmoedige ontvangst werd vervangen voor laaghartige pesterijen. Het ging niet goed met Italië. En er was slechts een schuldige aan te wijzen: de Roemeen.

Remus had de jonge student nog eenmaal gezien, jaren later. Met bredere schouders en een gemillimeterde baard. Hij klaagde over de Amerikanen bij een kennis in een krantenkiosk. Hij zette zijn studie voort in Amerika en daar noemde ze hem constant een luie spaghettivreter. Daarna keek hij vernietigend naar een bedelende zigeunerin met een tweeling in haar armen en zei: 'Die zijn pas lui. Die Amerikanen hebben zeker nog nooit Roemenen gezien.' Remus voelde niet de behoefte om hem gedag te zeggen, terwijl hij aan Nicu dacht, die naar

Amerika was verhuisd nadat het IJzeren Gordijn was gevallen en daar drie baantjes had.

Dario zocht een terras uit in de benauwde schaduw van de kathedraal en bestelde twee glazen rode wijn. Remus prefereerde bier, maar klokte zwijgend de wijn op die de kelner hem serveerde. Het was chemische pulp – hij twijfelde er niet over of zelfs Emil zou zijn vaders wijn verkiezen boven de rotzooi die ze hier schonken – en dat ook nog voor een kwart maandpensioen van doctor Arcos. Een ventilator met een zak ijsklontjes ervoor hijgde in Remus' nek en nog had hij het warm. Daar zorgde de houten sigarendoos onder zijn jas wel voor.

'Hé,' schreeuwde Dario naar de ober, die hem negeerde en rokend roddelde met zijn collega. Uit het niets verschenen de beren van Dario en na twee vingerknipjes van hun baas duwden ze de ober in zijn onderrug naar de tafel. Remus analyseerde hoe de situatie met zijn schoenveters was en vroeg zich af of het verstandig was om zijn vriendschap met Dario te onderhouden of hem simpelweg af te betalen en nooit meer te spreken. 'Ik wil nog een wijn,' schreeuwde Dario naar de angstige ober en knikte naar Remus: 'En jij?'

'Een biertje,' zei Remus zacht.

'Een biertje, dus,' zei Dario. Hij knipte met zijn vingers en de twee beren lieten de kelner los. 'Wat een testikel,' verzuchtte Dario, terwijl hij opstond en een diepe buiging maakte voor het overvolle terras dat geamuseerd had toegekeken. De toeristen prevelden dat zoiets alleen in Italië kon, het mooie en chaotische Italië.

'Tja,' vatte Remus zijn tweestrijd samen.

De kelner kwam terug en zette haastig de wijn en het bier op tafel.

'Van het huis,' stotterde hij.

'Bravo,' antwoordde Dario met een cynisch applausje. 'Als je erin getuft hebt, tuf ik op je graf.'

Misschien is hij de zakenman geworden die hij wilde zijn, dacht Remus. Ze hadden elkaar al een poos niet meer gezien.

'Laat die arme jongen toch,' zei hij voorzichtig.

'Ik heb gewoon zo'n stronthekel aan Florentijnen,' zei Dario. 'Ze maken me witheet van woede. Met hun oude troep.' Hij wuifde naar de beeldschone kathedraal voor hun neus. 'Ik zou er een bordeel van maken waar elke Florentijnse slet verplicht moet werken. Beginnend bij zijn vrouw, moeder en zus,' zei Dario, wijzend naar de ober die uit alle macht uit het zicht probeerde te blijven en achter een pilaar wegdook. 'Kijken of ze me dan nog steeds laten wachten op mijn wijn. Hoerenzoon!'

Remus concludeerde dat hij nooit geld van Dario had moeten lenen. Maar er restte hem geen keus. De banken weigerden hem een lening te verschaffen, zelfs nadat hij een aanzienlijk bedrag van zijn grootmoeder had geërfd. Alleen Dario kon hem het geld lenen dat hij nodig had gehad om Mancare op te starten. Niet dat Remus er altijd van had gedroomd om een eigen restaurant te bezitten. Integendeel. Hij had ervan gedroomd om bij restaurants te eten. Vijf sterren. Met bevriende schrijvers, poëten, journalisten en andere kunstenaars en intellectuelen. Met Emil, Pinu en Nicu die hij zou laten overvliegen. Maar daar was geld voor nodig en dat verdiende hij niet met zijn geweigerde schrijfsels. In het Oosten mocht hij niet zijn wie hij was, maar in het Westen kon hij dat niet zijn, omdat het geen geld opbracht. Dus verplaatste hij de poëzie naar de vliering en grilde elke avond mici in de keuken van het pand dat ze kochten dankzij Dario's lening. Dat vond hij ook leuk om te doen. In het begin in ieder geval. Al was het maar omdat hij zo nu en dan een 'mislukte' mici kon snoepen en met Roemenen kon praten die de keuken van hun moeders misten.

Elke maand loste hij een deel van de lening af. Zeker in het begin kwamen veel enthousiaste Italianen proeven van de keuken die zolang achter het IJzeren Gordijn was verborgen. De fooien waren niet mals, als Florica vertelde wat ze hadden doorstaan om in Italië te komen en hoe gek ze waren op hun nieuwe land en haar liefdevolle inwoners. De laatste tijd werd het echter rustiger. Te rustig. Ze konden alleen nog rekenen op verdwaalde toeristen die de pizza's beu waren. Niet dat het Remus veel kon schelen. Als ze failliet gingen, kon hij Florica misschien overhalen om terug te gaan naar Braşov, of zelfs Boekarest of de regio Moldavië, terug naar Roemenië. De Italianen wilden hen hier niet meer. Niet als kok in ieder geval, dacht hij, en evenmin als een versjesschrijver. Dus waarom zou hij hier zelf nog willen verblijven?

Remus had nooit kunnen voorspellen hoezeer de naam van het restaurant de lading dekte. *Mancare* betekende 'voedsel' in het Roemeens, maar in het Italiaans het missen van je oude thuis. Zoals Remus heimwee had naar Braşov en naar zijn vrienden; zoals de Roemeense stratenmakers, bouwvakkers en kindermeisjes hun eetgewoonten misten en de heimwee verdreven door zich maagkramp te vreten en drinken in Mancare.

'Morgen heb je mijn geld hè?' vroeg Dario. Remus zag hoe hij een nagelriem afbeet en op de klinkers liet stuiteren. Dario zit ook in de financiele problemen, bedacht Remus plotseling, en hij wilde niet weten waarom, bij wie en of zijn hypothese correct was. Een man in geldnood kon rare dingen doen, dacht hij grimmig, zeker een man als Dario.

'Volgende week,' bevestigde Remus, heel behoedzaam, met zijn blik naar beneden gericht.

'Heel mooi,' zei Dario opgelucht, alsof hij Remus niet hoorde. Hij plette Remus' hoofd tussen zijn handenpalmen ter goedkeuring. 'Poep niet op mijn pik, vriend,' waarschuwde hij als afscheid.

'Ik zou niet durven,' zei Remus en hij besloot terstond dat ze geen vrienden meer waren. Hij liet zich op beide wangen kussen en holde terug naar huis.

Florica was verdwenen. Met het zweet op zijn voorhoofd controleerde Remus elke kamer en daalde de trap af om te controleren of ze wellicht in de soep roerde of het vocht in de pan met sarmale controleerde. Maar ze was weg. Hij had ook niet verwacht dat ze op hem zou wachten. Dario kon behoorlijk lang van stof zijn, zo wisten ze allebei. Hij schuifelde de trap weer op en veegde zijn voorhoofd droog en zijn mouw nat. Hij haalde de sigarendoos onder zijn jas vandaan en bekeek alle zijden. Hij durfde er niet mee te rammelen. Hij woog het object en wist in ieder geval een ding zeker: er zaten echt geen sigaren in. Wat er wel in zit, wist hij niet en wilde hij ook niet weten. Hij beklom de vlieringtrap en verborg de doos in een plastic kist vol tweedehands boeken. Hij klemde het deksel op de kist en verliet de vliering.

In de huiskamer aangekomen twijfelde Remus of hij de luiken voor de ramen moest sluiten of juist openen, want de temperatuur was ongelofelijk drukkend op de bovenverdieping. En de middag moest nog beginnen. Hij ontdeed zich van zijn kleren en ging in zijn boxer aan de eettafel zitten. Hij trok de pijpen op hun plaats. Zijn liezen waren vochtig van het zweet. Hij begreep niet hoe hij in Roemenië overleefde in de strakke ballenknijpers. Toen hij in Italië zijn eerste boxer kocht, dacht hij terug aan de nacht met de Nederlandse blondine in het hotel. De laatste nacht met een andere vrouw. Hij dacht er zonder enige weemoed aan terug. Florica was de enige die hij nodig had. Was dat ware liefde?

Op de eettafel lag de krant die hij op de bank had gegooid. Florica kende hem te goed; Remus herkende het sierlijke handschrift van zijn vrouw, dat het zijne compleet wegblies. Een schrijver als hij mocht de uitvinding van de typemachine prijzen, die elk handschrift gelijk trok. In de kantlijn, naast een samenvattend nieuwsbericht over de girale euro, verklaarde Florica haar afwezigheid. Ze miste hem en maakte zich constant zorgen, dus als afleiding had ze haar kast al opgeruimd en besloot ze een bikini te scoren in het centrum. In het Westen geneest winkelen geesteszieten, dacht Remus, en hij krabbelde de regel naast het paginanummer om deze niet te vergeten. Zijn notitieblok – incluis pennetje – rustte nog in zijn jaszak. Het was op een paar niets-zeggende zinsneden leeg. Net als ikzelf, dacht hij triest. Elke ingeving verwelkomde hij om deze daarna als een slechte gastheer meteen te vergruizen.

'Want dat badpak van mij kan echt niet meer,' las hij in de kantlijn. Ze eindigde met *xxx. F.*

Hij schoof de krant terzijde en drukte de televisie aan om niet aan de sigarendoos boven hem te denken. Hij viel midden in een praatpro-gramma dat het had over de gevaren van een verenigd Europa, verwij-zend naar de verkrachting door twee Roemenen. Ze lieten een foto zien van een van de vermeende daders. Het was een man van middelbare leeftijd met fikse wangen. Het gezicht was vervaagd, maar een dikke snor en een evenredige wenkbrauw boven de ogen waren duidelijk herkenbaar. Hij grijnsde goud. Zie je wel, dacht Remus, een zigeuner!

'Misschien is het iets genetisch?' opperde een geblondeerde del die fungeerde als pratend decor.

De presentator controleerde zijn kraag en lachte om die opmerking.

'Wie zal het zeggen? De burgemeester beschreef de Roemenen,' de man zette een intellectueel brilletje op zijn neus en pakte de krant die Remus had verscheurd, 'als *animali*, beesten'.

Het item werd uitgediept door een volkstelling. De Roemenen be-naderden in volle vaart het aantal Noord-Afrikanen in Italië. Dit moest kostte wat kost worden tegengehouden om ervoor te zorgen dat Italië van de Italianen zou blijven.

'En anders gaan wij toch in Roemenië wonen?' stelde de geblon-deerde voor.

'*Mamma mia*,' was alles wat de presentator daarop te zeggen had en hij trok een vies gezicht.

'Wat een testikel,' zei Remus, om met Dario te spreken. Remus zou ontzettend graag naar de vliering klimmen en zich op een achtergrond-artikel of een essay storten over Roemenen in Italië, maar hij kon zich beter druk maken over geldzaken.

Hij betreurde het dat hij geen keuze had. Het was beter om in een keer de schuld af te betalen, dan hoefde hij zich geen zorgen te maken over onverwachte telefoontjes of de twee Albanese beren van Dario. De presentator verzorgde de muzak terwijl Remus bedroefd naar zijn geschilderde overgrootmoeder staarde. Ze keek streng terug. Dat was alles wat ze eraan kon doen.

6

Florica klemde de rieten tas met boeken, badhanddoeken en zonne-brandcrème tussen haar benen. Ze neuriede een oude melodie. De trein denderde langs het hoge gras.

'Echt nodig is het niet hè,' begon Remus en met chirurgische pre-cisie greep hij de brug van haar zonnebril tussen duim en wijsvinger en trok de te grote bril van haar neus, om hem vervolgens los te laten boven haar tas. De badhanddoeken vingen de bril schadeloos op. Ze was niet de enige die haar zonnebril ophield in de trein, maar ze paste wel op om dat te zeggen. Ze wist hoe Remus het haatte als mensen hun zonnebril binnenshuis ophielden. Ze glimlachte naar hem.

De trein remde af voor het zanderige station van Empoli en er stap-ten enkele goedgeluimde jongeren in. Twee banken verder keek een rossige vrouw elke minuutwenteling op haar horloge. De zon had haar huid geschilferd. Haar man drukte de zijkant van zijn hoofd tegen het warme glas, terwijl de vrouw aan hem vroeg hoe lang de *fucking* trein nog in Empoli bleef wachten.

'Dit is toch Empoli of is het nog maar een voorstation daarvan?' vroeg ze plots in paniek aan haar zwijgende man. Hij bromde wat. Florica bevestigde dat ze op Empoli stonden. De Britse vrouw keek eerst op haar pols alvorens Florica overbeleefd te bedanken. Haar man kruiste zijn benen. 'Op Pisa moeten we overstappen,' zei ze tegen hem, terwijl ze met haar vlakke hand op zijn verbrande enkels kletste.

De trein sneed door Toscane. Remus had haar een mooie dag be-loofd. Zeker na de deceptie van gisteren, toen Florica dankzij Dario na het winkelen alsnog de hele middag getergd werd door stoffige boe-ken over dode Romeinen. Remus weigerde te vertellen wat Dario wil-de. Hij deed in ieder geval alsof hij in een opperbeste bui was, dat doorzag ze direct. Ze was thuisgekomen met een bikini die eigenlijk te duur was, maar hij vond alles fantastisch, zelfs nadat ze hem had ver-teld hoeveel ze ervoor had betaald. 'En dat voor zo'n klein beetje stof,' grapte hij. 'Daar wil ik je morgen wel in zien.'

'Morgen?' vroeg ze.

'Ik heb het briefje al geschreven,' zei Remus en wees naar een A4 waarop met viltstift in slordige kapitalen stond geschreven dat het restaurant gesloten was wegens onvoorziene omstandigheden. 'Maar nu wil ik je eerst gekleed zien zoals ik,' zei hij en gleed met zijn duimen onder het elastiek van zijn boxer. Meer droeg hij niet. Florica gilde toen hij haar over zijn schouder tilde en naar de slaapkamer sjouwde. Terwijl het bloed naar haar hoofd steeg, zag ze dat het schilderij van zijn overgrootvader eenzaam aan de muur hing. Naast hem prijkte een spijker. Nog voordat ze ernaar kon vragen, kreeg ze een tik op haar billen. Ze giechelde elke gedachte over het verdwenen portret vaarwel.

Denk niet aan het bed, smiespelde Florica gelukzalig in zichzelf, terwijl Remus met mannelijke onhandigheid naar een boek graaide in de rieten strandtas. Maar het was te laat. De seks was heerlijk. Ze kon bijna niet geloven dat ze dezelfde vrouw was die zo tegen haar eerste keer met Remus opkeek. En hoe ze die keren daarna angstvallig probeerde te omzeilen. Ze ontvluchtte zijn lippen in haar hals. Voor zover mogelijk; ze kon immers niet bezig blijven. Stelletjes hoorden te seksen, dat wist ze. De woordenschat van een Rrom was ervan doordrenkt. Slechts sporadisch ontblootte ze zich voor hem, omdat ze bang was hem anders te verliezen aan een ander. Ze wist zich geen raad met de sterke handen die zich aan weerszijden van haar hoofd in het matras hadden gepland. Langzaamaan duikelde ze in een hallucinerende roes, waarin er spontaan een snor onder Remus' neus groeide en zijn op elkaar geklemde tanden goud kleurden. Als hij opgewonden was, veranderde hij in haar oom. Wanneer zijn bezwete lijf levenloos op haar neerviel, wurmde ze zich er zo snel mogelijk onder vandaan en zag de tekst *Big Boss* in zijn lies weer langzaam vervagen tot huid en haren.

Op een onverklaarbaar ogenblik doorbrak Remus haar barrière. Misschien was het omdat ze toen het hele weekend samen hadden doorgebracht, of omdat hij uitgebreid voor haar had gekookt en daar twee flessen uitstekende wijn bij had gekocht, of misschien omdat ze op straat was aangesproken door een gerimpelde zigeunervrouw gehuld in kleurige vodden die haar danig in haar baarmoeder stompte. Florica zakte op de grond en staarde leeg voor zich uit. Daarna strompelde de vrouw weg, rinkelend van het goud, en zei: 'Geen dank, mijn lieverd. Het kost je niets, omdat je nog steeds een van ons bent.' Drie Italianen passeerden haar, terwijl ze haar nieuwe rok bestreek met stof en teer door op de stoep uit te hijgen. De laatste Italiaan keek om naar Florica's nette blouse, rokje en hakschoenen en besloot terug te keren om de vrouw te helpen opstaan. Het duurde even voordat ze zich realiseerde wat er was gebeurd. Het was surrealistisch. Warrig bedankte ze voor de hulp en staakte alle bezigheden om in een koffie-huis een warme kop chocolademelk te scoren. Dat hielp.

Niets hield haar tegen die avond in bed. Ze begreep er niets van. Haar ogen stonden wijd open. Het waren Remus' ongetatoeëerde lie-zen die tegen de hare stootten. Ze zag zijn lach van pure opwinding, witte tanden, zijn hoektand miste een stukje. Ze kreunde en klemde haar nagels in zijn rug.

De volgende morgen zocht ze in alle stegen naar de oude vrouw om haar te bedanken. Aan de medewerkers van de drogist vroeg ze of ze een oude zigeunerin hadden gezien, maar geen van hen wist op wie Florica doelde. Ze verliet het pand met een zalfje dat littekens op Remus' rug voorkwam door een versnelde heling.

Of misschien was de tijd destijds gewoonweg rijp, dacht Florica, terwijl de trein stopte bij een nagenoeg verlaten voorstadje van Pisa. Of ikzelf. Tot verbazing van Remus begon ze meisjesachtig te gieche-len. De Britse vrouw leek inmiddels gehypnotiseerd door haar horloge en keek niet meer op of om. Haar man snurkte.

Het strand van Viareggio was niet ver meer. De eerstvolgende halte was Pisa, wist Florica, daarna ging de trein langs de kust omhoog naar de badplaats waar ze eerder waren geweest. In Viareggio zouden ze twee stoelen en een parasol, of twee, huren bij het strandmannetje. Het eerste wat ze zou doen als ze het zand tussen haar tenen voelde, zo had ze zich voorgenomen, was de tube zonnebrandcrème aan Remus geven en haar schouders ontbloten voor zijn handen. Een rilling klom op van haar hakken tot de puntjes van haar hoofdharen als ze eraan dacht.

De wagondeur schoof open en een jong zigeunermeisje verscheen. Haar haar hing in twee vlechtjes naast haar hoofd. Ze deelde briefjes uit waarop in het Italiaans, Engels en Roemeens werd uitgelegd waar-om haar familie in Italië was, dat ze onfatsoenlijk werden behandeld en dat niet alle zigeuners slecht waren. Aan het eind van het treinstel aangekomen, liep ze terug naar het begin waar Florica zat en haalde de briefjes weer op. En geld, als het even kon. Florica gaf haar een munt-stuk en een glimlach. Het meisje deed Florica aan haar zusje denken. En ook aan haarzelf, ook al wilde ze dat niet. De Britse vrouw gaf het meisje een handvol geld waarvan ze waarschijnlijk af wilde, omdat ze diezelfde dag terugvlogen naar het land van de pond. De vlechtjes stuiterden op de schouders van het zigeunermeisje toen ze de kaartjes huppelend ophaalde en de volgende wagon betrad. Met haar verdien-sten zal ze een bulibaşa heel blij maken, dacht Florica beteuterd. Re-mus leek haar gedachten te lezen en ging naast haar zitten, sloeg zijn arm om haar heen en kietelde haar met zijn vrije hand. De Britse man schrok wakker van Florica's gegil.

'*Stazione di Pisa Centrale*,' kraakte een luidspreker in Florica's nek. De rest van het verhaal viel uit elkaar in gekraak. Ze verstond 'vliegveld' en 'platform twee'. De vrouw veegde haar rode krullen uit het gezicht nadat ze haar man had uitgekafferd, omdat hij te traag uit de treinstoel klom. Hij moest de tassen nog van het rek trekken, terwijl de trein potdomme al bijna stil stond. Florica legde uit dat het tweetal bij spoor twee moesten zijn. De Britse bedankte Florica opnieuw voor haar hulp en joeg haar man al blaffend naar de uitgang.

'Dat moet een Schotse schapendrijver geweest zijn in haar vorige leven,' grinnikte Remus. 'Zijn er eigenlijk roodharige Border Collies?'

Florica legde haar hoofd op zijn schouder en samen keken ze hoe de Britten bepakt met tassen en koffers naar hun perron hobbelden. De man voorop, zijn voetstappen gedicteerd door het geblaf van zijn vrouw. Heel Pisa kon hen horen, op de paar jongeren na die een koptelefoon over hun oren droegen en zich lieten vermaken door muzikanten op een schijfje. De trein naar het vliegveld arriveerde exact op tijd en de vrouw besprong de trein nog voordat de nieuwe lading toeristen eruit kon stappen. Florica zag hoe de Britse opgelucht neerplofte en ze de kortstondige opluchting direct inruilde voor hernieuwde blikken op haar uurwerk. 'Reizen is slecht voor het gemoed,' besloot Florica, toen de machinist het station van Pisa en de Britten achterliet. Ze wilde Italië nooit meer verlaten. Ze wilde Florence nooit meer verlaten. Ze had een huis en dat maakte haar Rrom-af.

'Wat doen we nu dan?' vroeg Remus, terwijl hij op zijn borstzak tikte waar de treintickets in zaten. 'Ik voel me uitstekend terwijl we reizen. Beter nog.'

'Zolang we thuis slapen, noem ik het geen reizen,' antwoordde Florica laconiek. En voor een luxe hotel wilde ze wel een uitzondering maken, dacht ze beschaamd en verlangend tegelijkertijd. Een bubbelbad, zachte badjassen, champagne van het huis, een merkbed, een verwarmd zwembad, een sauna, een minibar vol lekkers, makke bedienden die bij elke vingerknip paraat stonden.

'Dus je bent niet te porren voor een vakantie in Roemenië?' vroeg Remus. Alweer. Ze tilde haar hoofd van zijn schouder en keek strak de andere kant op. Eens in de zoveel tijd probeerde hij haar te verleiden met een reis. Wat moest ze daar? Daar had ze niets. Daar was ze niets.

Remus had haar om begrip gevraagd, ze begreep vast dat hij wel met weemoed aan Roemenië terugdacht. Maar nee, dat begreep ze niet. Ze waren samen in Italië, waar het geluk bij hen inwoonde. Wat moesten ze godverdomme in Roemenië?

'Zondegeld,' vatte ze samen.

'Ik wil terug, eventjes maar,' mompelde Remus. 'Al is het maar om de heimwee te misleiden.'

Florica beet de afdruk van haar tanden in haar onderlip. Dat antwoord werkte het beste. Het was het eerste en enige terugkerende twistpunt in hun relatie. Ze vroeg zich af of het ooit onoverkoombaar was. Zodra hij erover begon, draaide zij haar hoofd weg en negeerde zijn begeerte. Alleen de eerste keer ging ze er fel tegenin; waarop Remus haar een zigeunerin noemde, wat hem een klap opleverde en een stortvloed Italiaanse krachttaal.

'Laten we het leuk houden,' fluisterde Remus en hij liet zijn verlangen gaan in een zucht. 'Ik heb niets gezegd.' Florica legde haar hoofd terug waar het hoorde. Op zijn schouder. Voor altijd. In Italië en nergens anders.

'Ik houd van je,' zei ze. Ruzies kon ze vergeten als de beste. Een erfenis van haar opvoeding.

'En ik van jou,' zei Remus en hij kuste haar scheiding.

Ze aaide zijn blote knieën – het meest lelijke lichaamsonderdeel, dat het bestaan van God ondermijnde. Florica sabbelde op het uiteinde van haar paardenstaart. Dus ze dacht na. Over het ontelbare geluk dat ze, zonder te begrijpen waarom, voor zich zelf hield. Ook al wilde en probeerde ze Remus deelgenoot te maken, het scheen haar niet te lukken. Hij staarde mistroostig naar buiten, omringd door zijn eigen gedachten. Toen hij merkte dat Florica naar hem keek, lachte hij en kuste haar hand. *Het geluk behoort ons allebei toe*, dacht ze, *maar alleen ik schijn het te bezitten*. Hij was het niet, dat wist ze zeker, ook al deed hij soms zijn best om gelukkig te lijken. Wat is er mis met mij, vroeg ze zich af, en wat is er mis met hem?

'Je haar zit mooi,' zei Remus, toen hij haar hand losliet.

Ze wikkelde haar paardenstaart om haar vinger. Remus had haar de vorige dag wat geld in haar hand gedrukt, nadat hij opgelucht vertelde dat hij Dario alles zou terugbetalen, hoe wist hij nog niet, en dat hij hoopte hem daarna nooit meer te zien. Florica wist niet of ze het ermee eens was om Dario nooit meer te ontmoeten – hij had dit leven immers mede mogelijk gemaakt –, maar ze wist wel direct waar ze het geld heenbracht. Midden in Florence zat een prijzige kapper die wel raad wist met Florica's zwarte haren. Waar de meeste Italiaanse vrouwen voor rood en blond gingen, wenste Florica Italiaans donker als haarkleur. Bruin van het puurste soort. Ze kon niet van haar man verwachten dat hij het meteen zag, maar zijzelf voelde dat het een wereld van verschil was. Van blauwzwart naar bruin.

'Dank je,' zei ze hoofdschuddend en ze plaatste een kusje op zijn schouder.

Aan hun linkerhand klotste de zee alweer.

'Hallo lieve, lieve mensen,' kraakte een zwakke stem. Een gebogen gestalte schoof de wagondeur open en schuifelde met opgeheven hand langs de stoelen. De onderlip van de vrouw bungelde naar beneden; haar vuile tanden werden zichtbaar. Haar rechterschouder was lager dan haar linker, waardoor ze aldoor schuin liep. Het was nog een jong ding, zag Florica, toen de bedelaarster dichterbij kwam. Om haar nek hing een kartonnen bord, dat verklaarde dat een ernstige ziekte haar stembanden had aangetast, waardoor ze geen werk kon vinden. Een enkeling drukte een geldstuk in de handen van de gebochelde vrouw; de meesten staarden naar de zee alsof het de eerste keer was dat ze de oceaan zagen. Florica en Remus ontkwamen niet aan haar gebedel. Florica kreeg al pijn in haar onderrug als ze de arme meid zag. Haar lange haren hingen bijna op de grond. De vetvlekken prijkten in het roze T-shirt dat ze boven een kleurrijke rok droeg. Florica bekeek haar beter en drukte haar nagels in de plastic stof van de treinbank. De donkere ogen van de bedelaarster verschenen onder haar wenkbrauwen en schoten schichtig van Remus naar Florica en weer terug. Ze hield het bord met de bedeltekst pal voor hun neuzen. Remus schudde zijn hoofd en wuifde de vrouw weg. Florica wist dat hij een hekel had aan mensen die te koop liepen met hun handicap.

Maar de gebochelde gaf niet op en knikte met haar neus naar de tekst op het bord: 'Lees, lees'. Florica staarde geïntrigeerd naar de meid en wist niets uit te brengen. Zij was degene met een stemaandoening. De bochel oogde onnatuurlijk. De onzekerheid in haar ogen groeide. Ze haalde haar bord vlug weg en Florica zag hoe de meid haar hand vruchteloos uit de strandtas trok. Van bedelaarster naar dief in een paar seconden. De meid probeerde zich snel om te draaien en weg te draven. Nog voordat Remus goed en wel begreep wat er gebeurde, sprong Florica op en greep de bedelaarster bij haar nek. Florica draaide het gezicht naar het hare. De ogen. Florica's hartenkreet overstemde de gil van ontsteltenis die de wagon slaakte toen Florica de kromgebogen vrouw aan haar haren uitrekte tot een jonge meid van normaal postuur. Een kussen gleed onder het roze T-shirt vandaan. Haar bochel was gehuld in bloemetjesmotief en plofte op de grond. Ze keken elkaar aan in de ogen die zoveel van elkaar weg hadden. Plotseling barstte de meid in huilen uit. Florica probeerde haar tegen zich aan te drukken, maar ze werd ruw weggeduwd en struikelde over een armleuning.

'Hoer,' vloekte de meid. 'Ik ga op je schijten. Dat je oma dood mag neervallen.' Ze graaide het kussen van de grond, rende de wagon uit en sprong uit de trein. Terwijl Remus Florica hielp opstaan, zag ze hoe de jonge zigeunerin via de trappen verdween in een voorplaatsje van Viareggio.

'Wat zei ze?' vroeg Remus, die er zichtbaar niets van begreep.

'Je verstond haar niet?' vroeg Florica. Ze stotterde onder het snotteren door. Het duurde een poos voordat ze inzag waarom Remus de woorden niet had verstaan. Het was Italiaans noch Roemeens. Het was de taal van haar ouders.

De trein reed van de trap weg. Florica speurde het perron af, maar het meisje was verdwenen. Ze begroef haar leeglopende neus in de borst van Remus. Zijn sussen kalmeerde haar niet. Integendeel. Ze zette zich af en ging tegenover hem zitten. Met haar voeten trok ze de strandtas onder haar benen. Ze drukte de absurd grote zonnebril voor haar rode ogen om Remus' informerende blikken te weerstaan.

'Volgend station: Viareggio,' sprak de luidspreker. Florica vroeg zich af hoe laat de trein terug naar Florence vertrok.

7

Het onrustige gewoel naast hem stoorde Remus nauwelijks. Hij was het inmiddels gewend en sliep erdoorheen. Het gemor hoorde hij ook niet meer.

'De slaap straft me,' mopperde Florica zodra ze opnieuw wakker schrok. Remus ontwaakte pas, half, toen zijn vrouw met ongekende felheid op haar hoofdkussen insloeg. Het kussen bloedde veren.

'Rustig,' bromde Remus meer dan dat hij het zei. Vastbesloten drukte hij Florica's hoofd op haar kussen, schoof zijn ene arm eronder, de ander om haar middel en duwde zijn blote borst tegen haar vochtige rug. 'Je straft jezelf. Ga slapen.'

Het volgende ogenblik lag Remus met gespreide armen in het midden van het bed. Hij hoorde een zwerm vogels overvliegen. Pikzwarte vogels, zo stelde hij zich voor, op zoek naar groen om te rusten. Florica had de gordijnen opengedaan toen ze uit bed was gestapt. Waarschijnlijk om mij te wekken, dacht Remus. Tevergeefs.

Hij had heerlijk geslapen, in tegenstelling tot zijn vrouw die zich in de vroege morgen uit de greep van haar man had geworsteld en was vertrokken. De koffie was koud en de tafel gedekt. Het appartement was levenloos, merkte Remus op en zijn uitgeslapen gemoed raakte rapper bedrukt dan hij had gehoopt. De melk was zuur en geklonterd door de hitte.

De afgelopen dagen werd Florica getergd door rusteloosheid die ze weigerde te verklaren. Ze was deze ochtend extra vroeg vertrokken, realiseerde hij zich. Inmiddels legde ze niet eens meer een briefje met *xxx* neer. Remus wist exact waar zijn vrouw uithing: in de trein. Meer had ze hem niet willen vertellen. Hij had haar gevraagd en gesmeekt om met hem te praten, maar ze wilde er niets over loslaten. Ze zei enkel dat ze de trein pakte. Remus had nieuwsgierig de tickets uit haar tas gevist. De eerste paar keer nam ze een aantal maal een retourtje van Florence naar Viareggio, maar later doorkruiste ze heel Toscane en nam zelfs topjes van Ligurgië, Emilia-Romagna, Umbrië en Lazio mee in de hoop te vinden wat ze zocht. Wat dat ook mag wezen, dacht

Remus, terwijl hij bijtend op zijn kiezen het melkpak in de gootsteen leeggoot. De klonten zure melk verzamelden zich rond het afvoerputje.

Hij zou willen dat hij haar kon helpen. Hij was het niet gewend dat Florica neerslachtig was. Ze droeg de kleuren van de zigeuners weliswaar niet meer, maar haar hart was altijd kleurrijk gebleven. Alleen zorgde haar zwartgalligheid er nu voor dat hij zich vrolijker voor moest doen dan hij werkelijk was. Hij probeerde alles om haar op te beuren, maar Florica bleef veilig zwijgen in haar eigen gemok. Als ze er überhaupt was.

'Ik ben goddomme degene met een probleem,' zei hij, terwijl hij een sponsig bolletje witbrood in zijn geheel in zijn mond propte en wegspoelde met koude koffie.

Remus rommelde in de laden met troep die ze niet nodig hadden, maar weigerden weg te gooien. Lege aanstekers, een zakboekje Sloveens-Italiaans, een hamer, een tang, twee schroevendraaiers, elektradraden, een ingelijste oude foto, een elastiekje, een wasknijper, stickers van stripfiguurtjes die bijgevoegd waren in pakken pasta, een advertentie van een Roemeense houtbewerker die Remus ooit had uitgeknipt, een zakje cacao, een kassabon, een ansichtkaart van Rome, een gepolijste steen die Maria Rosalia voor Florica had meegenomen van haar vakantie in Libië. Je wist nooit of je het ooit nog nodig had. De bewaardrift zei niets over de waarde van de spullen, maar alles over Remus. Tijdens het communisme gooide je ook niets weg; alles kon gebruikt of gerepareerd worden.

Onder een make-up etui met een kapotte spiegel lag hetgeen waar hij naar op zoek was: moeder Maria. Hij hing de gouden icoon aan de spijker naast het portret van zijn grootvader. Niet omdat hij het goddelijke miste in zijn leven, integendeel. Eigenlijk begreep hij zelf ook niet waarom hij Maria aan de muur hing. Er miste daar iets, zo leek de spijker te belijden. Remus had het portret van zijn grootmoeder naar de oude Jood had gebracht en een stapel bankbiljetten, bij elkaar gehouden door een elastiekje, mee teruggenomen. Zijn grootmoeder was op het doek vereeuwigd door een Roemeens-joodse schilderes, beiden waren toen nog jong, en Remus wist de waarde van hun samenspel. Evenals de oude Jood, die niets te veel voor het portret wilde geven. Maar Remus vond het genoeg. Nu Dario nog, dacht hij.

Hij wist nu al dat Florica het oneens zou zijn met de icoon aan de muur, omdat het niet hoorde in een Italiaans gezin. Zij was net zo min katholiek als hij, noch orthodox, maar voor het oog wilde ze liever als katholiek door het leven dan 'zo'n Oost-Europese gelovige', zoals ze zei toen ze de icoon in het laatje verstopte. Als ze wilde bidden, bad ze, en daar had ze niemand voor nodig. Dat vond Remus wijs, ook al zou zijn grootmoeder hen beiden hebben uitgescholden voor heidense Turken. Mochten ze eindelijk naar de kerk, deden ze het niet.

Zoals elke zondagmorgen rinkelde de telefoon. Remus zat erop te wachten – met een extra sneetje brood met salami achter de kiezen en de krant van gisteren naast zijn bord. Het was niet zijn beurt om te bellen, herinnerde hij zich, dus ging zijn vinger geduldig langs de nieuwsberichten die hij de vorige dag had overgeslagen, hopend dat de verkrachtingszaak uit het journaille werd gehouden. De stem aan de andere kant van de lijn deed hem buitengewoon goed om te horen.

'Zeg me niet dat je niet weet welke dag het is vandaag,' klonk het nog voor de gebruikelijke beleefdheden. 'Ik laat je er niet over nadenken,' waarschuwde de stem, 'want dat betekent dat je het hoe dan ook niet snel genoeg weet'.

'Zondag?' opperde Remus, maar hij wist dat het, hoewel juist, niet het gewenste antwoord was.

'De sterfdag van de destijds negenentwintigjarige Porumbescu,' verzuchtte Emil elfhonderdnegentig kilometer verderop. 'Ik heb je geprobeerd op te voeden, maar de barbaarsheid is niet uit je te rammen. En je woont nog wel in de culturele hoofdstad van Europa.'

'Praat me niet over cultuur,' lachte Remus cynisch. Dario had de brief van de uitgeverij verdreven uit Remus' gedachten, tot zojuist. Elke zondag volgde, na de beleefdheden die deze keer werden overgeslagen, eenzelfde welles nietes-discussie. Emil roemde de cultuur van het oude Westen en Remus raasde daarna dat die cultuur zo dood als Porumbescu was. Dan volgde Emil door te zeggen dat de Roemeense jeugd meer geïnteresseerd was in de nieuwste mode en hebbedingetjes zodat ze konden wedijveren met het Westen en dat ze hun achterste afveegden met cultuur of het opbouwen van het land.

'Het is een corrupte bedoeling hier,' concludeerde Emil. 'De communisten hebben slechts gepoogd om ons besef van cultuur af te pakken, maar het zijn de kapitalisten die het daadwerkelijk lukt.'

'Geloof mij maar,' zei Remus, 'jij bent beter af daar'. En dat herhaalde Emil vanuit zijn standpunt, totdat ze het beiden een aantal keer hadden geconcludeerd en het gesprek weer een andere wending kreeg.

'Tot de orde van de dag dan maar,' begon Emil met een zucht. 'De journaals hier hebben het constant over Italië.'

'Hoezo?' vroeg Remus, ook al had hij een vermoeden.

'De Italiaanse politie heeft een zigeunerkamp platgewalst en de zigeuners op straat gezet, in de hoop dat ze terug zouden keren naar Roemenië. Want het zijn Roemenen, volgens de Italianen. En daar spreken ze hier schande over. Het zijn verdomme zigeuners, om met een populaire columnist te spreken.'

'Dat zijn het,' herhaalde Remus, 'maar is de ware schande niet dat de politie hun huizen heeft platgewalst? Is dat niet erger dan ze Roemenen noemen?' Hij twijfelde of hij het zei omdat het gezegd moest worden of dat hij het ook daadwerkelijk vond.

'Eigen schuld,' zei Emil. 'Door hun gejat en gebedel worden hardwerkende Roemenen gediscrimineerd in Italië. Op tv vertelde een dame die vijf jaar op de kinderen van een Italiaans stel had gepast, dat het jongste kind – ooit haar oogappeltje – op haar had gespuugd en bij haar moeder jengelde om een nieuwe oppasser, omdat de oude volgens haar schoolvriendjes een gevaarlijke zigeuner was. Ze werd meteen ontslagen en vervangen door een Arabier. Toen had ze niets meer. Ze slenterde over straat met alles wat ze had op haar rug, omdat ze bij de familie had ingewoond. Terwijl ze ergens een broodje bestelde en uitgelachen werd door de verkoopster om haar accent, sprintte een zigeunerkindje langs en trok de tas met haar spaargeld tussen haar voeten vandaan. Ze heeft het kind nog proberen in te halen, maar dat was verloren moeite. Haar familie heeft haar met al het geld dat zij naar het thuisfront had gestuurd teruggehaald naar Maramureş. Dit allesomvattende verhaal illustreert wat er gaande is in Italië. Je zou er een boek over kunnen schrijven.'

'Als ik zou kunnen schrijven, ja,' antwoordde Remus. Het was de eerste keer dat hij liet vallen dat hij het schrijven en dichten wilde opgeven, hopend dat Emil hem zou overhalen, maar hij gaf zijn vriend niet de kans om erop te reageren. 'Hoe gaat het nu met haar?'

'Ze leeft met een illusie armer in het noorden van Roemenië, bij haar familie. Volgens mij denkt ze erover om non te worden.'

'Arme meid,' zei Remus. 'Hier worden steeds meer kampen ontmanteld, en niet alleen door de Italiaanse overheid. Er zijn hobbyisten die met knuppels en fakkels zigeuners wegjagen, in de hoop dat ze terugkeren naar Roemenië.'

'Alsof ze ons probleem zijn,' zei Emil honend. 'Zigeuners reizen nu eenmaal.'

Remus dacht terug aan hoe hij zijn grootmoeder en haar vriendin uitlegde waarom de Rroma wel degelijk hun probleem waren.

'Natuurlijk zitten er ook goede tussen,' had grootmoeders vriendin gezegd, nadat grootmoeder in paniek was geraakt toen Remus vertelde dat hij verliefd was geworden op een zigeunerin.

'Ach, houd toch op!' zei grootmoeder. 'Ik ken ook een zigeunerin. Kende. Zij schotelde altijd de lekkerste salami voor en deed de was uitstekend. Voor zover we weten heeft ze nooit iets van onze familie gejat. Maar dat was vroeger. Dit zijn andere tijden, voor ons allemaal trouwens,' zei ze en ze schonk de glazen vol. 'Als kind was ik verknocht aan haar. En nu is ze dood, net als alle goede zigeuners.' Ze pauzeerde en besloot haar relaas met de Roemeense wijsheid 'zo is het leven'.

Remus hield het niet langer: 'Dat geklaag van ons Roemenen is hypocriet'. Hij speelde met de kwastjes van het tafellaken. 'Ja, er zijn zigeuners die jatten, maar de meesten zijn muzikale genieën, arbeiders, kunstenaars en handelslieden. Eerlijke en hardwerkende mensen.'

Grootmoeder genoot van een binnenpretje.

'Waarom laat een zigeunerjongen zijn snor staan?' vroeg ze, omdat haar vriendin aandrong om hun deelgenoot te maken van haar gegrinnik. Zonder het antwoord af te wachten, kopte ze de mop zelf in: 'Om meer op zijn moeder te lijken'.

Remus onderdrukte een lach en zei streng: 'Het is onze eigen schuld. Zeker van ons twee.' Hij wees naar zijn grootmoeder. 'De aristocratie was al te happig om de zigeuners uit hun woonwagens te trekken en vast te ketenen aan Roemenië om voor ons te zwoegen in slavernij. We neukten ze, niet alleen figuurlijk. Om onze historische zonden goed te maken schelden we ze nu uit voor ratten of kraaien en geven ze de vrijheid om te sterven van de honger. Natuurlijk jatten ze van ons als ze hun talenten hebben verloren in de generaties als slaaf. Dit is onze erfenis.'

Grootmoeder schudde haar hoofd.

'Liefde maakt blind.'

'Liefde bindt,' verbeterde Remus.

Hij wilde niet eenzelfde discussie met Emil, dus hield hij zijn mond. Misschien had Emil gelijk en waren de zigeuners niet langer hun zaak.

Emil maakte een eind aan Remus' overpeinzingen door het onderwerp af te ronden met: 'Het is beter om iedereen het verschil te leren tussen Roemenen en Rroma, zoals ze zichzelf nu noemen.'

Remus zuchtte. Hij voelde dat er iets veranderd was. Zodra hij de deur van Mancare achter zich dichttrok, zag hij voorbijgangers vies kijken naar de Roemeense vlag boven zijn hoofd en daarna naar hem. Een plus een. 'Ik heb niets over die vrouw uit Maramureş gelezen in de Italiaanse kranten,' zei hij toen maar, omdat Emil op een reactie wachtte.

'Natuurlijk niet. Het is niet flatteus om je eigen bevolking te portretteren als hetzemakers,' foeterde hij. 'Daar belichten ze het probleem vast en zeker vanuit hun standpunt: er is een jonge vrouw misbruikt, eens kijken wat er in het paspoort van de verkrachters staat. Ah, het zijn Roemenen, godzijdank!'

'Vroeger wisten we tenminste dat we constant voorgelogen werden,' zei Remus. Hij zag hen weer staan wachten op de tram die God weet wanneer zou opduiken. De tram kwam wanneer hij zin had. Het was een hete zomer. Ze telden de iele armpjes en de vermagerde gezichten van jong en oud. Bij elke voorbijganger waar ze doorheen konden kijken, prezen ze met zorgvuldig cynisme de Leider die zojuist in de media had gepredikt dat Roemenië nooit eerder zoveel te eten had gehad. Ze hadden de grootste lol, totdat een bejaarde voor hun ogen dood neerviel. Al vloekend probeerden ze hem te reanimeren, maar daar was God niet van gediend. De man stierf in Emils handen. Officieel vanwege de hitte, aldus de toegesnelde politie en doktoren, maar daar durfden Remus en Emil in het geniep aan te twijfelen. Pas na jaren konden ze erom lachen, zij het met een trieste grimas.

'Het waren slechte tijden, maar het was een mooie tijd,' zei Remus in de hoorn.

'Je wordt nog steeds gemist,' zei Emil. Hij begon over Pinu, omdat Remus er nooit naar vroeg. Het interesseerde Remus mateloos, maar hij had besloten dat Pinu had afgedaan. Hij wilde hem nooit meer spreken, ondanks dat Pinu destijds direct naar de Securitate was gesneld om het alternatieve vluchtverhaal te 'verklappen'. De agenten waren erin gestonken en hadden een week lang op de Zwarte Zee gedobberd in de hoop de vluchtelingen te onderscheppen. Pinu bekende daarna dat zijn snode vrienden hem hadden doorzien en bleef de Securitate nog twee jaar, tot de dood van de Leider, informeren, al dan niet gedwongen.

Dat was niet hetgeen Remus ergerde. Hij wist dat Pinu een bangerik was. Wat hem stoorde was dat Pinu zich had verrijkt over de ruggen van de armen en van de ex-bourgeoisie ná het communisme. Dankzij zijn contacten bij de ex-Securitate pikte hij hier en daar grote sommen geld mee. Diezelfde contacten slingerden Pinu langs mazen in de wet en schonken hem lucratieve contracten, zonder dat iemand echt wist waarom of waarvoor de man was aangenomen. Van dat geld kocht hij een opgeknapte buitenvilla die vroeger toebehoorde aan een adellijke familie. Types als Pinu maakten het doctor Arcos moeilijk om het landhuis van de Tomescu's terug te vorderen.

Hij trouwde een beeldschoon model dat zelfs na de val van het communisme niet at. Inmiddels resideerden ze met twee kinderen in de bergen van Transsylvanië – een prachtig plaatje aldus Emil – en probeerden geestdriftig het geld uit te geven dat binnenstroomde. Pinu was, volgens Emil, een van de eerste Roemenen die een Mercedes reed. Voorheen waren zigeunervrouwen en -meisjes de enige Mercedessen in Roemenië.

'Zijn auto rijdt op bloed,' had Remus walgend gezegd tegen Emil. Zijn beste vriend was milder. Pinu financierde de altoos falende muziekprojecten van Emil. Geld kocht eerlijkheid. De meelopers waren leiders geworden.

'Weet je wat die jongen nu weer heeft uitgespookt,' begon Emil, die ongetwijfeld weer wilde komen met een anekdote vol bravoure of rijkdom waar Remus nu geen behoefte aan had.

'Vertel het later maar,' zei Remus bits, 'ik wil het nu niet weten'.

Hij vertelde wat hem twee avonden geleden overkwam. Plotseling stapte de dikke ex-Securitate-agent die Remus had opgepakt tijdens het eerste diner met Florica het restaurant binnen. Remus wist niet of hij moest wegduiken, als een kameleon verstenen en de terracotta-kleur van de muur achter hem aannemen of de agent aanvliegen, dus glimlachte hij en keek van zijn schoenen naar de man en weer terug. In de keuken stak hij zijn portemonnee bij zich, waar nog altijd de verklaring instak dat hij in Italië wilde blijven, wat hij ook zou opbiechten tijdens een eventueel verhoor. Toen hij het restaurant weer binnenging, bekeek hij de agent. Er hing kapitalisme aan zijn vroeger ook al forse wangen. Doordat de tijd hem had ingekort, leek de ex-agent nog meer gedrongen dan voorheen. Een wandelstok ondersteunde zijn ontblote olifantenpoten. De herkenning was niet wederzijds. Remus verwelkomde hem zuinig in het Roemeens.

'We zijn op vakantie,' zei de man – zelfs zijn stem was dikker geworden. De rest van de 'we' waggelde de zaak binnen: zijn vrouw, die dezelfde vorm had aangenomen als haar partner, zijn twee volgroeide kinderen en diens partners en kinderen. 'De kinderen lusten elke dag wel pizza, maar mijn vrouw en ik willen eens écht eten.' De man lachte en Remus balde zijn vuisten om zichzelf onder controle te houden.

'Alsof ze dat nodig hebben,' had Florica giechelend in de keuken gezegd, terwijl ze bierflesjes opentrok en Cola-flessen leegschonk. 'Die kunnen een jaar zonder eten.' Remus kon er niet om lachen.

'Je had in zijn eten moeten tuffen,' zei Emil, die de toevalligheden maar moeilijk kon geloven. 'Dat kun je amper slecht noemen.'

'Er is goed en er is fout,' antwoordde Remus. 'Dus "amper slecht" bestaat niet.' Hij had niets schrikbarends gedaan, op het verschuilen in de keuken na. Normaal gesproken schreed hij in een vrij moment langs de tafels en vroeg als rechtschapen gastheer annex kok of alles naar wens was, maar die avond nam Florica alle honneurs waar. Hij hoorde hoe ze vlekkeloos schakelde tussen het Roemeens van de ex-agent en zijn gezin en het Italiaans van een oud stelletje. De oude man zei zich behoorlijk te interesseren in Roemenië en dat ze erover zaten te denken om ernaar op vakantie te gaan, maar Florica verklaarde poeslief dat ze hen niet kon informeren. Hoe graag Remus ook naar de ouderen had willen snellen om met een viltstift een adviesroute door het land te tekenen op de papieren placemat: hij kon het niet. Hij zat gevangen in de keuken en de vlezige agent hield hem daar onder het smakken door opgesloten.

Af en toe spiekte Remus langs het gordijntje, terwijl de mici-worstjes zich warmden op de grill. Hij schepte de borden extra vol, zodat de familie het dessert zou overslaan en Remus de keuken kon verruilen voor het bed, maar de man had in de loop der jaren zijn maag dusdanig uitgerekt dat deze met geen mogelijkheid versneld gevuld werd. De hele familie stortte zich op het nagerecht – zoete donuts, baklava en oliebollen met kersen en zure room. Florica zwaaide de Italiaanse bejaarden uit die, naar eigen zeggen, heerlijk hadden gegeten, maar wel wat veel, terwijl Remus nog eens het koffiezetapparaat aanzwengelde voor de ex-agent.

'En je hebt verder niets tegen hem gezegd? Geen steekje, geen verwijt?' vroeg Emil vol ongeloof door de telefoon. Remus stelde zich voor hoe hij op dit moment een tik tegen zijn achterhoofd had gekregen als ze het gesprek in levenden lijve hadden gevoerd. 'Je had hem op zijn minst kunnen bedanken voor de gratis soep met drijvende schapenogen in de gevangenis. Kop op zeg, je kon op de syfilisleider proosten zonder opgepakt te worden. Kijken of die kneedbare klootzak zijn glas had geheven.' Het bleef stil aan beide kanten van de lijn. 'Je had op zijn minst een coupe Ceauşescu kunnen voorschotelen aan zijn kleinkinderen. Een leeg bord met een lepeltje. Eet smakelijk, met de weledele groeten van de Leider.'

'Misschien zet ik coupe Ceauşescu op het menu,' zei Remus en hij kon een grinnik niet onderdrukken.

Emil lachte erom en vroeg naar zijn dichtwerk.

'Het gaat.' Het was niet het onderwerp waar hij op hoopte, maar hij was blij dat hij niet hoefde te vertellen dat de dikzak een fooi gaf gelijk aan zijn omvang; dat Florica het goedlachs had geaccepteerd. En erger nog: Remus danste met haar mee toen hij het bedrag zag.

'Wil je iets voordragen door de telefoon?'

'Nee bedankt.'

'Sommige dingen veranderen nooit,' verzuchtte Emil, immer nieuwsgierig naar het werk van zijn vriend, dat hij slechts in beschonken buien tot zich mocht nemen. En dat was sinds het overlijden van grootmoeder, toen Remus een week terug was in Braşov, niet meer gebeurd. 'Je leest nooit iets voor. Ik wil jou wel wat laten horen,' hoorde Remus Emil zeggen, voordat er gerommel klonk aan de andere kant van de lijn. Hij hoorde iets zoemen, ratelen, tikken en weer zoemen, alvorens de zwoele klanken van een tango een reis van meer dan duizend kilometer maakten binnen enkele seconden. De telefoon was een wonder dat men als vanzelfsprekend zag, dacht Remus, terwijl hij luisterde naar een lied over verleidende leugens, wat Emil later een Roemeense tango noemde. 'En dat wilde ik nou tegen je zeggen,' sprak Emil door de afzwakkende tonen van de tango. 'Pinu regelt de financiële kant en ik ritsel platen als deze om de tango, onze oude Roemeense tango, terug te brengen in het nationale gehoor. Of op zijn minst te conserveren voor de generaties na ons.'

'Roemeense tango?' vroeg Remus. Hij had er nooit eerder van gehoord.

'Exact,' zei Emil, 'en precies daarom ben ik bezig met dit project. De communisten hebben de mond van de tango-artiest gesnoerd. Het is aan mij om die monden weer open te wrikken. Postuum of niet. Ik zit er zelfs aan te denken om een café te openen in Boekarest ter ere van deze muziek. Met Pinu's contacten lukt dat wel. Ik zit eraan te denken om het "Tango" te noemen, lekker simpel, maar Pinu zat meer te denken aan "Pinu's". De naam is niet belangrijk, zolang de klanken maar door de deur- en raamkieren sluipen en bezoekers lokken.'

'Ik vraag me af of je er rijk van zult worden,' zei Remus bedrukt, hoewel hij enthousiaster zou willen reageren. 'Je moet ook leven hè?'

'Wat is geld, mijn vriend?' De zucht van Emil sneed Remus' bedenkingen in tweeën. 'Ik hoor mensen dagelijks klagen over geld, terwijl ze tassen vol kleding meenemen uit overdekte winkelcentra. Sommigen zijn arm, ja, maar vroeger waren ze arm en monddood. Ze mogen nu verdomme tenminste klagen. En de lui die honger hebben, rijden wel in een auto. Iedereen lijkt een auto te hebben – en niet alleen oude Dacia's – die ze het liefst op stoepen of midden op de weg neerzetten. Ik kan mijn kont niet keren of ik loop tegen een geparkeerde Franse bak aan.' Emil was op dreef en liet zich niet onderbreken door het gekuch van Remus. 'En toeteren dat ze doen. Als blijkt dat ik gehoorverlies oploop door die opgefokte Turken, dan dien ik een klacht in bij de overheid en verhuis ik naar het platteland. Paarden en ezels maken beschaafdere geluiden als je ze op de kont slaat. Nee, beste vriend, ik heb geen rijkdom nodig. De muziek is rijk. Ze maakt me gelukkig. Ik leef van noten.'

Daar moest Remus over nadenken. Wie of wat maakte hem gelukkig? Onderwijl liet hij Emil raaskallen over de magistrale toekomst van Pinu's, zoals het café waarschijnlijk toch wel genoemd zou worden, en zijn bezoek aan een seniele romanticus die dacht dat Emil een platenbaas was en daarom zijn hele platencollectie afstond die hij juist angstvallig had beschermd tegen de grillen van de communisten.

'Ik moet gaan,' verklaarde Remus uit het niets, omdat er werd aangebeld en op de deur gebonsd.

'Heb je die Britney Spears gehoord?' vroeg Emil alsof hij Remus niet had verstaan. 'Soms denk ik dat het beter zou zijn als het IJzeren Gordijn nooit opgedoekt was.'

'Die schrijf ik op,' beloofde Remus met een lach.

'Ach, ik mopper, maar ik heb het beter dan ooit te voren. Mijn probleem is simpel: het nieuwe systeem maakt ons dom. Men gaat nu massaal naar de kust en daar vissen idioten een zeepaardje uit de zee en nemen deze mee als souvenir. Het beest sterft in een vuil aquarium of, als de idioot het zeepaardje zat is, in de wc-pot. Het is een hype. En nu sterven de zeepaardjes van de Zwarte Zee uit.'

'Soms voel ik mij een zeepaardje,' zei Remus zacht. 'Ik spreek je volgende week.' Na de gebruikelijke gezondheidswensen drukte hij de telefoon in de standaard en liep op zijn hoede de trap af naar de voordeur.

'Wie is daar?' vroeg hij.

Het bleef stil aan de andere kant. Voorzichtig duwde hij de gietijzeren klink naar beneden. De deur vloog open. Remus vloog naar achteren, geschampt door het hout. Hij werd omhoog getakeld door een hulpgorilla van Dario. Massieve vingers omklemden zijn hals.

'Dario wil zijn geld,' schreeuwde de Albanees.

'Volgende week heb ik gezegd,' beet Remus hem toe. In zijn angst zocht hij naar de balans tussen gewilligheid en irritatie in zijn stem.

'Eergisteren, zei Dario.' Zijn ringbaard omcirkelde zijn zuinig gevormde mond waaruit de spaarzame, barse woorden kwamen. 'Morgen.'

'Maar we zijn vrienden,' smeekte Remus.

De Albanees gaf hem een kopstoot en smeet hem op de grond. Er kleefde druiperig bloed in zijn naar elkaar toelopende wenkbrauwen. Remus wilde er niet over nadenken wiens bloed. Duizelig kroop hij overeind.

'Kom binnen,' zei hij. 'Ik heb wat voor Dario. Een aanbetaling.'

'Ik wacht hier.'

Op handen en voeten kroop Remus de trap op. Hij strompelde naar de boekenkast en wrikte *Das Kapital* van Marx eruit. Met het boek onder zijn arm ging hij naar beneden, waar de man tegen de muur leunde. Remus klapte het boek open, haalde al het geld uit de weggesneden bladzijden die de verkoop van zijn grootmoeders portret had opgeleverd en stotterde: 'Dit heb ik nu. De rest komt nog. Echt!'

De Albanees knikte, rolde het geld om zijn vinger en stopte het in zijn binnenzak.

'Tot morgen.'

'Ik heb nog twee dagen nodig,' fluisterde Remus.

De man knakte nukkig zijn nek en verdween door de deuropening.

Niemand mag Albanezen, dacht Remus, terwijl hij zijn bonzende voorhoofd tegen de deur drukte.

Boven, op de leefetage, drong lawaai door de openstaande luiken naar binnen. Remus smeet vloekend Karl Marx in een hoek en liep naar het balkon. De bron van het gejoel liet zich gemakkelijk ontdekken. Remus stond oog in oog met een jonge Italiaan, die op de schouders van een lange metgezel balanceerde. De jongen rukte aan de Roemeense vlag. Remus staarde niet-begrijpend naar de vastbesloten haat om de driekleur neer te halen.

'Verkrachter,' schreeuwde een meisje die samen met haar vrienden het tweetal aanmoedigde.

'Maar,' stotterde hij deels naar de jongen voor zijn neus, deels naar de opgefokte groep pubers beneden. Hij hoorde de vlag scheuren. De dragende slungel danste om in balans te blijven, terwijl de ander euforisch met het gescheurde blauw-geel-rood zwaaide. 'Maar ik ben een Roemeen,' maakte Remus zijn zin af.

'Dat zeggen we toch,' zei de jongen in de nek van de ander. 'Verkrachter.' Hij gooide de vlag op de grond en sprong van de schouders. Op zijn aangeven scandeerde de groep 'verkrachter' en 'Roemeen'. Met zijn voeten stampte hij op de vlag. Remus zag een oude man hoofdschuddend passeren; een vrouw duwde een kinderwagen voort en mimede de woorden mee met haar lippen.

Hij sloeg de luiken dicht en drukte zijn rug tegen de ramen. Hij had dit moment zien aankomen. Nu is 'Roemeen' verworden tot een scheldwoord, realiseerde hij zich. Hij zuchtte. Er zullen Italiaanse kindjes zijn die elkaar uitschelden voor Roemeen en dan met elkaar op de vuist gaan, omdat ze niet zo genoemd willen worden. Net zoals Remus, toen hij op zesjarige leeftijd door de een jaar oudere Mihai werd uitgemaakt voor een Hongaar, alleen omdat ze allebei smoorverliefd waren op Zsuzsi.

Remus klapte met zijn achterhoofd tegen het raam.

'*Bastardo*,' riepen de Italiaanse jongeren hem na, omdat hij niet meer reageerde. En dat was hij ook niet van plan. Zo bleef hij staan totdat de jongelui verdwenen en de stilte terugkeerde. Maar de pijn bleef. De pijn die binnenin hem huisvestte en zowel naar buiten klom via zijn voorhoofd als dieper in zijn vezels sijpelde.

Hij liet zich op de grond vallen. Het viel hem nu pas op dat hij naar urine rook. Remus wilde en kon nergens aan denken, behalve aan Florica. Ik ga haar hier niet mee belasten, beloofde hij zichzelf, maar hij had haar nodig. Hij betrapte zichzelf erop naar de gouden Maria-icoon aan de muur te kijken en haar geruisloos te vragen, te smeken, om Florica heelhuids thuis te brengen. Thuis.

8

'Lik mijn kut!' Om haar woorden kracht bij te zetten, gooide Florica een glas vol cola in het gezicht van Remus. Ze had schoon genoeg van zijn eeuwige vragen. Het ging hem verdomme niets aan waar ze de hele dag was geweest. Het was niet zo dat zij hem bedroog met een andere man. Dat probeerde ze hem ook duidelijk te maken, maar hij was niet voor rede vatbaar. Als je haar een stiekeme zigeunerin noemde, dan kon je een lading cola verwachten. En meer. Ze sloeg haar vlakke hand in zijn natte gezicht.

'Wat denk je wel niet,' stamelde Remus. Hij wreef verbluft over zijn wang en hield daarna dreigend zijn vuist naast zijn oor. Florica wist dat hij niet zou uithalen, daar was hij te hoffelijk voor.

'Neem het terug,' gilde ze haar nekspieren strak.

'Zeker niet,' hoonde Remus. Zijn woorden waren minder hoffelijk: 'Zeg me waar je steeds heengaat, zigeunerin.'

Florica haalde naar hem uit, als een tijger met scherpe klauwen, maar miste doel doordat Remus naar achteren sprong. Ze renden rondjes rond de eettafel, omdat hij niet nog een klap wilde incasseren. Florica was alle ratio verloren: ze deed. Op dit moment kon het haar niet schelen dat ze zich niet gedroeg als een beschaafde Italiaanse. Voor het eerst in al die jaren. Instinctief greep ze het leeggegooide glas en mikte op Remus. Hij kon net op tijd wegduiken voor het object dat op hem afvloog. Het spatte in honderden stukjes uiteen tegen de muur achter hem, niet ver van zijn statige grootvader die het tafereel met loden ogen bezag.

'Waar ben je in godsnaam mee bezig?' Remus mond hing open.

'Alsof jou dat iets uitmaakt.'

'Ja,' zei hij. 'Ik vraag er toch naar? Elke dag weer.'

Florica zag het onbegrip op zijn gezicht, maar draaide zich resoluut van hem weg om zich geruisloos op te sluiten in de badkamer en zich te verdrinken in haar tranen. Ze ving zijn verwijten op met haar rug.

'Blijf staan en geef antwoord! Daar heb ik recht op!'

Nee, dacht Florica, en ze draaide de badkamerdeur op slot. Ze liet vloekend het bad vollopen, om haar gedachten te dempen, en ging op de klep van de wc zitten.

Hij was dronken van de vlieringtrap gekukeld toen ze laat binnenkwam. Zijn voorhoofd lag helemaal open. Ze had hem in de steek gelaten, zo verweet hij haar met zijn dubbele tong. Ze was een ondankbaar secreet. Emil had zijn toekomst voor haar opgeofferd. Waar was ze wel niet mee bezig?

Wist ik het maar, had ze bij zichzelf gedacht, zonder op haar man te reageren. Ze wilde zich in zijn armen storten en zich laten bedwelmen door zijn afstotende geur van brandewijn, maar in plaats daarvan stormde ze op hem af en liet een rode handafdruk achter tussen de stoppels op zijn wang, omdat hij haar uitkafferde en eiste dat ze verklaarde wat ze uitspookte.

'Ga nou niet weer de badkamer in,' smeekte Remus, die even zijn boosheid vergat. Florica weigerde te reageren. 'Nou, sodemieter dan maar op. Verstop je maar voor de waarheid.' Ze hoorde hoe hij weg strompelde en de trap naar de vliering openklapte. Ze hoopte dat hij voorzichtig deed en tegelijkertijd dat hij er opnieuw vanaf donderde. Hij had de cd-speler aangezet. De heftige rockmuziek, telkens weer hetzelfde nummer, probeerde zijn stroom van scheldwoorden te overstemmen. Het gebrek aan zang werd ruimschoots opgevangen door bijtende gitaren. Florica begroef hysterisch haar gezicht in haar handen. Ze wist: als Remus deze cd luistert en dit nummer op *repeat* zet, dan is er iets mis.

De gitaren werkten naar een remmende climax toe, die Florica probeerde mis te lopen door haar vingers in haar oren te drukken. De muziek klonk even heftig als het oranjeharige skelet op de hoes van de plaat deed vermoeden. Remus had haar de hoes trots laten zien toen hij op een dag thuiskwam met het eerste muziekalbum dat hij had gekocht. Florica vond het afschrikwekkend, net als de muziek die hij liet horen, onderwijl een anekdote over Emil en zijn cassettebandjes vertellend. Iron Maiden heette het, heavy metal, de soundtrack van de kwade momenten in haar leven.

'Zoals vandaag,' verzuchtte ze met haar natte ogen in haar handpalmen, terwijl de wc-bril de slaap in haar benen knelde.

Ze hoorde hoe Remus weer naar beneden kwam en naar de badkamer liep. Aan de andere kant van de deur hoorde ze hem jammeren als een meisje van zeven. Af en toe stampte hij met zijn voeten en klaagde dat het niet eerlijk was, omdat hij alleen maar wilde helpen.

Dan moet je me geen zigeunerin noemen, dacht Florica, daar help je mij niet mee. Haar eigen tranen maakten haar soezerig. Ze dacht eraan om van de wc-pot af te gaan en een bad te nemen, maar alleen de gedachte aan opstaan vermoeide haar al. Pas toen haar benen van lies tot teen tintelden, klom ze overeind en schuifelde naar het bad om de kraan dicht te draaien. Het gestommel gaf Remus schijnbaar hoop, want hij leek op te springen om zijn excuses te maken, totdat hij hoorde dat zijn vrouw haar tenen in het bad doopte en zijn hoop deed verdrinken.

'Zoek het dan maar uit,' zei hij tegen de gesloten deur. Hij dempte Iron Maiden door het luik met de vlieringtrap in te klappen en zette de televisie aan. Florica strompelde naar de deur, het bloed terug in haar benen vegend, en drukte haar oor tegen het houtwerk om te luisteren wat Remus allemaal mopperde tegen de Roemeense tv-kanalen die de shoarmaman vlak voor haar thuiskomst had geïnstalleerd. Er viel geen touw vast te knopen aan het hoge gebrabbel van haar man, maar ze dacht geen enkele maal 'zigeuner' of 'zigeunerin' te horen.

Hij was altijd zo vergenoegd over zijn hersens, zijn foutloos Roemeens, zijn acceptabele Russisch, zijn kennis van de literatuur, zijn dedicatie om te slagen als poëet en zijn alles verslindende leeslust die een autodidact van hem maakte en waardoor hij zich – weliswaar onbewust – boven de rest van de mensheid en zijn vrouw schaarde, maar hij kon niet bedenken wat haar zo dwars zat en waardoor haar hele leven overhoop lag. Hun leven. Het was een maatschappelijke sukkel met hersens, dacht ze, en ze wist niet of ze hem daarom moest verfoeien of liefkozen.

Ze liep naar het bad terug en liet zich voorzichtig in het water glijden. De klootzak.

Hij was erbij toen de muur instortte die Florica om zichzelf heen had gebouwd. De bedelende Rrom-tiener had de verdedigingsmuur vakkundig omvergeworpen. Ze speelde het tafereel nogmaals af in haar hoofd: ze noemde me een hoer en ze zou op mij schijten. Het waren niet zozeer de woorden zelf die funest waren, maar de taal waarin de verwijten van het jonge ding waren gegoten, de vreselijke woorden uit de mond van een meid die haar zusje had kunnen zijn.

De onfortuinlijkheid had bepaald dat de bedelaarster er exact zo uitzag zoals Florica zich de volgroeide Lala voorstelde. Als ze aan haar zusje dacht, wat bijna nooit voorkwam, omdat ze het schuldgevoel niet kon dragen. Vanaf het moment dat Remus haar uit het kamp en de klauwen van de zigeuners ontvoerde, verging elke hoop om haar zusje nog eens te zien en verbande ze haar – en haar grootvader – uit haar gedachten. Iets wat haar wonderwel goed lukte door zich ten volle te storten op haar studie en haar metamorfose tot Italiaanse.

Totdat de gebochelde meid haar probeerde te rollen. Plots werd Florica bevangen door het beeld van een volgroeide Lala die als een mongooltje naar portemonnees grabbelde. Was het haar zusje die haar probeerde te bestelen? Natuurlijk niet, besloot ze: het was Lala's schim in een bedelende zigeunertiener.

Maar dat was al erg genoeg. Florica dompelde zich onder en bezag het plafond vanonder het water. De afgelopen dagen had ze als een bezetene naar de tiener gezocht die ze Lala had genoemd. Ze had zelfs haar tas open neergezet op de treinstoel naast haar, alsof ze een beer lokte met honing. Het baatte niet: geen enkele reis had ze beet. Niet in de trein naar Bologna, Siena of Lucca, noch de retourtrein richting Rome.

Het was een nutteloze queeste geweest, tot aan gisteren. Het was een bedompte vroege ochtend toen Florica op het centraal station van Florence besloot dat ze nog eenmaal een heen-en-weerticket naar Viareggio uit de automaat zou trekken. Ze kocht een broodje mozzarella en ham bij een staluitbater en peuzelde dat op in de stilstaande trein die wachtte op het eerste groene licht van de dag. Het verbaasde haar hoezeer ze naar de omgeving van het naderende Empoli keek, in tegenstelling tot de vorige dagen toen ze angstvallig de in- en uitstappende mensen gadesloeg, en bijna vergat waarom ze dagenlang in treinen had doorgebracht. Totdat de treindeur openschoof en hetzelfde Rroma-meisje als destijds door de wagon huppelde en briefjes overhandigde waarop ze uiteenzette dat 'hun soort' niet allemaal jatte of bedelde. Daaronder had ze toegevoegd dat ze spaarde voor schriftjes, zodat ze naar school kon gaan net als alle andere kindjes in Italië.

Florica viste haar portemonnee uit haar tas voor een kleine bijdrage. Het meisje bond verlegen haar vlechtjes om haar vinger, terwijl Florica het kleingeld uit haar portemonnee sorteerde. Even twijfelde ze om het meisje te vragen naar haar woonplaats en of ze misschien een grote zus of nicht had, maar ze besefte zich dat het een ondoenlijke vraag was: natuurlijk had het meisje zussen en nichten en broertjes, neven en vooral veel ooms. Het meisje hield haar hand op en omklemde het geld. De uiteinden van haar zwarte nagels prikten in Florica's handpalm. Er ontbraken een paar melktanden in haar lach. Met haar tong probeerde ze de grootste bres te vullen. Ze bedankte Florica in het Italiaans, om er daarna met een grote grijns 'domme gadjo-trien' aan toe te voegen in het Romanes.

'Geen dank,' antwoordde Florica, die geenszins van plan was zichzelf te ontmaskeren als een Rrom. Het vleide haar dat ze als een Italiaanse werd beschouwd. Hier was iets gaande, dacht ze, gesterkt door de ervaringen uit haar weggeborgen verleden. Ze kruiste haar benen en wipte ongeduldig met haar zwarte hakschoenen. De omgeving interesseerde haar plots niets meer en ze staarde net als voorgaande dagen ongedurig naar de wagondeur. Ze ging verzitten om ook het gangpad van de andere wagon in de gaten te houden. Haar hart bonsden toen ze daar opnieuw een gebogen gestalte zag schuifelen. Eindelijk, na al die dagen: "Lala".

Godverdomme nog aan toe, zei Florica in gedachten. Ze slikte, haar hoofd werd warm. Voetje voor voetje kwam de bedelaarster dichterbij de schuifdeur die haar van Florica's wagon scheidde. Florica ging wederom verzitten. De meesten gaven de vrouw wat geld of hadden hun bezit zodanig vast, dat ze veilig waren voor vlugge handjes. Florica ging weer aan de raamzijde zitten en zette haar tas naast zich, net zoals ze alle afgelopen dagen had gedaan. Een gemakkelijke prooi.

Het jonge zigeunermeisje huppelde naar de wagon waar de gebochelde meid haar act opvoerde en Florica hoefde niet te spieken om zich voor te stellen hoe de twee elkaar ontmoetten in het gangpad om de samenstelling van de volgende wagon door te nemen. Plotseling werd het haar volkomen helder: het meisje verzachtte de harten en zorgde ervoor dat de portemonnees bovenin de tassen werden gelegd. Daarna informeerde ze haar gebochelde compagnon bij wie ze de meeste kans zou maken. Het was een inventieve show, dacht Florica, en ze twijfelde of ze trots of verdriet voelde. Voor beide gevoelens moest ze zich schamen, besloot ze, terwijl ze met gespeelde rust afwachtte tot de gebochelde haar probeerde te beroven.

De vrouw kwam op haar afgeschuifeld. Met alles wat Florica nu wist, kon ze de gedecideerdheid in de blik van de jager ontdekken. De onbeschaamde dorst naar andermans bezittingen. Makkelijk geld.

Florica kon zich niet inhouden: 'Mijn portemonnee ligt bovenin,' fluisterde ze in het Romanes toen de gebochelde de tas afschermde met het bord en kwijlde om aalmoes. Ze hield direct op met prevelen en keek verschrikt op.

'Je kunt me arresteren, maar je kunt me niet vasthouden,' antwoordde ze venijnig.

'Ga zitten,' gebood Florica. Ze wees stellig naar de stoel tegenover haar, onvermurwbaar, alsof ze inderdaad de strenge zus was. 'Ik ben niet van de politie.'

254

'Nee, je bent van de prostitutie,' antwoordde de meid kalm. Ondanks de grote woorden nam ze plaats tegenover Florica. De kalmte van het meisje verbaasde Florica, die probeerde om zich niet te laten kennen. *Ik was in paniek geschoten, als ik haar was*, dacht ze. *Maar ik ben haar niet, ik ben haar nooit geweest.* Ze bekeek haar. Eigenlijk leek ze niet op Lala. Ze doet mij aan Lala denken, omdat er ooit een tijd aan moest breken dat ik haar niet langer kon verbannen uit mijn gedachten, meende Florica. En die tijd is nu.

'Hoe oud ben je?'

'Oud genoeg om te trouwen.'

Er zat een snik in de stem, realiseerde Florica. Een snik die ze herkende: 'Je hoeft niet te trouwen.'

'Alsof jij er iets vanaf weet,' gilde ze en ze stond op, vergetend dat ze vandaag gebocheld door het leven ging.

De Italianen in de coupé keken verbaasd naar het tafereel, maar Florica liet zich voor een keer niet tegenhouden door schaamte.

'Ik ben ook eens uitgehuwelijkt,' antwoordde ze in de taal die ze leerde te haten. Ze wees naar haar ringvinger: 'En nu ben ik getrouwd met mijn eigen keuze, mijn liefde.'

Het meisje ging weer zitten.

'Ik ben dertien.'

'Dat is jong.' Florica had haar zeker negentien geschat. Het leven maakte het meisje oud.

'Bijna veertien,' antwoordde de tiener, 'en volgens mijn ouders bijna te oud om te trouwen. Mijn vader heeft een goede prijs gekregen voor me.' Haar verdriet verruilde zich voor trots: 'Ik ben verdomme de beste dief van mijn *clan*. Toch vindt papa dat ik meer waard ben. Binnen een maand of twee heb ik het bruidsgeld terugverdiend, zegt hij, en zit hij met lege handen en vijf andere, waardeloze dochters.'

Florica probeerde de huivering van zich af te schudden. De meid was een investering. Niets meer, niets minder. Net als ik ooit was.

Het meisje rechtte haar rug. 'Hoe kan het dat je onze taal spreekt?'

'Ik heb gestudeerd.'

'Sodemieter op,' zei het meisje dat zich niet voor de gek liet houden. Ze wees met haar goud omringde wijsvinger. 'Onze taal kun je niet leren. Je bent een van ons.'

'*Stazione di Pisa Centrale*,' kondigde de machinist aan.

'Niet meer,' antwoordde Florica met klem. 'Ook jij kunt hieraan ontsnappen.'

'Je bent een verrader. Nep gadjo's kunnen mijn kut eten,' zei de meid en een klodder spuug schoot tussen haar scheve tanden vandaan. 'Ik wens dat je man onvruchtbaar is en dat je kindloos sterft.' Het waren verplichte woorden, maar de twijfel in de donkere ogen ontging Florica niet.

'Er is een ander leven,' probeerde ze nogmaals.

'Ontsnappen kan niet. Hij is overal.'

Florica had medelijden met de meid. 'Je bent sterk,' herhaalde ze de Hollywood-films.

'Mijn kut ook,' giechelde het meisje. Ze sprong op en twijfelde of ze haar act moest voortzetten of niet, waardoor ze een onwennige pose aannam. 'Hier moet ik uit.' Ze schreeuwde om haar kleine zusje. 'Krijg ik je portemonnee nog?'

'Natuurlijk niet.'

Het meisje haalde haar schouders op, alsof ze wilde zeggen dat ze het had geprobeerd. Ze krabde aan haar kruis en met diezelfde hand zegende ze Florica als een priester.

'Wonen jullie in Pisa?' vroeg Florica voordat de twee verdwenen.

De oudste pakte de hand van de kleine.

'Een zigeuner woont nergens.'

Het lukte Florica om haar tranen in te houden totdat de twee meisjes de trein uit waren gestapt. De machinist kondigde een kleine pauze aan. Florica zag hoe de Rroma naar een bankje huppelden waar een besnorde jongeman hen opwachtte. Het kon hun broer zijn, dacht Florica, maar zeker wist ze dat niet. Het was in ieder geval een oom. Hij begroette de twee hartelijk. Beiden overhandigden het geld. Eerst telde hij het zakje van de oudste. Goedkeurend borg hij het geld op in zijn binnenzak. Het jongste meisje danste op haar plaats, in haar imaginaire kinderwereld, terwijl de man haar plastic zak met inkomsten op zijn schoot leegde. Zijn ogen werden groot. Hij greep het meisje bij haar kaak en wierp haar tegen de grond. Haar hoofd ketste tegen een prullenbak. De man gebaarde dat de oude zus het meisje moest helpen opstaan. Hij schreeuwde tegen het beduusde meisje, dat niet durfde te huilen of dat simpelweg niet hoefde. Ze controleerde haar vlechtjes en rende terug een trein in. De oudste ging op het bankje naast de Rrom zitten. De man hielp haar de kussens uit haar shirt trekken en sloeg een arm om haar heen. Hij stak een sigaret op en gaf deze aan haar. Ongemakkelijk keek de meid naar het raampje waarachter Florica haar tranen depte met een zakdoek. De tiener verhulde haar twijfels achter een muur van blauwe rook.

Florica vulde het bad met tranen. Ze stroomde over van verdriet. Remus had de Iron Maiden-cd uit de speler gehaald, omdat zij hem toeschreeuwde dat ze anders nooit meer uit de badkamer zou komen. De televisie maakte echter nog steeds een verdomde herrie. Ze wilde alleen zijn met haar gesnik. De geluiden herinnerde haar eraan dat ze niet alleen was op de wereld en dat ze nog iemand had om voor uit het bad te stappen. Ook al zou ze Remus alles willen vertellen: ze kon het niet. Hij zou het niet begrijpen. Hij hoefde het ook niet te begrijpen. Zijzelf begreep het niet. Het moest vergeten worden. Alles.

Ze voelde zich als de zigeunerin in het lied die haar man verliet voor een gadjo, maar uiteindelijk toch terugging naar haar Rrom-man.

Ik wil niet denken aan Lala, of aan grootvader, dacht Florica. Ze dompelde zich weer onder. Waarom ontkwam ze niet aan Lala die haar geweten samenbundelde met de bedelende tiener? Ze huilde onder water. Ze had haar zusje in de steek gelaten. Wat kon er van haar worden als Florica haar niet stuurde? Moeder maakte zich altijd al druk om de verkeerde dingen, vader hield zijn laatste en enige dochter waarschijnlijk angstvallig in de gaten, haar broers waren lui en gefixeerd op vrouwen en grootvader was oud. En misschien wel overleden, dacht Florica. Ze hapte naar adem. Wat had ze gedaan? Ze was gevlucht om het geluk te zoeken. Had ze dat gevonden of puur het ongeluk verbannen? Ze had jaren niet aan haar zusje gedacht en nu deed ze niet anders, dacht ze, terwijl ze rechtop ging zitten om eens goed adem te halen. Het water drupte van haar borsten in het bad.

Misschien had ze haar vervloekt. En ze kon haar geen ongelijk geven, dacht ze lamlendig. Ze had haar verzekerd van het leven dat zij weigerde te leven. Haar vloek stuurde me de bedelende meid – een visioen van Lala's ellende. De arme meid, dacht Florica. De arme meiden.

Dat het meisje Lala niet was, maakte nog geen einde aan de treinritten van Florica. Integendeel. Tot grote spijt van Remus, die steeds stiller wegkroop in zelfmedelijden. Vandaag had de trein haar enkel nog naar Pisa gebracht. Ze wist zeker dat de twee zusjes daar kamp hielden. Ze had overwogen om een kleurrijke jurk aan te trekken en zich te hullen in goud met een diklo-doek op haar hoofd, maar haar eer als Italiaanse was haar te lief. Alleen was het te gevaarlijk om in haar moderne Westerse kledij het kamp te betreden.

Daarom had Florica vandaag door de lelijke straten van Pisa gelopen. Dario kon de stad prefereren boven Florence, maar Florica zag niets dan lelijke leegte. Hoewel haar vermoeden dat de meisjes in deze stad woonden juist was, had ze niet meteen 's ochtends beet.

De beroemde scheve klokkentoren van Pisa stond in het gras omringd met toeristen en het uitzicht op Chinese kraampjes met troep. Daar bewoog Florica zich tussen de Nederlandse, Duitse en Engelse toeristen en een drom flitsende Japanners die tegen de toren leunden of eraan likten in de fotolens.

Tegen de middag veerde Florica op. Het kleine zusje huppelde tussen een kudde Aziaten en nam foto's van de mannen en vrouwen die de Toren van Pisa omduwden of juist opvingen. Een Japanner deed een blonde man na die de toren zogenaamd uit zijn gulp liet komen.

'Je bent een piemel,' zei het meisje poeslief toen ze het geld uit de hand van de Japanner pakte. De Japanner boog als dank voor haar hulp en de woorden die hij niet verstond.

Een besnorde jongeman sloeg het meisje vanaf een bankje tevreden gade. Florica herkende hem als de man die de twee opwachtte op het station van Pisa. Kindertjes liepen naar hem toe en van hem weg. Soms aaide hij hen over hun bol, soms trok hij er een aan hun oor als ze te weinig brachten. Florica hield hem in de gaten vanachter haar grote zonnebril. Af en toe bladerde ze door mappen met ansichtkaartjes om niet op te vallen. Hij verzamelde de kliek om zich heen en sprak ze toe nadat ze hem hun geld gaven. Florica telde acht jongens en meisjes van een jaar of vijf tot zestien, maar de tiener zat er niet tussen. Ze wist niet eens wat ze met haar wilde, dacht ze, terwijl ze een uitbaatster vroeg hoeveel de ansichtkaart met foto's van Italiaans eten kostte. Misschien moeten we haar opnemen in ons gezin en haar alles bieden wat Lala behoorde te krijgen. Op aangeven van de jongeman viel de bende uiteen en verspreidde zich weer over het plein. Toen het kleine zusje langs Florica liep, greep ze haar stevig vast bij haar dunne armpjes en tilde haar achter een kraampje.

'Stil,' smeekte Florica, 'dan krijg je deze,' zei ze en wapperde met een biljet. Ze controleerde of iemand haar had opgemerkt. De man op het bankje had niets in de gaten of leek zich er geen zorgen over te maken.

'Geen probleem,' zei het meisje en ze haalde haar schouders op. Ze trok haar rokje naar beneden en wilde hetzelfde doen met haar onderbroek.

'Laat aan,' stamelde Florica ontzet.

'Wat moet je dan van me?' vroeg het meisje op haar hoede.

Het duurde even voordat Florica zich wist te herpakken.

'Ik ben op zoek naar je zus, maar ik kan haar nergens vinden.'

De walging op het gezicht van het meisje sprak boekdelen: 'Mijn zus is een eerloze sloerie.' Ze lachte Florica uit om de verbijstering op haar gezicht. 'Een sloerie, ja. Ze weigerde te trouwen en daarom heeft een oom haar opengesneden. Eigen schuld.'

Het meisje huilde om haar eigen woorden. Toen Florica haar hand op de kleine schouder wilde leggen, sloeg het meisje deze weg. Het meisje trok het geld tussen Florica's vingers vandaan en deed het bankbiljet in de plastic zak die ze weer gevuld probeerde te krijgen voor de man. Ze plukte een handje fleurig onkruid uit een perk en liep op een roodharige familie af.

Lala's vloek had gewerkt. Met haar roodgeverfde tenen trok Florica de stop uit het bad en liet haar tranen langs het putje rondtollen, de diepten van het riool in. Met haar hoofd in de handdoek vroeg ze zich af of ze haar schuldgevoel van zich af had willen wassen door de zigeunertiener te vinden en op te vangen zoals Constantin en zijn vrouw hadden gedaan bij Florica. Het antwoord zou ze nooit weten.

Remus lag ontzield voor de televisie. De alcohol deed hem snurken. Op de salontafel lag een verbrande Roemeense vlag. Ze kuste Remus op zijn voorhoofd.

'Ben je uitgebadderd?' mompelde hij. De alcohol had zijn ogen verkleind, maar Florica las de liefde in zijn groene irissen.

'Je ruikt naar cola,' antwoordde ze, schuldbewust.

9

Remus' rode ogen gleden over Florence, terwijl de bloedvaatjes terrein wonnen in zijn oogwit. Met zijn vinger probeerde hij het vuur eruit te vegen, maar het wrijven maakte het alleen maar erger. Daar had grootmoeder hem altijd voor gewaarschuwd: niet wrijven jongen. De wind pufte warmte in zijn gezicht. Ik mag het balkon wel eens opruimen, dacht Remus, omdat hij was omcirkeld door lege flessen wijn, bier en brandewijn. Tussen het glaswerk zaten plastic frisdrankflessen verstopt waar ţuică in had gezeten – af en toe kocht hij een volle fles van de Roemeense bouwvakkers die bij hem kwamen eten.

Met zijn hand probeerde hij de zon tegen te houden, maar de stralen sijpelden door zijn vingers. Het felle licht pijnigde zijn lijf van binnen en buiten. Remus ademde zwaar. Hij snoof zijn bovenlip vast aan zijn neusgaten en voelde een beginnende snor. Zijn stoppels roken naar alcohol en sigaretten.

Er stak een sigaret uit het pakje Marlboro dat nog op het balkon lag.

'Omdat je zo aandringt,' kraakte Remus. Zijn stem was naar de verdoemenis. Hij voelde zich oud. De badjas hing los over zijn schouders. Beneden liepen mensen, op weg naar hun middagslaapje. Ze leken hem niet op te merken. Remus leunde voldaan op de balustrade en lurkte met dichtgeknepen ogen aan de sigaret. Terwijl hij de rook uitblies, staarde hij naar de lege vlaggenmast onder hem. Een jonge vrouw liep door het beeld. Ze had van haar loopje een kunstwerk gemaakt conform haar lange sierlijke benen. Ze keek naar het balkon, nog voordat Remus zijn ongeordende haren kon rangschikken tussen zijn kam van vingers. Ze lachte hem toe. Of uit. Vlug verborg Remus zijn buik achter de badjas en leunde zo nonchalant mogelijk op het balkon. Hij dacht een perfecte imitatie van James Dean neer te zetten – die hij enkel kende van een wereldberoemde foto. De vrouw was er niet vatbaar voor. Ze vervolgde haar weg met een grijns.

Geschrokken wierp Remus het overgebleven filter tussen duim en middelvinger naar de overkant. Hoezo moest hij indruk maken op zo'n vrouw, vroeg hij zichzelf af, op wat voor vrouw dan ook? Hij had overal aan getwijfeld sinds ze in Italië woonden, behalve aan Florica. Hij was er zelfs altijd zeker van geweest dat ze bij elkaar hoorden en dat de liefde hen zou geleiden tot den dood. En wie weet daar voorbij.

Nu weet ik niets meer zeker, dacht hij. Hij twijfelde niet zozeer aan zijn liefde voor haar, maar hield zij nog wel van hem? Ze wilde niet vertellen wat haar dwarszat, terwijl Remus haar altijd alles vertelde. Bijna alles dan. Schuldbewust schoten Dario en zijn Albanezen door zijn hoofd. Maar wat verborg zij?

Voorzichtig klom hij over de flessen het appartement weer binnen. Florica had niet gewacht met ontbijten totdat hij wakker was. Niet dat het hem verraste. Ze had de tafel verstopt onder beleg en was daarna weer vertrokken. God weet waarheen, dacht Remus, en hij schoof aan waar het ongebruikte bordje stond.

Gisteravond had hij een vrachtwagenchauffeur ontmoet in het restaurant, die op zijn moeder zweerde dat hij de volgende keer dat hij koers zette naar Florence een potje notenjam voor Remus zou meenemen. Zijn tante was een begenadigd maker van jams en marmelades. Pruimenjam was zijn favoriet en daar zou hij er ook een van meenemen. Gratis. Remus restte weinig keus dan hem een paar drankjes van het huis te schenken. Die gingen er wel in. En de drankjes die daarna volgden ook. Hij dronk met de vrachtwagenchauffeur mee, omdat er verder geen klanten waren. Pas laat wilden twee Italianen een tafeltje bezetten, maar Remus zei dat ze gesloten waren voor een familiefeest. De vrachtwagenchauffeur proestte zijn țuică over Remus heen. Ze bunkerden het eten voor een hele avond naar binnen. De man stelde zich voor als Liviu en vertelde dat hij – net als vrijwel alle Roemenen – opgeleid was tot ingenieur.

'We hadden het beter onder het communisme,' verzekerde hij Remus, die hem vol ongeloof aanstaarde. Liviu was bijkans twee keer dikker dan Remus op zijn zwaartepunt. 'Toen had ik geen geld en was er geen eten. Nu is er eten dat ik niet kan betalen.' Hij haalde zijn vette schouders op. 'En ik moet er nog hard voor werken ook.'

Omdat Remus niet wist wat hij moest antwoorden, stond hij op om de mici van de grill te halen en voor te schotelen. Hij bespaarde zich de moeite om de mosterd in een porseleinen schaaltje te kwakken en nam de hele pot mee. De twee doopten de gehaktworstjes om beurten in de mosterd en smakten goedkeurend.

'Er mist iets,' zei Remus met zijn mond nog vol.

De twee hadden het ritueel de hele avond geoefend en riepen tegelijk: 'Bier!' Terwijl Remus naar de koeling liep, schreeuwde Liviu dat hij ze niet eerder zo lekker had gegeten in het buitenland.

'Deze mici doen niet veel onder voor die van thuis.'

'*Home sweet home*, zoals de Engelsen zeggen,' zei Remus met twee biertjes in zijn hand.

Liviu lachte de tanden die hij nog had bloot en Remus realiseerde zich dat de chauffeur van de Franse generatie was en geen Engels sprak. Om er geen aandacht op te vestigen, vertelde Liviu een mop over zigeuners die een bank overvielen en ervandoor gingen met zakken vol lei.

'Zegt de ene zigeuner tegen de ander: "Kijk die zakken uitpuilen oom. We zijn rijk! Laten we het geld tellen". Waarop de ander slechts zijn hoofd schudt en de televisie aanzet. "Joh, ben je gek? We horen het bedrag straks wel op het journaal!"' Liviu bulderde zijn lach door het restaurant. 'Zigeuners hè, begrijp je?'

De opgewektheid van de vrachtwagenchauffeur maakte het onmogelijk om niet mee te lachen. Liviu kwam los. Remus serveerde nog meer eten en drank, terwijl de aanvoer van grappen en moppen onuitputtelijk leek. Zo nu en dan probeerde Remus de poëzie of de actualiteit aan te snijden, maar daar had zijn gezelschap geen oor naar. Tot zijn schaamte begreep Remus niet alle grappen die zich afspeelden in Roemenië. Het land zit nog wel in mij, maar ik niet meer in het land, begreep hij.

Bij de zoveelste grap over de president die hij alleen van achternaam kende, vroeg hij wat Liviu van de Roemeense zigeuners vond die een Italiaanse vrouw hadden verkracht en de heksenjacht die daarna volgde op de zigeuners en Roemenen. Hij vertelde niet over de vlag die niet veel uren daarvoor nog was afgerukt en verbrand door bezeten jongeren.

'Alle Italianen zijn homo's en hun hoerige vrouwen vragen erom,' relativeerde Liviu. 'En als we de zigeuners afschieten, kunnen de homo's en hoeren het prima met ons echte Roemenen vinden en andersom.' Hij wees met zijn dikke vinger naar Remus en keek scheel naar het topje dat hij op-en-neer bewoog. Hij boerde de knoflook in Remus' gezicht. Genoeg over de maatschappij, zag Remus hem denken: 'Wat doet een zigeuner nadat hij is klaargekomen?'

'Geen idee,' mompelde Remus met zijn voorhoofd op de tafel.

'Twintig jaar gevangenisstraf uitzitten.'

In Roemenië zou Remus types als Liviu ontlopen, maar in Italië koesterde hij de vrachtwagenchauffeurs, huishoudsters en bouwvakkers die hij ontmoette. Het is een genoegen om even Roemeens te spreken, dacht Remus terwijl hij met zijn tong de salami tussen zijn tanden vandaan wrikte en de krant naast zijn bord opensloeg. In de binnenpagina stond een dubbelkop: Roemeense poogt Napolitaanse baby te stelen – Bewoners steken kampen Roemenen in brand. Remus probeerde de misselijkheid weg te spoelen met afgekoelde koffie. Een jonge vrouw uit Roemenië – een zigeunerin, daar bestond geen twijfel over – werd betrapt tijdens een inbraak met de baby van een Italiaanse vrouw in haar handen. Ze probeerde zich eruit te kletsen door te zeggen dat de baby zichzelf overstuur jankte en dat haar moederhart had ingebroken, niet zijzelf. Maar ook dat was illegaal. De krant speculeerde waarom de Roemeense de baby mee wilde nemen. Om losgeld te vragen, om het kind op te voeden als dief, om te verkopen aan mensenhandelaren of om een groteske zigeunervloek uit te voeren waar volgens de redacteur babybloed voor nodig was. De reden was niet belangrijk, het was de daad die choqueerde. Een groep Napolitanen had zich na het horen van het gejammer van de Italiaanse vrouw direct verzameld, sloegen de babydief blauw en brandde de verschillende kampen rond de stad af. Het was onduidelijk of er bij de branden gewonden waren gevallen; de vrouw zou haar verwondingen overleven. Op de foto juichten de Italianen om de vluchtende en huilende zigeuners. Daaronder stond een citaat van een Napolitaan die sprak over de zegevierende gerechtigheid en dat hij niets had tegen Roemenen, zolang ze maar in hun eigen land verkrachten en stelen.

Op dezelfde pagina stond een politiebericht. Of er getuigen waren van een moord op een Roemeens meisje van rond de veertien jaar in Rroma-kledij. Haar buik was verticaal opengesneden en ze was achtergelaten in Pisa om dood te bloeden. Alle informatie was welkom. Niet dat ze er veel mee zullen doen, dacht Remus cynisch. In een krantenbericht over dezelfde moord vermoedde een bron binnen het politieapparaat dat de dader gezocht moesten worden in de rechts-extremistische hoek.

Het oude brood viel Remus zwaar op de maag en het nieuws maakte het er niet beter op. Hij werd wel vaker ziek van de drank, maar deze keer was een dieptepunt. Hij werd oud. Hoewel er vroeger ook ochtenden waren waarop grootmoeder hem met geen mogelijkheid wakker kreeg, omdat hij zwaar aangeslagen was na een avondje gapen naar blonde Poolse danseressen die zonder kleren op de bar dansten. De enige die zich de ochtend daarna niet liet kennen was Pinu; meer uit angst dan uit gedrevenheid. Hij moest de professoren met een alcoholadem uitleggen dat Emil, Nicu en Remus gelijktijdig een griepje onder de leden hadden.

'Wat mis ik die tijd,' zei Remus tegen zichzelf, terwijl hij met een weeïge maag de tafel afruimde. De Poolse danseressen waren er niet meer, had Emil geantwoord toen Remus ernaar vroeg aan de telefoon. Dat vond hij jammer. De Polen konden volstrekt niet dansen, maar ze hadden zonder twijfel andere grote kwaliteiten. Daar waren ze het allebei over eens.

Met een zucht van heimwee sloeg hij de krant dicht. In de kantlijn zag hij drie gekalligrafeerde letters van Florica: *xxx*.

Eindelijk weer. Ze had er een paar lippen bij getekend met pen. Nog steeds was zij de enige remedie tegen de allesverwoestende heimwee die hem tartte. Met een flikkering in zijn ogen waggelde Remus terug naar het balkon om een tweede sigaret te roken. Niet omdat ik dat wil, zei hij in zichzelf, maar omdat ik de smaak van brandewijn van mijn tong wil branden. Hij hoorde hoe Florica een zuinig 'ja, ja' zou mompelen als ze zijn smoes zou horen. De liefde danste in zijn buik. Zijn liefde voor haar.

'*Zingaro*,' schreeuwde een kaalgeschoren jongen in leren jas vanonder het balkon. Hij balde zijn vuist in de lucht en liet zijn middelvinger groeien.

'Fascist,' repliceerde Remus zonder nadenken, iets waar hij meteen spijt van had. Sinds hij Emil niet meer in de buurt had om te demonstreren hoe onnadenkendheid je in de problemen kon brengen, was hij roekelozer geworden. Hij liet zijn halfopgerookte sigaret in de hals van een wijnfles vallen en sprong snel naar binnen. Nooit eerder was hij uitgescholden voor zigeuner. Natuurlijk had hij wel anderen uitgescholden voor zigeuner. Gisteren nog. Hij wreef over zijn wang.

'*Zingaro*,' mompelde hij hoofdschuddend, terwijl hij met een haakje de toegang tot de vliering opende. Hij spande zich in, maar kon geen reden bedenken om in een land te blijven waar hij zelf niet wilde zijn én waar hij niet gewenst was. Op een argument na, zijn vrouw, die hem de afgelopen dagen eenzaam achterliet in zijn sores. Remus strekte zijn armen voordat hij de trap beklom en zag zijn vingers trillen van de drank, het slaaptekort, het verlangen naar vroeger of het gemis van de liefde.

De cd-speler stond nog aan. Nummer vijf stond op pauze. Remus kon zich niet heugen dat hij naar boven was geklommen om de stereo de mond te snoeren. Sterker: hij herinnerde zich alleen dat hij tot tranen geroerd zat te luisteren naar volksmuziek waar hij vroeger niet warm of koud van werd. Het leek alsof de violen, aangemoedigd door de alcohol, zijn gemoed fileerden. Hij drukte op de omgevallen driehoek om het nummer te hervatten. Remus ervoer de bovennatuurlijke kracht van de gitaren als nooit te voren. Het halve lied was voldoende om de kale fascist te vergeten en een herhaling en een sigaret verder was Remus ook de vernielde vlag en de hetze tegen Roemenen en zigeuners kwijt. Het enige pijnpunt dat bleef, was de afwezigheid van Florica.

Hij draaide een bezoedeld papier uit de typemachine. Zijn droge tong klakte toen hij de passage herlas die hij had geschreven. Het ging over een zwerver in het moderne Boekarest die dacht te leven in de dagen van het communisme en de ambitie had om de nieuwe Leider te worden. Toen Remus aan de roman begon, dacht hij goud in handen te hebben. Maar nu zou hij ontkennen als iemand hem vroeg of hij dat had geschreven.

'Het imperium van Nicolae is een schande,' las hij zacht voor, zodat de zinnen niet via het dakraam andermans oren zouden kunnen vinden. Hij zag de zwerver voor zich, staand op een verstevigde kartonnen doos. Mensen liepen haastig langs hem heen met de bontmuts over de oren. 'De Russen konkelfoezen erop los en geven ons land aan hun Slavische vriendjes uit Oekraïne, Servië, Bulgarije en zelf happen ze Moldavië eraf. Ons Moldavië, godallemachtig! De zwerver likt zijn snor nat.'

En dat was alles. De roman telde drie regels en dat vond Remus al te veel. Hij balde het samen en gooide het in de hoek waar Florica wat spulletjes opsloeg in dozen.

Naast de typemachine lag een brief van Nicu die op respons wachtte. Het was geschreven in een vreemdsoortig lettertype, anders dan de letters die uit zijn eigen typemachine kwamen. Nicu zat in de computerwereld en ontwierp software in Amerika. Hij lachte om de typemachine van Remus en noemde het zelfs 'aandoenlijk' dat hij 'nog steeds' teksten schreef op een schrijfmachine. De computers hadden de toekomst. Dat vond Remus maar niets. Steeds meer mensen hadden er een, maar hij was bang dat zijn creativiteit zou verdwijnen – net zoals de televisie had gedaan – zodra hij zijn vingers op de toetsen van weer een andere machine zou leggen. Bovendien dacht Remus dat het zo'n vaart niet zou lopen met de computers. *Waarom rijd je dan parttime rond in je gele taxi, als de computer de toekomst heeft?* Zo had hij Nicu gevraagd in een vorige brief.

Om mijn eerste vrouw het geld te kunnen geven om ons kind op te voeden en om mijn tweede vrouw tevreden te houden met sieraden en schoenen, antwoordde Nicu in de brief die naast de schrijfmachine lag. Nicu was hertrouwd met een Roemeense vrouw die net als hij na de dood van de Leider haar toevlucht had gezocht in het walhalla van de kapitalistische wereld. Ze kwamen erachter dat ze in hetzelfde vliegtuig zaten toen ze hun familie vaarwel vlogen. Dus moesten ze trouwen, had Nicu gezegd, en de vrouw stemde in om zijn tweede te worden. Van zijn eerste vrouw wilde hij niets meer horen omdat ze het al een poos met een neger deed. Hij had geprobeerd zijn kind om die reden op te eisen, maar dat vond de rechter geen geldige reden. Nu moest hij haar stilte afkopen met een maandelijks bedrag. *Wie heeft ons voorgelogen dat kapitalisme leuk was?*

Remus draaide Nicu's brief om. Hij kon zijn vraag niet beantwoorden noch proberen om een antwoord te achterhalen. De zin was er niet. De scepsis over Florica's twijfels spookten constant door zijn hoofd. Hij moest er niet aan denken om net als Nicu te hertrouwen. Hij kon maar van een vrouw houden. Daarom moest ze wel van hem houden. Hoe meer Remus erover nadacht, hoe onrustiger hij werd. Hij voelde zich als het Văcărești klooster van doctor Arcos: verscheurd, afgebroken, verdwenen.

'Kortom: een perfecte bodem voor poëzie,' mijmerde hij, terwijl hij een wonderschoon papier in de typemachine rolde om te bevuilen met zijn matige kunnen. Een sonnet, besloot hij zonder erover na te denken, omdat hij dat de schoonste vorm van poëzie achtte.

> *Regen plakt aan de ruiten op een droge dag,*
> *Mijn ogen staren star, maar mijn hart ziet jou staan*
> *waar je niet bent omdat hij de waarheid niet zag.*
> *Met een snik in mijn schreeuw, roep ik jouw liefde aan.*

De uren vlogen voorbij. Elk woord kostte minstens een kwartier. Remus wipte op zijn stoel en drukte vaker de correctieknop in dan een letter.

> *Of ik misschien niet zo schreeuwen wil, je bent niet doof.*
> *Ik loop naast je, met je, maar het voelt zo somber zonder.*
> *Doorklieft. Onze handen hangen geboeid boven een kloof.*
> *De blauwe lucht is zwart en de zon schuilt achter de donder.*
>
> *Gevangen in verdwenen grenzen,*
> *Vergeten in een gestorven levenslied,*
> *Laat mij daags jouw terugkomst wensen.*

'Dat verdomde gepuzzel met die terzinen,' foeterde Remus op de drie regeleenheid. Hij had dorst, een droge bek, maar was te lui om een glas fris te halen. Als hij het niet zou vergeten, moest hij eens een koelkastje op de kop tikken om op de vlieringzolder te zetten.

Mijn hart hoopt anders wat mijn hoofd beziet.
Thans jij mij verlaat, verlaat ik de mensen
En in reïncarnatie geloof ik niet.

'Verdomme zeg.' Hij neigde om het werk direct te verscheuren, maar hield zich deze keer in. Met dit gedicht vereerde hij de muze niet, maar verloochende haar. Als Florica zich niet zo vreemd had gedragen, was hij nooit geconfronteerd met zijn eigen teleurstellende poëzie.

Hij vroeg zich af of grote poëten als Mihai Eminescu en Tristan Tzara hun eigen werk ook bezagen als het gekladder van een puber na een eerste hartbreuk. Alleen deze ingeving redde het titelloze sonnet van destructie. Het is waarschijnlijker dat mijn werk echt slecht is, dacht Remus.

Hij stak een sigaret op – de zoveelste alweer – en droeg zichzelf een spontane ingeving voor: 'Liefde is kut, liefde is kloten met verschrompelde noten.' Hij zuchtte. 'Getekend, de eeuwige versjesschrijver.' Hij schreef de regel niet op, omdat de regel het niet verdiende. Het enige wat hij vandaag nog zou schrijven, was een titel voor het sonnet. In zijn gedachten diende een titel aan, maar hij wist nog niet of hij die durfde te noteren boven de eerste strofe.

Hij kreeg niet de tijd om er lang over te dubben, want hij hoorde hoe Florica beneden haar sleutels in een bakje wierp en plastic tasjes op de tafel kwakte. Ze was veel eerder thuis dan eerdere keren. Als Remus een staart had, zou hij spontaan begonnen zijn met kwispelen. Maar dat wilde hij niet laten merken. Hij liet het gedicht achter met de kennis dat het nog maar een eerste versie was. Met gespeelde nonchalance daalde hij de vlieringtrap af.

'Je ziet er niet uit,' giechelde Florica toen ze op het geluid dat haar man maakte afkwam.

'Jij wel,' zei Remus. Hij zag het meteen. 'Je steekt in het nieuw.' Meestal ergerde hij zich aan het onverzadigbare koopgedrag van zijn vrouw. Zo niet vandaag. De doorschijnende witte blouse was nieuw, het hemd daaronder niet. De grijze rok was nog geen maand oud en de zwarte hakschoentjes waren net ingespoten door de schoenverkoper. De geur van chemicaliën hing nog om haar voeten.

'Leuk hè?' glunderde Florica.

'Beeldschoon,' antwoordde Remus naar waarheid. Ik kan niet geloven dat deze stralende vrouw uit een zigeunerin is gekropen, dacht hij, en hij moest blozen om zijn discriminerende gedachten. Dat ontging Florica niet. 'Je bent zo mooi dat ik ervan moet blozen,' zei hij toen. Ze aaide zijn wangen.

'Eigenlijk heb je daar een kus voor verdiend,' zei Florica gevlijd, 'maar stap alsjeblieft eerst onder de douche. Je ruikt nog steeds naar alcohol. En scheer je dan ook direct even.'

Remus liep naar de badkamer en spoot zichzelf onder met aftershave: 'Later, mijn liefste, ik moet nu iets belangrijks doen.'

'Ik ga vanavond voor ons koken,' zei Florica. Ze sabbelde op een pluk haar, alsof ze mij iets wil vertellen, dacht Remus, maar hij had geen tijd meer.

'Dus je blijft weer eens thuis?' vroeg hij kort, met een preventieve glimlach om een boze reactie tegen te gaan, en kuste haar. 'Ik houd van je.'

Hij liet haar schoorvoetend achter, balancerend tussen geluk en schaamte, zo stelde hij zich voor. Florica stond voor het raam, een etage hoger, en zwaaide hem uit. Voordat hij de hoek omging, wierp hij haar een luchtkus toe.

Remus betreurde het dat hij haar daar achterliet, uitkijkend op Florence, want ze leek weer de oude. Of dat hoopte hij in ieder geval. Hij kon niet blijven om haar gemoed te controleren, want hij had een afspraak met Idel, de oude Jood. En Idel ging Remus' leven veranderen, tenminste, dat hoopte Remus. Veranderen en verbeteren. Zijn leven, hun leven, dat van Florica en hemzelf.

Idel hield niet ver van Mancare kantoor. Wat hij daar precies deed, wist Remus niet, behalve dat de man allerlei handeltjes had lopen, veel mensen kende en altijd zin had in het afsluiten van goede transacties. Als hij even geen zaakjes te doen had, zat hij met een loep in zijn trillende handen over oude landkaarten gebogen, de grenzen van weleer te bestuderen.

Idel was geboren in de stad Cernăuţi, omgedoopt tot Tsjernivtsi nadat de Sovjets haar hadden afgepakt en aan Oekraïne gaven, en Idel sprak nog steeds het Roemeens uit zijn jeugd. Archaïsche klanken, met een zweem van het Moldavische accent. Hij had er plezier in zijn talenkennis te etaleren.

'Van mijn moeder mag ik geen Roemeens spreken,' had Idel tijdens de vorige ontmoeting gezegd, en het viel Remus op dat de oude man de tegenwoordige tijd gebruikte, alsof de moeder van de Jood nog in leven was, 'omdat de Roemenen en de Duitsers onze hele familie hebben uitgemoord in de oorlog'. Hij had de loep weggelegd en Remus aangekeken. De lange wenkbrauwen hingen als gordijnen over zijn ogen als donkere turkooizen. 'Maar ik vind het een mooie taal.' Hij trok zijn neus op: 'Beter dan het Russisch dat mijn moeder prefereerde'.

Idel en zijn moeder zagen heel Europa en haar Europeanen van haar meest onflatteuze kant, alvorens ze zich in Florence vestigden. Idel had alles doorstaan.

Als iemand dat vreselijke leven bespaard had moeten blijven, dan was het die lieve oude Jood, dacht Remus, terwijl hij door de schaduwrijke stegen van de stad sjokte. Hij bleef stilstaan bij een speeltuintje en keek naar de kinderen die van Idels geschiedenis geen weet hadden. Het was heet. De lucht trilde, Florence lag achter geblazen glas. Een zeer breekbaar moment van perfectie.

'Wie zullen we daar hebben,' riep iemand van de andere zijde van de straat. Remus deed alsof hij de stem niet hoorde, niet herkende. Hij wachtte met omdraaien tot hij de klap op zijn schouder voelde. 'Wat een schitterende dag hè?'

'Giotto,' zei Remus. Hij forceerde een glimlach en liet zich twee keer kussen. 'Hoe is het met je? En met Maria Rosalia?'

'Heel goed, Remus, heel goed.' Met de ene hand kneedde Giotto Remus nek, terwijl hij met zijn andere zijn ratelende zinnen kracht bijzette. De woordenstroom ging over voetbal, Fiorentina, een film over Mussolini, Zuid-Italië, de moeder van Maria Rosalia, de nieuwe munt en Giotto's overhemden, maar Remus registreerde enkel de nietige onderwerpen, niet het verhaal eromheen, en knikte alsmaar.

Ik ben een mislukte reïncarnatie van de dichter Ovidius, realiseerde Remus zich. Een hedendaagse Ovidius. Ik ben hem, verbannen uit het land van de Zwarte Zee en naar het land van het oude Rome, de tegenovergestelde route die de originele Ovidius aflegde. En nu ben ik degene die leeft tussen de barbaren, dacht hij. Wat kan er een hoop omslaan in bijna tweeduizend jaar.

'Sorry Giotto, maar ik moet gaan,' interrumpeerde Remus Giotto's betoog over zijn top drie mooiste *veline*, tv-meisjes. 'Ik heb een afspraak.'

'Maar jullie Roemenen komen toch nog later dan wij?' zei Giotto en hij knipoogde. Grapje, lachen, *ciao*.

'Sorry dat ik iets te laat ben Idel,' stamelde Remus.

'Geeft niets,' zei de oude Jood zonder op te kijken van zijn landkaart, 'je bent nooit punctueel geweest'. De oude Jood keek door de loep naar zijn geboortestad en vroeg zich hardop af of Cernăuți niet beter af was bij de Roemenen. 'Ik houd niet zo van die Oekraïners, die Russen.' Hij legde de loep weg, deed de lade van zijn mahoniehouten bureau open en haalde er een envelop uit die hij in Remus' handen legde.

'Wat is dit?' vroeg Remus verrast.

'Ik kreeg meer voor dat schilderij dan gedacht,' Idel haalde zijn schouders op, 'dus dit hoort nog bij jouw deel'.

'Dat had je niet hoeven doen, maar ik neem het heel graag aan.' Remus bleef stil, afwachtend op wat Idel verder zou zeggen, maar de oude man wreef alleen met zijn vinger over het rode puntje waarachter in sierlijke letters *Cernăuți* was geschreven. 'En heeft u ook nagedacht over mijn voorstel?' vroeg Remus voorzichtig, bang dat hij met deze vraag de kans op een andere, betere, transactie had verspild.

'Nagedacht, ja,' antwoordde de man. 'Denk je dat er iemand in Florence op koosjer spijzen zit te wachten?'

Remus begon te zweten. Hij kreeg het heet en zijn slapen bonkten. Plotseling voelde hij zich beroerd en had hij alleen nog maar zin om hier weg te gaan en zich op de bank te laten vallen om te verdwalen in een koortsdroom over lege flessen țuică en terzinen.

Maar hij kon nog niet vertrekken: 'Gebruik het pand om er een juwelier van te maken,' opperde hij in een trage stotterzin. Je bent toch een Jood, dacht hij erna, maar dat zei hij niet.

Idel keek hem berekenend aan met zijn grote, gretige ogen en zei: 'Ik help je graag uit de *dalles*'.

10

Florica veegde oude haartjes van het scheerapparaat. Ze zat op een wit plastic krukje met haar voet hoog rustend op de badrand. Met haar hand gleed ze naar boven over haar bovenbeen, haar gebogen knie, en daalde af naar haar tenen. Haar donkere haartjes richtten zich op na haar aanraking. Het apparaat in haar andere hand greep de haren bij de hals en draaide ze onder genotzuchtig gebrom uit haar benen. Het scherpe badkamerlicht bescheen haar glanzende been. Ter controle liet ze haar hand soepel over haar huid glijden. Een been was af. Ze plaatste haar voeten naast elkaar op de rand van het bad. Welk van beide benen representeerde wie ze daadwerkelijk was?

Ze vouwde haar armen om haar enkels en legde haar voorhoofd op haar knieën. Zo probeerde ze alle gedachten te verbannen. Haar hoofd was kortstondig gevrijwaard van Lala, grootvader en het vermoordde zigeunermeisje. Florica zette haar lippen op haar gladde knie en zoog aan de huid.

Ze hoorde een eeuwige echo van twee denkbeeldige accordeons. De ene trok furieuze melodieën, de andere omlijstte deze met aaneengesmede tonen, begeleid door een viool. De muziek zwol aan zonder dat Remus erdoor gewekt kon worden: haar hersenen dirigeerden het lied. Een lied speciaal voor haar.

Ze probeerde de muziek te overstemmen door haar andere been te ontharen met het scheerapparaat, maar de muziek liet zich niet kennen en overstemde het gebrom. Voor iets anders was geen ruimte in haar gehoor. Ze probeerde door de instrumenten heen te zingen, maar realiseerde zich te laat dat ze juist met ze meezong.

Het scheerapparaat verdween voorzichtig onder haar oksel. Het was een oud lied in het Romanes waarvan Florica de tekst niet helemaal begreep, maar die ze des te beter voelde.

'Het gaat over het verdriet van onze familie,' had haar grootvader gezegd toen hij het nummer op het bandje had aangevraagd bij zijn favoriete zigeunerband uit de stad om het Florica te laten horen. Zodra de zanger de laatste klank uitrolde, graaide grootvader in zijn buidel om de man te betalen zodat ze het nummer nog eens ten gehore brachten. De mannen zetten hun strijkstokken op de snaren en herhaalden de uitvoering, net even anders dan de eerste keer, maar net zo mooi. De zomerzon droogde zijn tranen. Door zijn ontroering speelden de Rroma het nummer een derde maal voor niets en daar betaalde hij ze het dubbele voor.

De Roemenen die her en der schaakten op meegebrachte speelborden sloegen het tafereel gade. Ze knipten met hun vingers om de aandacht te trekken van de band en een nummer aan te vragen dat ze wel verstonden. Als klein meisje verbaasde Florica zich over de genoegdoening die de gadjo's uitstraalden als ze de muzikanten bij zich knipten en een lied kochten. De mannen musiceerden met een serene rust en bedankten slaafs als het geld in hun handen werd gedrukt. Ze zag minachting van beide kanten. Ze had de Rrom met de accordeon ernaar gevraagd toen de zanger een rookpauze inlaste en hij antwoordde dat ze *lăutari* waren, muzikale bankiers die generaties aan Roemeense en Rroma liederen in hun hoofd opsloegen en deze uitleenden tegen zeer aantrekkelijke prijzen.

'Het is de belangrijkste baan in dit land.' De man droeg een bruine pantalon en een blauw overhemd met daaroverheen een groen gilet waar verschillende gouden zakhorloges uitstaken. Zijn uitstraling had wel wat weg van een bankier, dacht ze toentertijd. De man imponeerde met zijn zware stem en zijn absurd lichte ogen in zijn diepe oogkassen. Destijds had ze al geweten dat ze geen enkel woord van hem zou vergeten. Hij molk de sik die hij had samengebonden in een vlecht, terwijl hij bij haar neerhukte. 'Wij zijn Rroma. Dat ga je niet altijd leuk vinden en de gadjo's evenmin. Voel je nooit beter dan zij: wees beter.' Hij legde zijn hand vaderlijk op haar bos donkere haren. 'Ze zullen je nooit accepteren als een van hen, omdat je een van ons bent. Wij Rroma hebben een groter hart dan wie dan ook. Er is ruimte voor extra veel verdriet en jolijt. Daar mag je God voor danken. Gebruik het en wees er trots op.'

Hij staakte zijn verhandeling en hing de accordeon bij Florica om. Ze moest zijn vingers volgen en de melodie herhalen. Al snel concludeerde ze dat de muziek weliswaar in haar hart zat, maar niet in haar vingers. Ze deed ook niet echt haar best, biechtte ze op, want ook als klein meisje weigerde ze zigeunerliederen te leren spelen. Het maakte de man niets uit. Hij riep zijn collega erbij en ze stelden zich in een cirkel om Florica heen om een lied te spelen dat ze aan haar opdroegen. Hoewel ze al haar jonge principes inzette om zich te verzetten, begonnen haar jonge beentjes spontaan te dansen. Ze was een marionet van de muziek.

'Lăutari zijn muzikanten,' zei grootvader toen Florica op de terug- weg het betoog van de muzikant voorlegde. 'Je kunt ze alleen geloven als ze zingen. Wees niet trots op wat je bent, maar om wie je bent.'

Florica wikkelde het snoer om het scheerapparaat. De spiegel reflec- teerde de blosjes op haar wangen. Ze maakte een washandje nat en depte haar hoofd koud. Op haar tenen verliet ze de badkamer en legde hetzelfde washandje op het voorhoofd van Remus om de koorts uit zijn dromen te verdrijven. Hij hield zijn ogen dichtgeknepen; hij was ver weg. Ze sloop naar de slaapkamer en opende haar sieradenkist. Ze haakte de grootste gouden oorbellen die ze had in haar oren en duwde haar hoofd door een kleurrijke kralenketting die Remus haar in Băi- le Herculane had geschonken namens een handwerkverkoopster, de dag voor hun vlucht. Op weg naar de gang pakte ze een sjaal van de kapstok. De kraaltjes om haar hals rinkelden vrolijk toen Florica de vlieringtrap beklom die ze normaliter alleen gebruikte om oude troep op te bergen. Verder was de vliering het domein van haar man.

Maar nu even niet. Ze ging erheen met een halfvolle fles wijn en een vol hoofd. Ze zette de fles op de krakende vloer en liep doelbewust naar een versleten mandarijnendoos. Ze trok haar shirt over haar hoofd en drapeerde die over Remus' bureaustoel. Uit de doos haalde ze een lange jurk die Maria Rosalia waarschijnlijk beeldschoon zou hebben genoemd. 'Een plaatje,' hoorde ze haar al zeggen.

Ja, zij kan hem dragen, dacht Florica terwijl ze in de jurk gleed, want zij wordt daardoor een Italiaanse met een olijk gekleurde plooi-jurk. Ik word daarentegen een zigeunerin. Ze bolde de plooien op. De violen in haar hoofd hieven opnieuw aan, luider dan daarvoor. De sjaal rolde ze om haar hoofd als de diklo die getrouwde Rrom-vrouwen droegen.

Ze trok de kartonnen doos naar zich toe, schoof het zilveren bestek van haar grootvader terzijde en pakte een drietal cd's. In een van de hoesjes zat een brief van Emil. Hij schreef dat hij dankzij zijn zoektocht naar de muzikale traditie van de Rroma de vrouw van zijn beste vriend beter leerde kennen en waarderen. Met veel moeite had hij enkele mu- zikanten gevonden die liederen wilden inzingen voor zijn verzameling. Hij had voor haar kopietjes gemaakt. Tot verbijstering van Remus had Florica vloekend de cd's in de prullenbak gemieterd en was huilend in slaap gevallen op haar kussen. Weken later vertelde Remus dat hij Emils werk uit de prullenbak had gevist en in de doos op de vliering had gestopt. Voor later. Als ze er klaar voor was.

Voor nu. Florica had destijds haar schouders opgehaald, maar vandaag was ze hem dankbaar. Ze drukte een willekeurige cd in de speler en wachtte het eerste geluid af. Ze herkende de stem van Emil, die de datum, plaats en de artiesten introduceerde.

'Begin jaren negentig, in Lunca, vier muzikanten die zich tezamen *Taraful din Lunca* noemen. Start.'

Een panfluit blies een lied aan. Direct ontnam de stereo de muziek uit Florica's hoofd en liet de klanken ronddansen in de realiteit. En Florica danste mee. Ze tolde op de zolder en mengde de kleuren van haar jurk. De kraaltjes en de oorbellen rinkelden op de maat. Misschien is dit mijn Iron Maiden, dacht ze, terwijl ze haar handen hief en in haar vingers knipte. Ze voelde zich weer een kind, toen ze zich uit het zicht van haar ouders verkleedde als gadjo. Nu was alles anders, tegenovergesteld. Drie cd's lang hield de betovering stand. Onder Emils introductiepraatjes, die na elk nummer uitvoeriger en enthousiaster werden, nam ze een slok wijn om op adem te komen. Het laatste lied van de derde cd herkende ze als het nummer dat haar in de eerste plaats naar de vliering had gelokt. Het was het nummer van haar grootvader, van haar familie, de vertolking van hun verdriet. Ze liet zich op de grond vallen met de jurk om haar naakte benen en huilde de tranen van haar grootvader. Ze schonk het laatste beetje wijn door haar keel.

Direct na Emils laatste woorden en de belofte dat hij meer van dergelijke cd's zou opnemen als ze het kon waarderen, zocht Florica naar de herhalingknop die haar man zo buitensporig misbruikte. De tranen benamen haar het zicht, maar ze slaagde erin het zigeunerorkest onuitputtelijk hun lied te laten opvoeren. Als ze het zou durven, had ze Emil meteen gebeld om een kopie van de cd af te leveren bij haar grootvader. Mocht hij nog leven, dacht ze. Ze schuifelde een eenzame dans, bevangen in een rite van smart. Haar tenen kromden. De vloer trok Florica naar beneden. Ze vouwde haar vingers in elkaar en ving haar benen samen in de lasso die haar armen vormden. Met een plof liet ze zich omvallen en bleef in foetushouding liggen. Inmiddels kon ze de afscheidswoorden van Emil mee mompelen en keek uit naar de onvermijdelijke vocale inzet van de voorman die erop volgde. Een cape van rust rustte om haar schouders.

Getold in ongemak haalde ze de gouden ringen uit haar oren en legde ze naast zich neer. Ze voelde zich als herboren. Herrezen uit zak en as. Zorgzaam vouwde ze de jurk op en legde hem terug in de doos. Ze trok haar shirt weer aan. De sjaal knoopte ze van haar hoofd los en bond hem om haar naakte heupen. Ze eiste de cd op bij de stereospeler en klikte het schijfje in de hoes waarop Emil een grote sierlijke '3' had getekend. Florica vond dat de drie cd's een verdieping lager eigenlijk een mooi plekje verdienden, maar legde ze toch bovenin de kartonnen doos. Vol schuldgevoel vouwde ze de klep dicht. Als ze durfde zou ze, weliswaar jaren te laat, een vriendelijke bedankbrief naar Emil terugsturen.

Op de sofa beneden draaide Remus van schouder naar schouder en weer terug. De washand was op de grond gevallen en drukte een watervlek in het parket. Florica zette de roman die Remus had geprobeerd te lezen in de kast naast het hoge boek waarin Constantin de revolutie van 1989 had gedocumenteerd met zijn camera. Het boek was besproken in de kranten zonder dat de recensenten er een cijfer aan gaven of een standpunt innamen. Ze durfden niet, omdat de recensenten bang waren voor represailles van de zogenaamd verdwenen geheime politie. Een van de recensenten die ook in Braşov resideerde, was echter direct na de publicatie van zijn ingetogen recensie langsgegaan bij het atelier met een fles wijn en had elk ontbrekend waardeoordeel in zijn artikel ruimschoots goedgemaakt met lofuitingen op het boek. Constantin was onmiddellijk in jubelstemming en liet zijn vrouw aanrukken met Griekse salade en *mezze*, kleine gerechtjes uit haar Griekse thuisland.

Florica ververste de washand die over haar mans voorhoofd lag. Het was te laat om de koortsdroom tegen te gaan, maar ze depte het warme voorhoofd nat en nam ook de hals en borst mee. Als het kon, had ze zijn koorts overgenomen. Traag opende Remus zijn rode ogen. Zijn hand gleed van de bank en hij aaide haar knieholte. Ze voelde zijn vingers krachteloos in haar kuiten knijpen.

'Je bent zacht,' kraakte zijn stem.

'Ik heb me geschoren,' zei ze met een lach.

'Overal?'

Florica drukte haar vuist in zijn borst. Remus' gezicht verwrong en hij greep naar zijn borst.

'Sorry schat,' verontschuldigde ze zich snel, omdat ze wist dat de koorts elk pijntje verdubbelde. En Remus was nogal kleinzerig als hij gegrepen was door een griepje. Ze hielp hem, tegen zijn zin in, overeind. 'In bed rust je beter uit.' Ze dacht aan een recept tegen de griep dat ze per telefoon had gekregen van zijn grootmoeder toen Florica zelf een kuchje had. Grootmoeder dacht meteen aan een ernstige griep en zei met klem dat ze wat ţuică warm moest maken en er een lepeltje honing door moest roeren. De volgende dag zou ze zich tiptop voelen.

Remus schuifelde naar de slaapkamer, terwijl Florica elk keuken-kastje opentrok op zoek naar een frisdrankfles waar iets anders inzat dan het etiket deed vermoeden. Ze kon een zucht niet onderdrukken. Heeft hij alle ţuică opgedronken? Dan was het niet gek dat hij zich nu hondsberoerd voelde, dacht ze, terwijl ze een fles anijslikeur bij de hals greep en een laagje in een glas goot. Ze hoopte dat de subtiele wijziging in het medicijn van grootmoeder geen complicaties zou geven. Alcohol is alcohol, concludeerde Florica, terwijl de magnetron de anijslikeur verwarmde. Het gezoem bracht haar terug naar de winkels die hun air-conditioning aanzetten zodat de klanten niet schroomden om de kle-ding te passen. Ze was verschrikkelijk goed geslaagd en Maria Rosalia kon dat beamen. Ze kletsten over de twintig gemaskerde mannen die vier Roemenen het ziekenhuis in hadden geslagen en over de nieuwe vriend van een verre vriendin, terwijl ze het juiste muiltje bij het juiste voetje probeerden. Florica had de laatste hand willen leggen aan haar onderzoek, maar ze was blij dat haar vriendin haar over wist te halen, want anders had ze nooit die prachtige zwarte hakschoentjes gekocht. Voor twintig procent minder dan ze voorheen kostten! En voor vijftig procent meer dan de schoenenwinkel diezelfde schoenen had gekocht van een groothandel, hoorde ze de stem van Remus in haar hoofd on-derrichten.

De magnetron piepte dat het glas anijslikeur klaar was voor een dikke dot honing. Ze stak haar hand in een ovenhandschoen en bracht het glas naar Remus die in bed lag te rillen. 'Word ik verzorgd?' vroeg hij innemend en tuitte zijn lippen voor een kus.

'Grootmoeders medicijn,' kondigde Florica aan en ze beantwoordde zijn lippen. 'Een variant daarop, omdat iemand de ţuică had opgezo-pen.'

'Dat zal Liviu wel geweest zijn, die verdomde vrachtwagenchauf-feur.'

Florica lachte. 'Om ziek van te worden.'

Remus knikte traag: 'En als je ziek bent, mag je toch altijd alles vra-gen zonder dat iemand boos op je wordt?' probeerde hij met een extra zwak stemmetje en Florica voelde de vraag al aankomen. Ze gebaarde dat het zo was. Remus richtte zich op met zijn ellebogen in het matras. 'Heb je gevonden wie of wat je zocht?' vroeg hij, doelend op haar es-capades.

'Ja,' antwoordde Florica. 'Ik heb mezelf gevonden.'

'Ah,' zei Remus die waarschijnlijk vermoedde dat hij het daarmee moest doen. Zijn glimlach verried opluchting en geluk. Hij klokte het drankje met dichtgeknepen ogen naar binnen en liet zich op zijn kussen vallen. 'Dit is een niet al te beste variant op grootmoeders medicijn.'

'Die verdomde vrachtwagenchauffeur hè,' herhaalde Florica en ze aaide hem in slaap.

In de woonkamer werd ze naar de prominente kast getrokken waar vrijwel alles in lag wat ze bezaten, van de televisie tot haarspeldjes. Haar hand omvatte een knop en met een vastberaden maar voorzichtige ruk trok ze de lade open. Ze grabbelde langs aanstekers en zakboekjes en vond wat haar hand en ziel zochten: het lijstje met daarin de foto van haar familie. Haar vinger streek langs de gezichten die zonder uitzonderingen een kenmerk van het hare etaleerden. Ze droeg haar vaders oren, de huid van haar broers, nichtjes, neefjes en ooms, haar moeders ogen en haar grootvaders oogopslag. Hij glunderde. Ze kuste het glas dat hem beschermde tegen de tijd en kopieerde zijn lach. Ze beschouwde zichzelf nog altijd als een Italiaanse en dat kon niemand terugdraaien. Maar wel een Italiaanse met een extra groot hart.

11

Voetje voor voetje schuifelde Remus naar de badkamer. Zijn ogen moesten zich nog scherpstellen. Onderweg knoopte hij zijn broek los. De pijpen gleden naar de vloer, terwijl hij de deur op slot draaide. Met de broek op zijn enkels werkte hij zich naar het toilet, trok zijn boxer naar beneden en liet zich op de wc-bril vallen. Zijn voorhoofd gloeide in zijn handen. De koude bril beet in zijn billen. De koorts was nog niet over, maar hij voelde zich toch beter dan hij had durven hopen. Hij sloot zijn ogen en spande zich in om zijn hoofdpijn te meten. Als hij zijn ogen niet te veel naar boven draaide, was het best uit te houden. Niet heel ontevreden over zijn fysieke gestel plaatste hij zijn handen op zijn knieën en kwam met een zucht overeind. Hij waste zijn handen met koud water en wurmde zijn hoofd tussen de wasbak en de kraan. Het water kroop via zijn hals zijn shirt in, terwijl hij met zijn vingers de omgeving aftastte op zoek naar een handdoek. Eenmaal gevonden depte hij zijn gezicht en hals droog en keurde zijn gezicht. De buil op zijn voorhoofd was onverminderd groot. Een vulkaan, met in het midden van de heuvel een rode opening van gestold bloed.

Voorzichtig probeerde hij de bult terug in zijn voorhoofd te duwen. Ik had mij nooit moeten inlaten met die lui, dacht Remus, en hij bevoelde zijn stoppels. Maar dat is nu te laat. Hij spoot wat scheerschuim op zijn hand en schuurde met zijn palmen langs zijn wangen. Het scheermes ving het warme water op met zijn mond van staal. Water en haren als sesamzaadjes wentelden het riool in.

Het geluid van een lopende kraan herinnerde Remus er elke morgen aan dat hij niet meer in het Roemenië van zijn jeugd was. Toen ze net in Italië waren aangekomen, hing hij elke morgen boven een rij wasbakken, terwijl de Bulgaar naast hem zijn baard bijknipte en de Kroatische Joegoslaaf zich zuchtend afvroeg of ze ooit nog uit deze pastagevangenis werden vrijgelaten. Remus kon die dagen alleen maar vrolijke noten fluiten. Hij betitelde het als een wonder dat de kranen altijd, de tweede week, de derde maand tot aan de laatste dag in het vluchtelingencentrum water gaven. Hij voelde de vrijheid als hij zich schoor en het water onophoudelijk zag stromen.

Dat gevoel was nooit verdwenen. Zelfs nu hij in Italië veel had gevonden wat hij niet had gezocht en niet had gevonden wat hij wel zocht, borrelde het gevoel van vrijheid diep in hem. Hij hield het mes onder de kraan. Bloed vermengde zich met water. Hij had niet vaak koorts, maar als hij het had, zorgde hij ervoor dat hij zich niet bezighield met scheren. Elke scheerbeweging vermengde zich met een nare, drukkende pijn, alsof de haartjes een voor een eruit werden getrokken.

Na de laatste haal spoelde hij opgelucht het mes af en deed het in het bakje tussen de tandenborstels. In de kom die hij van zijn handen had gemaakt, ving hij water op en sloeg daarmee de resten schuim en haren uit zijn gezicht. Met een witte handdoek droogde hij zich af. Een bloedvlek bleef achter op de doek. Met een beetje fantasie kon Remus er een hartje in zien, maar dat zou hem niet redden van Florica's toorn, wist hij, terwijl hij hoofdschuddend probeerde het rood uit het wit te poetsen. Het hart werd uitgesmeerd.

'Sukkel,' zei Remus tegen zichzelf en hij wierp de handdoek in de wasmand. Zijn wijsvinger stelpte het bloeden. Met zijn andere vinger drukte hij herhaaldelijk de aftershaveknop in. Hij spoot tweemaal extra, omdat hij de geur niet goed kon ruiken door zijn volle neus. Met zijn ogen dicht probeerde hij de odeur te vangen. Voor de zekerheid gaf hij zijn hals nog eens de volle laag.

Hij besprenkelde zijn oksels met water alvorens ze in te rollen met deodorant. Hij dacht terug aan wat Dario hem in al zijn onwetendheid had gevraagd toen Remus zei dat Florica en hij geen Albanezen waren: 'Wat is het verschil tussen Roemenen en Russen?'

'Wij gebruiken deodorant,' had Remus geantwoord. Dario's bulderlach bezegelde een lange vriendschap. Een vriendschap die er niet meer was, schoot door Remus'. Hij knikte naar zijn spiegelbeeld, alsof hij hem toestemming gaf om te vertrekken.

Met blote borst vooruit paradeerde hij een rondje om de eettafel, waar Florica reeds uren bezig was met de slotzinnen van haar scriptie. Hij zag hoe ze met moeite een lach probeerde te onderdrukken.

'Je eigen Romein vraagt om aandacht, jonkvrouw,' zei hij met gespeelde gekrenktheid.

'Spreekt mijn Romein ook de taal van de oude Roemenen?' vroeg Florica. 'Dan kun je mij helpen met mijn conclusie.' Ze slaakte een zucht toen Remus zijn kin in haar hals legde en met zijn zachte huid over de hare wreef.

'Ik spreek het nieuwe Roemeens,' fluisterde hij in zijn moedertaal.

Florica kuste zijn wang.

'Ik niet,' onderstreepte ze in het Italiaans. Ze omklemde zijn hoofd in haar armen voordat hij weg kon glippen. Ze hield hem in een vertroetelende houdgreep. Remus sloot zijn ogen en genoot van haar ademhaling. Haar ademhaling en het tikken van de klok, meer hoorde hij niet. De tijd tikt luid in stille tijden van liefde, dacht Remus voldaan. Als ze zijn hoofd strakker tegen het hare drukte, ademde ze dieper in en uit, merkte hij. Zelf ademde hij zwaar en hevig.

'Je voelt warm,' zei ze. Zijn borst plakte aan haar ontblote schouder.

'Ik voel me prima,' loog Remus. Hij was het binnen zitten zat. 'Trek je schoenen aan,' gebood hij met een glimlach. Hij trok zijn klamme borst van haar plakkerige schouder terug. 'We gaan koffie drinken.'

'Doe jij eerst maar eens een shirt aan,' lachte Florica, 'anders word je nog zieker'. Tot zijn verbazing schoof ze haar onderzoek zonder te protesteren terzijde en liep naar de hal om een paar schoenen uit te zoeken.

Hij vergrootte zijn stappen om sneller bij de kledingkast te zijn. Zonder erover na te denken pakte hij zijn beige blouse met korte mouwen van het rek, trok een linnen pantalon eronder aan en knoopte een lichtgroene das om zijn boord. Dankzij een welwillende klant was hij heer en meester van de Napolitaanse knoop. De Italiaan had – omdat Remus naar zijn knoop informeerde – langzaamaan zijn das tot tweemaal toe geknoopt. Voor zover dat mogelijk was, had Remus zijn bewegingen gekopieerd met een lang servet. De volgende morgen had hij meteen twee dassen voor de prijs van een gehaald en de Napolitaanse knoop overmeesterd. Het had de klant een gratis dessert opgeleverd en Remus een les voor het leven. Sindsdien keek hij met een zeker dedain neer op de heren die ten tonele verschenen met een standaard geknoopte stropdas.

Voor de spiegel trok hij de twee knopen een beetje uit elkaar, zodat hij zich goed onderscheidde van andere dasdragers. Met een hoofdknikje zette hij aan en gleed op zijn sokken naar de hal, waar Florica met twee verschillende schoenen in haar handen stond. Nog voordat ze hem om zijn mening kon vragen, wees Remus naar de nieuwe zwarte schoenen met hak in haar linkerhand. Niet dat hij een voorkeur had; hij wist gewoon dat het een poos zou duren als hij de keuze niet zou maken. Zelf gleed hij in leren instappers. Hij greep de deurklink, terwijl zijn vrouw nog dubde of ze toch niet die andere schoenen aan moest doen, omdat die al dan niet beter bij haar kleren stonden. Het gerinkel van de telefoon stelde haar beslissing uit.

'Ga je nog opnemen?' vroeg ze. Hij wilde de telefoon negeren. 'Maar misschien is het doctor Arcos,' opperde Florica, omdat ze nog even tijd nodig had om haar keuze te heroverwegen, vermoedde Remus. Ze wist dat hij de oude heer niet kon negeren. Remus had het te doen met de eenzaamheid die doctor Arcos gezelschap hield. Ze kent me te goed, dacht hij, terwijl hij met een zucht de telefoon van de hoorn pakte en bevestigde dat hij aan de lijn was.

'*Pronto.*'

'Alleen op de doden hoef je niet jaloers te zijn,' zei de stem aan de andere kant nog voordat hij zich voorstelde. Remus zuchtte nogmaals, luid en duidelijk. 'Ik ben het, Dario.'

Alsof ik dat niet hoorde, dacht Remus. 'Alles in orde?'

'Zeker niet,' antwoordde Dario. 'Mijn arme vader is zojuist overleden. Heel mysterieus allemaal. Ze vonden hem in een schommelstoel met een boek in zijn versteende handen. Een boek verdomme. Ik heb altijd geweten dat lezen slecht is voor de gezondheid. Voor het eerst in jaren mocht ik hem weer eens opzoeken. Hij sputterde niet tegen. Stinken dat die oude rotzak deed.'

Remus had geen zin in dit gesprek. Hij kon niet begrijpen hoe Dario zo over zijn eigen vader durfde te spreken. Hij had liever een vader die hem verachtte dan de vader die hij nooit had gekend. De communisten hadden bepaald dat Remus genoeg had aan Nicolae en Elena Ceauşescu als vader en moeder.

'Dus?' vroeg hij kortaf.

'Ik geef een gedenkfeestje voor hem in de tuin van zijn villa. Mijn villa nu,' zei Dario en hij probeerde zijn bulderlach niet eens te onderdrukken. 'Vrouwen, laveloze priesters, machtige mannen: het wordt een gedenkwaardige avond, als je begrijpt wat ik bedoel. Jullie zijn natuurlijk uitgenodigd.'

'Wij kunnen niet.'

'Je weet niet eens wanneer het is.'

'Dat interesseert me ook niet.' Florica stak vragend haar hoofd uit de hal en probeerde met ingehouden adem het gesprek te construeren. 'Wij willen niet naar je gedenkfeestje komen. Stuur een van je Albanezen om je geld op te halen. Het is voor jou en daarna zijn wij klaar.'

'Hoe bedoel je?' vroeg Dario in eerste instantie ontzet, om daar vervolgens op koude toon toe te voegen: 'Na alles wat ik voor jullie heb gedaan, weigeren jullie respect te betuigen aan mijn oude heer?' Hij vloekte in onverstaanbaar vlug Siciliaans. 'Dieven hebben eer, maar jullie vuile Oostblokkers blijkbaar niet. Het is mijn eigen schuld. Ik had het kunnen verwachten van een Roemeen en een zigeunerin. Verdomme zeg. Weet je wat jij zojuist hebt gedaan?' dreigde Dario, die zijn stem met hoorbaar veel moeite onder controle hield.

'Op je pik gepoept?' raadde Remus en hij gooide de telefoon op de haak. Florica staarde vol ongeloof naar haar man. Hij strekte opgelucht zijn armen en zag dat hij zijn vingers niet stil kon houden. De grootste lach sinds tijden veroverde zijn gezicht.

'Koffie?' vroeg hij en stortte zich op zijn vrouw, die haar armen net op tijd kon spreiden voor de aanval van haar man.

'Eentje dan,' glimlachte ze. Remus vroeg zich af of ergens in dat schitterende kopje de vraag rondspookte waar hij het geld vandaan had. Maar ze hield haar bedenkingen voor zich en daar was hij haar eeuwig dankbaar voor. Hij wist nog niet hoe hij haar moest vertellen dat hij Mancare had verkocht aan de oude Jood. Dat ze iets anders moesten zoeken. Het nieuws moet zo voorzichtig mogelijk gebracht worden, dacht hij, en hij sloeg zijn arm om haar schouder, zij plaatste haar hand in zijn zij. Zo liepen ze de trap af, door de buitendeur en langs de ingang van Mancare. Er was een hakenkruis op de voordeur gekalkt, maar dat deed Remus opvallend weinig. Het was niet meer van hem. Idel mocht ermee doen wat hij wilde. Wie weet zou hij de zaak slijten aan een Libanees met olie in zijn bloed die 'Tripoli' op de stenen zou schrijven en zijn vrouw in de keuken opsloot om te koken voor snorren en hordes hoofddoeken. Of misschien maakte hij er toch een juwelier van. Het was hoe dan ook Remus' zaak niet meer. Van het geld dat de verkoop op had geleverd, minus Dario's aandeel, konden ze misschien een leuk huisje buiten de stad kopen. Weg van de Florentijnen en de benauwde hitte, dacht Remus met zijn vinger tussen zijn hals en dasknoop, dat lijkt me een prima plan B. Voor plan A – terug naar Roemenië – kon hij zijn vrouw immers toch niet overhalen.

Hij herinnerde zich de eerste keer dat ze door Toscane treinden. Het was hun bescheiden huwelijksreis. Zonder te weten waar ze waren, stapten ze uit bij een kleine halte en vroegen een krom mannetje om een lift naar de allermooiste plek in de regio. De man was bijna klaar met op een bankje zitten en voor zich uit staren, zo had hij gegrapt, en wilde de twee vreemden graag rondrijden. Hij zei Remus voorin te gaan zitten en Florica nam achterin plaats, nadat het mannetje de deur voor haar openhield. Achteraf had ze tegen Remus gezegd dat ze niet wist hoe snel ze haar gordel om moest doen, want de man compenseerde de traagheid van zijn benen met zijn rappe chauffeursvoeten. Menig geit moest voor zijn bumper wijken. Hij had meer oog voor zijn gasten dan voor de weg. Hij vroeg naar de Leider en hoe zij na zijn overlijden over hem dachten.

'Ik rouw nog steeds om de dood van Mussolini. Natuurlijk weet ik dat het gelijk niet met *il Duce* was, maar ik betrap mij erop dat ik nog altijd denk dat hij altijd gelijk had.'

Florica hield haar afkeer voor Ceauşescu niet voor zich en Remus vervolmaakte haar afgrijzen met graagte.

'Als hij niet dood was, had ik hem dood gewenst,' had hij haar gevloek aangevuld, 'maar nu hij na een schijnproces is vermoord, wens ik hem het leven. Dan kunnen we hem nogmaals berechten in een eerlijke rechtszaak en hem alsnog ter dood te veroordelen. Maar een eerlijke dood.'

De beelden van de executie waren de hele wereld overgegaan. Emil had hem huilend opgebeld en doorzag direct dat Ion Iliescu, de voormalige kameraad van de Leider, Ceauşescu de dood in had geholpen om zelf de macht over te nemen. Hij had de revolutie van het volk verkracht om zijn eigen zaad te doen ontkiemen, concludeerde Remus aan de hand van Emils nieuwsvoorziening. Zijn linkeroog traande van geluk en zijn rechter van verdriet.

'In het appartementencomplex van mijn grootmoeder zijn echter genoeg mensen die treuren om de Leider,' zei Remus tegen de oude man, die geïrriteerd begon te toeteren naar een razende trein die de weg doorspleet. 'Niet omdat ze hem missen, maar omdat ze geen eten en werk meer hebben. Het kapitalisme is niet voor iedereen even hartelijk.'

De man knikte. Ze lieten de dictators rusten en scheurden langs heuvels en bergen, van dorp naar dorp. Hij zette hen af bij het gehucht van zijn dochter en nodigde ze uit voor een drankje, wat ze met geen woord konden afslaan. Het caféterras stond pal in de zon. Florica ging in de schaduw van een parasol zitten, terwijl de man drie glazen rode streekwijn bestelde bij een oude vriend. De man orakelde over de omgeving en verklaarde een trotse Toscaan te zijn.

'Er is niets slecht of lelijk aan deze regio,' zei hij, 'behalve de wegen die naar de andere provincies leiden.' Ze klonken op Toscane en dat ze er allemaal maar lang mochten wonen.

Het leven liep in allerlei leeftijdsvormen langs de tafeltjes. De zon verplaatste zich in de ring om Remus' ringvinger.

'Wandel een beetje door de omgeving,' adviseerde de oude man, terwijl hij op zijn pols keek, 'en laat je betoveren.' Hij schoof zijn stoel naar achteren en gaf hen allebei beide twee kussen. 'Ik moet naar mijn dochter, anders kom ik te laat.' Hij wilde geld neertellen voor de drie wijntjes die er negen waren geworden, maar Remus beloofde af te rekenen. De man drukte hem de hand en liep traag van hen vandaan. Ze zagen hoe hij een boeket bloemen bij een bloemist kocht en naar het einde van het dorp wandelde. Hij schuifelde een kerkje voorbij, keek nog eens achterom naar Remus en Florica en verdween richting het kerkhof. Remus betaalde, vouwde zijn handen voor de ogen van zijn vrouw als een levende blinddoek en zei dat zij de looprichting mocht bepalen. Florica wees en ze volgden haar vinger.

De rest van de dag verwonderden ze zich over het zachte kleurenpalet van Toscane. Remus zag groen, geel en blauw met daartussen lichte huizen met oranjerode dakpannen. Hij moest de oude man gelijk geven over de pracht van de regio, besloot hij hardop.

'Het is hier zo mooi, dat het wel Transsylvanië lijkt.'

'Jouw hart, mijn hart.' Florica besprong hem en sloeg haar benen om zijn middel. Steekwoorden. Hij had niet op de aanval gerekend en viel achterover. In elkaar verstrengeld rolden ze van de heuvel. Het droge gras duwde hen voort. Remus keek recht in de bruine ogen die hem nog steeds in betovering hielden. Zijn kersverse vrouw gilde van plezier. Ze buitelden een klein stukje omhoog op een andere heuvel en rolden weer naar beneden. Onwillekeurig veranderde het draaiende landschap in Poiana Brașov. Voor Remus was het levensecht. Een flits, daarna bevonden ze zich weer in Toscane. De spleet tussen de twee heuvels hield hen staande. Hij hijgde onder Florica's lach. Ze probeerde hem te beademen met haar mond op de zijne. Hij pakte haar hals met beide handen vast en draaide haar lichaam onder het zijne. Ze staarde hem met grote ogen aan. Het hoge gras kietelde zijn buik terwijl hij zijn blouse uitdeed.

Daar moeten we gaan wonen, dacht Remus, bijna euforisch. Daar ligt het geluk. Links en rechts passeerden ze zaken met veel te dure schoenen en maatpakken. Florica bleef hier en daar staren naar schoenen in de etalages. Remus liep dan door en stopte voor boekhandels of sigarenwinkels. Voor het uitstalraam van een huiselijk tweedehands boekenzaakje zwoor hij dat zijn boek daar achter glas zou liggen over honderd jaar, in plaats van een afgeleefde geïllustreerde versie van Dante Alighieri's *De goddelijke komedie*. Plots werd hij overmand door een onverklaarbare stoot zelfvertrouwen. Zonder het restaurant had hij tijd zat om zijn schrijfcarrière te herpakken. Voldaan stak hij een sigaret op en keek toe hoe zijn vrouw zich losrukte van de etalage.

'Die schoenen ga ik bij elkaar schrijven,' beloofde hij haar. Hij zag zichzelf zwoegen in een ruime kamer, gevuld met enkel boekenkasten tot aan het plafond, een antiek bureau, een stoel en zijn typemachine. De hoge deuren stonden open en presenteerden het uitzicht op de groene borsten van Toscane. Schijnbaar was zijn verrukking aandoenlijk, want Florica kuste hem vol op zijn mond zonder zich te hinderen aan de sigarettenrook achter zijn gesloten lippen.

De straat liep uit op een stenen boogpoort. Hoe dichter ze bij de boog kwamen, hoe donkerder het werd. Remus moest denken aan de tunnel die velen beweerden te zien tijdens het sterven. Maar dit is hetzelfde beeld dat baby's zien voor hun geboorte, dacht hij. Het leven aan het einde van de tunnel. De straat mondde uit op een omvangrijk plein dat inderdaad het einde en het leven tegelijkertijd herbergde: de koffiehemel.

Midden op het plein torende een standbeeld uit boven de straatventers en -artiesten. Onderaan de pilaar zat een vermoeide blondine met een stadskaart in handen. Ze draaide de kaart als een stuur. Remus en Florica liepen rechtstreeks naar het café waar ze altijd heengingen. De zon bescheen het volle terras, dus Florica leidde hen naar een plekje binnen, waar de taartjes en bonbons hen lonkend aanstaarden.

'Is het te laat voor een cappuccino?' vroeg Remus aan de barista in pak. In alle eerlijkheid was hij de tijd volledig kwijt. Hij had de krulrijke klok op de hoek van het pand gemist. Het was licht, dus het was in ieder geval geen nacht.

'Onze cappuccino's kunnen altijd,' antwoordde de man stoïcijns met een eersteklas buiginkje.

'En voor mij een koffie,' zei Florica. De barista boog nogmaals en ging aan het werk. Hij verdween achter de bar, waar flessen drank fonkelden onder de ornamenten.

'Ben je klaar met je scriptie?' vroeg Remus.

'Bijna,' antwoordde ze.

Hij las de twijfel in haar ogen en fluisterde: 'Als je het niet inlevert, weet je ook niet of het goed is'.

'Ik ga het ook inleveren,' bezwoer ze hem. 'Er missen nog een paar dingetjes. Daarna zal ik het overtypen in de bibliotheek, printen en in tweevoud overhandigen aan mijn begeleider. Dat beloof ik, op mijn woord als Italiaanse vrouw.'

Hij pakte haar hand. 'Ik ga heel gelukkig worden met mijn Italiaanse vrouw. Dat beloof ik je. Gewoon hier in dit land van jou, dat kan ik best.' Hij kuchte en wist niet of en hoe hij het moest zeggen. Hij had altijd geweten dat zijn pen scherper was dan zijn tong. Zijn grootmoeder beschouwde zijn poëtische ambities als een defect in zijn jonge geest en vermoedde dat haar kleinzoon later een goede baan zou vinden. Een echte baan. Zijn ambities waren nooit verdwenen, hoogstens een beetje moegestreden. Hij pulkte aan het tafelkleed. 'Ik wil mij volledig richten op het schrijven.' Het katoen kreukelde tussen zijn vingers.

'En Mancare?'

'Verkopen.' Hij kuchte daarna 'verkocht', zonder dat zij het opmerkte, maar wel zodat hij later kon beweren dat hij het had gezegd. 'Het is geen slechte locatie voor een restaurant. Er lopen veel toeristen en inwoners langs. In de zomer raakt de schaduw van de campanile het restaurant bijna aan. Het levert genoeg op, heus.' Mompelend vervolgde hij:

'Ik ken iemand die wel interesse heeft'. Remus streelde de zachte rug van haar hand. 'Bovendien ben jij klaar met studeren,' schoot hem ineens te binnen. Dat scheelde geld en leverde zelfs geld op zodra ze een goede baan vond.

Hij liet haar hand los, omdat de barista naar ruimte zocht om de cappuccino en de koffie neer te zetten.

'Wilt u er misschien iets bij? Een taartje, bijvoorbeeld?'

'Twee abrikozendonuts,' antwoordde Remus zonder zijn bestelling te verifiëren bij zijn vrouw.

Weer een lachloze buiging: 'Maar natuurlijk meneer.'

'Hoe is het met de weegschaal?' informeerde Florica.

Remus zuchtte, maar de glimlach van zijn vrouw compenseerde haar stekende opmerking.

'Het is niet mijn schuld,' zei hij met een knipoog. 'Die Italianen aan de bar smullen toch ook van die gebakjes? Dat is iets wat Italianen horen te doen. Ik veronderstelde dat mijn Italiaanse schat ook wel iets zou lusten.'

Florica's lach echode in het witte gewelf boven hen.

'Zet de zaak maar te koop,' zei ze.

Opgetogen kuste Remus haar hand en omdat hij toch bezig was, nam hij haar hele ontblote arm mee. De barista kuchte om zijn aanwezigheid kenbaar te maken. Hij had twee schoteltjes in zijn handen met daarop de abrikozendonuts. Ze lieten elkaars handen weer los om de tafel vrij te maken.

'Ah, de liefde,' zei de man. Tussen zijn snorretje en zijn sik verscheen een brede lach. 'Eet smakelijk.'

12

'Weg uit Florence?' vroeg Florica nog eens, omdat de woorden de gevolgen van de vraag vervaagden. De standbeelden van het Piazza della Signoria aanschouwden haar verbazing. De klokkentoren rees rijzig uit het gemeentepaleis en keek neer op de toeristen op het plein. De Chinese kleurenufo's probeerden tevergeefs naar gelijke hoogten te klimmen.

'Waarom niet?' weerlegde Remus de vraag. Hij pakte zijn vrouw bij haar middel en drukte haar tegen zich aan. Hij haalde zijn loopneus op en wilde haar kussen, maar ze dook weg.

'Waarom wel?' vroeg ze.

'We kunnen ruimer wonen. En goedkoper,' antwoordde hij. 'Zolang we maar in de buurt van de stad wonen, is er niets aan de hand. Dan regelen we wel een Vespa of een autootje waarmee we de heuvel kunnen afdalen naar de stad. Een Dacia bijvoorbeeld.' Ze ging voor geen goud in een Dacia zitten, dacht Florica, en ze keek hem aan met een bijpassende blik van gespeelde strengheid. 'Of een Fiat,' verbeterde hij zichzelf.

'De schone lucht zou ons goeddoen,' peinsde ze. Ze twijfelde of ze wel een dorpsmens was. De stad was hectisch en druk. De Florentijnen waren haar surrogaatfamilie. Ze maakten van Florica een Italiaanse. Ze was opgegaan in de drukte en een van hen geworden. 'Maar dan moeten we verhuizen.' Ze zag zichzelf al onrustig heen en weer wiegen in een schommelstoel in de stilte van de natuur. 'Ik weet het niet hoor.'

Het rode wapen van Florence wapperde boven hun hoofden. Remus wuifde haar twijfels weg. Hand in hand liepen ze langs het beeldenpark.

'Heb je wel in je scriptie genoteerd dat die oude Romeinen niet groot geschapen zijn?' vroeg hij. 'Telkens als ik de standbeelden passeer, bedenk ik me dat. Noteer in je onderzoek met klem dat de Roemenen enkel en alleen hun taal hebben geërfd.'

'Niet overdrijven,' zei Florica met een knipoog.

Quasi-gekwetst liet Remus haar hand los en rende van haar vandaan. Hij sprong de trap op naar het eeuwenoude terras van de beeldengalerij, zwaaide langs een zuil en keek onder de spitsbogen hoe Hercules zich op een marmeren centaur stortte. Voorzichtig, dacht Florica.

'Zo voel ik mij soms,' zei hij toen ze zich op haar gemak bij hem voegde. 'Hercules tracht al sinds de zestiende eeuw de centaur te overwinnen, maar hij is versteend tijdens het proberen. Ik wil niet verstenen.'

'Ga je de stad niet missen? Hier hebben we voor het eerst samengewoond,' zei ze. 'Dit is ons leven.'

'De stad gaat nergens heen.'

'Maar wij wel.'

'Dat klopt,' beaamde hij, nam haar bij de hand en leidde haar van het plein, 'maar we kunnen Florence altijd opzoeken. En we kunnen op vakantie gaan. Naar Parijs bijvoorbeeld. We blijven gewoon in Toscane wonen, in de buurt, als je wilt.'

Zwijgend werkten ze zich langs de drommen toeristen die als een school vissen door de straten zwommen. Remus voorop, Florica achter hem aan. Ze hield zijn hand stevig vast, ook al wist ze precies waar hij naar op weg was. Een groep oranje shirtjes versperde hen de weg. Remus probeerde zich erdoorheen te wurmen, maar zonder succes.

'Godverdomme,' fluisterde Florica. De 'G' gorgelde in haar keel. Een deel van de shirtjes keek achterom, maar ze deed alsof ze de staat van de klinkers bestudeerde. Remus vroeg haar wat ze had gezegd, terwijl hij langs de toeristen liep en de eerste stappen op de Ponte Vecchio zette. Ze negeerde zijn vraag. Wist zij veel wat ze had gezegd. Het hielp in ieder geval.

De Arno kabbelde onder de brug door. Ze gingen tegenover het statige borstbeeld hangen met hun ellebogen op de brugreling. Remus wees met vlakke hand naar voren. Florica volgde de kijklijn langs de volgende brug, voorbij de toren die in het rijke verleden dienst had gedaan als doorgang door de stadsmuur. Daarachter groeide de groene hoogvlakte.

'Het dorp hoeft niet ver te zijn,' sprak hij zacht. Hij kuste haar oorlel. Haar armharen gaven zijn ruwe lippen een staande ovatie. 'We kunnen een hond nemen of,' hij twijfelde even, 'kleine Tomescu's, waarvan we er een naar mijn grootmoeder vernoemen en de ander naar jouw grootvader.'

Haar ogen gleden terug via de rivier en ze keek naar de oude bogen boven haar hoofd. Dit was hun brug, hun stad. Maar ook hun land, dacht Florica, en ze had haar besluit gemaakt. Maria Rosalia en Giotto zaten ook te denken om de stad in te ruilen voor een huisje in de provincie, had Maria Rosalia verteld. Ze hadden al wat kerkjes bekeken, had ze verklapt, maar dat mocht nog niemand weten.

'Wat vind jij een mooie ring?' had ze aan Florica gevraagd toen ze voor de etalage van een juwelier hadden gestaan. Misschien dat ze in hetzelfde dorp konden gaan wonen, dacht Florica.

'Ik wil bij jou zijn,' antwoordde ze en ze volgde Remus' hand. 'Daar.'

Het gegalm van de toeristen verdween toen hij haar vastpakte en haar besluit bezegelde met een innige omhelzing. Ze sloot haar ogen en realiseerde zich dat dit alles was wat ze wilde. Het maakte haar niet uit of hij haar liefhad op de Ponte Vecchio of in de modder buiten de stad: als hij het maar deed en als ze maar de vrijheid hadden om het te doen.

Florica nam zijn hand en trok hem voort. Ze had plotseling de onbedwingbare behoefte om een bolletje pistache- en anijsijs te eten. Waarschijnlijk omdat haar lichaam volledig geënt was op ambachtelijk schepijs als ze over de oude brug liep.

'Horen jullie bij elkaar?' vroeg de bonkige ijsverkoper toen ze aankwamen bij zijn zaakje. 'Nooit geweten.' Hij begon met het hoorntje voor Florica. Zonder de bestelling af te wachten rolde de schep door het groen. Remus probeerde die blik van zijn vrouw te ontwijken.

'Ik heb al heel lang geen ijsje meer genomen,' fluisterde hij. 'Ik denk aan mijn buik hè.' Hij timmerde op zijn navelstreek.

'En voor jou een schep chocolade, noten, stracciatella en,' de man wees met zijn dikke vinger naar Remus op het ritme van zijn denken, 'een bolletje pruimen. Correct?'

Hij had geen bevestiging nodig en begon te scheppen. Florica lachte.

'Wat?' vroeg Remus met hoge stem, 'pruimen zijn gezond hoor'. De ijscoman drukte het romige bouwwerk goed aan alvorens de hoorn aan hem te geven.

Florica liep naar een pleintje en ging op de trap voor de kerk zitten. Remus plofte voorzichtig naast haar neer. Het ijs wankelde gevaarlijk in de hoorn, maar met zijn tong drukte hij het pruimenijs op zijn plaats. De schaduw van de kerk beschermde de ijsjes tegen de zon die hen probeerde te smelten. Naast hen zat een zigeunerin, zo kleurrijk als een pas geschilderd Roemeens paasei. Ze drukte haar vetrollen door het sierlijke spijlenhek. Als er een toerist langsliep, hief ze haar hand en zei dat ze honger had. Ze haalde haar schouders op als ze niets kreeg en ging verder met het rollen van een sigaret. Haar zwarte tong likte aan de vloei. Florica zocht het terras met haar ogen af en vond snel wat ze vreesde te zien.

Een zigeunerjongen van nog geen vier jaar oud sjokte langs de tafels. Zijn vunzige handjes vormden een kom en zijn grote bruine ogen smeekten om iets wat hij niet begreep. Voor elke stap zocht hij met zijn blote teentjes vaste grond. Uiterst geconcentreerd keek hij van de grond naar de mensen aan tafel. Hij bleef niet lang genoeg hangen bij de tafels als niemand geld in zijn handen legde, zag Florica, en de dikke zigeunerin stak vloekend haar peuk op. De peuter scheen haar gehoord te hebben, want hij waggelde terug naar het tafeltje en trok de dichtstbijzijnde jongeman aan zijn spijkerbroek. Toen de man zich geïrriteerd vooroverboog, stak het jongetje mompelend zijn handen voor zich uit.

'Ik heb wel wat voor je,' zei de man. Hij tuitte zijn lippen en een witte klodder daalde aan een sliert af naar de bedelende handen. Zijn vrienden proestten hun bier terug in hun glazen, terwijl de peuter beteuterd zijn handen afveegde aan zijn sjofele broek en bedachtzaam op de oneffen tegels afdroop.

'Dom kind,' verzuchtte de zigeunerin. Florica drukte woest de hoorn met ijs in Remus vrije hand en stormde op haar af. 'Moet je jezelf nou eens zien,' zei ze in de taal van de Rroma. 'Jij kunt drie jaar eten afslaan en nog zul je geen honger lijden.'

'Lik mijn...,' begon de vrouw, maar Florica onderbrak de verwensing en gaf haar een klap vol in het stroperige gezicht. Ze verbaasde zich over de woede die ze in zich had en die in een keer ontsnapte.

'Doe het zelf. Je buit een jong en onschuldig mannetje uit.' Florica's gezicht walgde met haar woorden mee. 'Je kleren zijn kleurrijk, maar jouw hart is zo zwart als de dood.'

Florica beende woest weg. Ze pakte haar ijsje terug uit Remus' hand en gaf het aan het bedelende jongetje. Eerst keek hij haar niet begrijpend aan, maar al snel danste zijn tong verlekkerd langs het beetje anijs dat nog in het hoorntje zat. Hij nam een hap van de onderkant van de hoorn, waardoor het lichtgroen regende op zijn blote voetjes. Remus ging achter zijn vrouw staan en gaf zijn ijs ook aan de jongen.

'Ik moet aan mijn gewicht denken,' verklaarde hij beteuterd. De peuter wist niet welke kleur hij het eerst moest proeven. Schichtig keek hij naar de dikke zigeunerin. Vlug en voorzichtig waggelde hij naar de overkant van het plein en ging op de grond zitten met de twee hoornen in zijn handen.

'Nep-zigeuner,' riep de zigeunerin Florica na. 'Nep-gadjo!'

Remus pakte Florica's hand. Ze negeerde de woorden. Waarschijnlijk had de dikke Rrom gelijk, dacht ze. Ze was zigeuner noch gadjo. Het deed haar niet veel meer. Ze was zichzelf. Ze zag hoe ze zou zitten op de buitenplaats van hun droomhuis. In haar zicht huppelden twee koters die nog maar half-Rrom waren.

'Rare Roemenen,' fluisterden de Italiaanse mannen op het terras.

De oude brug kwam dichterbij. De groepen toeristen benamen het zicht. Remus staakte zijn vraag over wat er zojuist was gebeurd en wat Florica tegen de dikke vrouw had gezegd. De hand van haar man gleed uit die van haar. Het zweet parelde over zijn voorhoofd.

'De stad danst,' stotterde hij ineens vermoeid. Met veel moeite wurmde hij de das los en propte hem in zijn borstzak als een verfrommelde pochet. Hij rende bleekjes een kudde Japanners omver en boog zijn middel om de stenen brugrand. IJs, klonters perzikdonut en opgewarmde sambuca met honing kletterden de Arno in. Remus veroverde een deel van de Ponte Vecchio, omdat de geur het de toeristen niet gemakkelijk maakte om een blij gezicht te blijven trekken voor in het vakantiealbum. Florica klopte haar man zachtjes op zijn rug en haalde een tissue uit haar tas om zijn mond af te vegen. Daarna drukte ze een kauwgumpje uit de verpakking en legde het op zijn tong.

Omstanders staarden met een bedenkelijke frons naar de lijkbleke gestalte. Florica aaide hem door zijn haren, totdat hij zich afzette tegen de brug en zich goed genoeg voelde om naar huis te lopen. Hij wankelde bij elke stap. Ze was constant op haar hoede om hem op te vangen.

Van haar moeder moest ze lang geleden haar vader uit de kroeg trekken. Ze had geen idee waar ze moest zoeken, dus ging ze elk café en restaurant van de stad af. Ze had na een aantal lege zaakjes beet. Hij zat met een onbekende oom en twee Roemeense soldaten aan tafel. Ze overstemden elkaar met hun bezopen stemmen. Haar vader depte zijn doordrenkte snor en ging zonder protest met zijn dochter mee. Dat verbaasde Florica. De andere Rrom bleef bij de soldaten, omdat ze het te vroeg vonden om op te breken. De drank verbroederde.

'Mijn lievelingsdochter,' mompelde haar vader, toen Florica hem instinctief opving toen hij voor de zoveelste keer struikelde over een eeuwenoude klinker. 'Ik houd van je,' zei hij, hij rekte de 'e' tot een echoënde oerkreet. Hij boog zich voorover om zijn dochter te kussen, maar zijn huig was het daar niet mee eens. Florica kon nog net op tijd wegspringen voor de golf van gal en bier.

Maar dit is niet van de drank, dacht Florica, terwijl ze de voordeur van hun woning voor haar wankelende man openhield. Remus banjerde direct door naar boven.

'Probeer wat te slapen,' riep ze hem na.

'En Mancare dan?' mompelde hij bovenaan de trap. 'Het restaurant is min of meer nog van ons.'

'Ik red het wel in mijn eentje,' antwoordde ze. Ze zei er niet bij dat er waarschijnlijk toch niemand zou komen en het weinig moeite kostte om een lege zaak draaiende te houden. Een envelop uit Rome trok haar aandacht tussen de post – een advertentiefolder van een bouwmarkt, een boekje met aanbiedingen van de plaatselijke supermarkt en een in tweeën gevouwen A4 van de pizzaboer op de hoek met op beide helften een opsomming van pizza's en prijzen. En dus een brief. Ze wreef over de postzegels. Op de achterzijde stond het adres van een uitgeverij in Rome.

Benieuwd naar de inhoud besprong ze de traptreden. Ze wist dat ze Remus' post niet mocht openmaken, niet de brieven van de uitgeverijen die hem schreven. Het was *zijn* ongeluk, zei hij telkens.

'Je hebt weer een brief uit Rome,' kondigde ze haar nieuwsgierigheid aan toen ze de deur opendeed, maar haar man had geen aandacht voor haar of de brief. Hij was op de bank neergestort om er voorlopig niet meer af te komen. Ze pakte een lege emmer en zette deze naast hem neer.

'Voor de zekerheid,' fluisterde ze en kuste hem op zijn voorhoofd. Ze legde de envelop op de salontafel neer.

Haar scriptie wachtte nog steeds op de eettafel. Ze hoefde letterlijk nog maar een paar zinnen op te schrijven. Als ze zich kon inhouden. Mancare zou pas open gaan als ze hiermee klaar was, dacht ze, terwijl ze zichzelf aan de tafel schoof en de pen in haar hand nam.

Dus lieten de zuiderlingen brokstukken van hun vocabulaire achter, hervatte ze haar conclusie.

De geplande zinnen werden alinea's. Het eindonderzoek vorderde gelijk haar tevredenheid. Getoeter van opgefokte brommers en scooters klonk door het open raam. De klanken van de stad. Ze vroeg zich af of ze het geluid zou missen als ze verhuisd waren. Remus snurkte haar overpeinzing aan gruzels. Natuurlijk zou ze het niet missen. Misschien konden ze een huisje vinden met een hoge bedaagde boom in de tuin. Daar zou ze in kunnen klimmen en op een tak wegdommelen in de natuur. Ze luisterde glimlachend hoe een vrouw een scooterrijder vervloekte.

'En de stad gaat nergens heen,' fluisterde ze om haar laatste aarzelingen te overreden.

Met haar pen zette ze een punt.

13

De schaduw van de Florentijnse campanile tikte Mancare aan. Zijn bijgeloof gebood Remus te geloven dat het op zulke dagen druk werd in het restaurant. Niet dat het nog veel uitmaakte; Idel de oude Jood had toegezegd. Remus en Florica hielden Mancare draaiende voor het zakcentje dat het elke avond op zou leveren. Maar vanavond had hij daar niets te zoeken, want hij voelde zich ellendig. En zo oogde hij ook, vond zijn vrouw.

'Je moet uitrusten,' had Florica gezegd voor ze naar beneden ging, 'zodat je snel weer beter bent. Er komen spannende tijden aan.'

Hij stortte neer op de bank en perste zijn lichaamsafdruk er in. Hij had vlug de vlieringtrap beklommen, zonder dat Florica hem kon betrappen, omdat hij overvallen werd door een inval voor zijn gedicht. Zoals dat ging bij goede ideeën, zweefde er een onverwachts zijn hoofd binnen, terwijl hij zich nog eens omdraaide. Hij had de titel voor het gedicht te pakken. Het was zaak om de ingeving zo snel mogelijk te vangen met pen, papier of typemachine, alvorens deze verdampte tussen andere hersenspinsels. Hij schakelde de schrijfmachine aan, rolde het papier dat er inzat omlaag en typte de titel boven het stuk poëzie. Hij herlas het gedicht en concludeerde dat titel en tekst bij elkaar pasten. Het was af. En het was niet eens heel slecht. Misschien. Nou ja, de laatste twee regels waren te gezocht. Het kon altijd beter, vond hij. Ik kijk er later nog eens naar.

De bank kraakte onder Remus' gewicht. Hij strekte zijn arm naar het glas met water. Daarnaast lag een envelop die zijn interesse wekte, maar hij voelde zich te zwak om hem te pakken en vooral te lezen. In plaats daarvan viste hij de afstandsbedieningen van de vloer en schakelde de televisie en het satellietkastje aan. Een Italiaanse spelletjesshow liet vrouwen strijden voor een nieuwe auto. Wie zich het zwoelst uitkleedde tot bh en slip, won de ronde. Veel borst, weinig hart, dacht Remus, en zapte naar een Roemeens kanaal.

'Het land is wederom geschokt door de toestanden in Italië,' sprak de geblondeerde presentatrice van het journaal met een uiterst strak

gezicht. Een populaire Italiaanse rechtse columnist had alle fatsoens-
normen overschreden, vertelde ze. 'Hij schreef over een Roemeense
verpleegster die met een vuistslag was vermoord door een twintig-
jarige Italiaan. "Weer een Roemeen minder," schreef hij in de krant
naar aanleiding van het incident.' De presentatrice hield even in. Haar
woorden onderstreepten afkeur, maar haar gezicht hield ze nauwkeu-
rig in een neutrale plooi. De objectiviteit zelve. Ze schakelde over naar
drie oude heren die Remus deden twijfelen of hij wel een kleurentelevisie in de woonkamer had staan. Met zijn drieën vierendeelden ze de
column en de schrijver ervan. Na hun discussie over de schandelijke en
racistische uitspraken van de columnist, verscheen de landkaart van
Roemenië in beeld en klakte de presentatrice van het weer op hoge
hakken het beeld in. Hij had dus toch een kleurentelevisie. Het stralende weermeisje kondigde in haar hoge laarzen een periode van regen
aan in heel Roemenië. Maar van haar kun je het hebben, dacht Remus.
De nieuwslezeres nam het woord weer en wenste de kijker een fijne
avond. De lichten doofden en een korte animatie luidde het reclame-
blok in. Remus hing met zijn hoofd in de emmer. Een fijne avond, dat
gaat zeker lukken, dacht hij turend naar de bodem van de emmer die
verwachtingsvol terugkeek. Het was loos alarm. Hij nam nog een slok
water, leegde zijn neus in een tissue en drukte zijn hoofd terug in de
kussens.

Hij zapte naar een trage natuurdocumentaire over de beren van
Braşov en hoe ze elk jaar weer door de stad zwierven op zoek naar
vuilnisbakken. Een camera bungelde boven het centrale plein dat na de
revolutie autovrij was gemaakt. Meer dan twaalf jaren waren voorbij-
gegaan sinds hun ontsnapping uit Roemenië. Twaalf Italiaanse lentes.
Jaren die vroeger ongetwijfeld aanvoelden als vette jaren, maar een
communistisch oog liet zich rap aflossen door een kapitalistisch oog.
Remus bakte vlees voor de gasten, maar zelf aten ze naar zijn mening
te vaak pasta met een mager tomatensausje of maïspap met brood en
zure room. Groei, o weelde. Van het restaurant hoefden ze het in ieder
geval niet meer te hebben. De Italiaan had nog gebeld om te zeggen
dat hij zijn huwelijk met de Roemeense niet zou opluisteren met een
maaltijd in Mancare. Waarom wilde hij niet zeggen.

Zijn besluit om de zaak te verkopen voordat deze kopje onder zou
gaan, was de juiste. Dacht hij. Hoopte hij. Al was het de verkeerde keuze, hij kon ook niet anders.

Ja, hij zou schrijven, maar zou hij ook gelezen worden? Hij spiekte kort naar de envelop op de salontafel. Misschien dat ik wat groenten kan verbouwen op de grond die we kopen, dacht hij. Net als mijn

overgrootvader. Al had hij zigeuners en boeren in dienst die zaaiden en oogsten, had grootmoeder verteld toen hij klein was. Ze was opgegroeid met allerlei lekkernijen van het land. Remus wist niet hoe echte paprika's smaakten, zei ze, als ze een gevulde paprika uit de pan viste en op zijn bord legde.

'Jij weet niet beter,' zei ze dan, 'maar deze dingen zien er voor mij alleen uit als paprika's.' Ze zuchtte haar verlangens opzij. 'Eet smakelijk, *poftă bună!*'

Florica kwam weer boven. Ze droeg een strohoed op haar krullen. Het eten stond op het vuur, vertelde ze.

'Maar nu ga ik eerst je medicijn klaarmaken.'

'O, heerlijk,' verzuchtte Remus, die nog even overwoog of hij moest doen of hij sliep om de warme sambuca met honing te ontwijken. Vroeger verdreef grootmoeders medicijn elke griep of verkoudheid. Maar thuis hadden we pruimenţuică, verzuchtte hij in zijn dagdroom, terwijl hij de Italiaanse anijsalcohol vervloekte.

Hij vergat dat hij de drank nooit lekker mocht vinden van zijn grootmoeder. Een heer drinkt wijn, zei ze, en boeren, Bulgaren, Russen en zigeuners drinken de dood, zo refereerde ze naar de ţuică en zijn verwanten van over de grens. Zijn vrienden en hij dronken bier, net als de Duitsers. Tegen Duitsers had grootmoeder niets, ondanks dat ze haar vaders gastvrijheid hadden misbruikt tijdens de Tweede Wereldoorlog door zijn landgoed als kampeerplek te gebruiken en alles op te eten of kapot te maken.

'En toch zijn fascisten lieverdjes in vergelijking met de communisten,' zei ze dikwijls. 'Zet Stalin en Hitler tegenover elkaar en je vraagt je af wie die man met dat schattige snorretje is.'

Florica hielp haar man overeind. Remus rook de anijs die stoom uitblies in haar handen. 'Je prikt alweer een beetje,' zei ze terwijl ze haar echtgenoot overstelpte met koortsverdrijvende kusjes.

Remus glimlachte. 'Jij niet.' Die opmerking leverde hem een stoot tegen zijn borst op. Slijm borrelde naar boven.

'Italië is het land van de geharste vrouwen,' zei Florica. Daar had ze inderdaad niet over gelogen, dacht Remus terug aan de keer dat ze hem daarover vertelde in de auto richting de grens met Joegoslavië. Hij was blij dat ze nog steeds bij elkaar waren. Ze hadden wel tien levens van een modale Italiaan achter de rug, maar hun liefde bleef onveranderd sterk.

'Dan ben je een echte Italiaanse,' zei hij vertederd.

Florica staarde naar de vloer. Een vloerkleed van zakdoekproppen verborg het parket. De ene nog vochtiger dan de ander.

'Ik zag zojuist een zwarte kat,' zei ze. 'Drie.'

'Houd toch op,' zei Remus en hij schudde zijn hoofd. Hij begreep niet waarom zijn vrouw zoveel waarde hechtte aan bijgelovige nonsens. 'En hoeveel mensen heb je geteld?'

'Meer dan drie,' gaf ze toe.

'Dan konden die katten een teken voor iedereen zijn. Misschien is iemand zijn portemonnee kwijtgeraakt. Of Fiorentina verliest vanavond de wedstrijd. Of de kat was bedoeld voor een zakenman uit Milaan die hier een deal dacht te sluiten en verslaan onze Paarsen hun tegenstanders met 2-1. Winnen ze ook eens. Of misschien valt de jackpot toch niet vandaag. Volgende maand meer kans op meer geld.' Meer, meer, meer. Méér.

'Je tart het lot.'

'Het lot tart ons.'

Florica haalde haar schouders op en roerde de lepel met honing in het glas.

'Als je dit drinkt, word je beter.'

'Ik word beter, natuurlijk, maar wordt het ooit beter? De mensen hier zijn ook niet vrij. Vroeger werden we onder druk gezet door de Securitate, hier is dat de taak van de reclameborden. Nergens mogen wij zelf nadenken, eigen gedachten verzamelen.' Braşov flikkerde in de televisie op de achtergrond. 'Misschien horen wij niet in dit land thuis.'

'Ik ben een zigeunerin. Waar ben ik thuis?'

'Bij mij.'

'Niet kussen,' zei Florica toen het te laat was en Remus haar al had opgesloten in zijn armen. 'Je gedraagt je bot. Je grootmoeder zou je een Rus hebben genoemd.'

'Of een Turk.'

'Waarschijnlijk een Turk.'

'Ik mis haar,' fluisterde Remus. 'En ik mis onze stad.' Hij knikte naar de televisie.

'Jouw stad. Ik heb daar niets.' Ze keek mistroostig naar de televisie en Remus vroeg zich af of ze aan haar familie dacht. Aan haar grootvader Arpi, die hij zich nog goed herinnerde, en aan haar zusje. 'Wat heeft Braşov mij te bieden?' vroeg ze hem. Het was een retorische vraag, dus hij zei niets.

'Je ontmoette er mij,' vulde hij aan.

Florica zweeg, omdat ze wist dat hij gelijk had. Terwijl Remus zijn longen schoon hoestte, depte zij zijn voorhoofd. Remus wist dat ze een thuis had gevonden bij hem en hij bij haar. Ze waren elkaars huis. En dat is voldoende, besloot hij.

'Sorry,' mompelde hij. Hij dronk het medicijn in een teug op. 'Het komt door de televisie. Nog zo'n duivel van de moderne tijd,' knipoogde hij. Hij zocht haar hand. 'Ik ben gewoon wat zwakjes op dit moment. We zullen gelukkig worden in Toscane.'

Zijn vrouw beantwoordde hem met een kus. Ze gaf hem de krant en pakte de stoffer en blik. 'Iemand heeft het raam ingetikt,' zei Florica. Het deed hem niets. Een raampje meer of minder kon Idel weinig schelen. En Remus evenmin: de oude Jood had een aanbetaling gedaan die genoeg was voor Dario. De rest zou gestort worden op hun gezamenlijke bankrekening.

Remus zag hoe Florica hem bezorgd analyseerde. Ze schuifelde achterwaarts naar de deur die naar beneden leidde. In het gangetje draaide ze zich om, omkleed door donkerte. Haar ogen schitterden in dezelfde glimp als jaren geleden, toen Remus haar voor het eerst zag. De ogen van een zigeunerin. De blik had zijn leven veranderd. Ze glimlachte zoetgevooisd.

'En ik van jou, schat,' beantwoordde hij haar blik.

Ze sloot de deur sneller dan Remus wenste. Hij staarde naar het hout, dat onvermurwbaar op zijn plaats rustte, op de plek waar Florica hoorde te staan.

Uiteindelijk lukte het Brașov om zijn aandacht te trekken. Remus herkende de straten waar hij had gelopen, alleen of met een arm om zijn vrienden geslagen, terwijl ze nuchterheid veinsden wanneer er lieden langsliepen die ze verdachten van staatspraktijken. De televisie is een tijdmachine, dacht Remus. De beelden rakelden een vreemd gevoel bij hem op. Hij voelde zich als het bronzen standbeeld van Ion Luca Caragiale dat eigenlijk het hoofd van Lenin droeg, maar omdat de beeldhouwer de order verloor aan een collega, had hij uit protest het hoofd van Caragiale op de romp van de Russische revolutionair gezet. Remus' lichaam was ergens anders dan zijn geest. Hij probeerde de heimwee uit te bannen – een lastige taak met de televisie aan.

Hij vermaande zichzelf door zich het groene Toscane in te beelden. Zijn huwelijk was als een spreekwoordelijke *casa de piatră*, een stenen huis, en dat zou alleen maar sterker worden. Onverwoestbaar. Bovendien zou hij eindelijk kunnen schrijven en dichten. Overgrootvader droeg hem zijn moed over via een zorgzaam strenge blik vanaf de wand.

Roemenië moet een warme herinnering worden, dacht Remus. Op televisie zoomde de helikoptercamera in op de grote kerk.

'Welkom in Corona,' had Emil gezegd toen ze Braşov binnenreden omdat Remus een week in het land was om afscheid te nemen van zijn overleden grootmoeder. Emil had hem opgehaald vanaf het vliegveld in Boekarest. Hij reed in eenzelfde rode Dacia als zijn vader vroeger. Na de welgemeende condoleances, hadden ze elkaar omhelsd, elkaar weggeduwd om elkaar te bekijken en weer vastgehouden. Het was onmiskenbaar Emil, maar het was niet meer de jongen die Remus zich inbeeldde als ze met elkaar belden. Emil zat in het omhulsel van een man.

Remus had de tranen uit zijn ogen gelachen toen hij de auto zag die hen door de bergen moest loodsen. Het leverde hem een tik tegen zijn achterhoofd op.

'Kinderen lachen me ook al uit,' zei Emil, 'maar ik ben gek op deze auto.' Ze werden de hele rit aan weersflanken ingehaald door nieuwere modellen, maar tot Remus' verbazing ook door Franse auto's en Duitse bakken. Er was meer auto dan weg.

'Het is hier veranderd,' concludeerde hij.

'We zijn vrij hè? Iedereen heeft een auto nodig,' antwoordde Emil, 'en hoe minder Roemeens de auto's zijn, hoe beter. Dat geldt voor alles. De Roemeense worsten zijn lekkerder, maar men eet liever de Spaanse of Poolse producten. De grenzen zijn open, dus alles wat erachter vandaan komt is smaakvoller. Na vierenveertig jaar communisme zijn we onze eigen merken zat.'

Ze reden langs de industrie van Ploieşti, stopten bij een uitgestorven hotelvilla in Sinaia voor een koffie en hervatten hun reis door de bergen over asfalt dat langs scheuren en gaten was gedrapeerd. De stad was veranderd. Een gele M heette hem welkom in de stad van zijn jeugd. 'Dus je noemt Braşov nog steeds Corona?' vroeg Remus aan zijn vriend.

'Zo zal ik haar altijd blijven noemen,' glimlachte Emil. 'Ik heb nooit begrepen waarom jouw grootmoeder mijn voorbeeld niet volgde. Braşov klinkt Russisch en is afgeleid van een Turks woord. Dat is bijna nog erger dan Stad Stalin, zoals ze in de jaren '50 heette. De middeleeuwse naam Corona dekt onze Koninklijke stad het beste.'

Emil zette hem af bij het appartement van grootmoeder. Van Remus, nu. Ze spraken af om samen te gaan eten die avond. Echte mici. En alle avonden daarna ook. Emil toeterde zijn vriend gedag en voegde zich met een ruk tussen het verkeer.

Doctor Arcos kuste Remus tweemaal welkom. Dit is mijn stiefgrootvader, of zoiets, dacht Remus voor de eerste keer, en hij legde zijn hand op de oude schouder. Hij voelde de botten in zijn handpalm porren bij het snikken van de man.

'Het Văcăreşti klooster is weg,' zei doctor Arcos en sloeg een kruis, 'je grootmoeder is weg. Alles laat leegte achter.'

Het appartement was amper veranderd. Er stond nu een televisie en het balkon was volgestouwd met hebbedingetjes die Remus had gestuurd vanuit Italië en kapotte koelkasten die misschien nog ergens voor gebruikt konden worden, maar dezelfde kleden lagen op de vloer, dezelfde Maria-icoon hing aan de muur en het rook er nog steeds naar zuurkool.

'Het meeste is geregeld,' zei de man. Het graf was gegraven, de steen had enkel nog de tekst van Remus nodig die hij in het vliegtuig had geschreven en de priesters waren afbetaald. 'Zes is genoeg toch?' vroeg hij onzeker.

Zes is te veel, dacht Remus, maar hij knikte dat het goed was. Er stond een pan met sarmale op het vuur, voor als hij honger had. Hij kreeg niet de mogelijkheid het eten te weigeren. De oude man schepte een bord vol en scheurde een stuk brood af. Het rook heerlijk, maar doctor Arcos benam Remus de eetlust door onophoudelijk over grootmoeder te spreken. Hij had haar in geen jaren gezien, enkel gesproken via de telefoon, en toch deed het meer pijn dan hij had gedacht toen hij zich realiseerde dat hij haar nooit meer zou zien. Hij zou nooit meer een Turk zijn, noch Rus, zigeuner of Hongaar. Hij had zich nooit wees gevoeld, tot nu toe.

De dagen die volgden zaten vol plechtigheden. Hij schudde de handen van priesters en troostte grienende vrienden van grootmoeder en als hij daarmee klaar was, snuffelde hij in grootmoeders zaken. Samen met doctor Arcos ontdekte hij bankrekeningen en het landhuis van de Tomescu's. Om een laatste doel in het leven te hebben, beloofde de oude man om Remus het landhuis te bezorgen.

'Dit gebouw wil ik wel kunnen redden,' mompelde hij.

Remus liep naar de voorraadkast en vond de portretten van zijn overgrootouders tussen het stof. Hij wikkelde ze in een kleed en stopte ze samen met de gouden icoon van moeder Maria in een tas.

'De rest is van jou,' zei hij tegen de oude man.

Moeder Maria zegende hem vanaf de muur in Florence. Remus snoot zijn neus. Het verbaasde hem dat Florica de icoon nog niet terug in de lade had gelegd. Hij herinnerde zich een beschonken avond tijdens zijn week in Braşov. Emil en hij waren geen moment van tafel gegaan, terwijl de norse serveersters het tafelkleed onophoudelijk verstopten onder pullen bier, glazen brandewijn, mandjes met brood, schaaltjes met mosterd en borden vol mici en patat.

Op een gegeven moment huilde Remus om de dood van zijn grootmoeder, Emil omdat ze door hun vluchtpoging in 1987 de mislukte opstand hadden gemist en een serveerster omdat Emil constant aan haar rok hing als ze langsliep. Ze waren zo lam, dat Emil op verzoek van Remus per telefoon Pinu uitnodigde en dat Remus Pinu's prijzige pak verkreukelde in een innige omhelzing toen hij kwam aanzetten in zijn veel te dure Mercedes. Pinu zei niet veel, uit schaamte of afwachting, en liet de serveersters aanrukken met dure drankjes; Emil grapte en zeurde over de luie instelling van zijn landgenoten; Remus lachte en sloeg zijn vrienden op hun schouders. Hij vroeg zich af of dit was wat hij kreeg als hij in Roemenië zou wonen.

Pinu dronk zijn stem terug. Tot laat in de nacht proostten ze op van alles en nog wat: op Florica, de muziek, de literatuur, Pinu's Mercedes, Pinu's kinderen, Pinu's villa, het rokje van de serveerster, het leven, de dood, grootmoeder. En op de zigeuners, toen een tweetal aan hun tafeltje ging staan. De een met een gitaar, de ander met een accordeon. De warme stem van de Rrom werd bijgestaan door het geblèr van drie teute mannen. Pinu gijzelde de zigeuners met bankbiljetten en verzoeknummers.

'Ik ga jullie opnemen,' beloofde Emil dubbel. 'Doe eens een oud zigeunernummer,' schreeuwde hij, terwijl ze nog bezig waren met een Roemeenstalig lied over een fanfare, 'dit nummer kennen we inmiddels wel'.

Het drietal luisterde met open mond naar een sloom nummer waar ze geen snars van begrepen. Af en toe verdween er een mici met mosterd in een van hun monden.

'Bravo,' zei Emil, terwijl hij applaudisseerde en floot. 'Ik ga jullie echt opnemen. Dit soort nummers... Speel nog eens iets.' Hij boog zich voorover en fluisterde in Remus' oor: 'Ik zet ze op cd voor je vrouw. Dat vindt ze vast prachtig. Zij kon ook zo mooi zingen, begeleid door de rivier de Nera. Zacht, maar zuiver.' Pinu verknipte het ritme met zijn vingers.

Die nacht deinde Remus in het bed waar hij boeken over breien had gelezen. Het gezang van Emil en Pinu verdween in de nacht. Het plafond draaide voor zijn ogen. Een gipswandje verder hoorde hij doctor Arcos knetteren in zijn slaap. Met een glimlach graaide Remus naar zijn tas en pakte het Maria-icoon. Hij klemde de Moeder tussen zijn handen, sloot zijn ogen en bad dat ze grootmoeder zou begeleiden naar de hemel. En dat ze over haar zou waken, en over Florica die hij zo ontzettend miste en over Emil, Nicu die in Amerika was, en ook over Pinu en Emils ouders en de familie van Florica of in ieder geval haar grootvader en zusje, doctor Arcos, Dario, hun inkomsten en over Roemenië. De slaap interrumpeerde het gebed. De volgende morgen vroeg Remus zich af waarom moeder Maria bij hem in bed was gekropen.

De documentairestem stipte de rebellie van 1987 aan en vertelde dat auto's met een nummerbord uit Braşov in die tijd werden overladen met geplukte bloemen en briefjes. Remus schakelde het geluid van de televisie uit. Hij richtte zich op om te luisteren. De hoge tonen van een panfluit galmden dwars door het plafond. Schijnbaar had Florica de muziek in het restaurant harder gezet. Gerustgesteld liet hij zich weer in de kussens vallen. De documentaire bracht toeristen in beeld die in allerlei talen de liefde aan Braşov verklaarden, hoorde hij toen hij het geluid weer aanzette. Achter de geïnterviewden leefde het plein dat Remus herkende van zijn bezoek aan de stad. De geparkeerde Dacia's hadden plaatsgemaakt voor bankjes met ouderen, een paar bedelende zigeuners, flanerende stelletjes en tafels en stoelen onder parasols met printen van biermerken erop.

'Een hele verbetering,' had hij tegen Emil gezegd. Een paar panden waren opgeknapt met pleisterkalk en kleurige verf.

De fontein spuwde, terwijl Remus met zijn handen in zijn zij het plein overzag. De schoenenzaak van zijn oude baas was verdwenen. Er huisde nu een bakkerijtje, gerund door Hongaren, vertelde Emil.

'Ze hebben daar de meest verrukkelijke *kürtőskalács*,' zei hij.

Daar had Remus wel oren naar. Tijdens het communisme waren de zoete deegrollen slechts te vinden in de Hongaarse enclaves van Transsylvanië, maar inmiddels hadden de bakkers de heerlijkheden verspreid over heel het land en Hongarije. Het deeg werd voor hun ogen uitgerold, om een pijp gewikkeld en boven smeulend houtvuur gehangen om te bakken. Het was raar om de bakker bezig te zien waar Remus ooit schoenen had gepoetst of veters had ingebonden. De stad was veranderd tijdens zijn afwezigheid.

Emil bestelde vier *kürtőskalács*: gerold in chocolade, noten, kaneel en vanille.

'En twee koffie,' vulde Remus zijn vriend aan. Ik hoop dat ik nog door de deur pas als ik thuiskom, dacht hij, en hij vroeg zich af of Florica zou merken dat hij zich niet had ingehouden. 'Ik ben een emotionele eter,' zou hij zeggen als ze met haar vingers in zijn buik prikte. Hij moest glimlachen als hij zich haar lach inbeeldde. Of haar geveinsde boosheid. '*A fost delicios*,' riep Remus naar de witte petjes achter de balie, alvorens ze het pand verlieten. 'Het was heel lekker.' De Magyaren knikten zuinigjes en gingen verder met het wikkelen van deeg. Hij liet zich door Emil naar het vliegveld van Boekarest brengen in de rode Dacia. Remus had afscheid genomen van zijn grootmoeder, maar ook van Braşov, van Roemenië. Het land zat in zijn hart en in zijn tas: de portretten, het icoon, een paar cd's met typische Roemeense volksmuziek van Emil voor in het restaurant en een kilo kruiden van doctor Arcos om de sarmale op smaak te krijgen.

En in mijn hart moet het blijven, dacht hij, terwijl hij luisterde naar de geluiden in Mancare. De muziek stond nooit zo hard. Aan de andere kant kon hij zich niet herinneren dat Florica ooit in haar eentje het restaurant had gedraaid. Zonder te weten waarom hij gespannen was, greep hij de krant en sloeg deze driftig open. Het sportkatern kondigde het vertrek van Adrian Mutu bij Internazionale aan. De Roemeense aanvaller werd overgenomen door laagvlieger Hellas Verona, na een teleurstellend seizoen in Milaan. *Het wonderkind had het niet waargemaakt. Zijn instelling had hem opgebroken*, schreef de redacteur.

Dus toch niet de nieuwe Hagi, de Maradona van de Karpaten, dacht Remus en hij sloeg een paar pagina's over. Hij bladerde naar huizenadvertenties en omcirkelde de woningen die interessant en betaalbaar waren. Veel grond, ja, een half uur van Florence vandaan, mooi, ruime kamers, grote plus, magistraal uitzicht op de omgeving, perfect, moet wel een beetje gemoderniseerd worden, ach, daar zijn Roemenen voor. Hij scheurde de pagina uit de krant. De scheur doorkliefde enkele andere advertenties.

Content over zijn vondst bladerde hij terug naar het nieuws. Hij sloeg de boude uitspraken van enkele rivaliserende politici over. Een advertentie suggereerde dat hij wel eens een nieuwe auto nodig zou hebben. Maar dat had hij niet.

DNA verkrachters komt niet overeen met twee Roemenen. Remus schudde zijn hoofd nog voordat hij het stuk had gelezen.

De opgepakte Roemeense mannen werden deze morgen vrijgelaten, toen bleek dat hun DNA niet correspondeerde met het sperma dat was aangetroffen in het tienerslachtoffer, las hij. *De politie hervat het onderzoek en vermoedt dat de daders zich wel degelijk in dezelfde kringen bevinden.* Dat was het bericht. Klein, ingetogen, onopvallend, gedrukt in een hoek. Remus besloot zijn krantenabonnement op te zeggen zodra hij beter was. Hij had zijn handen al vol aan zijn eigen mening.

Het gerinkel van glas klonk onder hem. Of dat vermoedde hij. Hij spitste zijn oren, maar hoorde alleen nog de bassist van een volksliedje. De krant werd ingeruild voor de envelop die op de salontafel lag. Remus bestudeerde de afzender: een Italiaanse uitgever die hij hoog had zitten. Hij liet zich kort afleiden door het gestommel in het restaurant. Wat was daar toch aan de hand? Daarna woog hij de brief tussen duim en wijsvinger. Net zo zwaar als elke andere afwijzing, dacht hij, en hij wierp de envelop van zich af.

'Ik ben zo al ziek zat.'

Met een grimmige lach stond Remus op. Iets te snel. Het begon hem te duizelen. Hij hield zich vast aan de muur. Het gejoel in het restaurant liet zich niet overstemmen door de muziek. Hij wreef met zijn wijsvinger onder zijn snotkoker en dubde of hij moest controleren of Florica alles onder controle had. Hij besloot om een blik te gaan werpen. Voorzichtig opende hij de deur naar de trap. Het opstijgende rumoer gaf uitsluitsel. Het is druk vandaag, dacht hij content.

'Ze laten het zich goed smaken,' gaapte hij bij het horen van alle kabaal. Remus kneep zijn ogen stijf dicht, hapte naar lucht en zette zijn teen op de eerste traptrede. De schaduw en de donder traden hem tegemoet.

14

Florica zat op haar hurken en raapte glasscherven van de stoep. Jongens hadden het glaswerk uit de deur getrapt toen zij boven aan haar scriptie werkte en Remus ziek op de bank lag. Het glas was tussen de klinkers geglipt. Geblazen glas. Snel beschadigd. Antiek. Italiaans fabricaat – nalatenschap uit de tijd van een welgestelde maar evenwel vergeten Florentijnse familie. Kaduuk. Volgens ontstelde ouderen die het resultaat bekeken niet de schuld van hun kroost, maar van het geteisem dat het pand had bezet.

'Zigeunerin,' sneerde een Italiaanse met enorme wallen onder haar ogen, terwijl Florica de scherven wegplukte. Ze deed alsof ze de verwijten niet hoorde. Ze hoorden rond te trekken, zo vond het oude vrouwtje, maar niet in Italië. 'Ga een Fransman verkrachten,' zei ze, terwijl ze Florica's enkels probeerde te raken met haar wandelstok. Met een ruk ontdeed Florica de bejaarde van haar steun en toeverlaat en slingerde de stok van zich af. De wandelstok vermenigvuldigde zich stuiterend op de straattegels. Twee zwarte zwerfkatten keken goedkeurend toe. Een derde probeerde een versplinterd deel uit de lucht te plukken, maar besloot dat het toch te warm was en begon zich, achterpoot in de hoogte, midden op straat uitgebreid te wassen. De katten cirkelen de hele tijd rond Mancare, dacht Florica, maar Remus zei haar zich er geen zorgen over te maken. Een jonge vrouw begeleidde de vloekende bejaarde naar waar zij op weg was. Ze maakten Florica een laatste keer uit voor zigeuner en gingen de hoek om. De constatering was niet zozeer verkeerd, maar deed Florica nog steeds pijn. Haar Italiaans was completer, foutlozer en vlotter dan dat van veel geboren Italianen. Florica drukte de rand van haar strohoed verder naar beneden. Niet om de venijnige blikken van voorbijgangers te weren, maar om haar gezicht te beschermen tegen de late zomerzon. Ze zuchtte toen een kat dichterbij kroop en kopjes gaf tegen Florica's achterste.

'Pas op,' zei ze, 'straks loop je in het glas'. De kat sprong op haar bovenbenen en drukte zijn kop tegen haar kin om haar op te beuren. Hij spinde terwijl ze haar kin over zijn kop rolde.

Een Roemeense boerenwijsheid leerde dat geluk was gemaakt van glas. Wanneer het glom, brak het. Waarom kwam dat spreekwoord in haar op? Ze wilde er niet aan denken. De kerkklokken overstemden haar gedachten. De communisten hadden de klokken van Roemenië losgeschroefd. Ze hadden God de mond gesnoerd, maar hier was God overal. Ze bad op haar hurken, met mond en ogen stijf dichtgedrukt. De kat droop stilletjes af.

Ze gooide de glasscherven in de vuilnisbak in de keuken van het restaurant. Ze maakte de *salata de boeuf* af – een aardappelsalade met doperwten, rundvlees, wortels, augurken, eieren en mosterd – door er zelfgemaakte mayonaise doorheen te husselen. Ze dekte de bak af met huishoudfolie en zette de aardappelsalade in de koelkast tussen de mici-worstjes die in groten getale wachtten op de grill. De zure soep borrelde in een pan op het fornuis. De keuken was het territorium van Remus, maar ze had zijn afwezigheid gebruikt om een recept van Constantins vrouw te gebruiken. De soep smaakte fris en licht. Ideaal voor een warme dag als deze, dacht ze, terwijl ze een van de Roemeense cd's opzette die Emil hen zo nu en dan had gestuurd na het opdoeken van het IJzeren Gordijn. Geen Ciprian Porumbescu, geen zigeunermuziek, maar een compilatie Roemeense pop en rock. Rock-'n-rollen onder het kokkerellen. Florica prefereerde een Italiaans radiostation, maar de antenne was kapot, waardoor de radio enkel ruis uitzond. Remus vond het niet nodig om te investeren in een nieuw geluidssysteem, terwijl de oude het nog deed. Min of meer. En nu hoeven we geen nieuwe meer, dacht Florica, want we gaan de zaak verkopen. Ze kreeg bijna zin om de zaak vanavond al te sluiten als ze aan een landhuisje dacht. De stad was haar lief, maar nu begeerde ze het toekomstbeeld waar ze kortstondig aan had moeten wennen. Ze zou haar kunnen verlaten. Bovendien wilde ze niet meer uitgescholden worden, zoals zojuist, alleen omdat ze voor een Roemeens restaurant de puinhopen van kanslozen opruimde. Ze was verdomme een Italiaanse. Met een vloek drukte ze op de knop om een zigeuneresk liedje over te slaan. Wanneer er, voor de verandering, gasten arriveerden, zouden er volkse accordeons, violen en panfluiten klinken van een andere cd die Emil had meegegeven aan Remus toen hij daar was. Eetmuzak.

En die instrumenten klonken al snel. Florica had maar weinig tijd om zich te verwonderen over de aanloop van gasten, maar de tafels werden stuk voor stuk bezet. De glasloze voordeur klapte open en dicht. Het belletje daarboven bleef hangen in gerinkel. Ze dekte de laatste tafel onder toeziend oog van lieden die met hun vingers speelden; de viezigheid vanachter hun nagels pulkend. Geen stoel bleef onbemand. Roemeense gastarbeiders schoven aan, zoals wel vaker het geval was zodra ze hun salaris hadden ontvangen, maar ook jonge Italianen namen plaats. Een gelijke verdeling, schatte ze, maar ze zag geen enkele vrouw. Het waren mannen met honger in de ogen. Met de donder in de maag.

De zwarte katten waren inderdaad voor anderen bestemd, dacht Florica terwijl ze de mici op het braadrooster gooide en de mannen bier en brood met aardappelsalade voorschotelde. Ze zou vanavond heel wat geld verdienen. Dat konden ze wel gebruiken voor de verhuizing.

De Roemenen inhaleerden de geur van thuis. Ze tikten de Italianen aan, alsof ze wilden zeggen: gebruik je Westerse neus, zo ruikt het bij ons. Maar ze zeiden iets anders. Gemurmel waar Florica niets van verstond. Ze klutste de mosterd en deed deze in sierlijke bakjes van klei, terwijl de mannen luid kauwend hun gastvrouw volgden met het rood in de ogen. Het stokbrood werd geruisloos doorgeslikt en weggespoeld met bier. Het zweet gleed over Florica's rug. Remus had een verdomd vervelend moment gekozen om ziek te zijn. Even overwoog ze om haar man alsnog naar beneden halen, maar ze kon het niet over haar hart verkrijgen om hem met koorts boven een gril te laten hangen.

De gasten lieten zich het eten smaken. Er werd geschreeuwd om bier terwijl het vorige glas nog halfvol op tafel stond. Of beter: halfleeg. Er werd aan Florica's jurk getrokken wanneer glazen niet snel genoeg werden bijgevuld. De jurk raakte uit vorm en hing vormeloos in om haar billen. De aanwezige Italianen prezen de Roemeense worstjes, tot groot genoegen van de arbeiders, en eisten meer. De koelkast raakte leeg. En dat was uitstekend nieuws. Florica deed haar uiterste best. Ze lachte, ze kookte, ze ruimde af, ze grapte, ze gaf een rondje, zodat de mannen nog meer bestelden. Wie weet kon ze van het fooiengeld een schoenenkast kopen. Zoals een echte Italiaanse. En de bruine haarkleuring die haar zwartblauwe zigeunergloed verborg, kon wel wat versterking gebruiken.

Door de drukte verliep de avond snel. Terwijl ze armen vol borden en bestek naar de keuken bracht, fluisterden de gasten aan de tafels met elkaar. De stemmen stokten toen Florica binnenkwam. Enkelen stonden hoofdschuddend op en vertrokken morrend. Ze hadden wat geld op tafel achtergelaten. Florica zei hen gedag.

'Wenst u nog een dessert?' vroeg ze daarna aan een jonge Roemeen met een stoppelbaardje en een houthakkersblouse die wel was blijven zitten. 'We hebben appeltaart van verse appels en zelfgemaakt bladerdeeg. Met gezoete slagroom. Of donuts, oliebollen en als ik mij niet vergis, hebben we ook nog baklava met een bolletje ijs.'

De Roemeen haalde zijn neus op.

'Ik ga ook,' zei de man tegenover hem snel en hij vertrok met zijn jas onder zijn arm. Florica keek hem bevreemd na en vroeg zich af wat er met hen aan de hand was. Er bleven nog maar vier gasten over om een dessert aan te slijten. De ander trok zich niets van het vertrek van zijn dinerpartner aan en slurpte het Italiaanse bier uit de Roemeense kelk van bruine klei. De versiersels schoten los toen hij de lege kelk wild op tafel knalde. De drie overgebleven Italianen smiespelen opgewonden. Woorden die Florica niet verstond. Misschien moet ik Remus toch maar ophalen, dacht Florica, en ze wilde vertwijfeld langs het volgende tafeltje lopen, maar de Roemeen greep haar bij haar pols en smeet Florica op tafel.

'Door jouw smerige hondensoort worden wij Roemenen gehaat door onze Italiaanse vrienden.' Hij knikte naar de Italianen die aan de tafel naast hem zaten. 'Naar de duivel met jou, klote zigeunerin.' De jongen spuugde zijn woorden uit. 'Wij nemen een ander dessert.'

De derde Italiaan greep zijn jas van de stoel en rende plotseling Mancare uit.

De overige Italianen schoven eensgezind hun stoelen naar achteren. Gulpen werden opengeritst. Florica probeerde zich los te wurmen en naar de keuken te rennen, maar de jonge Roemeen hield haar in bedwang. Ze griste naar het mes in het bakje mosterd en probeerde haar belager ermee te steken. Zonder succes.

Roestvrij staal kletterde op de grond. Haar wang plakte tegen de tafel. Ze zag hoe een Italiaan naar de keuken liep en de volumeknop aandraaide. De violen spanden zich in. Een panfluit gilde. Hij draaide zich triomfantelijk om, boog zich een beetje voorover en zocht met zijn rechterhand in zijn broek. Met een grijns vond hij wat hij zocht. Florica sloot haar ogen. Ze huiverde, omdat ze de walgelijke mannen ook voor zich zag met haar ogen dicht, maar nu vermengd met de spoken, de strigoi, uit haar jeugd. Maar schreeuwen zou ze niet. De tranen biggelden geruisloos over haar wangen. Ze dacht aan haar tijd in het zigeunerkamp. Ze bevond zich weer huilend op haar bed of in de buitenplee van de buren, nadat haar oom haar had meegenomen naar zijn zelfbenoemde troon. Een tent vol vliegen en vlekken. Ze wilde niet, maar hij wilde wel.

Net zoals deze mannen wilden. En deden.

Ze probeerde te denken aan de toekomst in Toscane, maar ze zag enkel een dikke snor en gouden tanden voor haar ogen dansen in de leegte. Haar armen bungelden machteloos over de tafelrand. Ze dronk van haar tranen.

De mannen joelden.

De ene man schreeuwde 'voor Roemenië', de anderen beantwoordden zijn kreet met 'voor Italië'.

Maar hun kreten vielen stil. Florica liet de nachtmerrie over haar oom achter zich en bevond zich in de volgende. Ze opende haar ogen. Remus stond in de deuropening. Zijn ogen waren klein en zijn mond stond halfopen. Ze zag hem maar kort. Ze keek naar de tafel waar ze overheen lag, naar het uiteengespatte bakje mosterd op de grond, naar de mannen die zich van haar afduwden. Ze durfde haar man niet aan te kijken. Wat was ze nog waard?

Remus werd witheet. Hij stormde op de indringers af en raakte wie hij raken kon. Florica dwong zichzelf om toe te kijken. Kaken braken. Bloed vloeide. Maar Remus was geen vechter. Bovendien had hij griep. Hij kreeg zijn vuisten niet meer gebald. Florica hoorde hoe zijn vingerbotjes knapten. Ze ontwaakte uit haar trance, pakte een vork en prikte de hand van een man vast aan de tafel. De hoge schreeuw bracht haar in extase. De Roemeen droop gehaast af, met zijn hand in zijn mond, bang om gepakt te worden door de politie, maar de twee Italianen bleven over en sleurden de uitgeputte Remus naar een stoel. Ze hieven hun vuisten en lieten deze net zo hard en vaak op zijn gezicht landen totdat hij van de stoel op de grond zakte.

'Jullie Roemenen zijn moordenaars en verkrachters,' schreeuwde een van hen.

Gillen Florica, dacht ze, en gillen deed ze. Ze rende op de mannen af en sloeg ze hysterisch tegen hun ruggen. Een van hen draaide zich om en greep Florica bij haar haren. Hij gooide haar op haar buik over een andere tafel. De ander zette Remus opnieuw op de stoel en bond hem vast met aan elkaar geknoopte tafelkleden. Zwak als hij was, probeerde hij zich los te wurmen. De mannen draaiden zijn stoel naar de tafel waar Florica overheen lag. Remus keek haar leeg aan. Ze sloeg haar ogen neer. Vanachter haar wimpers zag ze dat hij bloed huilde. Een man trok haar hoofd aan haar haren naar achter en drong bij haar binnen. De andere Italiaan hield Remus hoofd in bedwang. Als hij zijn ogen sloot, kreeg hij een klap tegen zijn slaap. Het enige wat hij kon doen was over de handen van zijn aanvaller kotsen.

Dat leverde hem nieuwe klappen op. De fjorden werden in zijn gezicht geboetseerd. De Italiaan sloeg zo hard dat de tafelkleden losschoten en Remus wederom met zijn neus op de grond klapte. De man lachte. Hij tilde Remus op en zette hem terug op de stoel. Opnieuw. En opnieuw. En opnieuw. Opnieuw.

Zijn gezicht werd tot pulp geramd. Polpa.

Florica probeerde zich los te wurmen, maar werd vol in haar gezicht geslagen. Haar laatste gil wist de Italianen te temperen. Of ze
hoorden iets wat Florica niet hoorde. De politie was gewaarschuwd,
zo vreesde een van hen hardop en hij vluchtte, op de voet gevolgd door
de ander. Florica sloeg een tafelkleed om haar lichaam. Ze wilde zich
om Remus bekommeren, maar ze was bang. Bang dat ze onrein was.
Remus viel weer op de grond. Ze snelde op hem af en hield zijn hoofd
tegen haar borst. Een grote bloedvlek verspreidde zich op het tafellaken dat Florica omhulde.

'Het spijt me,' huilde ze. Ze wiegde haar man in haar armen. Remus
vond de kracht om zijn hoofd op te heffen. Hij tuitte zijn opengereten
lippen en kuste haar.

Zijn hoofd viel op haar knieën.

Tres

1

Vanonder haar lange wimpers gluurde Florica naar het publiek dat elkaar verdrukte om naar de muzikanten te kijken. En naar haar. Vooral naar haar. Haar handen wentelden op haar polsen, hoog boven haar hoofd, met een lichte knik in haar ellebogen. Ze draaide om haar as. De enkelbanden rinkelden, omdat ze ritmisch de tegels op het hooggelegen plein aanstampte. Coco, de leidende gitarist, spoorde haar aan met een geestdriftige schreeuw. Hij wierp zijn lange haren naar achteren en grijnsde breed, terwijl zijn vingers voor ieders ogen vervaagden in een razendsnel spel met snaren. Zijn twee kompanen bleven hangen op de oude melodie. Ze werden begeleid door Florica die met haar vingers knipte. De cirkel van toeschouwers klapte het ongeloof van zich af.

De mannen gorgelden hun hese gezang. Florica plukte haar jurk van haar knieën en schopte haar voeten los. Het klakken van haar hakken wakkerde het enthousiasme van het publiek verder aan. Een blond kleutermeisje doorbrak de muzikale harmonie met roze castagnetten tussen haar vingers. Ze waggelde met onvaste tred de cirkel in en bootste Florica's danspassen na, terwijl ze naarstig de castagnetten probeerde te laten ratelen in haar mollige handjes. Haar schoentjes stampten driftig mee. De toeschouwers slaakten een zucht van vertedering. De leidende gitarist schreeuwde 'olé' en zijn roep werd overgenomen door zijn kompanen en het publiek. De muzikanten startten de weg naar het slotakkoord. Florica verbaasde zich niet eens meer over de snelheid waarmee hun vingers langs de snaren gleden.

De eerste keer dat ze hen zag spelen, had ze geprobeerd de vingers te volgen, maar het enige dat ze had gezien, was een wazige vlek die in hoog tempo de meest wonderlijke tonen uit de gitaar kreeg.

De muziek nam haar over. Ze begon te dansen zoals ze als kind had gedaan. Ze zwiepte met haar heupen met haar ogen dicht en haar oren open. Het zand zoog aan haar blote voeten. De man met het lange haar had gezegd dat ze slechts twee minuten nodig hadden om te oordelen of ze voldeed als danseres, maar ze hadden tien minuten onophoudelijk gespeeld. En zij danste en danste. Achter haar gesloten oogleden zag ze hoe haar grootvader haar aanmoedigde. Ze moest indruk maken, want ze had het geld nodig om te overleven in dit vreemde land. Ze hief haar handen en knipte met haar vingers. Stof stoof op onder haar voeten. De grond was zacht; ze waande zich veilig in de woonkamer van de villa aan de rand van Braşov, waar haar grootvader zich warmde aan het boek dat hij zojuist had uitgelezen. Ze probeerde de viool van een vriend van de familie te vangen, maar ze kon alleen de flamencogitaren horen. Muziek was muziek, dacht ze, en volgens grootvader waren Rroma geboren in muziek.

Wat zou het allemaal. Ze wilde niet reizen, ze wilde geen zigeunerin zijn – ze was een Italiaanse! – en ze wilde gelukkig worden met Remus, gelukkig blijven, maar het was haar niet gegund. Ze was vervloekt en dat had ze moeten weten, nadat de kaarten van de waarzegster waren weggevoerd door de Roemeense wind. Haar lot stond vast. Ze hoefde het alleen nog maar te ondergaan.

'Je bent inderdaad een zigeunerin,' had de man met de lange haren goedkeurend gezegd nadat hij zijn gitaar aan zijn voeten had gelegd en Florica haar dans eindigde door haar armen in de lucht te steken. 'Maar je bent er niet een van ons.' Hij tuitte zijn lippen bij het nadenken. 'Je manier van dansen... Het is anders, hoewel er wel melancholie inzit.' Florica had haar rechte schouders laten hangen en wilde direct vertrekken. Haar buurvrouw Carmen had haar getipt dat Coco's groep een nieuwe danseres zocht. Ze had geen keus, dus vroeg ze naar het adres van die Coco, geboren als Arturo, de zoon van een groot flamencodanser en kleinzoon van een zo mogelijk nog grootsere gitarist genaamd José de Zigeuner. Carmen wist alles van iedereen en zei Florica dat ze een grote kans zou maken.

Niet dus, dacht ze. Ze keek met afgrijzen hoe een vrouw een hulpeloze baby in haar armen wiegde. De baby begon te schreeuwen toen Florica langs hun heen stoof. Florica's hart schreeuwde mee. Ze probeerde haar gezicht in een neutrale plooi te houden.

'En dat is precies wat we zoeken,' zei Coco met een brede lach, toen ze nog net binnen gehoorafstand was. Lange plukken haar hingen voor zijn ogen. Om zijn hoektand zat goud gevouwen, zag ze. Het zou niet de laatste keer zijn dat ze zijn lach zou zien. 'Je begint vanavond.' De twee andere mannen knikten bevestigend.

'Oké,' was alles wat ze had gezegd. Ze maakte een statig buiginkje en liep terug naar huis.

Vanaf diezelfde avond leukte ze het zinderende gitaarspel van Coco & Co op en daar was ze nooit mee opgehouden. Eerst was ze slechts de

314

nieuwe danseres, daarna de verbeterde danseres en inmiddels was ze het hart van elk optreden.

'Ze genieten van ons gitaarspel, maar jij haalt het geld binnen,' had Coco op een hele goede dag gezegd, nadat hij het geld had geteld en evenredig verdeelde.

Ze maakte een buiging voor de klappende toeschouwers. Het jonge blonde meisje boog ook. Ze stopte met dansen, maar haar castagnetten klakten onverstoord voort. Florica aaide de vlechtjes van haar danspartner en bracht haar terug naar haar moeder. Daarna hurkte ze, pakte de zoom van haar jurk en toverde het kledingstuk om in een buidel. Het meisje kreeg een paar muntjes van haar vader en gooide die in de jurk.

'Nu is het leven nog leuk,' zei Florica in het Spaans en ze aaide de wang van het meisje. Zelfs het beeld van een blije en trotse kleuter, waarvan ze wist dat het aandoenlijk hoorde te werken, riep leegte op. Vader noch het kind verstonden haar woorden. Hun enige gemeenschappelijke taal was de muziek.

Sommige toeschouwers betaalden voor de show, anderen draaiden zich gehaast om en gingen stoïcijns verder met het bewonderen en fotograferen van de beige pracht van het Alhambra een heuvel verderop of liepen het plein af op zoek naar tapas en sangria.

De avond viel in en Florica keek toe hoe het Moorse fort oranje oplichtte in de buitenverlichting. Het aanzicht van het Alhambra was het enige dat haar stroeve hart nog kon binnendringen, met al zijn gerafelde torens en magistrale gewelven. Ze wenste dat ze met Remus door het fort en de bonte stad van Granada kon lopen. Misschien vanavond, dacht ze erachteraan.

Ze haalde haar neus op en krabde witte strepen in haar onderarm. De mannen aan Coco's zijden borgen hun gitaren op. Coco tokkelde nog wat na, terwijl hij werd aangegaapt door een groepje beschonken jongedames. Hij staarde quasigeconcentreerd naar zijn voet die meebewoog op het ritme, zich heel goed bewust van de vrouwelijke aandacht. Zijn goedlachse façade had na al die jaren weinig geheimen meer voor Florica.

'Ga toch gewoon naar ze toe,' zei ze, terwijl ze het geld uit haar jurk schepte en in de zwarte gitaarkoffer voor zijn voeten liet vallen.

'Nee,' antwoordde Coco met zijn ogen dicht. Hij hief zijn gitaarvinger op en liet de laatste klanken uitgalmen. 'De gitaar brengt ze naar mij.' Zijn oogleden ontblootten zijn bijna zwarte ogen en hij knipoogde naar haar. Hij versterkte zijn mysterie door zijn wimperranden te kleuren met oogpotlood, iets wat Florica niet begreep. Een man moest een man blijven. 'Als vrouwen willen komen, komen ze naar Coco.' Bij elk woord glipte zijn gladde tong tussen zijn tanden door. Hij grijnsde.

Florica schudde haar hoofd. Ze hurkte bij zijn gitaarkoffer en verdeelde het geld naar rato. Dat mocht ze, want zigeuners stelen niet van elkaar, aldus Coco. Ook al 'ben jij een Oost-Europese Rrom'. Het publiek was goedgeefs die avond. Coco zou er een nieuwe piercing van kunnen zetten of ingaan op de uitnodiging van zijn kameraden om de bar in te gaan. Florica liet het muntgeld liggen, vouwde haar aandeel op en propte het tussen haar borst en bh. Zij wist wel waar ze het aan zou uitgeven. Aan een ticket naar een andere wereld, naar Remus. Een ticket die heel even de leegte vulde.

'Tot morgen,' zei ze en zwaaide naar de andere twee van Coco & Co, die beiden met hun voeten op de gitaarkoffers rustten en een biertje hadden geopend.

'Wij gaan naar de kroeg met de buitenlandse dames,' schreeuwde Coco haar na. Florica vroeg zich af of de dames daar ook weet van hadden. Hij lachte schalks. De gouden ketting die zijn oorbel met zijn neusring verbond, rinkelde onder het lachen. 'Ga met ons mee.'

'Nee,' antwoordde ze kortaf.

'Geniet eens van je leven,' zei Coco en hij zette zijn gitaar weg. Alle spieren in Florica's gelaat krompen samen. Dat ontging Coco niet, zag ze, want hij wreef geïrriteerd onder zijn neus, zoekend naar de juiste, overtuigende woorden. 'In godsnaam, die kerel is al vijftien jaar dood. Je rouwt om iemand die ik niet ken en jij inmiddels ook niet meer. Geef toe, hij is vervaagd tot een herinnering van gemis.'

'Hij is niet dood,' zei Florica.

'Als je zo doorgaat, zijn jullie snel samen,' sneerde Coco.

'Dat hoop ik,' zei ze in een fluistering. Het interesseerde haar niet of hij haar kon horen.

'Mijn ballen,' riep hij haar na en zijn metgezellen lachten. Voordat Florica het plein verliet, keek ze achterom en zag dat de jongedames inderdaad om de drie heen drentelden. Coco had zijn gitaar weer gepakt en speelde een samengevatte serenade voor de meid met het kortste rokje en de langste benen.

Florica daalde de trappetjes af waar de oude Moorse wijk van Granada rijk aan was. Ze doorliep een nauwe lange straat waar Arabische koopmannen haar aanklampten om zijde, pantoffels, jurkjes, oorbellen, oosterse kromzwaarden, kruiden, waterpijpen, zonnebrillen, kettingen met Arabische letters, shoarma of maquettes van het Alhambra te verkopen. Een man met een dikke snor greep haar bij haar arm en trok haar zijn winkel in. Hij bood haar een versierd koffiepannetje met een lange steel aan.

'Puur koper, handgemaakt,' zei hij vanonder een gitzwarte snor. 'Een goede prijs voor een mooie vrouw.'

'Zie ik er verdomme uit als een Turk?' tierde Florica. 'Je trekt mensen niet je winkel in, idioot.' Ze sloeg het kettinggordijn uiteen en beende boos weg. Geen koopman durfde haar nog aan te spreken. Ze concentreerden zich liever op de toeristen die zich vaak als eksters op de hebbedingetjes stortten. De straat liep af, waardoor Florica haar eigen voeten bijna niet meer kon bijbenen.

Nee, niet vanavond, dacht ze. Snel veranderde ze van koers door een donkere steeg in te slaan naar een supermarktje, waar ze een blik zwarte bonen, een handje rode pepers, een zak uien en een pak rijst kocht. Het wisselgeld klemde ze opnieuw tussen haar borsten.

Ze vervolgde haar weg naar huis. Naar huis, dacht Florica. Nou ja, voor zover je het een huis kon noemen. Aan de rand van de stad stonden geen huizen meer. Rroma hadden in de negentiende eeuw grotten in de berg Valparaíso gehakt om in te wonen. Pure getto's. De impulsen van het toerisme toverden de woningen aan de voet van de berg om tot trekpleisters: keurig witte of zelfs kleurrijke voorgevels, waar toeristen konden genieten van flamenco's of zambra's, of waar een enkele welgestelde zigeuner woonde. Bovenin de dorre berg waren echter nog meer grotwoningen gekerfd. De grotten van de ware zigeuners, zoals de buurvrouw zei. Daar woonden zij naast elkaar. Hoe hoger, hoe armer. De meeste grotten op Florica's niveau hadden niet eens een voordeur – die luxe had zijzelf gelukkig wel. Voorbijgangers konden gewoon een blik werpen door het rafelige gat. Gaten als konijnenholen. Mijn thuis, dacht Florica, en schudde haar hoofd.

De route erheen was zwaar. Ze liep deze vaker dan haar lief was. Haar grot had wanden van zand. Alleen haar voordeur zat geklemd in een muur van beige bakstenen. Boven de deur hing een hoefijzer en een kruis. Binnen waren de muren ruw en wit en er hingen gebutste borden van koper en een gouden beeltenis van Moeder Maria. Op de icoon na was alles van de vorige eigenaar, een begenadigd koperbewerker, die was gevlucht. Waarom wist Florica niet, maar er deden verhalen de ronde dat hij in een dronken bui het paard van een invloedrijke zigeunerchef had gefolterd, omdat hij bespot werd vanwege zijn ongehuwde bestaan. De man had daarna zijn kleren bijeengeraapt, zijn gereedschap in een doos gegooid en was vertrokken. Het hoefijzer had hem dus niet genoeg bescherming geboden tegen de beschimpingen, dacht Florica, toen de buurvrouw haar de geschiedenis van de grot had verteld.

Florica waande zich juist alleen veilig in haar woning. Gelukkig zou ze nooit meer worden, realiseerde ze zich, maar hetgeen wat het meest dichtbij kwam, ervoer ze in de kleine ruimte die door iedereen genegeerd werd. Eenmaal had er iemand aangeklopt, een Zweed met een blonde baard die naar pijptabak rook, en gevraagd of hij haar grot in mocht en voor hoeveel. Haar grot. Ze had hem een klap gegeven, de deur gebarricadeerd en geschreeuwd dat hij bij de buurvrouw moest wezen.

'Gabi?' Ze klopte op haar eigen voordeur, voordat ze binnenging en de boodschappen op de werkbank kwakte waar de vorige eigenaar koper op bewerkte. Een rood gordijn scheidde de kamer annex keuken van de slaapkamer. Het bed achter het gordijn was onbeslapen. Gabino was er niet. Ze snoof de lucht op en concludeerde dat hij al een poos weg was. Zijn overvloedige gebruik van goedkope deodorant had ook zijn voordelen, dacht ze. Ze haalde haar schouders op en bevrijdde haar enkels van de gouden enkelbanden. Florica kookte de bonen en de rijst op een elektrische kookplaat. Daarna pelde en sneed ze een paar uien, de rode pepers en wat teentjes knoflook en gooide alles bij elkaar in de pan.

'Als hij niet snel komt, kan hij het eten vergeten,' mopperde ze hardop. Hij had lak aan alles en iedereen. Hij was de duivel zelf. Ze liet de inhoud van de pan sudderen en plofte neer op de versleten bank. Ze voelde haar vastbeslotenheid grip verliezen. Ze had vandaag weliswaar geen nieuw spul gekocht, maar ze wist dondersgoed dat ze nog wat op voorraad had. Haar rechtermouw stroopte ze intussen op. Intussen stroopte ze haar rechtermouw op

Elke dag zat ze daar voor zich uit te staren en zodra Remus weer opdook in haar hoofd – hij liet nooit lang op zich wachten –, zocht ze zonder te aarzelen met haar hand tussen de bankkussens naar het handgemaakte houten kistje waarin ze haar troost verborg. Ze dacht aan het Alhambra, dat daar buiten wachtte, en hoe graag ze zich bij Remus wilde voegen. Haar vingers trilden. Ze beet op haar lip, maar ze wist dat ze het innerlijke gevecht zou verliezen. Ze had al verloren.

'Daar is de Koningin,' siste ze toen haar vingers het hout omklemden en met een bijna gorgelende smachtende stem vervolgde ze, 'de Koningin.'

Heel secuur, alsof het een heilig artefact betrof, had ze alles opgeborgen, maar ze liet ruw de voorwerpen die op de fluwelen bodem op haar wachtten op de bank vallen door de kist ondersteboven te houden. Smachtend zag ze wat ze nodig had. De spuit, de extra lange schoenveter, de verbogen theelepel, een reisflesje azijn, de watjes, een witte aansteker met daarop de hoogtepunten van Granada gedrukt en natuurlijk de Koningin zelf, vermomd als een witte boon in een cellofaan. Het was haar ziel, gewikkeld in plastic.

Met zinderende vingers pelde ze de boon en legde de Koningin op de lepel. Ze drupte enkele druppels azijn en water erbij en liet het vuur uit de aansteker aan de onderkant van de lepel likken. Als het mengsel niet zou koken door de warmte van het vuur, dan wel door het verhitte staren van Florica. Met haar vrije hand koos ze een watje uit dat ze in de borrelende kikkerdril legde en als filter diende. Zonder te morsen legde ze de theelepel op de salontafel, drukte de spuit in het watje en trok alles de naald in. Alles, geen druppel liet ze ongemoeid. Ik heb het nodig, was de enige gedachte die haar stoorde in haar bezigheden.

Ze bond de schoenveter krachtig om haar armspier en tikte met haar wijs- en middelvinger haar ader tevoorschijn. Het was niet meer zoals de eerste keer, dat ze zachtzinnig met de punt van de naald naar de beste ingang van haar ader zocht. Nee, ze stak toe zodra ze wist dat ze goed zat, als een hongerige mug, en haalde de spuit naar achteren om er zeker van te zijn dat de naald in haar ader prikte. Een wolkje bloed zoog de plastic spuit binnen en nog voordat het bloed de mix rood kon kleuren, spoot Florica de Koningin haar lichaam in.

Direct viel ze naar achteren, met haar kin op haar borst. Duistere warmte overmande haar. De spuit liet ze naast zich uitrusten op de bank. Niet Florica zelf, maar de eigen wil in haar vingers lieten de schoenveter los. Haar ogen draaiden weg.

Ze was klaar om te vergeten. De ene avond zag ze Remus in leven, de andere zag ze hem in haar dood. En op sommige avonden zagen ze elkaar niet. Dan leek hij haar vergeten en zag ze helemaal niets.

Het was niet het leven dat Florica voor ogen had gehad. Remus had haar een villa in Toscane beloofd, maar ze was in Zuid-Spanje beland onder het dorre gras van de berg als plafond. Tussen de Spaanse zigeuners, de *gitano's*. Eenzaam. Haar man had ze samen met haar tranen achtergelaten op de koude vloer van Mancare in Florence. Ze was naar boven gerend en douchte het zaad van haar lijf en uit haar haren. Daarna trok ze blind van verdriet haar kleren uit de kast, trok aan wat voor handen lag en propte wat kleding in haar rugtas. De studieboeken smeet ze op de grond. Ze liet een ravage van ronddwarrelende bladzijdes achter en beklom de vliering voor de laatste keer. Met haar laatste energie graaide ze in een doos en stopte een zilveren mes en vork in een sok. Ze rammelde een sigarendoosje naast haar oor en gooide het door het dakraam naar buiten toen ze het geluid niet thuis kon brengen. Ze twijfelde over de cd's van Emil. Even maar. Daarna wierp ze met alle kracht die in haar arm zat de hoesjes tegen de muur. Plastic spatte uiteen. De cd's rolden over de vloer. Ze wilde naar beneden klimmen, totdat het bureau haar aandacht trok. Ze greep de flacon van haar grootvader en wierp een korte blik op het blad in de typemachine. Ze zag dat haar naam boven de tekst stond en hapte naar adem. Met trillende handen rolde ze het papier eruit, vouwde het zorgvuldig op en deed het in de flacon. Een verdieping lager tilde ze Remus' overgrootvader van de muur en zette hem daarna tegen de wand, toen ze inzag dat hij niet meekon.

De icoon van Moeder Maria pakte ze wel in. Niet dat de Moeder haar kon helpen. Dat kon niemand meer, dacht Florica. Ze plukte het boek van Karl Marx uit de boekenkast, gooide de tas op haar rug, verborg haar rode ogen achter haar zonnebril en rende naar het treinstation om Italië, via het vliegveld van Pisa, voorgoed achter zich te laten.

'Wat is verdomme de charme van reizen als je wordt gevlogen?' hoorde Florica de stem van haar vader zeggen, terwijl ze bij de balie informeerde naar het eerstvolgende vliegtuig dat haar mee kon nemen.

'De eerstvolgende vlucht gaat naar Barcelona,' zei de vrouw met haar ogen op een computerscherm.

'*Barcelona is great.*' Ze besloot ter plekke om nooit meer een woord Italiaans te spreken.

'Alleen vogels en geesten horen in de lucht,' zei ze tegen de passagier naast haar. Ze had gedacht dat ze doodsangsten zou uitstaan in het vliegtuig, maar het deed haar niets. Ze was leeg. Het vliegtuig vervoerde alleen haar lichaam.

Nadat ze de naald had afgespoeld en alle benodigdheden terug in de houten kist gestopt, lakte Florica haar nagels. De pan met eten stond op de uitgeschakelde kookpit. Alle smaak was uit het gerecht gekookt, ondervond Florica, maar ze had toch geen honger. Haar infuus voedde haar. Ze liet het kwastje plichtsgetrouw over haar nagels glijden. Coco vertelde haar dat de toeristen meer geld gaven aan een mooie vrouw met verzorgde nagels, dan aan een mooie vrouw met afgekloven nagels.

'Vooral rood doet het goed,' zei hij, 'rood is geil.' Dus lakte ze haar nagels donkerpaars.

Als Gabi thuiskwam, kon hij de pan op de werkbank vinden en leegeten, dacht ze, zonder haar ogen van de uiteinden van haar vingers af te houden.

'Het zal beter zijn als hij nooit meer terugkomt,' fluisterde ze, omdat ze de gedachte te prettig vond om onuitgesproken te laten. De pot nagellak viel om toen ze de kwast erin probeerde te dopen.

2

Florica staarde voor zich uit, terwijl de zoete koelte van de Andalusische avond zich om haar bekommerde. Ze volgde de ondergaande zon. Met haar blote hielen in het zand liet ze het bankje op zijn plaats wiebelen. De plek naast haar was leeg. Carmen was druk. Gelukkig maar, dacht ze. De buurvrouw volgde een Spaanse soap in haar grotwoning. Florica kon alles volgen, behalve als Carmen de simpele teksten verborg achter haar hoge lach.

'Het maakt mij niet uit dat hij geen geld heeft,' riep een meisje radeloos, met de geacteerde tranen duidelijk hoorbaar in haar stem. 'Ik houd van hem, moeder!'

Elke avond werd het leven van een rits aan familieleden door inspiratieloze scribenten op de kop gezet. Florica hoefde de show niet te zien om te weten dat het pulp was. Een uur lang wilde de buurvrouw niet gestoord worden. Dit was haar tijd. Even staakte de onophoudelijke stroom krolzieke mannen die de gordijnen naar de grot van de buurvrouw opzij sloegen en er later met lege handen en genezen van hun stuurloze lust weer uit tevoorschijn kwamen.

De kist van de Koningin was leeg, dus draaide Florica een etiketloze colafles open. De fles siste de geur van dennen. Ze zette haar mond op de fles en probeerde haar zorgen weg te spoelen. Daarna schonk ze een glas vol. Waar Gabi uithing, wist ze nog steeds niet, en de alcohol zou haar geen antwoord geven.

Ze liet zich door de geur uit de fles naar het verleden brengen; terug naar de Roemeense dennen die ze samen met haar grootvader in de zelfgestookte drank verwerkte, in plaats van de Spaanse dennennaalden die ze eigenhandig plukte uit het park en door de goedkoopste en meest smakeloze wodka zeefde.

Haar keel brandde en haar hart deed mee. Hoe kon ze haar belofte aan haar grootvader waarmaken als het geluk haar bruut was afgenomen? Ik heb haar nodig, dacht Florica onthutst, de Koningin. Snel nam ze nog een slok drank.

Vergeten was een duur goed, wist ze. Een klant van Carmen had Florica kennis laten maken met wat hij de Koningin noemde, nadat de buurvrouw zich liet ontvallen dat de vrouw die naast haar woonde hele dagen doorbracht met dansen en huilen. De man liet Florica er niets voor betalen: 'De eerste keer is ze gratis.'

Ze goot zichzelf vol, maar het ongeluk liet zich nog niet afleiden door de alcohol. Haar hoofd schudde, alsof ze de gedachten aan Remus en Gabi eruit wilde werpen. Haar huwelijk was als een stenen huis geweest, maar ook een stenen huis is niet gevrijwaard van indringers met kwade intenties. Ze hield een leeg glas voor haar ene oog en sloot het andere. Ze bekeek de stad door de vervorming van het glas. De lichten van Granada vervaagden tot een waas. De tekst Made in Bulgaria op de bodem ontnam haar het zicht. Elke keer hield ze zich voor om niet aan Remus te denken, maar telkens weer doemde hij op in haar gedachten. Soms met dikke ogen, opgezwollen lippen en het bloed op zijn gezicht, de laatste tijd steeds vaker met een grote grijns of zijn lippen getuit, zoals hij deed als hij om een zoen smeekte.

'Hij is dood,' had Florica gestameld in een telefooncel op het vliegveld van Pisa.

'Dat is verdomme wel duidelijk,' reageerde de stem in Florica's oorschelp. 'Dood en begraven. En het feest om zijn dood te vieren is ook al voorbij. Wat moet je?'

'Niet jouw vader. Remus, Dario, Remus is dood.'

De stem in de hoorn bleef stil. Ze wist niet waarom ze Dario had gebeld en niet Maria Rosalia. Misschien omdat de vlucht naar Barcelona op zich liet wachten en Florica niet alleen wilde zijn met haar onafscheidelijke verdriet, maar iemand die dichterbij stond kon ze dit nieuws niet vertellen. Nu niet. 'Dood,' herhaalde ze. Dario's stilte verergerde haar verlies, waar ze hoopte op troostende woorden of een allesverwoestende tirade. 'Weg.' Ze hoorde een zucht aan de andere kant van de lijn.

Aan haar linkerzijde zwoer een jonge pubermeid de hoorn in haar handen eeuwig trouw, zei dat ze alleen maar een weekje op vakantie zou gaan en dat hij eerst moest ophangen; aan haar rechterzijde draaide een oude heer zijn beurs om in zijn hoed en sprak met zichzelf af dat dit de laatste keer was dat hij een poging waagde om contact op te nemen met dat vrouwmens van hem. Een ingeblikte stem galmde door de hal om verlate passagiers naar Athene op te jutten, zodat het vliegtuig kon vertrekken.

'Dood,' herhaalde ze nog eens. De stilte in haar oor liet zich vervangen door bliepjes en een computerstem die aankondigde dat haar kleingeld op was. Het meisje naast haar sommeerde haar vriend op te hangen, want haar vliegtuig stond op het punt van vertrekken.

Dood en weg waren jaren later nog steeds de woorden die door haar hoofd galmden. Florica zette het glas naast het bankje. Met twee handen bracht ze de fles weer naar haar mond. Er prikte iets scherps in haar wang. Ze haalde een den van haar tong. Ze had een fijnere zeef nodig, dacht ze, en nam nog een slok. Van buiten oogde ze kalm, maar van binnen werd ze verteerd door onrustige flitsen uit het verleden.

'Wat ben je in godsnaam aan het doen?' had Gabi haar met het vuur in zijn ogen gevraagd, toen ze de wodkafles van de slijter, de goedkoopste die hij verkocht, leegschonk in een koperen pan met dennennaalden. Florica draaide zich om en moffelde haar bezigheden weg achter haar rug.

'Helemaal niets,' antwoordde ze. Ze glimlachte omdat ze niet huilen wilde. Door de geur van alcohol en dennen had ze zich in de schuur van het Roemeense landhuis gewaand, een tijd waarin Remus nog in leven was. Een magere illusie, moeiteloos verbroken door de nietsontziende razernij van Gabi. Hij smeet een bierfles die dienstdeed als vaas kapot op de stenen vloer en beende de grot uit. Florica redde de roze wilde roos door de wodkafles tot de hals te vullen met water en de bloemsteel erin te steken. Daarna raapte ze op haar hurken de glasscherven van de vloer. De wilde roos zette ze terug op het gehaakte tafelkleed.

Met een soeplepel roerde ze de smaak van dennen in de smakeloze wodka. Ze probeerde zich te verliezen in de rimpelingen die de lepel veroorzaakte. Ze bracht de soeplepel naar haar mond en keurde het koude mengsel met luid geslurp. Met een goedkeurend knikje prikte ze een oranje trechter in een lege colafles. Ze hield de zeef erboven en goot de wodka voorzichtig door de zeef in de plastic fles. De doordrenkte dennennaalden sloeg ze buiten uit de zeef. Een man wees naar zijn kruis en vroeg Florica of hij bij haar moest zijn.

'Hiernaast,' antwoordde ze zonder op te kijken.

'Maar jij bent toch ook een zigeunerin?' vroeg hij met een knipoog.

Racisme op zijn Spaans, dacht Florica: harde woorden verhullen in een grap en daarbij heel onschuldig lachen. Ze keek hem vuil aan.

Ze likte de plakkerige naald van haar vinger en spuugde hem op de grond. De klodder groef zich langzaam in het zand. De televisie van de buurvrouw was inmiddels stil.

'Alles in orde Florica?' Carmen stond in de opening van haar grot, het gordijn viel over haar zij. Haar liezen lubberden over haar slip. Ze

324

had zitten huilen om haar soap, zag Florica. Haar ogen waren rood. Een bh probeerde haar omvangrijke en uitgezakte borsten in toom te houden. Het rode gordijn vloekte bij haar verbleekte lingerie. Ze rookte een filterloze sigaret.

'Prima,' loog Florica.

'Zo hoor ik het graag,' zei de buurvrouw. Achter haar accentueerde het kaarslicht haar silhouet. Ze wees met haar neus naar de colafles in Florica's handen. 'Ik heb een zware nacht voor de boeg. Mag ik een slok?'

Florica aarzelde. Ze zette haar nagels in de fles, zodat ze hem niet onverhoeds kon afpakken.

'Ik heb mijn tanden gepoetst,' probeerde de buurvrouw.

'Wij zijn Rroma, wij delen,' had haar vader Florica ooit gezegd. Van hem moest ze daar ook naar leven. En ze deed al zo weinig wat hem zinde, dacht ze zuur. Ze glimlachte en overhandigde Carmen de fles.

'Dit is alles wat ik heb,' zei ze erbij.

De buurvrouw nipte zuinigjes en trok een bedenkelijk gezicht.

'Ik heb niet veel nodig om bij te tanken.' Ze stak haar duim op, gaf de fles terug en ging weer naar binnen. De televisie bleef uit. Niet veel later rukte de eerste man het gordijn stevig achter zich dicht.

Florica probeerde het gekreun dat al snel aanhief te dempen door de vloeistof te schudden. Het geklots kon echter niet op tegen Carmens roterende heupen. Ze schudde haar hoofd en stond snel op. De stad duizelde voor haar ogen. Ze hield zich staande door haar pasgelakte nagels in de broze grotmuur te drukken. Voetje voor voetje en hand na hand schuifelde ze naar haar voordeur. De fles bungelde tegen haar dij. In de grotwoning pakte ze de zoom van haar jurk, draaide daar eerst de mond van de fles mee schoon en veegde daarna de smaak van de buurvrouw van haar eigen lippen. Een rode veeg lippenstift bleef achter op de zoom.

De muren van steen en zand beschermden haar tegen het brute kermen van de buren. Florica kon zich nog steeds niet wapenen tegen de associaties die de mannen teweeg brachten. Ze gooide haar hoofd in haar nek en drukte de fles tegen haar mond. Haar donkere haren rustten op haar billen. De wodka gutste zichtbaar door haar keel. Haar poging om de fles in een teug leeg te drinken faalde en ze kwam proestend op adem. De drank sijpelde langs haar lippen naar haar kin, onder de kleurrijke kralenketting door naar haar hals en verdween in haar decolleté, een plakkerig spoor achterlatend. Florica slikte een vloek in en zuchtte. Ze zette de colafles op de tafel neer, al zou eenieder die het had gezien, zweren dat ze de fles door de tafel wilde rammen.

Florica pakte de banden van haar jurk en trok deze over haar hoofd. Haar ellebogen bleven in de mouwopeningen steken, waardoor ze eerst haar linker- en daarna haar rechterelleboog bevrijdde. De jurk smeet ze binnenstebuiten over een stoel. Ze graaide het geld uit haar bh en gooide het handje vol munten op tafel. Ze plofte op de slaapbank neer, om na een paar slokken weer op te springen en door de woning te tijgeren.

'Waar hangt Gabi in godsnaam uit?' vroeg ze onder het slikken door. Haar vraag werd verslonden door de fles. 'En als hij het daar fijn heeft,' vervolgde ze, 'mag hij daar lekker blijven'. Spetters spuug vergezelden haar woorden.

Ze greep de pan met eten voor Gabi bij de oren en jonaste de inhoud naar buiten. Nu heb ik een deurmat van rijst en bonen, dacht Florica, en ze lachte vergenoegd. Een wachtende man – in een sjofel driedelig pak – sprong verbaasd op, maar durfde er niets van te zeggen. De klant voor hem klonk bijna klaar. Ze keek hem berekenend aan en vroeg: 'Heb jij de Koningin mee?'

'Pardon?'

'Laat maar.' Ze sloeg de deur dicht. Florica mieterde de pan in de wasbak en begon om haar onrust te bestrijden elk spoor van een verloren maaltijd weg te schrobben. De spons verkrampte in haar hand, terwijl het koper langzamaan begon te stralen. Soms onderbrak ze haar bezigheden voor een slok. Ze hervatte haar werk steeds ijveriger, alsof ze haar korte drinkpauzes moest compenseren. Op de bodem verscheen haar gezicht. Als ze lachte, kreukelde de huid om haar mond. Als ze lachte. Meestal hingen haar mondhoeken naar beneden als een maansikkel. Boven haar ogen plakte een bijna permanente frons, alsof ze onafgebroken in gedachten verzonken was. Ze aaide haar wenkbrauwen ter ontspanning. In het midden van haar voorhoofd – waar haar verre voorouders, zo beeldde ze zich in, een rode stip als derde oog droegen – prijkten drie diepe strepen. Haar donkere ogen werden omzoomd door kleine groeven.

'Kraaienpootjes beginnen schattig,' had een waarzegster haar eens gezegd, met haar kromme vinger onder Florica's oog, 'maar in werkelijkheid zijn ze de herauten van de dood'. Dankzij haar smeersels zou Florica langer leven, beloofde de toverkol haar. Florica had zelfs het gratis proefpotje geweigerd.

'Ik word oud,' zei ze en perste haar lippen samen. Ze borg de pan op. 'Maar waarom gaat het zo traag?'

De kralen om haar hals rinkelden toen ze haar hoofd afwendde. Ze maande hen tot stilte door met haar vingers langs de fleurige bolletjes te strijken. De kralen kalmeerden haar. Ze waren haar meest kostbare bezit. Als ze de ketting om had, voelde ze soms Remus' vingers in de gleuf van haar hals glijden. Ze sloot haar ogen en voelde het weer.

Zijn wijsvinger verdween in het holletje dat Florica's nek vormde. Het eelt op de zijkant van zijn vinger schuurde langs haar oren. Ze vroeg zich af of een pen zijn huid had verruwd en wat hij had geschreven.

'Moet jij niet naar het toilet?' had Remus aan Emil gevraagd in het restaurant te Băile Herculane waar ze met zijn drieën zaten, de avond voor ze het land wilden ontvluchten.

Nat brood viel uit Emils mond, terwijl hij antwoordde: 'Ik?' Remus seinde dermate subtiel met zijn wenkbrauwen naar zijn beste vriend, dat Florica haar lach niet kon inhouden. De vleugels van de liefde kietelden haar. Emil slikte het brood door. 'Correct, ik moet ontzettend nodig.' Hij schoof zijn massief houten stoel – met een rieten rugsteun, herinnerde Florica zich, en ornamenten alsof het de stoel was waarop de Messias zijn laatste avondmaal had gegeten – en sloeg Remus stevig op zijn schouder in het voorbijgaan.

Toen Emil was verdwenen, haalde Remus verlegen de kralenketting uit zijn broekzak.

'Ik heb iets voor je,' zei hij. 'Het is niet veel. Ik heb het min of meer gratis gekregen van een meisje dat zulke kettingen met de hand maakt. Jij lag te slapen in de auto, met je hoofd tegen het raam. En je mond open.' Hij grinnikte. 'Het meisje vond je erg mooi.' Remus ging over de tafel hangen en hing de ketting voorzichtig om haar hals. 'En ik ook.'

Florica wiebelde op haar stoel van vreugde. Ze vond de kralenketting werkelijk afzichtelijk. Groen, blauw, geel, rood, roze, oranje, paars: kleurtjes. Maar omdat het van Remus kwam, maakte de ketting haar vrolijk.

'Ik vind hem prachtig,' zei ze. Dat was oprecht.

Florica steunde met haar hand op de tafel, terwijl ze de wodka naar binnen slempte. Ze boerde dennen. Ze schudde de inhoud door elkaar. Er zat nog minder dan een kwart in. Dat was lang niet genoeg, dacht ze.

'Dat lucht op,' zei Emil, ter aankondiging van zijn terugkeer van het toilet. Remus haalde zijn lippen van Florica's voorhoofd en Florica onttrok haar lippen van zijn hand. Emil schoof de stoel naar achter. 'Wat zijn die stoelen zwaar zeg. Waarschijnlijk door en voor communistische konten geprivatiseerd,' hij keek even om zich heen en fluisterde voort, 'gejat dus, uit een of andere villa hier in de buurt.' Hij sloeg de ober op zijn schouder toen deze eindelijk de karaf wijn bracht die ze ruim twintig minuten geleden hadden besteld. 'Op deze manier kan iedereen van deze prachtige stoelen genieten. Wel zo eerlijk, hè?' De lippen van de ober verlieten een seconde lang hun strakke positie.

'Als je niet met je ogen knipperde, kon je hem heel even zien lachen,' fluisterde Remus. 'Is dat een fooi waard of niet?'

'Bijna,' antwoordde Emil.

Florica kon de hele avond alleen maar lachen. Het gesprek ging over alles, behalve de vlucht die zou volgen, dat onderwerp werd slechts kort aangestipt. Ze durfden er niet over te spreken. Of dat wilden ze niet.

'Ik zou bijna een restaurant willen openen in het Westen, om deze lui te laten zien hoe het moet,' grapte Remus.

Toen de mici uit de keuken verschenen, bleven de twee heren stil. Tussen zijn vierde en vijfde worstje sprak Emil kort en plechtig: 'De tip blijkt correct. Dit zijn inderdaad de beste mici van Băile Herculane.'

'Geweldig restaurant,' beaamde Remus.

Florica omlijstte hun complimenten door te proosten op de kok. En op het geluk: '*Noroc*.' Daarna vertelde Emil over het laatste nieuws uit Brașov. Dat niemand gedood was bij de protesten. Florica hapte opgelucht naar adem en hoopte dat Consantin mooie foto's had geschoten en dat deze aan de juiste waslijn hingen. Ze rolde de kralen tussen haar vingers en sloot haar ogen. Ze lachte.

Florica kuste wild de mond van de fles en wierp haar hoofd naar achteren. Fles en vrouw vormden een rechte lijn, terwijl de complete wodka-inhoud zich van hals naar hals verplaatste. Zorgvuldig zorgde ze ervoor dat geen druppel werd verspild. Gabi o Gabi, dacht ze, waar hang je godverdomme uit?

'Ik zal die klootzak vinden,' gromde ze. Ze smeet de lege colafles in een hoek en sloeg een gerafelde badjas om haar schouders. Daarna marcheerde ze ziedend de donkere avond in. Terwijl ze de badjas dichtknoopte, schopte ze tegen het glas aan dat nog naast de bank stond. Het glas rolde van de berg af, maar dat deerde Florica niet.

'Sodemieter maar op,' schreeuwde ze. Ze had geen idee of ze het daadwerkelijk tegen het glas had of tegen Gabi, die meedogenloos door haar hoofd spookte, of tegen Remus, het andere spook. De bruine bonen en de rijst werkten zich tussen haar tenen. Ze zwalkte de berg af. Ze negeerde de mensen die haar groetten of vroeg hen of ze Gabi, ook wel Gabino genoemd, hadden gezien. Sommigen zeiden 'nee', anderen lachten wat om die vrouw in haar badjas en haar dubbele tong. Af en toe hield ze halt om de knoop die haar lichaam verborg aan te trekken.

'Waar ga je heen?' riep iemand haar na, nadat hij haar herkende als de danseres van Coco's groep.

'Gabi zoeken,' antwoordde ze zonder op te kijken.

'Maar je hebt mij gevonden,' lachte hij. Florica keek op. De man was grijs. Tussen zijn ontbrekende tanden glinsterde het goud.

'Jou zoek ik niet,' zei ze bits en ze maande haar voeten om zich te concentreren op de weg bergafwaarts. De hoofdstraat was niet ver meer. 'Of is de Koningin bij jou?'

'Ik heb geen heroïne,' zei de man, zijn blik stond triest, bang om de danseres teleur te stellen.

'Tot ziens dan,' zei ze stellig.

'Wil je niet wat drinken?' vroeg de man en hij hief een fles.

Daar hoefde Florica niet over na te denken. Ze ging bij hem voor de woning zitten en liet zich bedienen. Ze had geen idee wat hij schonk, maar het smaakte goed. Beter dan haar zelfgefabriceerde dennen-wodka, maar zonder de emotionele diepgang.

'Wat drinken we eigenlijk?' vroeg ze.

'De vraag is: waar drinken we op?' antwoordde de man.

'Nee,' zei Florica zacht en ze schudde haar hoofd. Haar mond hing halfopen. 'We drinken het op.'

De man vertelde over Granada en over de muziek. Hij was vroeger een begenadigd musicus geweest, maar een vrouw had eens een stiletto dwars door zijn hand gestoken, omdat een van haar broers had gezien dat hij daarmee in de kont van een andere vrouw had geknepen. 'Moorse vrouwen hè,' verzuchtte de man, 'een echte negerin. Daar zit vuur in. Ze heeft ervoor gezorgd dat ik nooit meer kon spelen.' Hij haalde zijn schouders op. 'Het is mijn eigen schuld. Ik houd van vrouwen vol furie.' Hij knipoogde. Florica vouwde de twee zijdes van haar badjas over elkaar en knoopte hem nog strakker dicht.

'Heb je Gabi gezien?' vroeg ze telkens wanneer er een stilte viel, tussen de verhalen over de zigeunergrotten, de muziek, de Spanjaarden en de Moren, vrouwen en het leven van een oude man door.

'Nee,' antwoordde hij voor de achtste keer. Hij glimlachte triest. 'Je moet wel veel van hem houden.'

Abrupt sprong Florica op en begon te vloeken.

'Dan heb ik hier niets meer te zoeken,' zei ze daarna kalm, alsof het getier haar had bedaard.

Direct ging ze door met het afdalen van de berg. Het viel Florica op dat de boomstronken en de stenen zich ineens buitengewoon inzetten om haar neer te halen. Ze haalde opgelucht adem toen ze het asfalt van de hoofdstraat bereikt had zonder te vallen.

'Waar hangt hij uit?' smiespelde ze, zich concentrerend op alle geluiden om haar heen. 'Gabi,' schreeuwde ze. 'Gabino?' Mensen keken
haar na, maar dat ontging haar volkomen. Ze zwalkte langs flamenco-
cafés waar de muziek vanuit de verte nieuwe gasten lokten. Gabi vond
ze in geen een van hen terug.

Een verliefd stel kwam op Florica afgelopen en vroeg of ze enig idee
had waar ze een grotwoning voor een nacht konden huren. In het Italiaans. Florica kwam traag tot stilstand. Haar ogen sprongen wijd open.
De Italianen deden een stap achteruit en twijfelden of ze door moesten
lopen. Florica wilde gillen, huilen of ze met de hoofden tegen elkaar
slaan, of alle drie, maar ze hield alles in toom behalve haar onderlip.

'Ik spreek geen Italiaans,' antwoordde ze laconiek.

Ze liep verder, kaarsrecht, en rap, alsof de heldere vloeistof die ze
de hele avond had gedronken slechts water was. Toen de Italianen uit
het zicht waren, liet ze zich via een muur naar beneden glijden en verborg haar klein geworden ogen in haar handpalmen.

'Waar is hij?' De woorden probeerden zich langs de brok in Florica's
keel te vechten.

'Godverdomme!' Ze klom via de muur weer omhoog en vulde haar
longen met de nacht. 'Wat denkt hij wel niet?' Ze liep dezelfde weg
terug naar huis. Bij elke stap stampte ze de zandweg aan. 'Hij kan verrekken. Ik was goed voor hem.' Ze slingerde tegen een nietsvermoedend groepje jongeren aan, stuk voor stuk even beschonken als Florica. Iedereen viel om als een rij kegels, behalve Florica. Zij rolde door.
'Kijk verdomme waar je loopt,' schreeuwde ze, toen ze de berg alweer
beklom en de jongeren allang waren opgekrabbeld en een trits bier
hadden besteld in een of andere grotkroeg.

Een opgekropen boomwortel greep haar bij haar enkel. Ze veerde
direct op en schopte haar tenen blauw.

'Klote boom, ik hoop dat een houthakker jou laat struikelen.' Het
zand sloeg ze van haar knieën. 'Dit is verdomme nog moeilijker dan
vluchten uit Roemenië.' Ze klopte de badjas uit. Het gejoel van een
groep jongens om haar val deed haar niets. Florica deed amper moeite om de jas weer goed dicht te knopen. Ze wilde alleen maar slapen,
maar de klim omhoog was zwaarder dan naar beneden. Nuchter was
het al moeizaam. 'Berg, je bent een kloothommel, een Turk.' Ze schopte
een steen weg. En jij ook, Gabi, zei ze in gedachten. 'In godsnaam, Gabino, waar ben je? Cholera, gonorroe. Met je shit Italianen, Mussolini's.
Tering tyfus en krijg de pest. Ik heb je nog gezocht ook. Ik ben goed
voor je.'

'Je bent terug,' sprak de oude man blij verrast toen Florica langs zijn grotwoning liep, maar ze liep hem straal voorbij.

'Lik mijn kut,' riep ze naar hem.

De man schuifelde bedroefd zijn grot binnen.

'De wereld zit vol met honden en teven,' verzuchtte Florica, terwijl ze intensief staarde naar waar ze haar voeten neerzette, beducht op boomstronken en glas.

'Wegwezen,' raasde de buurvrouw op het moment dat Florica uitgeput aan kwam sjokken. Haar grot baarde een halfontklede man, zijn blouse zat onder zijn oksel geklemd. De man rende voor zijn leven. Florica keek hem na, terwijl ze zich op de bank voor de grot stortte. Carmen ging naast haar zitten. Haar tepels staken recht vooruit, als twee pionnen van een bordspel.

'Ik heb een hekel aan arbeiders die klagen over hun versleten knieën,' begon ze. Ze nam geen aanstalten om zich aan te kleden, waardoor Florica gehypnotiseerd raakte door de spitse tepels. 'Helemaal als ze daar korting mee proberen te bedingen. Wat heb ik goddomme aan hun straten? Zie jij een straat hierboven?' De buurvrouw tufte op het zand voor hun voeten. 'Betalen moeten ze. De zeikerds. Niet alleen stratenmakers krijgen last van hun knieën.'

'Heb jij niet nog wat?' vroeg Florica en ze deed alsof ze een naald in haar elleboogholte zette, Carmens verhaal negerend.

'Ik gebruik al een poos niet meer, schat.' Carmen keek Florica doordringend aan. 'Zou jij ook eens moeten proberen.'

'Ik doe het al te weinig,' verzuchtte Florica. Carmen knikte. Een nieuwe man diende zich in de verte aan. 'Ik ben niet verslaafd, ik heb het gewoon nodig.'

'De wethouder,' herkende de buurvrouw haar klant vrolijk, want hij betaalde erg goed. 'Red jij het vanavond, Florica?' Ze wachtte het antwoord niet af. Carmen liep naar de nieuwe klant en fluisterde wat in zijn oor. Ze knabbelde aan zijn lel en begeleidde hem naar binnen, langs het gordijn, met haar hand op zijn gulp.

Dood en weg, dacht Florica, alvorens het nog eenmaal hardop te fluisteren. Onderuitgezakt steunde haar rug tegen de grotwoning.

'Gabi,' riep ze een laatste maal. De drank legde Florica's kin op haar boezem.

3

'Zo kan ik niet werken,' klaagde Florica met haar hand in haar nek. De lak op haar nagels was afgebrokkeld en onder de uiteinden zat verstokt zand. Bij elke stap leek haar hoofd uiteen leek te spatten. Ze masseerde de spier die haar hoofd met haar schouders verbond. 'Het zit compleet vast.' Ze sjokte voorovergebogen door haar woning, niet als de sierlijke danseres die ze geacht werd te zijn, maar als een bejaarde vrouw met de dood op haar hielen. De kralen ratelden aan het touw terwijl ze haar hals warm wreef. Twee kippen pikten naar de rijst en bonen voor haar grot. De voordeur had ze opengezet om de woning te luchten. Het rook er naar taxi, alsof ze door het hele huis geparfumeerde dennenboompjes had opgehangen.

Ze draaide haar kin moeizaam van links naar rechts en daarna van boven naar beneden. Florica liet de badjas waarin ze wakker was geworden op de grond glijden en spetterde water op haar gezicht en onder haar oksels. Opgedroogde mascaralijnen verrieden een huilbui die ze zich niet kon herinneren. Het zwart liet maar moeilijk los. Ze veegde, boende en schrobde haar gezicht schoon en rolde daarna haar wimpers weer omhoog en kleurde haar lippen rood. Hoewel ze lijkbleek was door de zware nacht, poederde ze haar gezicht nog wat witter. Haar haren bond ze samen in een knot. Nu pas voelde ze hoe beurs haar achterhoofd was.

'*Buenos dias.*' De kippen stoven voor de voeten van Carmen weg.

'Ik betwijfel of het een goede dag wordt,' beantwoordde Florica de groet van de buurvrouw. Snel hulde ze haar lichaam in de eerste de beste jurk die in haar kast lag. De zwarte bovenkant zat van haar schouders tot boven haar knieën strak als een gympak, de onderkant liep uit in drie lagen donkere stof met daarop her en der een groene bloem die correspondeerde met de uitlopers aan haar driekwartmouwen. Ze zorgde er altijd voor dat de pleister in haar elleboogholte niet zichtbaar was.

'Is Gabi al terug?'

'Ik heb hem niet gezien,' zuchtte Florica, terwijl ze controleerde of de randen van haar V-hals niet naar binnen waren gevouwen. 'Of: misschien heb ik hem wel gezien, maar ben ik hem weer vergeten.' Ze wilde niet te veel zeggen, want ze walgde van haar eigen adem. Ze probeerde zich te excuseren door te zeggen dat ze hoofdpijn had, maar Carmen begreep de hint niet en bleef giechelend staan. Toen Florica niet mee lachte, keek ze haar bezorgd aan.

'Het is tijd om je leven op orde te krijgen,' zei ze en ze legde haar handen in Florica's nek. Florica genoot van de draaiende bewegingen die Carmens duimen maakten in haar huid. 'Doe het niet alleen voor jezelf. Die verdomde Spaanse huismoeders denken dat wij Rroma schuldig zijn aan het drugsprobleem in Spanje. Weet ik veel wie die troep vanuit Turkije naar hier brengt en het spul met zwarte Mercedessen de zigeunerwijken binnenrijdt. Ik weet een ding: wij rijden niet in die auto's. Die verdomde gadjo's hebben een zondebok nodig en die rol past ons goed.' Carmen spuugde op de grond, vlak voor Florica's voeten. 'Die Joden hebben na de oorlog een eigen land gekregen en er zijn monumenten voor hen opgericht door heel Europa, maar wij dienen nog altijd als pispaal. En niet alleen in Spanje. Ik vervloek hun vaders en moeders. En hun kinderen, iedereen verdomme.'

'Nee, daar weet ik alles van,' interrumpeerde Florica stuurs de monoloog van haar buurvrouw.

'Hoe dan ook,' vervolgde Carmen en ze kneep een aantal keer stevig in Florica's nek als slotakkoord van de massage, 'als je er niet mee stopt voor je gezondheid, of voor Gabi, doe het dan desnoods voor ons imago. Ik kan die bezorgde Spaanse huismoeders niet uitstaan.'

'Ik gebruik, zodat hun kindertjes niet hoeven te gebruiken,' antwoordde ze. Ze zag hoe Carmen haar missie met hangende schouders opgaf. Eindelijk, dacht Florica. Bemoei je met je eigen zaken, trut.

'Je lag buiten op de bank te pitten, onderuitgezakt met de grotmuur als kussen,' probeerde de buurvrouw nog een laatste keer. 'Een klant hielp me om je naar bed te sjouwen. Hopelijk vind je dat niet erg. Je was met geen mogelijkheid te wekken.'

'En toch ben ik uiteindelijk wakker geworden.' Florica glimlachte mistroostig.

'God is goed,' lachte de buurvrouw en ze verdween uit de deuropening. De kippen pikten snel haar plek weer in.

Florica's schoenen met hakken stonden bij de deur. De ene schoen hing over de andere heen. Het zwart was dof geworden. Ze probeerde ze weer glimmend te wrijven met het uiteinde van haar jurk. Uiteindelijk gaf ze de moed op en schoof haar voeten erin. Ze plukte de lege colafles uit de hoek van de kamer en gooide hem in de prullenbak. Haar maag draaide om toen de geur van dennen zo dichtbij kwam.

Met een zucht verliet ze haar woning. De kippen renden geïrriteerd voor haar weg. Voordat ze de deur dichtsloeg, verzekerde ze zichzelf ervan dat Gabi niet thuis was gekomen. Het rook meer naar dennen dan naar deodorant, dacht ze bij zichzelf, en draaide de deur op slot. Verderop hielden de kippen haar in de gaten, met hun schichtige ogen in de zijkant van hun koppen. 'Ga jullie gang,' zei ze en ze daalde de berg af.

Van haar zwalkende voetsporen in het zand was niets meer over. Onder de bank waar ze – volgens Carmen – de halve nacht had doorgebracht, stond een halfvol flesje Corona-bier. Ze kon zich niet herinneren dat ze die daar had neergezet. Heb ik er überhaupt wat uit gedronken? Ze wist dat Gabi een zestal had gekocht en in de koelkast had gezet. Er was nog een biertje over en dat had haar bezopen equivalent schijnbaar wel aangesproken. Uiteindelijk bleek de slaap toch sterker.

Florica draaide haar hoofd op haar romp. Elke stap leek haar lichaam te veel. Toen ze even bleef stilstaan om haar nek te kraken, zwaaide er niet ver onder Florica een guitige oude man naar haar. In het midden van zijn hand prijkte een groot litteken. Hij lachte de weinige tanden die hij had bloot. Het goud in zijn mond weerkaatste de zon. Hij grabbelde in de plastic tas die hij meedroeg en hief een fles drank op.

'Mijn God,' stamelde Florica en ze kon haar blosjes niet bevechten. Haar geheugen liet flarden van de vorige avond los. Ze weerde de zon door de zijkant van haar hand tegen haar wenkbrauwen te drukken en naar de grond te kijken. In werkelijkheid poogde ze zich te beschermen tegen de blikken van de man. Iets wat wonderwel lukte, maar zijn stem liet zich er niet door tegenhouden.

'Kom je weer met me drinken?' schreeuwde hij.

'Ik heb voorlopig genoeg gehad,' gilde Florica terug, nadat ze hem eerst had geprobeerd te negeren. Ze holde naar beneden, haar benen langzamer dan haar wil. De man gaf het niet op, maar Florica was te ver om zijn gejammer nog te verstaan. Een keer dacht ze hem te horen blèren over 'Gabi', maar dat deed ze af als verbeelding.

Ze besloot direct om na het werk een andere weg omhoog te kiezen. Een omweg, maar dat had ze ervoor over. Alles beter dan zich afvragen wat ze bij die man had gezegd en gedaan. Ze beminde en haatte de vergetelheid van het dronkenschap tegelijkertijd.

Florica herinnerde zich haar vader die haar eens naar school had gebracht. Toen ze uit bed was gekomen om te ontbijten, zong haar vader reeds zijn repertoire schunnige liedjes. De drank benam hem zijn podiumvrees. Haar broers luisterden met rode oortjes en het gesmeek van hun moeder om te stoppen met zingen vatte hij op als een aanmoediging. Zijn stem werd er alleen maar luider van. Nog voordat Florica de weinige maïspap en de verschrompelde paprika op had, tilde haar vader haar op bij haar arm en danste het huis uit met zijn dochter in zijn armen. Hij zong een onverstaanbaar lied. De geur uit zijn mond verdoofde de woorden uit het lied.

'Je stinkt uit je mond,' giechelde Florica, zich van geen kwaad bewust.

Vader gooide haar van hoog op de grond. Florica's kleine beentjes konden de klap niet opvangen. Een struik brak gelukkig haar val en niet haar benen. Ze wilde huilen, maar – en dat wist ze nog altijd – ze durfde het niet en hield zich groot. Pas uren later, op het toilet van de school, zou ze heel stilletjes in haar handen huilen.

'Meekomen,' bromde haar vader. Florica luisterde direct. Haar uniform bleef haken aan een puntige tak, maar ze waagde het niet om haar vader te laten wachten.

Ze gingen de eerste de beste kroeg in. Tenminste, zodra vader de voordeur open kreeg. Hij duwde zich suf. Zijn wangen vulden zich met lucht, terwijl hij zijn schouder inzette om de bar te bezetten. De deur hield stug vol. Hij trapte met zijn tenen tegen de onderkant.

'Wat een klote deur,' brulde hij. Hij wapperde het haar voor zijn ogen weg. Hij tikte met zijn dikke vinger naar de man die achter het glas zichtbaar was. 'Je bent toch niet zo'n gadjo die zigeuners discrimineert hè?' Zelfs Florica kon het verstopte dreigement in zijn stem horen.

Ze snelde naar de deur om problemen te voorkomen. De tenen van haar oude schoentjes vouwden dubbel, terwijl ze naar de deurknop klom. Het laatste stuk moest ze springen en terwijl ze aan de knop hing, ging de deur krakend en piepend open.

'Trekken,' steunde haar vader, die Florica aan haar kraag greep en haar de kroeg binnensleurde. Hij zette haar op een barkruk en ging er zelf naast zitten. 'Twee bier graag,' bromde hij.

De barman schonk zonder te morren twee glazen vol. Hij keek slechts kort naar Florica, die zichzelf misselijk zat te draaien op de barkruk. Ze deed haar best om vrolijk te zijn, zodat haar vader zou opfleuren.

'Op jullie gezondheid.'

Vader klokte eerst het ene en daarna het andere glas naar binnen en vroeg direct om twee nieuwe. Bij elke bestelling kwam de barman zuchtend van zijn kruk en schonk nieuwe glazen vol. De bar raakte bezaaid met lege glazen, omdat de man te lui was om de glazen om te spoelen en op te bergen. Het was doodstil, op de zuchten van de barman en het klokken van vader na. Florica had de barkruk achtergelaten; ze huppelde door de donkerte en probeerde de naden in de houten vloer te omzeilen, anders was ze af en konden er van alle kanten *strigoi*, geestvampiers, op haar afstormen om het bloed uit haar te zuigen – een verhaal van haar broer, die het op zijn beurt had gehoord van een Roemeense boer wiens pruimen ze graag pikten, totdat een dorpsgenoot had verklaard dat de boer zeer waarschijnlijk een strigoi was die ook heel graag zigeunerkindjes lustte.

Bij elke sprong sloegen haar vlechtjes tegen haar wangen. Ze wist dat ze zich geen zorgen hoefde te maken om een strigoi, papa was hier om haar te beschermen, maar toch deed ze haar uiterste best om de diepe groeven te ontwijken. Ondertussen telde ze tot honderd en probeerde wat rekensommetjes te maken.

'Ik betaal niets te veel,' waarschuwde vader, terwijl hij te weinig munten uitstrooide en de barman hem iets sterkers voorschotelde. 'Dan weet je dat alvast.' Hij greep het kleine glaasje. De drank klom over zijn vingers toen hij het opdronk. 'Kom Florica, we gaan.' Hij pakte Florica bij haar hand en sleurde haar mee naar buiten. Haar voeten bungelden hulpeloos over de vloer.

'Pas op,' jammerde ze, 'de *strigoi*!' Ze was de tel kwijt geraakt hoeveel naden ze meepakte door haar vader.

De barman deed geen enkele moeite om vader tegen te houden. Misschien omdat hij geen mot wilde met een dronken Rrom of omdat het hem niet interesseerde of het geld bij de klant bleef of naar de overheid ging. Hij hief zijn wenkbrauwen toen Florica naar hem keek.

'Strigoi,' herhaalde hij. Zijn lach knarste.

De juf vroeg haar niet waar ze had uitgehangen, toen Florica veel te laat werd afgeleverd door haar vader die voorin de klas op zijn benen wankelde. Hij ging met zijn dikke vinger de kinderkoppen langs, onderwijl 'gadjo' mompelend. Een portret van Ceauşescu keek op hem neer boven het schoolbord. Bij een twijfelde hij of het een zigeunerjongetje was.

'Jouw mama heeft waarschijnlijk stiekem genoten van een zigeuner. Dat kan ik je verzekeren.' Hij lachte bruusk. 'Weten jullie wat jullie moeten leren?' vroeg hij, terwijl hij zijn riem losmaakte. De juf hapte naar adem en rende naar de gang om hulp te halen. Vader draaide zich om, liet zijn broek zakken en boog voorover: 'Hoe een zigeunerkont eruitziet.' Hij trommelde op zijn achterste. 'Dit vinden wij van jullie.'

'Ik niet hoor,' fluisterde Florica onthutst, nadat haar vader door de schooldirecteur en twee mannelijke leraren was weggevoerd. Ze kon zelfs op medelijden van de juf rekenen, die normaliter geen mogelijkheid voorbij liet gaan om Florica te straffen. De kinderen zouden haar wel straffen, had ze destijds misschien gedacht, en dan had ze gelijk gekregen.

Florica kroop in de pauze weg van schaamte en had zich laten troosten door de zwerfhond die zich – nog jong – tegen haar aandrukte en haar tranen opving met zijn vacht. Haar vader zou ze twee weken niet meer zien. Volgens haar moeder was hij op een korte vakantie bij zijn broer in het kamp, maar haar klasgenoten bezwoeren haar dat hij in de gevangenis zat. Niemand wilde het haar bevestigen. Florica stopte het weg.

'Hoe was de vakantie?' vroeg ze toen haar vader plotseling weer op de stoep stond. Hij knielde voor haar en smeekte om vergiffenis. Die schonk ze hem, maar ze beloofde zichzelf wel dat ze haar kinderen nooit zo zou behandelen.

'Maar ja,' zei Florica tegen zichzelf, geestelijk teruggekeerd in Granada, terwijl ze Coco & Co in de verte zag zitten op de rand van een bloembak. 'Beloftes kunnen verbroken worden.'

De rode bloemen leken uit hun rug te ontspruiten. De klokken van de Santa Anna, die statig boven de stad torende, klonken. Het drietal dronk met de voeten op de gitaarkoffer een koffie, ongetwijfeld gekregen van een lieftallige serveerster van een van de restaurantjes op het plein. Florica schudde haar hoofd, toen Coco enthousiast naar haar floot.

'Daar is onze diva,' zei hij. Hij had de ketting die zijn neus- met zijn oorpiercing verbond niet meer om. De ring in zijn neus was echter gebleven; in zijn oor droeg hij een oorbel met een kraaienveer eraan. 'We zijn blij dat je toch nog bent komen opdagen.' Hij kriebelde de leren buideltas, die muntjes grinnikten. 'Het is iets minder dan we gewend zijn. Bij deze gitaren,' zei Coco en hij wees naar de koffers op de tegels, 'horen jouw danspassen. Begrepen?'

'Ze ziet er niet uit,' zei de linker tegen Coco. En tegen Florica: 'Ben je ziek?'

'Ik heb een kater.'

'Wij ook,' verklaarde Coco haar excuus ongeldig.

'En mijn nek zit vast.' Ze draaide demonstratief met haar hoofd. 'Ik denk niet dat ik kan dansen vandaag.'

Bang om hun inkomsten te zien halveren, veerde de linker op.

'Dat is verholpen voor je er erg in hebt,' zei hij. 'Ik ken iemand die je er vanaf helpt. Ze woont niet ver.'

Coco wuifde naar een serveerster en zond haar een luchtkus. Een verlegen giechel van het tutje diende als repliek. Hij zette zijn koffiekopje op de rand van de bloemenbak, klikte zijn gitaarkoffer open en haalde zijn gitaar eruit. De koffer belandde op zijn rug, de gitaar in zijn armen. Hij kietelde de snaren, terwijl de andere jongens ook hun gitaren pakten. Zo vertrokken ze naar de vrouw die Florica van haar nekpijn kon afhelpen, in een V-formatie met Florica loom achter de punt van de V.

'Hoe was het gisteren?' vroeg ze.

'We houden van toeristen,' zong Coco op zijn gitaarspel. De jongens echoden zijn woorden. 'En zij van ons.'

'En zij van ons,' bevestigden Co.

'Met heel hun hart,' grijnsde Coco. 'En hun huid.'

'Hun hart, hart, hun huid, huid.'

'Juist,' antwoordde Florica en ze probeerde de glimlach van haar gezicht te schudden. Ze vorderden maar traag. Ze danste met een verbeten grimas op oude flamencomelodieën of op Spaanse varianten van wereldhits. Ze schudde met haar achterste en richtte de punten van haar jurk op als een pauw, terwijl ze haar hoofd zo stil mogelijk hield. Soms werd haar wat toegestopt door een toeschouwer of werd Coco's leren buidel gevuld.

Coco & Co: 'Juist, juist!'

Ze passeerden een bank, waar een oude heer geld uit de muur probeerde te halen, terwijl twee smoezelige meisjes hem probeerde af te leiden. De een hield een papier voor zijn neus en de ander wachtte totdat de gleuf het geld uitwierp. Hij probeerde ze weg te jagen met zijn knokige ellebogen, maar daar deinsden de brutale meiden niet voor terug. Ze kakelden tegen elkaar, gaven aanwijzingen. Florica herkende in de wirwar van onverstaanbare Rroma-dialecten – of zijn het talen, vroeg ze zich plots af – een aantal woorden die alleen Roemeense Rroma bezigden.

'Laat die meneer eens met rust,' schreeuwde ze in haar moedertaal naar de twee brutale tieners. Haar woorden waren roestig, maar effectief. De twee deden geschrokken een stap naar achter en de man haalde opgelucht adem. Florica zag dat hij niet wist of hij haar moest bedanken of dat hij straks moest opletten of de meisjes niet zijn hele portemonnee uit zijn handen zouden grissen. Toen ze naar hem glimlachte, keek hij naar beneden en borg het geld en zijn pinpas op. De twee Roemeense zigeunermeisjes waren opgegaan in de mensenmassa, de een met een capuchon over haar donkere haren, de ander met een hoofddoek van een getrouwde Rrom-vrouw en beiden met de handen diep in hun zakken. Op weg naar een pinautomaat zonder ongewenste ogen of terug naar de vuilnisbelten waar ze dikwijls hun kamp hadden opgeslagen.

'Het zijn vreemde lui, die uit Roemenië,' fluisterde Coco. 'Ze zijn anders dan onze zigeuners.'

'Ja, ze zijn nog armer,' antwoordde Florica, terwijl de voorste jongen een deur openhield en zei dat ze gearriveerd waren. 'Zij waren slaven en verloren hun handigheden, terwijl jullie je mochten ontwikkelen als muzikanten, handwerkers of handelaars. Wij,' Florica maskeerde haar verspreking met gekuch, 'zij werden gehaat door de Roemenen. De Spanjaarden hadden de Arabieren om te haten. Is het niet?'

'Wellicht,' antwoordde Coco en haalde zijn schouders op. 'Of misschien is het gewoon raar volk.'

Florica had geen zin in deze discussie, dus hield ze zich stil. Ze staken een overwoekerde binnenplaats over en lieten daar hun gezichtsvermogen achter toen ze het huis binnengingen. Zelfs de nacht was lichter dan de binnenkant van het huis. Het was er koel en het rook er naar een oude tombe. Ze moesten even rustig wachten, volgens de helft van Co. Even maar, dacht Florica en ze schudde haar hoofd. Het duister kon ze niet doorbreken, maar de stilte wel: 'Zijn jullie Gabi gisteren tegengekomen?' Ze kon het altijd vragen.

'Nee,' antwoordde Coco kort. 'Maar wat weet ik ervan? Zo vaak hebben we hem niet gezien. Je houdt hem van ons weg.'

En daar heb ik geen spijt van, dacht ze, en ze spitste haar oren. Ze dacht twee stemmen te horen. In de verte verscheen een vlammetje dat langzaam groeide. Achter de vlam danste het gezicht van de helft van Co.

'Ze kan je ontvangen,' zei hij. Hij draaide zich om en Florica volgde het flakkerende licht. Achter haar klonken de voetstappen van de rest.

Aan de muren hingen tapijten, zo zag ze dankzij het vluchtige licht. Vliesdunne spinsels straalden in het kaarslicht – de spinnen hadden hun web allang verlaten na een vruchteloos wachten op prooien. Ze betraden een nieuwe kamer. De deurpost ontbeerde een deur. De koelte bracht Florica aan het rillen. Twee kattenogen zweefden in de lucht. Plots voelde ze twee gerafelde handen haar hals omwikkelen. Ze gilde het uit, terwijl haar nek rap van links naar rechts werd gedraaid. Het kraken van haar nek maakte een abrupt einde aan het gegil. Florica zakte ineen van de pijn.

'Raap haar op,' kraakte een vrouwenstem. 'Ze stelt zich aan.'

Coco probeerde Florica op te takelen, maar ze trok haar arm terug.

'Ik kan zelf wel opstaan,' gaf ze hem te verstaan en ze krabbelde overeind. Haar nek voelde opvallend soepel. 'Volgens mij is het over,' stamelde ze verbaasd.

'Natuurlijk is het over,' zei de stem bits.

'Kan het licht nu aan?' vroeg Florica. 'Ik wil u graag bedanken.'

'Dat kan ook zo,' was het antwoord. 'Zo zien we als gelijken.'

'Maar,' begon Florica, maar ze besloot haar zin niet af te maken. 'Heel erg bedankt, mevrouw.' Ze vermoedde magische kunsten.

'Heel erg bedankt, vrouwe,' herhaalde de stem van de helft van Co. 'Wilt u een lied horen als dank?'

'Nee, ga nu maar,' antwoordde ze. 'Ik heb genoeg van jullie mensen en al jullie heisa. Het enige wat ik wens, is mijn leven rustig uitzitten. Jullie maken een puinhoop van deze wereld. Meisjes kunnen niet eens rustig rondlopen zonder aangevallen of verkracht te worden.' Ze zuchtte haar ziel uit. 'Gisteren nog: politiesirenes en een hoop geschreeuw, toen drie dronken jongens werden weggevoerd omdat ze een jong meisje hadden lastiggevallen. Hoe moet ik zo slapen? Hoe kunnen jullie rustig slapen? Jullie zijn verdorven, des duivels, jullie allemaal.'

Florica liet een traan lopen. Zo gelijk maakte het duister hen dus niet, dacht ze. Ze vermande zichzelf en vroeg naar Gabi. Ze liet haar hoofd pijnloos rondtollen en overtuigde zichzelf dat de vrouw speciale krachten had.

'Weet u waar hij is?' herhaalde ze haar vraag.

'Ben ik een helderziende?' raasde de vrouw. 'Ik zie verdomme geen hand voor ogen. En nu opflikkeren jullie vier.'

Na alle plichtplegingen gingen ze terug de gang door. Een bescheiden lichtstraal zorgde ervoor dat Florica een vissenkom vol pillen en capsules onderscheidde op het dressoir in de gang. Zo geruisloos mogelijk liet ze haar hand erin glijden en viste er een handvol uit.

Buiten leek de zon scherper dan ze haar hadden achtergelaten. Het viertal lachte onhandig en opgelucht dat ze weer konden zien. Florica voelde het spoor van de traan terstond opdrogen en voelde nog eens verwonderd aan haar nek. De fysieke pijn was in ieder geval weg. Ze streelde de medicijnen en selecteerde twee capsules waarvan ze zich afvroeg wat de werking was.

'Ze is inderdaad goed,' zei ze. De ellenlange werkdag kon beginnen. Coco tokkelde de eerste noten. Florica legde de capsules op haar tong en knikte haar hoofd naar achteren.

4

De mieren kleurden de fles Corona zwart. In het gele bier dreven vier mieren, gedood door hun verlangen naar zoetigheid. Florica zat op haar hurken en hing er met haar gezicht boven. Ze zag hoe de beesten elkaar volgden, van het bier proefden en de terugweg inzetten. Een mier werd erin gegooid door zijn collega en was bezig te sterven in rugslag.

Florica's onderstel trilde. Ze voelde de dag van haar hielen tot haar kuiten. De lach van de buurvrouw doorbrak haar trance. Het is weer soaptijd, dacht Florica, en ze blies de mieren van de fles. Een aantal van hen landde ook in het bier. Ze pakte de Corona en goot de inhoud over de grond. Het zand slurpte het bezield op. De levende mieren krabbelden overeind en kuierden voort, zichtbaar aangeslagen door de alcohol, de doden achterlatend in zoet zand.

'Corona,' zei ze binnensmonds. Ze proefde het woord, het merk, de naam. De stad. De fles verdween in de prullenbak. Het bier deed haar aan Remus denken, die zich altijd bleef verbazen over zijn beste vriend Emil.

'Hij blijft erbij,' zei hij dikwijls nadat hij met Emil had gebeld of als hij een brief van zijn vriend ontving, 'Braşov bestaat voor hem niet. Het is Corona voor hem. Hij noemt de stad nog liever Kronstadt, zoals de Saxen, zwoer hij, dan Braşov.'

Remus was nooit gestopt met het aanbidden van Emil, dat had Florica direct door. Emil was de leider, een voorbeeld, en Remus was zijn rechterhand. De adoratie hoorde te stoppen zodra ze mannen werden, maar het probleem was dat ze toen al van elkaar gescheiden waren door het IJzeren Gordijn en daarna door dure vliegtickets. In plaats daarvan stopte het door zijn dood, dacht Florica en ze trapte tegen de prullenbak.

'Er komt een dag dat hij de stad officieel omdoopt tot Corona, of de Braşoveni dat leuk vinden of niet,' lachte Remus meer dan eens.

Zou Remus hem hebben gemist zoals zij hem nu miste? Ze staarde betoverd naar het deksel van de prullenbak, maar het was Remus die ze zag. In een opwelling zocht ze naar de mobiele telefoon die ze vrijwel alleen op zes juni gebruikte. Ze vond hem onder een stapel jurken, naast de zilveren flacon van haar grootvader.

Er zaten drie voorgeprogrammeerde nummers in het telefoonboek: dat van doctor Arcos, van Maria Rosalia en van Emil. Haar vriendin wilde ze nooit meer spreken. Ze had haar niets te vertellen. Bovendien zou ze nooit meer Italiaans spreken. Doctor Arcos en zij hadden sporadisch wat te bespreken en Emil belde haar een keer per jaar, op de sterfdag van de componist Ciprian Porumbescu. Zes juni.

'Want dat was toch al een klote dag,' aldus Emil, die voorstelde om er een gewoonte van te maken.

Het was nog geen zes juni, maar Florica drukte op het groene telefoontje.

'*Da?*' klonk er aan de andere kant van de lijn. Alleen een simpele 'ja'. Florica zweeg. Emils stem klonk als die van een oude man met het leven in zijn keel. 'Met wie spreek ik?' Hij snoof even: 'Of tegen wie spreek ik?'

'Ik ben het.'

'Florica?'

'*Da.*'

'*Ce faci?*' vroeg Emil uit gewoonte om daarna nog eens te vragen hoe het écht met haar ging. En waarom ze belde. Of er iets was.

'Ik weet het niet,' antwoordde ze naar waarheid op beide vragen. Ze zette haar nagels in haar onderarm en vroeg zich af of ze niet beter kon ophangen.

'Dan weet ik niet waarom ik aan de lijn moet blijven.'

'Hoe is het daar?' vroeg Florica vlug. Ze wilde niet dat hij haar wegdrukte. Ze voelde zich nog altijd schuldig dat Emil door haar achter was gebleven in het oude land, ook al bad ze soms dat zij was verdronken en hij met Remus Joegoslavië introk. Dan had Remus nog geleefd en hoefde zij niet alle grenzen te trotseren om te overleven. De dood had mijn leven vergemakkelijkt, dacht ze. Ze hoorde hoe Emil ongeduldig humde. 'Hoe gaat het met jou?' verduidelijkte ze haar vraag.

Emil zuchtte.

'Ik ben een parasiet geworden. Ik zit op mijn vaders erfenis en Pinu geeft me zakgeld, uit gewoonte, schuldgevoel of uit vriendschap. En ik eet wat en ik drink wat. Niets interesseert me nog,' besloot hij.

Florica wist dat Emil zich had teruggetrokken uit het tangocafé, omdat er te weinig animo voor was. Pinu had er binnen een jaar een populaire club van gemaakt. De populariteit kwelde Emil nog steeds.

'Mensen luisteren naar bliepjes of naar negers die praten op een beat,' tierde hij. 'Het leven is veranderd. Roemenië loopt leeg. We verhuizen allemaal massaal naar Italië en naar Spanje en laten het land achter voor de Hongaren en zigeuners, met alle respect trouwens,' haastte Emil om eraan toe te voegen.

Het deed Florica niets. 'Het leven verandert onophoudelijk,' probeerde ze Emils relaas af te vlakken. Tevergeefs.

'Onder de Russen en de communisten hebben we stilgestaan, maar onder het kapitalisme gaan we achteruit. We hebben nu de vrijheid om computertonen te beschouwen als muziek.' Emil bootste de tonen na. 'Dat is toch geen kunst, geen cultuur? Nee, natuurlijk niet.'

Florica interrumpeerde zijn vervolg: 'Is de lijn zo slecht of heb je gedronken?'

'Hoe is het met Gabi?' vroeg Emil.

Zijn vraag beschouwde Florica als een 'ja'. Nu was het haar beurt om te zuchten.

'Hij is niet thuisgekomen vannacht. Doen mannen dat vaker?'

'Het is jouw Gabi,' zei Emil. 'Waarom vraag je het aan mij?'

'Het is niet mijn Gabi,' zei ze zo zacht, dat ze twijfelde of Emil het had gehoord.

Een lange, ruisende, stilte volgde.

'Zo is het leven,' besloot Emil plotseling en Florica stemde ermee in.

'Waarom noem je de stad eigenlijk Corona?' vroeg ze plots. Ze ratelde met haar nagels op het deksel van de prullenbak.

'Dat doe ik niet meer,' antwoordde Emil bits. 'De stad is veranderd, de mensen zijn veranderd. Ze verdienen de kroon niet meer. Dit is niet langer mijn stad. Dit is Braşov.'

'Het is jouw stad,' zei Florica, die een dergelijk antwoord niet had verwacht. Ze had er ook niet op gehoopt. Schreeuwend ging ze verder: 'Ik ben een Rrom, een zigeunerin, ik heb geen stad, maar Corona is van jou'. Ze zweeg even. 'Van jou en van Remus.'

Emil gorgelde. Florica dacht te horen hoe de telefoon werd neergelegd op een tafel en hoe Emil vloekte en tegen alles wat hij zag aanschopte. Bovenal hoorde ze gesnotter.

'Jij hebt hem van mij afgepakt,' zei hij eerst zacht en daarna herhaalde hij zijn woorden steeds luider.

'Jij hebt mij aan hem gegeven,' antwoordde ze. Zijn woorden deden geen pijn, besefte ze, omdat ze zijn verdriet deelde. En hij het hare.

Ze deelden elkaars verdriet in stilte.

'Ik wil je nog bedanken voor je cd's,' zei Florica uit het niets. Waarom wist ze ook niet. Ze had al een aantal keer de kans gekregen om Emil ervoor te bedanken, maar het nooit gedaan.

'Luister je ze graag?'

'Ik heb ze achtergelaten in Italië, maar ik heb er veel aan gehad,' zei ze. 'Het was een goede collectie. Je hebt er een goed oor voor.'

'Misschien moet ik er iets mee doen,' zei Emil en voor het eerst in jaren hoorde Florica hem lachen. Ze namen afscheid en Emil beloofde zes juni weer te bellen. Hij hoopte dan nieuws te hebben, want Pinu was met iets bezig wat Florica ook aanging. Meer mocht hij nog niet zeggen. 'En doe Gabi de groeten van...'

'Dat zal ik doen,' kapte Florica hem snel af. *Als ik Gabi ooit nog zie*, dacht ze daarna terwijl ze de telefoon opborg. Even twijfelde ze of ze de politie moest bellen, maar net zo haastig besloot ze dat zoiets onverstandig zou zijn. Waarschijnlijk zouden ze hem toch niet vinden of ze zouden hem betrappen terwijl hij iets illegaals uitspookte, waar Florica niets van wilde weten.

Ze steunde even met haar achterste op de werkbank en grabbelde het geld uit haar bh. Het was een goede dag. De terrassen zaten vol, evenals de portefeuilles van de toeristen. Coco had een klein deel van haar salaris ingehouden, omdat ze te laat was. Florica had er niets van gezegd; alsnog ontving ze meer dan normaal. En wat moest ze met het geld? Behalve er heroïne van kopen, dacht ze zonder dat ze het had willen denken. Dàt had ze gedaan, nadat ze ook een chorizoworst en een stevig Spaans brood had gekocht om haar maag te vullen. De rest rolde ze op en rolde ze pas uit voor een grotwoning aan de andere kant van de wijk, waar ze een bolletje Koningin had gekocht van haar vaste dealer. Ze had hem de medicijnen gegeven, die haar niets deden, in ruil voor korting.

'Ik weet ook niet wat het is,' had de man gezegd, terwijl hij zijn onderarmen omstebeurt openkrabde, 'maar ik maak er wel iets moois van. Leg daar maar neer.'

Het geld dat overbleef, spaarde ze. Ze pakte de zilveren flacon van haar grootvader uit de lade en trok de dop eraf. Met stevige stoten schudde ze de inhoud op de werkbank. Een rol bankbiljetten ontsnapte en een stuk papier stak door de mond van de flacon. Een gedicht van Remus. Het gedicht van Remus. De tijd had het papier lichtgeel gemaakt. Voorzichtig wrikte ze het eruit en vouwde het recht, maar het papier rolde zichzelf weer op. Het was verlegen geworden door het verblijf in de flacon. ze had er jaren niet naar gekeken. Eens had ze het papier eruit gehaald om het daarna direct ongelezen en met trillende handen weer terug te stoppen.

Nu lag het op de werkbank. Ze probeerde het te negeren. Ze rolde de bankbiljetten strak om de duimdikke andere rol en stopte het geld terug in de flacon van haar grootvader. De flacon zette ze op het papier. De tekst drukte in de werkbank. Sparen viel haar zwaar. Soms, meestal, wilde ze alles uitgeven om Remus te vergeten. Diezelfde gedachten aan Remus geboden haar om het geld te sparen voor Gabi. En om haar gezondheid te sparen, ook voor Gabi. Dat was ze Remus verontschuldigd.

Maar soms moest zij lijden en soms hij.

'Ga je vanavond wel met ons mee?' had Coco opnieuw gevraagd. Het rood van de vorige nacht prijkte nog in zijn ogen.

'Ik ga helemaal niets doen,' had ze hem geantwoord.

En dat deed ze.

Ze zat op de bank met aan haar ene zijde de chorizo en het brood en aan de andere kant het papier. Haar voeten rustten op een poef die ze jaren geleden aan de kant van de weg had aangetroffen. Ze had hem halverwege laten staan en bij thuiskomst Gabi gevraagd om de poef de berg op te sjouwen. Dat had hij gedaan. Toen deed hij nog wel eens iets voor mij, dacht Florica, en ze rukte met haar kiezen het eerste stuk van de chorizo af. Daarna zette ze haar tanden in het brood. Deze volgorde hield ze aan totdat alles op was en haar ene hand rood zag van de chorizo en de ander wit. Ze veegde haar handen schoon aan de bank en veegde met haar pols langs haar mond.

'Rust,' zei ze hardop. Haar blik gleed langs het koperwerk aan de muren, waartussen de gouden Maria-icoon verstopt zat. Ze vroeg zich af waarom ze geen gebed deed voor Gabi's terugkomst. Ze keek naar de zigeunerjurken die nog over de werkbank hingen. 'Omdat ik hem vervloek,' beantwoordde Florica haar eigen vraag.

Ze likte haar vingers schoon en pakte het papier dat naast haar op haar wachtte voorzichtig bij de punten. Haar hart ging tekeer. Ze schudde haar hoofd. Waarom deed ze zichzelf dit aan? Haar adem stokte. Met dichtgeknepen ogen drukte ze haar neus in de tekst. Ze dacht een zweem van dennen te ruiken. Misschien was het verbeelding of het kon de geur van gisteren zijn, maar het kalmeerde haar. Een klein bétje maar. Ze las de titel die boven de tekstregels was getypt: 'Florica'. Remus' laatste werk, een ode aan mij, dacht ze, en ze legde het naast zich neer om gehaast naar het kistje tussen de kussens van de bank te graaien. Sneller dan ooit te voren maakte ze een shot klaar en spoot de Koningin haar aderen binnen. Pas toen kon ze het gedicht aan.

'*Regen plakt aan de ruiten op een droge dag,*' begon ze zacht voor te dragen van het papier. '*Mijn ogen staren star, maar mijn hart ziet jou staan waar je niet bent omdat hij de waarheid niet zag. Met een snik in mijn schreeuw, roep ik jouw liefde aan.*'

Ze begreep niet hoe regen op het raam kon plakken op een droge dag. Misschien moest hij gewoon wat te rijmen hebben, dacht Florica, en ze herlas de tweede regel. Die begreep ze wel. Zij zag Remus ook waar hij niet was. Niet zelden zag ze hem aan de binnenkant van haar oogleden, als ze probeerde te slapen en de slaap haar strafte, of juist als ze droomde; ze zag hem ook in de sculpturen die de wolken vormden; soms liep hij voor haar door de stad en verwisselde hij van gezicht zodra Florica hem inhaalde; af en toe dacht ze hem in Gabi te zien, maar dat was meer een fantasievolle wens dan de waarheid. Gabi was Remus niet. Remus: ik roep jouw liefde aan, dacht Florica, maar je kunt mij niet meer horen.

'*Of ik misschien niet zo schreeuwen wil, je bent niet doof,*' vervolgde ze. '*Ik loop naast je, met je, maar het voelt zo somber zonder.*' Ze hield even in, met haar wijs- en middelvinger voor haar trillende lippen. '*Doorklieft. Onze handen hangen geboeid boven een kloof. De blauwe lucht is zwart en de zon schuilt achter de donder.*'

Florica haalde het papier van haar schoot, zodat het niet nat werd. De betekenis van deze strofe ontging haar, maar ze voelde de woorden.

'Somber zonder,' echode ze. De blauwe lucht is inderdaad zwart, dacht ze, en de zon is als een vreemde voor me. Ze schoof de kralen- ketting over haar kin en deed hem in haar mond. Haar tong speelde met de kleurrijke kralen.

'*Gevangen in verdwenen grenzen, vergeten in een gestorven levens- lied, laat mij daags jouw terugkomst wensen.*' De laatste regel viel uit- een in bittere tranen. Florica liep naar de kraan en schonk een glas vol water. Ze dronk het glas in een lange slok leeg en nam de literfles mee naar de bank. '*Laat mij daags jouw terugkomst wensen,*' herhaalde ze de laatste regel.

Maar ik ben gestopt met wensen. Ze liet haar gedachten onuitge- sproken en luisterde naar de krekels die elkaar opfokten als dronken mannen. De regels weerklonken in haar hoofd.

'*Mijn hart hoopt anders wat mijn hoofd beziet,*' ging ze verder met de allerlaatste strofe en in gedachten sprak ze deze regel tegen, '*thans jij mij verlaat, verlaat ik de mensen en in reïncarnatie geloof ik niet.*'

De punt sprak ze uit in een hartenkreet. Florica vroeg zich af of Re- mus daadwerkelijk de wereld had verlaten als zij bij hem weg gegaan zou zijn.

'Hij is bij mij weg,' fluisterde ze. Ze snoof nog eens aan het papier en legde het toen uiterst behoedzaam terzijde, om haar gezicht te begraven in haar gekruiste armen met de geur van dennen in haar neus. Langzaamaan spoelden de tranen het beeld van een lachende, een sippe, een vrolijke, een angstige, een serieuze, een razende, een verwarde en een verliefde Remus weg, totdat de verlegen, maar doortastende man van hun eerste ontmoeting overbleef en voorzichtig Florica's hand greep om haar mee te voeren naar een diepe droom die ze nooit meer wilde verlaten.

De voordeur schokte in de deurpost. Florica was direct klaarwakker door het gebons. Iemand botvierde zijn vuisten op de deur.

'Politie,' schreeuwde een zware stem aan de andere kant. 'Als u de deur niet opendoet, doen wij het.'

'Wacht even,' gilde Florica. Er raasde van alles door haar hoofd, maar ze liet zich er niet door afleiden. Gehaast duwde ze de spuit, de lepel, de aansteker, het open gepelde bolletje en de schoenveter in de houten kist en verborg deze weer in de bank. Ze raapte het gedicht op dat tijdens haar slaap op de grond was gevallen, rolde het papier op en tikte het voorzichtig met het topje van haar paarsgelakte wijsvinger in de flacon van haar grootvader. De zilveren flacon deed ze in een lade. Daarover spreidde ze de jurken die nog op de werkbank lagen.

'Wilt u alstublieft opendoen mevrouw? U hoeft niet bang te zijn voor ons.'

'Ik kom eraan.' Florica haalde diep adem, rolde haar mouwen over haar elleboogholten, masseerde kort haar voorhoofd en deed de deur open. De lucht was rood door de vroege zon. In het licht stonden twee bonkige politieagenten. Tussen hen in stond een gebogen gestalte met een opgezette wenkbrauw.

'Mevrouw Tomescu?' vroeg de rechteragent.

Florica knikte gedwee.

'Ik ben mevrouw Tomescu,' antwoordde ze zacht. Ze herkende de persoon in hun midden: Gabi. Ze bedwong de behoefte om de deur weer dicht te smijten en de agenten te vragen om hem weer mee terug te nemen.

'Mevrouw,' leidde de agent zijn vraag in, met een tikje tegen de onderkant van zijn klep, 'is dit uw zoon?'

Wist ik het maar, dacht Florica.

'Ja, meneer agent.'

5

'Mogen we binnenkomen mevrouw Tomescu?' had een van de agenten gevraagd, met een voet in de woning, nadat Florica had bevestigd dat de persoon in hun midden haar zoon was.

Ze ging hen vlug voor en wikkelde zich in de badjas.

'Wat heeft hij uitgespookt?' vroeg ze alsof Gabi er niet bij was. Ongeïnteresseerd wipte haar zoon op een stoel waar hij ongevraagd op was neergestreken. 'Rottigheid?'

'De fase rottigheid is deze meneer gepasseerd,' zei de agent met de zware stem. De ander zei geen woord en liep onrustig door de woning met de pet tussen zijn arm en zijn zij gedrukt. Hij was plotseling overmatig geïnteresseerd in koperwerk.

'Willen jullie koffie?' vroeg Florica, om de woorden van de agent te vertragen.

'*No, gracias,*' antwoordde de agent voor beiden.

'Met drie scheppen suiker graag,' zei Gabi, zonder zijn blik af te wenden van zijn vieze nagels.

Florica liet het trage gepruttel van het koffieapparaat het gesprek waarvoor ze vreesde uitstellen. De agenten zwegen, terwijl Gabi zacht een zigeunerlied zong. Zijn stem was zuiver en dat verbaasde Florica. Dat had hij niet van Remus, die alleen zong als hij gedronken had en dan ook nog eens extreem vals, noch van haar, die de muziek voornamelijk voelde in haar voeten. Ze kon zingen, ja, maar niet bijzonder mooi. Gabi wel en dat kwelde haar.

Ze schonk de koffie in een mok en ging aan dezelfde tafel zitten waar de agent plaats had genomen. Gabi knabbelde zijn nagels kort en spuugde ze naar de agent die minutenlang naar de gouden icoon staarde.

'Hij zit op de Moeder te geilen,' zei Gabi spottend, toen hij zijn mond leeg had.

Florica wees naar haar zoon – haar lange nagel hing vervaarlijk voor zijn neus. Het paars was afgebrokkeld en stimuleerde de dreiging die van het handgebaar uitging.

'Geen woord meer,' fluisterde ze zacht, maar scherp.

De agent snoof en kreukte de pet die op zijn schoot rustte. Florica's dreigement maakte nog meer indruk op hem dan op Gabi, die heel theatraal zijn rug rechtte, de stoel op vier poten zette en zijn handen eerzaam vouwde. De andere agent keek af en toe naar buiten. Gabi's grijns correspondeerde met zijn nonchalante houding.

'Het zit zo,' begon de agent, maar hij werd afgekapt door Florica die plots opsprong om een pak koekjes open te trekken. De andere politieman was het zat, trok Gabi aan zijn nek van de stoel en gooide hem op de bank. Zelf nam hij plaats op de voorverwarmde stoel, veegde het glimmende zweet van zijn voorhoofd en stak van wal, dwars door haar excuses heen dat ze geen zelfgemaakte lekkernijen in huis had.

Florica registreerde alleen de belangrijkste woorden, die met de allerergste betekenis en die haar meenamen naar het verleden. Ze liet zich achterover vallen in de stoel en pufte tegen de tranen. Ik had kunnen weten dat het ooit mis zou gaan, dacht ze. Een week geleden kwam ze zeiknat terug van een ochtend dansen. Het regende en dat maakte de mensen niet vrijgeviger, aldus Coco, dus besloot hij de middag door te brengen in het café. De rest kreeg ook vrij. Florica beklom direct de route naar huis en eenmaal aangekomen opende ze opgelucht haar voordeur. Het hoofd van haar zoon stak ontsteld onder het gordijn van het slaapvertrek vandaan. Hij had dezelfde kleur aangenomen als de rode stof die op zijn haren rustte. Aan de zijkant verscheen nog een gezicht, dat met een hoog gilletje net zo snel weer verdween.

'Daar ben je nog veel te jong voor,' had Florica gevloekt, nadat haar zoon zich vlug had aangekleed en het meisje naar huis was gevlucht.

'Sommigen van ons zijn op mijn leeftijd al getrouwd,' antwoordde Gabi. 'Zoals de buurjongen.'

Florica had de blosjes op zijn wangen gebruikt als mikpunt voor haar klappen.

'Jij bent Gabino Tomescu, vijftien jaar oud, een gadjo en je gaat gewoon naar school.'

Haar zoon had geantwoord met een lange lach. Ze sloeg hem tegen het achterhoofd. Het maakte geen indruk. Hoofdschuddend verliet hij de grot. Naar school, hoopte Florica, en dat schreeuwde ze hem na. Ze bad dat de regen hem zou verzuipen. Toen ze zich realiseerde wat ze had gewenst, sloeg ze zichzelf op haar verhitte rode wangen en sloeg een kruis voor Moeder Maria.

'Dat was vorige week,' stamelde Florica tegen zichzelf, terwijl de agenten haar met een frons analyseerden, 'en dat was nog onschuldig. Ik heb mijn broer ook eens betrapt met een scharrel,' ging ze door. Ze staarde naar het witgeschilderde ruwe plafond. Was hij toen ouder dan Gabi? Ze dacht van niet.

'We zijn aan het spelen,' bootste Florica de stem van haar oudste broer na, toen ze hem en de meid samen had betrapt. Ze schaamde zich nog steeds voor haar antwoord van destijds, ook al was ze nog maar een jong meisje dat pas van de taal proefde: 'Mag ik meedoen?' Ze snapte destijds niet waarom haar broer dat niet wilde, dus ging ze naar vader toe. Nou, mijn broer heeft daarna een tijdje niet kunnen spelen, dacht Florica. Direct daar achteraan vroeg ze zich af of ze Gabi ook zo moest aanpakken. Een pak slaag.

'Nee,' beantwoordde ze haar eigen vraag binnensmonds, 'daar is het nu te laat voor. Veel te laat.'

'En is de vader nog in beeld?' vroeg de politieagent met de zware stem om Florica's gemompel te doorbreken.

Florica's gezicht was lijkbleek gekleurd. Ze probeerde haar getril in het gareel te krijgen, maar tevergeefs. De vragen van de agent maakten het er niet beter op. Ze schudde aldoor haar hoofd en probeerde zich groot te houden.

'Hij is dus weg?'

Ze knikte.

'Dat zie je wel vaker hier,' zei de andere agent, die inmiddels met Gabi van plek had geruild en weer onrustig door de woning banjerde. Hij pauzeerde zijn onrust heel even en stond stil bij een zwart-witfoto aan de muur.

'Hij is dood lul,' schreeuwde Gabi, die zijn theater doorbrak en opsprong. De agent deed een stapje terug, terwijl de ander hem met een vloeiende beweging terug op de stoel drukte.

'Sorry,' zei hij. De zware stem leek Gabi direct te kalmeren. Of het was de even zware hand op zijn schouder.

Florica registreerde het voorval alsof de Koningin haar geest vertroebelde. Zij zag drie mannen die ze niet kende. Twee agenten en een puber. De een sprak, de ander tijgerde en vulde de ander zo nodig aan, de jongen kruiste nonchalant zijn armen en glimlachte wat.

'Dood ja,' stamelde Florica later. 'En weg.' Ze staarde naar het papier waarop de vingers van de agent dansten. Sinds hij de aantijgingen had voorgelezen, bevond Florica zich niet meer in de zigeunergrot in Granada, maar in een klein, maar bijzonder bedrijvig restaurant in Florence. Ze voelde hoe ze aan haar arm werd getrokken en hoorde hoe het servies kapot spatte toen ze op de tafel werd gesmeten.

'Mevrouw?' De agent hield een glas mineraalwater voor haar neus.

Gulzig dronk Florica het glas leeg en goot direct haar koffie er achteraan. Zelfs Gabi keek angstig naar zijn moeder, totdat hij zag dat ze weer terug in Granada was.

'Sorry, waar was u gebleven?' vroeg ze vlug.

De agent herhaalde dat ze genoodzaakt waren om Gabino stevig in de gaten te houden.

'We willen immers niet dat zo'n jonge jongen,' de man perste Gabi's wang tussen zijn dikke vingers, 'nog eens in de fout gaat. Dat is de grootste sanctie die we kunnen opleggen,' legde hij uit. Gabi was te jong om langer vast te houden, maar het vergrijp was te zwaar om te negeren. De andere twee jongens waren achttien en worden gestraft.

'We zien wel eens dat zijn leeftijdsgenoten portemonnees stelen of mensen lastigvallen bij pinautomaten, en dat keuren we zeker niet goed en pakken we zo streng mogelijk aan, maar wat meneer Tomescu heeft gedaan...'

'Gabino,' onderbrak Florica. 'Noem hem alsjeblieft Gabino of Gabi.'

'Wat meneer Tomescu heeft gedaan,' vervolgde de man onverstoord, 'gaat veel verder. We konden hem niet langer vasthouden dan we nu hebben gedaan, maar we zijn nog niet klaar met hem. De rechter zal zich waarschijnlijk nog over deze zaak buigen, maar wij als politie zullen hem in de tussentijd goed in de gaten houden. Dat begrijpt u ook wel. U vindt het vast niet erg als wij en andere overheidsinstanties zo nu en dan met hem praten. Puur om hem in het gareel te houden,' zei hij.

'Wat denk je zelf?' bulderde Gabi, voor zover dat mogelijk was voor een puber. Zijn stem schoot een octaaf omhoog en beide agenten moesten lachen; de een nerveus, de ander geamuseerd.

'Ik denk dat je moeder direct instemt.'

'Heel fijn, ja, natuurlijk,' stamelde Florica. De agent grijnsde naar Gabi. 'Wilt u hem meenemen? Moet ik iets ondertekenen?'

'Dat hoeft niet,' antwoordde de agent met de zware stem.

'Het programma moet nog vorm krijgen,' preciseerde de ander, met een koperen kaarsendover tussen zijn handen. Hij probeerde de spijker waaraan de dover hing terug in de muur te drukken.

'We beloven dat hij er beter van wordt.' De agent schoof zijn stoel naar achter, zette zijn pet op en duwde zich met zijn ellebogen overeind. De kaarsendover hing weer op zijn plek.

'Kunt u hem niet gewoon meenemen?' vroeg Florica zacht toen beide mannen bij de deur stonden. De ander schoot alvast naar buiten. 'Heeft u geen heropvoedingprogramma?'

'Het is hier het Oostblok niet! Fijne avond mevrouw.' Hij nam zijn pet kort af en volgde zijn collega, die al een stuk verder was afgedaald. Uit de meeste grotten staken hoofden om ze na te kijken.

'Hoerenzonen,' schreeuwde Gabi hen na. De aders in zijn nek zwollen op. Een aantal Rroma herhaalde Gabi's kreet. De twee agenten versnelden hun pas en holden de berg af. Florica drukte haar kleffe hand tegen de mond van haar zoon en trok hem aan zijn haren terug naar binnen.

'Je bent een schoft,' beet ze hem toe. Ze gooide de deur dicht. 'Hoe kun je zoiets doen?' Ze wierp haar handen in de lucht.

'Het is heel simpel.' Gabi lachte breed. 'Moet ik het demonstreren?' Zijn klamme vingers gleden langs Florica's armen.

Florica sloeg hem vol in zijn gezicht.

'Doe normaal.' Ze sloeg hem nog een keer. 'Waarom doe je niet gewoon normaal?'

'Omdat ik niet normaal ben,' antwoordde hij met zijn ogen strak op de vloer gericht. 'Ik ben anders. Wij zijn anders.' Hij sloeg zijn ogen op en keek zijn moeder uitdagend aan.

'Je bent niet anders,' gilde Florica. Hoe harder ze het zei, hoe meer het waar was. Het moest waar zijn, voor hem en voor haarzelf. Ze hapte naar adem om zichzelf te kalmeren. Met haar ogen dicht probeerde ze hem te overtuigen van zijn zonden: 'Wat jij hebt gedaan is niet normaal. Er is goed en er is fout; en wat jij gedaan hebt, is heel fout.'

Was het IJzeren Gordijn maar nooit gevallen of, beter nog, nooit opgetrokken, wenste ze, dan zouden Remus en ik onze zoon grootbrengen tot een professor op de universiteit of een burgemeester. Daar was tenminste duidelijk wat goed en kwaad was, dacht ze, en ze keek naar haar zoon. Er was geen grijs, alleen zwart en wit. Die Westerlingen kennen geen grenzen meer. Ze huilde om haar zoon, om de staat van Europa en om haar leven.

'Maar,' begon Gabi, voor hij werd afgekapt door Florica's vlakke hand. Zijn bovenlip zocht zijn neus op, maar hij hield zich in. Hij slenterde naar de stoel en ging zitten.

'Godverdomme Gabi, je hebt samen met je vrienden een meisje aangerand. Jullie handen waren op plaatsen waar ze niet horen te zijn.'

'Ze leeft nog,' relativeerde hij.

Florica sloeg zo hard op de tafel, dat Gabi achteruitdeinsde en met stoel en al omviel. 'Nee,' zei ze. Haar stem trilde gelijk haar wijzende vinger. 'Jij hebt haar leven vernield. Neem dat maar van mij aan.'

'Van jou?' hoonde Gabi enigszins ongemakkelijk. 'Jij bent niets meer dan een danseresje in een zigeunerband. Je krijgt betaald om anderen op te geilen. Een hoer ben je.'

'Ik ben je moeder.'

'Nou en?' diende hij haar van repliek. 'De tepel van de buurvrouw bekommerde zich meer om mij dan jij.' Hij gniffelde. 'En nu nog steeds.'

'Dat klopt. En daar ben ik blij mee. Want wat jij gedaan hebt,' begon ze fluisterend, maar Florica kon haar zin niet afmaken. 'Jij bent niet de zoon van Remus,' zei ze verbouwereerd, meer tegen zichzelf dan tegen Gabi. De gezichten van de mannen in Mancare doemden voor haar zicht op als schimmen. Haar ogen verdwenen achter een sluier van tranen. Ze keek Gabi ijzig aan. 'En de mijne ben je ook niet meer.'

'Boeiend,' antwoordde Gabi en haalde zijn schouders op.

'Wat je wel bent is een verkrachter in de dop, uitschot,' begon ze haar lange relaas.

Gabi inde de scheldtirade als de man die hij zich waande, maar zijn ogen schoten vuur. Zijn vuisten ademden.

'Genoeg,' schreeuwde hij, nadat zijn moeder hem had uitgescholden voor moordenaar. Hij stormde op haar af en drukte haar keel dicht. Florica's ogen puilden uit. Hij trok de kralenketting strak om haar nek. Ze legde haar hand op zijn hart. Verward slingerde Gabi zijn moeder op de grond. Het touw van de ketting hield hij vast. Kralen in alle kleuren stuiterden door de grotwoning. Het was alsof de regenboog in gruzelementen viel.

Zijn ogen sprongen verschrikt van zijn moeder naar het touw in zijn handen. Hij had bloed aan zijn handen.

Florica's lippen gingen heen en weer, maar er kwam geen woord meer uit, terwijl ze warrig herconstrueerde waarvoor ze Gabi zojuist in een soepel relaas had uitgescholden. Een schoft, een rasechte Rrom, een verkrachter in de dop, uitschot, een klootzak, een schande, een zigeuner, een monster, een dictator, het einde van haar leven, de duivel, een smeerlap, een Hongaar, een Turk, een Italiaan, een Spanjaard, een hond, een strigoi, een zak, een bulibaşa en een moordenaar. Maar nu was ze stil. Gabi keek naar het draad dat hij vasthield. Het touw zag rood van het bloed. Vol ongeloof volgde Florica zijn blik. Hij opende zijn hand, waarin nog een paar kralen om het touw zaten. Gabi stamelde iets en herpakte zich. Hij spuugde op het touw en smeet het op de grond. De laatste kralen verspreidden zich over de kamer.

'Je vader zou zich kapot schamen als hij wist wat zijn zoon gedaan heeft,' stamelde Florica verbouwereerd.

'Ik heb geen vader,' schreeuwde Gabi. Zijn stem sloeg over.

'Misschien heb je er wel meer dan een,' gilde Florica terug. Alleen zijzelf begreep haar opmerking. Ze lag uitgeput tussen de kralen. Alle kracht was uit haar lichaam geëbd.

Gabi liet haar liggen als een stuk vuil. Hij wees met een trillende vinger naar buiten.

'De ooms zijn mijn vader. De Rroma zijn mijn familie. Jij bent niets meer dan de donkere grot waar ik uitgekomen ben.' Hij tufte nogmaals, nu op de grond, vlak voor Florica's voeten. Stampvoetend stormde hij de deur uit.

Florica hoorde hem vloeken zoals ze haar broers had horen vloeken toen ze nog een klein en onwetend meisje was. Na Remus' dood was Gabi het enige leven dat ze in zich had. Bijna negen maanden lang. Met zijn komst, was ook de onzekerheid geboren. Wie was Gabi? Van wie was hij? Ze wilde hem naschreeuwen dat ze alles had gedaan voor hem, haar bloedeigen zoon. Ook al wist ze dat 'alles' bijna niets betekende.

'En weet je wat?' zei Gabi, die plotseling weer in de deuropening stond met een brandende sigaret tussen zijn lippen. Je bent te jong om te roken, dacht Florica, en ze schudde haar hoofd. Zijn grote pupillen verdreven het donkergroen uit zijn ogen. Zo leek hij totaal niet op Remus, realiseerde Florica zich. Nijdig trok hij de sigaret uit zijn mond en hakkelde wat onverstaanbare woorden. Hij drukte zijn vlassnorretje tegen zijn neus en snoof diep, zoals hij altijd deed als hij boos was. 'Ik ga weg en ik kom niet meer terug.' Hij wreef eerst weifelend over zijn kortgeschoren haren en stapte toen resoluut de woning weer binnen. Florica hield haar hand omhoog, in de hoop dat haar zoon haar zou optakelen, maar Gabi liep haar straal voorbij en beende naar de koelkast. 'Je bent nooit een moeder geweest,' zei hij vol afschuw. 'Je haat me.' Hij wierp de overgebleven Corona-flesjes in een katoenen tas. 'Je bent zwak. Een vuile spuiter!' Gabi pakte een pak koekjes van de tafel en verdween.

'Gabi,' riep Florica hem wanhopig na, gevolgd door een schor 'Gabino?'

'Je hebt nooit van mij gehouden,' brulde hij terug, en de hele berg wist dat het waar was.

Het heeft geen zin om antwoord te geven, dacht Florica. Langzaam liet ze haar opgeheven hand zakken. Haar vingers vonden een kraal. Ze rolde hem tussen haar duim en wijsvinger. Een lichtgroene, zoals de ogen van Remus, niet zoals die van Gabi. Met een vloek gooide ze de kraal door de deur naar buiten. Een kip stoof eropaf. Florica kreeg abrupt spijt.

'Die ben ik kwijt.'

Het is mijn eigen schuld dat hij aan alles lak heeft, dacht ze, en in het bijzonder aan zijn eigen moeder. De gemeenschap had hem opgevangen als Florica er niet was en dat was zo vaak mogelijk. En ook als ze er wel was hing Gabi bij anderen.

'Een zombie kan geen baby zogen,' had Carmen gezegd, terwijl ze op het bankje voor haar grot zat met haar eigen kind aan haar ene en Gabi aan haar andere borst. Moederliefde was Florica vreemd. Vlak na de geboorte van haar zoon was ze zichzelf verloren in een fles drank, gekocht van het laatste beetje geld dat ze nog over had – ze had al het geld misbruikt dat wachtte in de geheime speling die Remus had gemaakt in Marx' *Das Kapital*. Muziek klom de berg op en Florica danste met dronkemanspassen het verdriet van zich af.

Uitgeput had Florica zich naast Carmen gestort en samen overzagen ze de stad met haar witte, beige en gele huisjes, en het fort dat Granada onophoudelijk in de gaten hield. Florica's handen rustten op haar knieën. Zo bleef ze zitten. De buurvrouw had haar met twee baby's in de armen gevraagd waar ze aan dacht.

'Niets,' was daarop haar antwoord. Florica was opgehouden met denken. Gestopt met voelen en liefhebben. Vooral als het om dat mormel ging dat aan de tepel lubberde, had ze destijds tot haar eigen schaamte gedacht. Maar toen ze daar naar het Alhambra keek, werd ze overspoeld door het geluk. Het duurde kort en kwam ook niet meer terug, maar het was onmiskenbaar het geluk dat, alsof het gevoel verdwaald was, door haar lichaam sneed. Daar voelde ze zich nog altijd schuldig over. Ze hoefde slechts naar Gabi te kijken om zich ervan te vergewissen dat ze ongelukkig was.

Dat was nooit veranderd, realiseerde Florica zich tussen de kralen op de vloer. Gabi maakte haar niet ongelukkig: hij was haar ongeluk. Ze had dat ongeluk gebaard. Ze vroeg zich nog altijd af wie het bij haar had geplant.

Ze legde haar hand in haar natte nek. Haar handpalm was roodgekleurd toen ze die bekeek. Ze veegde het bloed aan haar ontblote dijbeen af. De rode streep verborg ze onder de badjas, die ze vlug had aangetrokken nadat ze de twee politieagenten had binnengelaten. Ze spande haar buikspieren aan en kwam overeind. Waar haar hoofd had gelegen dreven kralen in het bloed. Florica voelde nog eens aan haar nek en concludeerde dat het bloeden was gestopt.

'Ben jij wel mijn echte moeder?' had Gabi haar gevraagd toen hij net vijf was. Florica was boos geworden omdat hij niet ophield met fluiten.

'Ja,' antwoordde ze op haar hurken. Daar hoefde geen van beiden over te twijfelen. Een bevalling werd door geen moeder vergeten. Opgelucht wilde Gabi haar knuffelen, maar Florica hield haar hand op zijn hoofd, zodat hij niet dichterbij kon komen. Ze stond op. Haar zoon omklemde haar knie. 'Zo kan ik niet koken,' zei ze zacht en Gabi maakte zich meteen los. Hij liet zich op zijn kont vallen en ging verder met fluiten. Ze was opgelucht dat hij niet naar zijn vader vroeg. Dat kwam later pas.

Naar Spaans gebruik droeg Gabi zowel de naam van zijn vader als moeder: Gabino Tomescu Cioba. Pas jaren later vroeg hij de onvermijdelijke vraag: 'Wie is mijn vader, die Tomescu in mijn achternaam?' Daarvoor had Florica nooit over hem gesproken. Het was te pijnlijk. Hij was er niet meer en dat was dat.

Maar ze kon er niet langer onderuit.

'Het was een goede man,' zei ze. 'Zijn naam... is Remus.' Haar tranen betwijfelden haar antwoord. Ze kon alleen maar hopen en bidden dat Remus de vader van haar kind was. 'Je vader is dood.'

Gabi wilde meer over hem weten, maar het lukte zijn moeder niet om verstaanbare woorden uit te brengen. En dat was nooit veranderd.

Gabi's laatste woorden galmden door Florica's hoofd: 'Ik ga weg en ik kom niet meer terug.' Ze geloofde er niets van. Voorzichtig krabbelde ze overeind. Met bezieling zorgde ze ervoor dat ze niet op de kralen ging staan.

'Ik ga weg en kom niet meer terug,' smiespelde ze en ze graaide haar rugtas uit de diepten van een kast. Ze gooide de eerste beste kledingstukken die ze kon vinden in de tas, liet de mobiele telefoon en de zilveren flacon volgen en ging de muur langs zodat ze in alle haast de icoon en de foto niet zou vergeten. Onder de werkbank hing een plastic stoffer en blik waarmee ze alle kralen van de vloer veegde. Het hele interieur werd omgegooid, letterlijk, om ervoor te zorgen dat er geen kraal verloren ging. Op de groene na.

6

Er weerklonk een hoop kabaal in de nauwe steeg toen Florica tegen een opdringerige marktkoopman aanbotste.

'Sorry hoor,' stamelde ze, terwijl de dikbesnorde man haar uitfoeterde in het Arabisch. 'Je kan de pest krijgen,' schold ze daarna, toen de Arabier zijn relaas voortzette in het Spaans en ze hoorde hoe ze voor junk werd uitgemaakt. Ze drukte een stuk stof in zijn handen dat op wonderbaarlijke manier in haar armen terecht was gekomen en controleerde of haar rugzak onbeschadigd was.

'Wegwezen,' snauwde de man, met de rug van zijn hand opgeheven.

'Jij probeert me te vangen met je lelijke rinkeldoeken. Ik hoef die troep niet.' Ze beende snel weer door toen ze zijn collectie kromzwaarden in het vizier kreeg. 'Nogmaals mijn excuses.'

De man sloeg haar excuses weg en ging scheldend verder met het uitstallen van zijn waar. De eerste toeristen hadden inmiddels ontbeten en namen de straten van Granada in nu het nog niet verstikkend heet was. Collega's van de verkoper schreeuwden elke voorbijganger toe: 'Koffie, stoffen, handwerk, servies'. Een van hen zei tegen Florica dat hij alles had, maar ze diende hem in een moment van scherpzinnigheid van repliek door te zeggen dat ze genoeg had van alles.

Ze ging rechts waar ze links moest en twijfelde waar ze de weg wist. Het leek alsof ze alle belangrijke zaken had ingepakt, behalve haar verstand.

'Waar ben ik?' vroeg ze hardop. Ze bemerkte de angst in haar stem. Verderop in de straat sloegen twee dronken kerels op elkaar in. De ochtend kwam voor hen te vroeg. In een donkere vertakking kreunde een junk om geld. Hij bedelde om eten en drinken, natuurlijk. Florica herkende in de blik van de man dezelfde hatelijke liefde voor de Koningin die zij in haar eigen ogen zag.

Ze maakte rechtsomkeert en besloot een bescheiden groep kwiekebejaarden te volgen. De vrouwen droegen bloemige lange shirts en slonzige wijde rokken. Spataders ontsierden hun blote benen. In de holletjes van hun ellebogen hingen overvolle handtassen. Hun haren waren kortgeknipt en geverfd en bij sommigen stak er een zonnebril in. De mannen droegen beige afritsbroeken waaronder hun puntige knieën uitstaken, geruite blouses en ze verborgen hun grijze haar of kale bol onder een pet. De vrouwen liepen voorop te kletsen, de mannen volgden zwijgend. Soms zei de een wat en lachten de anderen, terwijl de vrouwen afkeurende geluidjes uitstootten.

Florica hoopte dat ze haar zouden afzetten in een straat die ze kende, maar de bejaarden brachten haar naar Brașov. Een man bleef even staan en wilde zijn bril schoonvegen met zijn blouse, maar hij liet zijn bril onhandig vallen.

'Godverdomme,' zei hij zacht, maar verstaanbaar.

1987. Het jaar dat een troep Nederlanders mij naar Remus bracht, dacht Florica. Ze leunde tegen de ongelijke muur van een woning en begroef haar gezicht in haar handen. De tijd had haar genadeloos te grazen genomen. Voor haar geestesoog sprong Remus weer over de balie heen, recht op haar af. Florica had geen moment getwijfeld en was blind weggerend, weg van het plein en weg van de jongen. En nu wenste ze dat ze dat niet had gedaan. Dat ze was blijven staan. Wat had zo'n moment van bravoure veranderd? Misschien dat Remus direct ontslag had genomen en haar had uitgenodigd om wat te drinken in het nabije café; daar hadden ze de liefde in elkaar herkend, nog voordat Emil met zijn dwaze vluchtplan kwam. Remus had haar kunnen helpen vluchten uit haar familie, of beter nog: hij had haar hand kunnen kopen. ZIj zou hem onvoorwaardelijk steunen en hem helpen te verworden tot een poëtische volksheld die de revolutie aanwakkerde met zijn woorden. Jaren later zou hij de Nobelprijs voor de Literatuur winnen, omdat hij haarscherp en als een van de eersten de ongemakken tijdens het Ceaușescu-regime op papier zette. Zij zou gaan studeren, wat dan ook, en zou ervoor zorgen dat Lala zou uitgroeien tot een advocate of een dokter. Remus en haar grootvader zouden elkaar bedelven onder boeken en de rest van haar familie zou de stad verlaten en weer naar het kamp gaan; ver weg van Florica. Ver genoeg in ieder geval.

Het leven had haar toegelachen, als ze maar was blijven staan. Maar ze was niet blijven staan. De Nederlanders hadden haar naar Remus geleid, maar zij had het lot de rug toegekeerd. Ze was weggerend, weg van het leven.

De bejaarden waren opgegaan in de massa. Florica bewoog zich warrig door de hoofdstraat waarboven een doek gespannen was. Ze was bedwelmd door de terugblikken die haar teisterden. Ze begon te rennen. Het was haar duidelijk waar ze heen moest, maar ze had geen idee hoe ze er moest komen. Bij elke stap prevelde ze een vloek en toen ze na een halve straat door haar vocabulaire heen was, begon ze simpelweg opnieuw. Het lukte haar niet om haar gedachten van zich af te schudden, hoe hard ze ook rende en hoeveel ze ook tierde. De koude van Braşov achtervolgde haar.

Ze vocht zich hijgend langs duffe, lachende, ontbijtende, trage, wandelende, vrolijke en dansende mensen. Ze stond zichzelf niet toe om stil te staan. Met haar handen stuurde ze bij of zette ze zich af tegen een muur als ze de bocht te snel nam.

Met haar armen vooruit gestoken wurmde ze zich door een groep mannen en vrouwen die staand hun ontbijt aten, terwijl ze naar de televisies keken die op het terras een samenvatting lieten zien van een voetbalwedstrijd tussen Spanje en Frankrijk. Spanje had gewonnen, maar de Spanjaarden waren niet tevreden.

'Dat zijn geen Fransen,' constateerde een kleine man die zijn onopvallende lengte compenseerde door het kunststukje op zijn kin, terwijl hij naar de donkere spelers wees. Hij grijnsde, waardoor iedereen wist dat zijn opmerkingen als grappen waren bedoeld. 'Het publiek had met bananen moeten zwaaien. Dan hadden die "Fransen" geen oog meer voor de bal en was het makkelijk 5-1 geworden.' Hij krabde onder zijn oksels.

Walgend liet Florica hen achter. Ze keek steeds vaker achterom. Elk moment verwachtte ze Remus achter haar aan te zien rennen. Of Lala, grootvader, Constantin en zijn vrouw, haar ouders, haar broers, de grootmoeder van Remus die ze nog nooit had gezien en waar ze slechts een voorstelling van kon maken aan de hand van Remus' verhalen, Emil, Nicu, de juffrouw of haar oom de bulibaşa. Of Gabi.

'Laat me toch met rust,' jammerde ze.

Gabino. Ze zette aan en liep een jongetje omver waarin Florica een jonge versie van haar zoon zag.

'Pas toch op,' schreeuwde de vader, nadat hij zich ervan verzekerd had dat zijn zoon intact was en alleen huilde van de schrik. 'Idioot!'

Het goud in de mond van haar oom verblindde Florica. Hij lachte haar uit.

'Kom eens bij je oom, kleine,' hoorde ze hem zeggen. Ze sloeg een rustige zijstraat in en sprintte weg van zijn snerpende stem.

'Aan de kant,' schreeuwde ze tegen het hekwerk dat de steeg afsloot van de straat die daarachter lag. Zonder aarzelen klom ze eroverheen – net zoals ze vroeger had gedaan toen ze van haar ouders in vuilnisbakken moest zoeken naar waardevolle spullen. Ze landde soepel aan de andere kant, als de zwerfkat die met haar de koude nacht had doorgebracht in de fontein. Achter het hek dacht ze haar broers en Lala een prullenbak te zien plunderen. Ze glimlachte triest en vervolgde haar weg.

Bijna liep ze opnieuw iemand omver, toen de zon in haar ogen flitste via een etalageruit. Een seconde lang herkende ze Constantin en zijn Griekse echtgenote, maar ze wist dat ze zichzelf voor de gek hield en passeerde mannen die haar deden denken aan Dario en zijn twee wakende Albanezen.

Beelden flitsten langs haar ogen. Onbewust en ongewenst plakte ze het verleden op het Granada waar ze doorheen snelde. De bruine kerktoren vervaagde en in zijn plaats verscheen de sierlijke marmeren campanile van Florence.

'Het blijft een wonder dat wij mensen zoiets kunnen scheppen,' hoorde ze Remus verzuchtten. 'Soms denk ik dat wij God zijn.'

Florica kreeg amper lucht. Ze probeerde met haar ogen dicht te rennen, maar dat ging haar niet goed af. Bovendien waande ze zich dan in het ijskoude water van de Nera tussen Roemenië en Joegoslavië, terwijl ze onderdook voor de vrachtwagenchauffeurs. Snel opende ze haar ogen en rende voorbij een rij Spanjaarden die buitenshuis een croissant aten. Ze veranderden in een rij hongerige Roemenen die stonden te wachten op een zak maïsmeel en een halve kilo suiker.

Ze verliet de kern van Granada en kwam langs gebouwen die haar voorkwamen als de betonnen flats van Braşov. Een groep Rroma-kinderen was op weg naar het centrum. Waarschijnlijk om oude mensen te hinderen bij het pinnen, dacht Florica, of om te bedelen. Ze lachte in het voorbijgaan naar ze. De twee meisjes leken op de zusjes die ze in Italië had ontmoet.

'Dus je leeft nog,' zei Florica en ze aaide de oudste over haar bol. Een jongen trok aan Florica's rugtas. 'Afblijven,' schreeuwde ze tegen hem en ze gaf hem in een opwelling een oorvijg. Het verbolgen gezicht keek haar beduusd aan en liep langzaam over in dat van Gabi en weer terug in dat van de jongen. 'Het spijt me,' hijgde ze en ze liet de kinderen achter.

In een impuls holde ze een drukke autoweg op. Ze rende in het midden van twee banen met de rijdende auto's mee. Verderop eindigde de stad. Deze liep over in bescheiden bergen. Dezelfde bergen die Braşov omhulden. Dezelfde heuvels die Toscane rijk was en waar ze hoorde te wonen met Remus. Ze schudde met haar hoofd en vroeg zich af hoe ze op deze weg was beland. Automobilisten toeterden naar haar.

'Ben je gek geworden?' vroeg een jonge jongen aan haar. Hij hing half uit het opengedraaide autoraam. Zijn vraag was nog maar net verstaanbaar door de stampende muziek uit zijn boxen.

'Het gaat wel,' antwoordde Florica dromerig. Het gestamp van de beat liep over in het ritme van een zigeunerlied. De exorbitante muzikanten uit het Roemeense park verschenen voor haar geestesoog en speelden grootvaders favoriete nummer. Hij deinde emotioneel mee. Uit het niets voegden Coco en zijn twee gitaristen zich erbij en vermaakten het lied tot een orgastisch Roemeens-Spaanse muzikale kruisbestuiving. Grootvader zei tegen haar dat het een goed lied was en Florica knikte.

'Ga toch van de weg af,' schreeuwde een vrouw.

Ineens schoot Florica voor de auto langs en sprong over de dubbele vangrail heen. Nu kwamen de auto's op haar afgestormd. Remmen piepten, claxons toeterden. Van ontsteltenis bleef ze staan, midden op de weg.

'Voor Italië,' galmde door haar hoofd. 'Voor Roemenië,' completeerde een andere stem er achteraan.

Ze voelde zich naakt.

'Sla hem niet,' smeekte Florica verward. 'Alsjeblieft.'

Twee handen grepen haar bij haar middel en sjouwden haar naar de stoep.

'Gaat het?' vroeg hij. Florica keek hem verbaasd aan. Zijn gezicht veranderde opeenvolgend in dat van haar vader, Constantin, opa, Emil en Remus.

Ze drukte haar ogen stevig dicht en vroeg: 'Wees alsjeblieft jezelf. Zet je eigen gezicht op.'

Een man met het grijs in zijn slapen keek haar ongerust aan.

'Moet ik je naar de dokter brengen?' Achter hem reden de auto's weer door. Onder zijn lip hing een grijs sikje. Hij kneep zijn licht bruine ogen samen. 'Of gaat het alweer wat beter?'

'Het gaat wel,' antwoordde ze afgemat.

De man greep haar kort bij haar kin, liefkozend, en zei dat hij joggers nooit zou begrijpen.

'Pas goed op jezelf.' Hij stak de eerste autobaan over, stapte in zijn auto en maakte ook de andere baan vrij door rustig op te trekken.

Ze keek om zich heen en zag dat ze bij het busstation was. In de verte zag ze de Nederlandse bejaarden naar een bus wandelen.

'Ik heb genoeg van alles,' herhaalde Florica met haar handen in haar zij. Haar speeksel smaakte naar ijzer. Oud ijzer. Ze spuugde op de grond.

7

'*Bienvenue en France*,' sprak de buschauffeur in de microfoon. '*Bienvenido en Francia*,' zei hij daarna. '*Welcome in France, willkommen in Frankreich, benvenuto in Francia, bine ai venit în Franţa*,' de man pauzeerde even en knipoogde in de grote achteruitkijkspiegel naar Florica.

'*Bine ai venit*,' herhaalde ze binnensmonds. Roemenen onder elkaar hè, dacht ze triest, en ze probeerde naar de buschauffeur te glimlachen. Het lukte haar ternauwernood. Daarna draaide ze haar hoofd om Irún te zien verdwijnen. Spanje was niet slecht voor haar geweest, beter dan Roemenië en Italië, maar ze was blij dat ze er weg was. Ze balde haar vuisten. Toch zou ze de machtige aanblik van het fort Alhambra missen. Het fort gaf haar het gevoel dat ze net zo sterk kon zijn. Verder had ze daar niets, dacht Florica, en ze bande haar zoon uit haar gedachten. Ze forceerde zichzelf om aan Coco & Co te denken en hoe de mannen hadden gereageerd toen Florica niet was verschenen vanmorgen. Ze hoopte dat ze snel een nieuwe danseres zouden vinden. Een betere, een jongere, een knappere. Voor dat laatste heeft Coco in ieder geval een scherp oog, dacht ze.

'Welkom in Frankrijk,' hakkelde de buschauffeur. Hij grijnsde. De blonde meerderheid verwelkomde zijn woorden met gejoel en applaus, wat verraadde dat hij de bus in het Nederlands welkom heette.

'Godverdomme, wat gaat zo'n vakantie snel voorbij,' zei een man tegen zijn vrouw, een paar stoelen van Florica verwijderd.

Ze liet hun klanken op haar inwerken. Nederlanders, de bus zat er vol mee. Va-kan-tie. Snel. Vor-bij. Voor-bij. Voor of vor? 'Ggggggg,' probeerde ze met haar ogen dicht. Het was alsof ze snurkte. De taal klonk haar ingewikkeld in de oren. Toen ze op het station in Granada een bus met Utrecht, Nederland, als bestemming zag staan, had ze geen moment getwijfeld. Nu twijfelde ze toch of ze in Parijs moest uitstappen. Opnieuw een Romaans land. Binnen een maand zou ze Frans spreken. Daar twijfelde ze niet aan. De basis had ze geleerd op school, haar vocabulaire zou ze rap vullen dankzij haar kennis van het Roemeens, Italiaans en Spaans. Maar Florica had haar zinnen gezet op Nederland.

Ze zou de hint niet nogmaals negeren. Ze sprak de taal niet en met *Arschloch und so weiter* kwam ze niet ver. En dat was een goed teken. Ze wilde niemand meer spreken. Van praten kwam niets goeds.

Ze had ook naar Milaan gekund, maar ze stapte resoluut op de bus naar Utrecht af, die briesend in de warmte afwachtte tot alle plaatsen bezet waren. Volg de Nederlanders, dacht ze bij zichzelf, dat brengt geluk. Zo had ze immers Remus ook gevonden. De buschauffeur trok met dichtgeknepen ogen de sigaret tussen zijn lippen vandaan toen ze op hem afliep. Hij blies de rook door zijn neus uit, terwijl hij naar haar ticket vroeg.

'Ik heb geen kaartje,' antwoordde Florica. Ze balanceerde op een been en zette de rugtas op haar knie. De man hield haar geïnteresseerd in de gaten. Ze graaide de flacon naar boven, haalde de dop eraf en pulkte met haar vinger een paar bankbiljetten van de rol. 'Ik wil graag een ticket kopen.'

'Dat kan niet,' antwoordde de man. 'Niet bij mij.' Met zijn hoofd knikte hij naar een hok aan de rand van het station. Achter het glas peuterde een dikke mevrouw in haar neus. 'Daar wel, maar daar ben je sowieso te laat mee. Je moet reserveren hè? Bovendien ben ik Barcelona voorbij gereden tegen de tijd dat jij een ticket hebt gekocht.'

Florica keek naar het naamkaartje dat op de kobaltblauwe revers van de busmaatschappij was gegespt.

'Liviu Lupescu,' las ze voor. 'Ik wil graag bij jou een ticket kopen.'

'Dat ben ik,' grijnsde hij breed. 'Toch verkoop ik je geen ticket.'

Ze lachte terug. Ze was vastbesloten om hier weg te komen, weg bij Gabi. Voor haar vlucht uit Granada wilde Florica best even lachen. '*De ce nu*, Liviu?' vroeg ze hem in het Roemeens. 'Waarom niet, Liviu?'

'Mijn hemel,' sprak hij verbaasd, 'jij bent ook Roemeens?'

'*Da*,' antwoordde Florica. Onder andere, dacht ze erachteraan. Als de gelegenheid zich voordoet. Meestal ben ik niets.

Hij nam een hijs van zijn sigaret en dacht diep na. Er verschenen diepe kloven op zijn voorhoofd, terwijl hij heen en weer wiegde.

'En nog steeds kan ik je niet meenemen.' Hij zuchtte de witgrijze rook uit zijn longen. 'Ik mag het niet.' Hij gooide het gesprek over een andere boeg: 'Wat doe je in Spanje?'

'Een busticket naar Nederland zoeken,' antwoordde Florica, omdat ze niet van het onderwerp wilde afwijken.

'Je maakt het me wel moeilijk, of niet?'

'Ik ben nog maar net begonnen,' zei ze onvriendelijker dan ze beoogde.

'Weet je wat,' begon Liviu en hij boog zich naar haar toe, maar hij moest net zo snel weer zijn rug rechten, omdat zijn collega hen stoorde.

'We moeten zo weg,' zei de tweede buschauffeur. 'Is iedereen binnen?'

'Geen idee,' antwoordde Liviu. 'Tel jij de koppen even?'

'Alweer?' Hij schudde zijn hoofd. 'Jij bent vandaag aan de beurt.'

'Er is toch nog wel tijd voor een sigaret?' vroeg Florica aan de Spaanse chauffeur. Hij knikte.

'Op mooie vrouwen wachten we altijd. Daar staan we om bekend.' Hij porde Liviu in zijn zij. 'Toch?'

'Dan mag ik vast wel een sigaret van je lenen,' zei ze tegen Liviu. Ze knipoogde schalks.

'Neem er een van mij,' zei de Spanjaard, terwijl hij lomp in zijn broekzak graaide, maar Liviu was hem voor.

'Ik ben voorzien,' lachte Florica, terwijl ze met Liviu's sigarettenpakje rammelde. Teleurgesteld stopte de Spanjaard zijn portemonnee, sleutels en sigaretten weer terug, terwijl Florica een sigaret uit het sigarettenpakje wipte en onmerkbaar wat papiergeld terugstopte. Vlugge vingers: een erfenis van het communisme. Ze had de ruimte en tijd niet om te tellen hoeveel geld het was, maar ze zag in ieder geval twee oranjegouden eurobiljetten en hoopte dat het voldoende was. Het was minder dan een echt ticket zou kosten, vreesde ze, maar het was allemaal voor Liviu. 'Maar ik heb nog geen vuur,' zei ze en ze keek naar de Spanjaard.

'Die is voor mijn rekening,' zei de Spanjaard en hij graaide direct een aansteker uit de borstzak van zijn blouse.

'Dat hoopte ik al,' glimlachte Florica en ze stopte Liviu het pakje sigaretten toe met een veelzeggende blik. Traag stopte ze de sigaret tussen haar lippen. Ze hield haar mond een beetje open en keek de Spanjaard teder aan, terwijl zijn vuur van de sigaret proefde. Heel kort wisselden haar ogen van chauffeur en ze zag hoe Liviu het geld vingervlug uit het pakje sloeg en in zijn broekzak stopte. Hij schudde beschaamd zijn hoofd. Florica inhaleerde de eerste haal en bad dat ze niet hoefde te hoesten. Het was haar eerste sigaret sinds, sinds wanneer eigenlijk? Misschien wel sinds haar kindertijd, toen ze haar leeftijdsgenoten om haar huis allemaal zag roken en ze terstond besloot dat zij anders wilde zijn dan zij. Het duizelde in haar hoofd, maar ze blies de rook volleerd uit.

'Heerlijk,' kermde ze met een zuinige lach.

'We vertrekken zodra uw sigaret op is,' zei de Spanjaard en hij beklom de bustrap. Florica zag hoe hij door het gangpad liep. Ze keek naar de gezichten achter de ramen. Sommigen zagen er moe uit, andere voldaan, bedrukt of vrolijk. Ze durfde niet naar Liviu te kijken, dus keek ze naar een moeder die gekke bekken trok naar haar baby.

'Zal ik je tas in de bagageruimte neerzetten?' vroeg Liviu en hij stak behulpzaam zijn hand uit. Zijn dikke vingers gingen heen en weer.

In een opwelling pakte Florica zijn hand, draaide deze om en kuste zijn handpalm.

'Ik houd mijn tas bij me,' zei ze zacht. 'Toch bedankt.'

De letters op de borden boven de snelweg waren veranderd. In Spanje waren de letters kalm, maar in Frankrijk schreeuwden ze. Misschien om de zachtheid van de Franse taal te overstemmen, dacht Florica, en toen wist ze zeker dat ze niet in Parijs zou uitstappen.

Zwijgend reconstrueerde ze de route die ze had afgelegd: in Brașov vond ik de liefde die mij naar Florence bracht, waar ik zowel het absolute geluk als de rampspoed trof. Ik vluchtte naar Granada, met het ongeluk in mijn schoot. Ze keek naar buiten en besefte dat de vlucht voortging. Veel zigeuners zijn opgehouden met reizen, dacht ze, maar ik ben er weer mee begonnen.

De bus raasde langs de afslag naar Le Boulou. Ze steunde met haar hoofd tegen het warme raam. Af en toe sloot ze haar ogen om ze daarna weer te openen. Het lukte haar niet om in slaap te vallen, dus keek ze liever naar buiten. Florica telde de sporadische Franse villa's in de verte.

'Als ik later groot ben, word ik rijk,' had Gabi haar meerdere malen bezworen toen hij nog klein was. 'Dan koop ik een huis en een auto en een zwembad en een motor en een fiets en een spelcomputer met heel veel spellen en een koets en een hond en een keuken en een boekenkast en ik haal papa terug en ik koop al het speelgoed van de wereld en ik ga bij Granada CF en het Spaanse elftal voetballen.'

'Als je maar gelukkig wordt,' had Florica geantwoord. Ze hoopte dat ze minder triest keek dan ze zich voelde. Ook zij had wensen als kind: elke dag eten, naar school gaan totdat ze was uitgeleerd en daarna een goede baan vinden en een normaal gezin stichten in een appartementenblok in Boekarest. Het waren de communistische kinderdromen versus de kapitalistische equivalenten.

Florica schudde haar hoofd. Ze wilde niet aan Gabi denken. Hij vindt zichzelf oud, dacht ze, hij weet alles beter, hij luistert toch niet naar me en hij is vertrokken. Ze perste haar ogen dicht en smeekte dat de slaap haar kwam halen, maar ze wist wel beter. De slaap strafte haar en ze besefte dat het terecht was.

Ze dacht terug aan de waarzegster die iets hoger in de berg woonde. Het was een wonder dat de kromgetrokken vrouw elke dag de afdaling en de klim overleefde en Florica zag daarin een spirituele kracht. Ze had haar gevraagd waarom Remus haar moest verlaten – welke god-vergeten imbeciel had dat bedacht? Het medium had schraal gelachen en wreef haar duim over haar wijsvinger. Florica had haar een paar muntjes gegeven. De tandenloze mond van het medium vouwde zich samen en ze verzekerde Florica dat Remus geen moment van haar zijde was geweken. Florica glunderde en ze dacht vaak terug aan de woorden van het medium. Ze geloofde dat ze waar waren. Ze moest wel.

Misschien haat hij mij, dacht ze de laatste tijd steeds vaker. Waar-schijnlijk haat hij mij nu helemaal. Ze wist het bijna zeker: hij ziet mij, maar vol afschuw. De waarzegster zag hem achter Florica staan, pre-cies op het moment dat ze haar hand vastgreep om haar gesnik te smo-ren in lieve woorden. Zijn geest schreef iets in een notitieboekje, zei het medium, en liet de beschreven bladzijde aan haar zien.

'Ik houd van je,' las ze voor. Florica rilde. 'En ik wacht op je.' Remus ging weer in de schaduw staan, waar hij over Florica waakte. De lezing kostte bijna niets, maar was bijna het enige en sowieso het kostbaarste bezit dat ze had.

Toen ging het slecht met mij, dacht ze, maar beter dan nu.

De afwezige slaap dwong haar om verder af te dalen in haar herinne-ringen. Ze herinnerde zich de vraag die ze daarna aan de vrouw had gesteld: of Gabino de zoon van Remus was of..., maar daar kreeg ze geen antwoord op. Niet voor dat geld in ieder geval en het medium schokte zo hevig van het lachen dat Florica vreesde dat het haar laatste lach was. Ze stond op en beende weg.

'Denk aan de belofte aan je grootvader,' schreeuwde het vrouwtje Florica na. 'En aan zijn wijze lessen.'

De bus reed een parkeerplaats op. De Nederlandse kinderen die niet aan het spelen waren met hun mobiele telefoons of draagbare spelcomputers renden door de bus en smeekten hun ouders of ze iets lekkers mochten kopen in het wegrestaurant.

'We stoppen hier,' begon Liviu, 'om desgewenst wat te eten, en drin-ken in te slaan. We vertrekken over exact een uur en dan rijdt mijn col-lega jullie de nacht door.' De busdeuren gingen open met een sis. '*Mer-ci, gracias, thank you, danke schön, grazie, mulţumesc* en dankjewel.'

Met haar voeten schoof Florica haar rugtas onder haar stoel vandaan, pakte deze bij het hengsel en volgde de stoet zingende Nederlanders de benauwde avondlucht in. Een Spaans gezinnetje sloot de rij.

'Mag ik de deur voor je openen?' vroeg Liviu, met de deurklink van het wegrestaurant reeds in zijn hand. Hij ademde zwaar. 'Wat zit er in je rugtas dat je hem overal mee naartoe neemt?'

'Mijn leven,' antwoordde Florica naar waarheid.

'En je vertrouwt de inhoud niet toe aan de bus? Dan hoef je er niet zo mee te zeulen.'

'Ik heb gehoord dat een corrupte buschauffeur ons rijdt.'

Liviu schoot in de lach.

'Ja, ik moet mijn collega onophoudelijk in de gaten houden.' De geur van friet verwelkomde hen in het wegrestaurant. 'Mag ik je aan mijn tafeltje uitnodigen?' vroeg hij, terwijl hij een dienblad voor Florica en zichzelf pakte. 'Ik betaal je eten.'

Van mijn geld, dacht Florica, en ze glimlachte. Het leek haar verstandiger om zijn aanbod niet te weigeren. Ze zat weliswaar in de bus, maar ze had nog steeds geen vervoersbewijs en kon elk moment aan de kant van de weg gezet worden.

'Wat doe je zoal in het dagelijks leven?' vroeg Liviu toen hij op de houten bank stortte en het dienblad met twee borden patat en een schotel spareribs op tafel zette. De dagaanbieding.

Florica dacht diep na, terwijl ze de dop van een minuscule rode wijnfles draaide. Ze wilde dansen zeggen, maar ze zei: 'Reizen.' Ze schonk een mok vol met wijn.

'Ik ook,' zei Liviu. Florica zag hoe hij stukken vlees afscheurde en deze zonder te kauwen doorslikte. 'Al mijn hele carrière.'

'Fascinerend,' zei Florica. Haar stem resoneerde in de mok. Voor een wijnland smaakt de wijn wel erg chemisch, dacht ze, maar voor een dorstige zigeunerin voldoet het uitstekend.

'Ik ben eigenlijk een ingenieur,' zei hij, 'zoals alle Roemenen, hè'. Zijn tanden waren roodgekleurd door de saus. 'Maar ik belandde vrij snel in een vrachtwagen. Dat deed ik niet slecht, volgens mij, want ik mocht zelfs voor 1989 goederen vervoeren buiten Roemenië.'

Florica wilde net een hap van haar stokbrood nemen, gevolgd door een lepel uiensoep, maar legde alles kalm neer.

'En je bent nooit weggebleven?'

'Zeker niet.' Hij hield een sparerib dreigend voor Florica's neus. 'De Securitate vond de vluchtelingen altijd en overal. Het kon ze niets schelen of je inmiddels een Zwitserse staatsburger was. Een Zwitser met een Roemeense achternaam bleef een Roemeen. Een verraderlijke Roemeen bovendien, die zijn hoofd niet verdiende.' Liviu sneed de lucht voor zijn keel door met de sparerib. 'Zo hielden ze ons in ieder geval voor.' Hij haalde zijn schouders op. 'Ik had het niet slecht. Dat kwam pas na 1989. Ik bleef rijden totdat ik een paar jaar terug werd weggesaneerd. De helft van het bedrijf werd gekocht door een Franse investeerder, de rest werd gedumpt. Mijn laatste rit ging naar Spanje. Ik vervoerde een container vol kleding en leverde deze af nabij Madrid. Het was winter, weet ik nog, en ik dacht: het is hier helemaal niet zo koud als in Roemenië. Ik ben de vrachtwagen uitgestapt, liep naar het busstation en liet me naar de hoofdstad rijden door een uiterst vriendelijke chauffeur, die mij zelfs het telefoonnummer van zijn baas gaf. Van het een kwam het ander,' zei hij en hij rolde zijn handen om elkaar heen, 'en nu zit ik hier. Zo is het leven hè?' Hij dacht even na en bulderde toen van het lachen.

'Wat is er?' vroeg Florica.

'Niets,' zei hij en hij haalde zijn schouders op. 'Ik dacht bij mezelf dat ik net een zigeuner lijk door al dat reizen. Maar dan wel een knappe.' Hij lachte nog harder.

'Je bent een typische Roemeen,' zei Florica, met verhulde schamperheid, en dat stemde Liviu zichtbaar vrolijk.

'Dat blijf ik,' bevestigde hij, terwijl hij zichzelf op zijn vette borst sloeg. Ze aten zwijgend verder – het schransen werd sporadisch doorbroken door een vraag van de buschauffeur. Liviu had zijn twee borden patat en de schotel spareribs eerder op dan Florica haar soep en stokbrood. 'Sigaretje doen?' vroeg hij, met zijn mond vol ketchup en friet. Als Florica goed keek, kon ze het vlees nog tussen zijn tanden zien zitten.

'Ik rook niet,' antwoordde Florica zonder na te denken. Ze werd rood toen Liviu zijn borstelige wenkbrauw optrok. 'Niet 's avonds na het eten. Anders slaap ik slecht.'

'Dat heb ik wel eens eerder gehoord,' zei Liviu. 'Ik heb het juist nodig voor mijn spijsvertering.' Hij sloeg zichzelf op zijn buik. 'Ik heb namelijk een trage stofwisseling, zoals je ziet.' De tafel ging heen en weer toen hij opstond. 'Ik vond het leuk om met je te eten,' zei hij.

En ze vond het prettig dat hij wegging, dacht Florica.

'Ik ook,' zei ze met een zuinig lachje. Ze zag hoe hij naar buiten waggelde, content zijn collega op zijn rug tikte en een sigaret opstak. Hoofdschuddend nam ze een laatste hap van het brood, slurpte wat soep naar binnen en liet de rest staan. Remus had de man gemogen, besefte ze, maar door zijn heimwee hield hij van alle Roemenen.

Ze had haar eetlust verloren. De wijn beviel beter, ondanks het geringe formaat van het flesje. Ze twijfelde of ze er nog een moest kopen, maar dat zou haar geld kosten. Ze vreesde dat ze haar weinige geld hard nodig had in Nederland, een duur en verwaand land, volgens Liviu, die er vaak was.

De bus liet zich langzaam omhullen door de nacht. Voorin ging Liviu voor in een snurkgebed, dat werd overgenomen door de meeste mannen in de bus. De vrouwen sliepen geruisloos en luchtig met de dromerige hoofden van hun kinderen rustend tegen hun lichaam. Een enkeling las een boek in een zuinig spotlicht. De Spaanse chauffeur stuurde zijn bus langs Clermont-Ferrand, Bourges, Orléans en rondde Parijs op weg naar het noorden van Europa. Florica staarde naar buiten, op zoek naar de Eiffeltoren, maar ze zag alleen mistroostige donkerte en hoogbouw van buitenwijken die niet zouden misstaan in een willekeurige maquettestad van een communistische architect. Ze zag niets van het Parijs waar Remus soms over sprak en dat hij schetste aan de hand van de literatuur. Hoge, lelijke blokken in de nacht. Als het Boekarest van voor de Tweede Wereldoorlog het Parijs van het Oosten was, dacht Florica, dan is Parijs verworden tot het Boekarest van het Westen.

Ze deed haar ogen dicht en probeerde te slapen. Dit is maar een buitenwijk, overtuigde een stem haar in haar hoofd, het echte Parijs ligt in het hart van de stad. En zonder Remus heb ik daar niets te zoeken, antwoordde ze de stem.

De slaap zou haar niet halen, begreep ze, omdat ze of aan Gabi dacht of aan Remus, of aan alletwee tegelijk. Na alles wat er gebeurd is, dacht ze om de paar minuten, moet Gabi wel de zoon zijn van een van mijn misbruikers. Een zoon van Remus doet zoiets niet. Maar een kind van mij wel, vermoedde ze, terwijl ze aan haar oom dacht. Ze sabbelde op een pluk haar en bevocht de aandrang om de Koningin uit haar tas te halen. Een oneerlijk gevecht, wist ze, dus capituleerde ze en nam haar tas mee naar het toilet, dat bij de middelste deur was geplaatst. Florica paste er maar net in. Ze klapte de wc-klep dicht en ging erop zitten. Haar handen lieten zich niet makkelijk controleren. Trillend haalde ze de laatste boon uit het houten kistje en legde de spuit, schoenveter, lepel, aansteker, een watje en het flesje azijn op haar samengetrokken schoot. Ze hoefde geen moeite te doen om haar ader te vinden: deze was al opgezwollen door het constant samenballen van haar vuist tijdens de reis. Door haar gepieker drong de naald soepel haar huid binnen. Ze controleerde niet eens of ze goed zat: met haar duim liet ze de Koningin los. Haastig wierp ze alles in haar tas en struinde terug naar haar plek, waar ze zich afgepeigerd liet vallen.

De passagiers waren nagenoeg stil. Florica liet zich omstrengelen door de warmte van de Koningin. Ze dommelde in zonder rust te vinden. Als ze met haar ogen knipperde, was de bus een paar afslagen verder. Ineens zat Liviu weer achter het stuur en rondde hij Brussel. Een paar seconden later lag Antwerpen achter hen en wekten de kinderen de rest van de passagiers door juichend en zingend de Nederlandse grens te begroeten. De baby schreeuwde om eten. Onder 'we zijn er bijna' gleed Florica eindelijk in een onrustige slaap.

Niet dat de slaap vergevingsgezind was, wist ze toen ze bij Gorinchem weer wakker schoot. Ze had gedroomd over een vijfjarige Gabi die huilend om zijn moeder riep. Florica stond erbij en keek ernaar. Gabi rende naar buiten en schreeuwde alsof hij gemarteld werd. De buurvrouw kwam uit haar grot gesprongen en Gabi was direct stil.

'Mama,' stamelde hij. Hij veegde resoluut zijn tranen weg. De buurvrouw lachte breed, ging in het zand liggen en ontblootte haar beide borsten. Gabi sprong bovenop haar en wist van gekkigheid niet welke tepel hij eerst in zijn mond moest nemen.

'Hoe spreek je dat uit?' vroeg Florica in het Engels aan de mevrouw die aan de andere kant van het gangpad zat.

'Wat?'

Florica wees naar het blauwe afslagbord. De borden waren zachter dan de Franse tegenhangers, maar tegelijkertijd kwamen ze kil en belerend op haar over. 'Korinkem?'

'Gorinchem,' lachte de vrouw. 'Met een ggg. Maar zeg maar Gorkum.'

'Gorinchem,' herhaalde Florica. 'Gorkum.' Ze drukte de zijkant van haar hoofd weer tegen het raam en proefde binnensmonds onophoudelijk van het woord.

'Utrecht,' zei ze tegen dezelfde vrouw, toen ze Utrecht binnenreden. 'Met een ggg.' De vrouw complimenteerde Florica hartelijk.

'Utrecht,' herhaalde ze.

Utrecht zag er nat uit. Florica hield de rugtas boven haar hoofd, rende van de bus af en snelde een fastfoodzaak binnen om te schuilen voor de regen. De vette hapjes zaten achter glazen kluisjes in een muur. Liviu zwaaide vanuit de bus. Florica wuifde terug en plofte op een krukje neer om warm te worden. De regen spoelde chipszakjes en frisdrankblikjes weg. Het getik klonk als een vredig welkomstlied. De andere passagiers haalden paniekerig de bagagebakken van de bus leeg, terwijl ze het Nederlandse weer leken te vervloeken. De stad ziet er mooi uit als ze nat is, dacht Florica, en des te benieuwder was ze hoe Utrecht eruit zou zien met de zon erboven.

8

'Het is koud, hè, arme meid.' De bejaarde dame boog zich naar Florica toe. Haar woorden roken naar oude vrouw. 'Waarom ga je niet binnen staan?'

'Dat mag ik niet,' antwoordde Florica. De kou deerde haar niet.

'Het is een schande dat je de winkel niet in mag,' verzuchtte de dame. 'Ik haal wel iets voor je.' Ze duwde de winkelwagen door de automatische schuifdeuren van de supermarkt en verdween.

Florica haalde haar schouders op en streek de kreukels uit de kranten die ze in haar handen droeg. Zachtjes bezong ze de zigeunerin die haar man verliet voor een gadjo en na jaren terugging naar haar eerste man, omdat hij berouw had getoond. Het lied werd van zijn souplesse beroofd, doordat Florica de voorbijgangers allemaal even nederig groette. 'Goedemorgen, goedemiddag, goedendag, tot ziens, fijne dag nog.' Ze vroeg hen niet om een krant te kopen; dat ze deze vasthield sprak voor zich. Vond ze.

Voor de kranten verkocht ze vergeet-mij-nietjes, boterbloemen en madeliefjes die ze plukte en in een kartonnen doos deed om te verhandelen voor een euro per stuk. Of vijftig cent, of elk ander muntstuk dat ze ervoor kon krijgen.

Toen dat niet werkte, zong ze voor een kleine bijdrage, zoals ze op een stuk karton had geschreven. Alleen sloegen de liederen niet aan. Wellicht had ze vrolijkere liedjes moeten zingen, maar dat weigerde ze. Ze had niets om vrolijk over te zijn. Dansen had ze slechts kort geprobeerd, maar ook dat wilde ze niet meer, omdat ze merkte dat de tijd haar spieren en gewrichten had ontdaan van hun souplesse.

Dus verkocht ze het nieuws. Een meneer had haar getipt kranten te verkopen, in plaats van het bedelen waarmee ze pas was begonnen. Daar hielden de Nederlanders namelijk helemaal niet van. Zijzelf ook niet, maar ze was gestopt met walgen van zichzelf. Toch had ze zich ingebeeld wat de ambitieuze en stellige Florica uit haar jeugd van haar zou vinden en direct zorgde ze ervoor dat ze elke dag een stapel kranten kon verkopen.

Niet dat ze er veel verkocht. Ze moest het nieuws aanprijzen en de voorbijgangers de krantenkoppen toeschreeuwen, maar daar had ze geen zin in. De kleurrijke jurken die ze uit Spanje had meegenomen vervaagden door de jaren heen. Ze waren tegelijk met Florica grijs geworden.

Ambities had ze al een poos niet meer. In Spanje was ze bezig met overleven, realiseerde ze zich, maar zelfs daar was ze mee gestopt. Hier zat ze het leven uit. Bovendien merkte ze dat de Nederlanders meer neertelden voor een luisterend oor dan voor een bloem, een lied of een krant.

'Alsjeblieft meid,' zei de teruggekeerde vrouw. Ze lachte Florica toe met een dampende kartonnen beker in haar handen. 'Drink maar lekker op. Daar word je warm van.' In haar winkelwagen lagen drie gevulde boodschappentassen. Stuk voor stuk puilden ze uit. 'Ik heb gevraagd of je binnen mag staan, maar dat willen ze inderdaad niet hebben.' De dame haalde haar opgevulde schouders op. 'Dus ik hoopte je blij te maken met een bakkie koffie.'

'Koffie?' vroeg Florica en ze pakte de beker gretig aan. Ze omhelsde de warmte met beide handen. Vleierig vervolgde ze: 'Wat vriendelijk van u.' Maar zonder koekje, dacht ze er ondankbaar achteraan, omdat ze wist dat de Nederlander niet zonder een zandkoekje of een krakeling – eentje maar! – bij de koffie kon.

Sinds haar aankomst in Utrecht had ze snel doorgehad dat Nederlanders bijzonder vriendelijk waren, zolang het hen geen moeite of tijd kostte. Want: druk, druk, druk.

'"Alle kleine beetjes helpen," zei mijn man altijd.'

'Dat ben ik met hem eens.' Florica maakte een hand los van de warme koffie, in de hoop dat de vrouw deze zou vullen.

'Nou, fijne dag nog hè,' sprak de vrouw en ze liep vlug verder, leunend op haar winkelwagen.

'U bedankt voor het koffietje,' riep Florica haar na. De meeste zelfstandige naamwoorden verkleinde ze, omdat ze op die manier altijd 'het' ervoor kon zeggen. Hoewel ze talig was, kreeg ze de Nederlandse lidwoorden moeizaam onder de knie. Het was een moeilijke taal. Voornamelijk omdat het Nederlands, in tegenstelling tot het Italiaans en het Roemeens, gespeend was van alle logica. Het boompje, het winkelwagentje, het tv'tje, het pennetje, het mascaraatje, het taaltje, het muntje en het koffietje.

Langzaam vouwde Florica haar hand weer om de koffie. De flikkerende lichten boven haar hoofd probeerden haar op te vrolijken. Achter haar hing een groene krans met daarin rode bessen van plastic.

Ze neuriede een lied dat zij kende als *o brad frumos* en dat een blond meisje meezong toen ze even voor haar stilstond.

'O dennenboom,' kweelde ze statig, met haar kleine handjes achter haar rug. Een jongere zus haakte in en de oudste schudde chagrijnig haar hoofd. Florica nam het o dennenboom-gedeelte over en humde de rest mee. Zo completeerden ze het lied.

'Als ik geld zou hebben, zou ik het aan jullie hebben gegeven,' zei Florica vertederd. Ze wist niet dat ze nog geraakt kon worden door haar medemens. Niet in positieve zin in ieder geval.

'Wat zijn de dames aan het doen?' De jongste knuffelde de man die de vraag stelde bij zijn rode broekspijp. De middelste pakte zijn hand vast.

'Ze zijn stom aan het doen, papa,' zei de oudste.

'We hebben *O dennenboom* gezongen met die mevrouw,' zeiden de twee die aan zijn rode broek hingen in koor.

Nu pas viel Florica hem op. Haar maag draaide om. Daar is hij weer, dacht ze. De man schraapte zijn keel.

'Is dat zo?' Het was geen vraag. Hij controleerde nonchalant of zijn shawl goed zat. Met zijn hand streek hij zijn haar naar achteren en pakte zijn zonnebril van zijn neus en hing deze aan zijn overhemd, onder de shawl. Er verscheen een kuiltje in zijn wang toen hij lachte. 'Dat vind ik echt om te krijsen.' Hij graaide in de binnenzak van zijn lange jas en stopte een bankbiljet in Florica's kontzak. Florica had geen idee hoeveel geld het was en ze vermoedde dat de man het evenmin wist. Sprakeloos hield Florica een krant voor zijn neus.

'Wij lezen geen kranten meer,' sprak de oudste wijs.

'Dat is zo,' zei de man, terwijl hij zijn dochter over haar bol aaide zonder zijn blauwe ogen van Florica af te houden. 'Nou,' begon hij, 'wij gaan boodschapjes doen'.

Een breed palet aan mensen passeerde Florica. De een knikte naar haar, de ander zei een statig 'goedendag' en sommigen bleven bij haar hangen om te vragen hoe het vandaag met haar ging.

'Goed,' antwoordde ze altijd, maar haar mondhoeken liet ze vieren.

Meer hoefde ze ook niet te zeggen. Geen van de partijen zat daarop te wachten. De meesten namen immers zelf het woord.

'Mijn kat is overleden, hemeltjelief wat is het koud zeg, mijn man heeft een nieuwe plaat opgenomen, ik ben op de fiets omdat we vandaag een verse Aston Martin krijgen,' of: 'Heb je het al gehoord van die...?'

'Hoe is het met je?' vroeg een vrouw in de veertig aan Florica. De tranen stonden in haar ogen. Florica wist direct welke wending het gesprek zou nemen en ze knikte alleen dat het ging. 'Mijn man is een schoft,' foeterde de vrouw binnensmonds, 'mijn man.'

'O?' Het duurt ook niet lang voordat we ter zake komen, dacht Florica, terwijl de vrouw uitweidde over de zogenaamde overuren die haar man maakte.

'Ik heb haar opgezocht via Google. Ze is nog maar tweeëntwintig! Hij had haar vader kunnen zijn,' verzuchtte ze.

'Wat erg voor u,' zei Florica meelijwekkend. Tweeëntwintig en ontzettend knap, dacht ze erachteraan. Haar man was eens de supermarkt in- en uitgerend om twee flessen wijn te kopen. In zijn auto zat een jonge meid te wachten. Ze giechelde toen hij de flessen in haar handen drukte en de auto in zijn achteruit zette.

De vrouw depte haar ogen voordat haar make-up kon uitlopen. De parels rinkelden om haar nek, terwijl ze voorzichtig met haar hand op haar borst tikte om zichzelf te kalmeren.

'Ik zal hem helemaal kaalplukken,' beloofde ze Florica, terwijl ze haar leren geldetui open ritste en wat geld in de beker in Florica's handen gooide. Het koude laagje koffie spatte op. 'Dit is namens mijn man.'

'Prettige dagen,' antwoordde ze op de automatische piloot. Het was te laat om de ongepaste woorden in te slikken.

'Insgelijks,' reageerde de vrouw gesmoord. Ze beende weg op haar hoge hakken en stootte haar winkelwagen met een ferme duw in een andere.

Inmiddels stond Florica al zo lang voor de supermarkt, dat ze de eeuwig dreunende cadans van winkelwagenwielen over de hobbelige straattegels ook hoorde als ze niet aan het werk was. Het gebeurde vaak dat ze door het rollende gekletter niet in slaap kon komen. Soms werd het geluid aangevuld met jengelende kinderen die zichzelf overstuur huilden, omdat ze een chocolade-ei of een ijsje wilden, maar niet kregen.

Maar die jonge meisjes raken mij, dacht ze, terwijl de drie zusjes weer aan kwamen gehuppeld. Ik ben toch niet van steen. Ze glimlachte. Florica kreeg van alle drie een muntje. Hun vader kwam erachteraan met een volgeladen boodschappenkar.

'Wij hebben een doos bonbons gekocht,' verklapte de middelste.

'Voor onze mama,' vulde de jongste haar zus aan. De oudste zuchtte.

'Laten we die mevrouw niet lastigvallen met onze boodschapjes,' zei de vader vlug. Hij veegde weer een pluk haar uit zijn ogen. 'Is dat de kerstman?' vroeg hij aan zijn kroost, terwijl hij opzichtig naar de grijs-witte lucht staarde. Zijn dochters volgden direct zijn blik. Snel pakte hij een pak yoghurt uit de winkelwagen en smeet deze in de prullenbak achter Florica. Ze trok een wenkbrauw op en vroeg zich af wat daarachter zat.

'Dat is gewoon een vliegtuig,' jammerde zijn jongste dochter.

'Ik moet binnenkort toch eens een afspraak maken met de opticien.' Zijn knipoog naar Florica kon niet vetter. 'Zullen we gaan dames? Ik moet jullie nog bij jullie vriendinnetjes afzetten.' Hij plukte zijn zonnebril onder zijn shawl vandaan en zette deze weer op zijn neus. Met haar ogen volgde Florica het viertal naar een glimmende sportwagen. De man hevelde de boodschappen over in de achterbak, terwijl de oudste dochter de bijrijderstoel naar voren klapte om haar zusjes in de auto te laten. Toen de twee zaten, zette ze de stoel weer op zijn plek en ging voorin zitten. Ze klikte meteen haar gordel vast en leek haar zusjes te vragen haar voorbeeld te volgen. Hun vader controleerde slechts of iedereen zat en startte de auto. Hij hief zijn wijsvinger nog eens op naar Florica en scheurde de parkeerplaats af.

'Hallo,' schreeuwde iemand in Florica's oor, 'mevrouw? Heb ik contact?' Ze keek de dame wazig aan. Ze zag er niet zo oud uit als ze klonk, maar sinds Florica in deze streek midden in Nederland was aangekomen, ging het inschatten van leeftijden haar niet zo goed meer af. Zowel mannen als vrouwen deden hun best om jonger te lijken. En dat was nog niet zo erg, vond Florica, maar ze gedroegen zich ook alsof de puberteit een tweede ronde inlaste. Soms miste ze de Roemeense, Italiaanse en Spaanse vrouwen die op een dag wakker werden en besloten om heel veel te eten, bloemetjesjurken te dragen en op bankjes voorbijgangers in zich opnamen.

'Wilt u mij naar mijn auto helpen?' Zonder het antwoord af te wachten, porde de vrouw met de kar tegen Florica's knieën en ging haar voor naar een terreinwagen die totaal niet rijmde bij de traagheid van de dame. Ze klikte de achterbak open en de geur van honden ontsnapte uit de auto. Florica tilde met een kreun de zware tas uit de kar. 'Helemaal goed,' zei de dame euforisch. 'Zet de winkelwagen maar terug. Het geld mag je houden.'

'Bedankt mevrouw,' zei Florica poeslief. 'En prettige dagen.'

Traag liep ze naar de rij winkelwagens. Ze koppelde de kar vast aan zijn voorganger en wrikte de munt uit de opspringende gleuf. Ze vloekte, onverstaanbaar voor de passanten. Met grote inspanning smeet ze de munt met daarop het logo van de supermarkt door de lucht. 'Godverdomme.' De harde Nederlandse 'g' beheerste ze inmiddels.

Hier kan ik niets van kopen, dacht ze geïrriteerd. Ze hield zich in, om niet de kleinkinderen van het demente vrouwmens te vervloeken. Nu pas viste ze het biljet uit haar kontzak om te kijken hoeveel het was.

Vijftig euro, zag ze, en er ontsnapte lucht uit haar getuite lippen. Ze kon het geld goed gebruiken. Zeker nu. Ze werd verordonneerd om het appartement waar ze zat – het hok, zoals ze het zelf noemde – te verlaten. De flatwoning had een getralied balkon waar de verf afbladderde en het groen uitgeslagen beton vloekte bij de knalgele voordeuren. Florica had nummer 115 toegewezen gekregen. Het was niet veel groter dan de grot in Granada, maar het was genoeg. Aan de ene kant woonde een Turks gezin en aan de andere een Marokkaans stel.

'De zigeuners van Nederland,' had de Turkse man verzucht toen ze een praatje maakten, terwijl zijn vrouw een schaal met *dolma*-rolletjes aan Florica gaf. 'Wij hebben het eten over,' legde de man uit.

'En de buurvrouw vindt het vast wel lekker, zei ik tegen mijn man,' vulde de Turkse hem aan. 'Dus hier staan we.'

'*Sarmale*,' herkende Florica de druivenbladeren. Ze vroeg zich af wat de Turken erin stopten. Geen varken, wist ze inmiddels.

'Dolma,' verbeterde het tweetal.

Met de Turken kon Florica het prima vinden – ze had de grootmoeder van Remus wat uit te leggen in het hiernamaals, realiseerde ze zich triest. De Marokkanen sprak ze niet vaak, maar ze groetten haar altijd netjes. Haar buren waren de enige vastigheid die ze had in dit land. Ik kan nergens anders heen, dacht Florica. Ze had vandaag weliswaar vijftig euro en wat kleingeld verdiend, maar dat was lang niet genoeg. Nederland was duur.

Dan was er nog de Koningin, die vaker dan haar lief was door haar hoofd spookte. Op een zeldzame terugval op de geboortedatum van Gabi na – hij zou vijftien worden –, was ze sinds haar vertrek uit Spanje clean. Niet alleen omdat heroïne duur was. Ze was gesterkt door een droom waarin Remus haar verafschuwde, haar ingevallen wangen en haar huid waar de botten bijna doorheen prikten.

'Zo ben je mijn koningin niet meer,' had hij gezegd. Het was dermate levensecht, dat ze de dagen daarna niet meer durfde te slapen. Sindsdien gebruikte ze niet meer. Geen heroïne meer, in ieder geval. Niets illegaals meer. Alleen drank en zo nu en dan hasj en wiet.

Remus kreeg ze er niet door terug. Soms twijfelde ze of ze terug moest gaan, maar terug waarheen? In Spanje wachtte haar de geest van Gabi, in Italië zou ze op elke straathoek haar verkrachters zien en in Roemenië was ze slechts een zigeunerin in de ogen van de Roemenen, en ze wilde er al helemaal niet aan denken hoe haar familie haar zou verwelkomen. Ze wilde niet naar Roemenië, al was dat dankzij doctor Arcos een reële optie geworden. Er bestond voor haar geen terug, geen thuis, en het enige wat ze haar thuis kon noemen zou binnenkort van haar worden afgepakt.

'Gezegende Kerstdagen,' zei een heer in nette plunje met een lui oog, alvorens de supermarkt te betreden.

'Krijg de pest,' antwoordde Florica binnensmonds, maar met een brede glimlach die haar woorden verhulde. Toen de man haar een kwartier later weer passeerde drukte hij wat centen in haar handen. Wisselgeld. 'Dank u wel meneer.'

Florica viste de overige munten uit de beker en veegde de koffie af aan haar jurk. Ze deed alle munten er terug in en rammelde wat, terwijl de drukte toenam. Mensen waren klaar met werken en dat was voor Florica de beste periode. Ze verkocht twee kranten en passanten vulden haar beker met kleine en grotere munten.

'Wilt u de riem van Marlon vasthouden?' Daar stond de man weer, zonder sportwagen en zonder kinderen, maar met een jonge gladde windhond. Zijn zonnebril had hij al in zijn haar gehaakt. 'Ik ben vergeten om yoghurt mee te nemen. Mijn vrouw heeft er nog specifiek om gevraagd.' Hij zette een hoge stem op: 'Als ik terug kom, hoop ik dat je alvast boodschappen hebt gedaan. En vergeet de yoghurt niet!' Hij grijnsde. 'Ik ben een trouwe echtgenoot.'

'Dat geloof ik direct,' antwoordde Florica, die begreep waar de man achteraan zat: haar.

'Niet dus?' vroeg hij verongelijkt. Hij haalde zijn schouders op. 'Voor jou wil ik wel een uitzondering maken. Er gaan geruchten dat jij een zeer,' hij pauzeerde even om de omgeving te inspecteren, 'exotisch,' nog een pauze, 'smakelijk,' een haastige verbetering: 'smaakvolle, maar bezielde bedpartner bent. Je bent heet, om het zo maar te zeggen.'

'Ik heb geen idee hoe je daarbij komt,' antwoordde Florica. Zelfs priesters hadden meer seks dan zij.

De man haalde zijn schouders op: 'Welkom in het Gooi.'

Florica had heel wat schalkse blikken doorstaan, vooral van hem, en de laatste tijd steeds vaker. Nu wist ze waarom. Ze was een roddelobject; waarschijnlijk in circulatie gebracht door de preventief jaloerse vrouwen en overgenomen door hun mannen. Ze schudde haar hoofd. Sinds Italië had ze zich afgesloten van het leven om haar heen en ze was niet van plan om daar verandering in te brengen.

'Bedankt, maar ik heb geen interesse.'

Hij sloeg op zijn borstzak waar zijn portemonnee bovenuit stak en zei met een verleidelijke, zware stem: 'Het is het waard.' Florica pakte de hondenriem aan. 'Denk erover na,' zei de man toen hij de riem in haar hand legde en kortstondig, maar vastbesloten haar handpalm streelde. 'Ik ben zo terug.'

'Nee,' fluisterde Florica zacht. Haar lip trilde. De windhond staarde haar onophoudelijk aan. Zijn spitse neus ging synchroon heen en weer met Florica's hoofd. De bellen die aan de roodwitte kerstdoek om zijn nek hingen rinkelden onophoudelijk. Ze bad dat de man nooit meer terug zou komen uit de supermarkt, vastgevroren in de koeling tussen de diepvriesspinazie en de vissticks. Telkens wanneer Florica 'nee' fluisterde, kwispelde de hond met zijn staart.

Het was niet de eerste keer dat ze was meegevraagd om een man tegen betaling te vergezellen, dus ze kon niet stellen dat ze geschokt was door het aanbod. Ze was zelfs eenmaal benaderd door een hooggeplaatste Roemeense bendeleider die wel een hoerenmadam in haar zag, een herder voor de ritsige geiten die hij Nederland binnensmokkelde vanuit Roemenië en Moldavië en liet rondhuppelen op de Wallen. Zij hoefde de hoeren alleen bij elkaar te houden en het geld te tellen, voor de rest werd gezorgd. Ze zei nee tegen alle aanbiedingen, natuurlijk zei ze nee.

Maar nu stond ze te trillen. Niet de uitnodiging choqueerde haar, maar haar serieuze twijfels over het aanbod. Ze zag de versleten tweedehandse slaapbank voor zich, met daarboven Moeder Maria, de vierkante televisie die de Turkse buurman haar had geschonken nadat hij een platte televisie voor zijn zoon had gekocht, de keukenkasten waarvan de deuren ontbraken, het gerafelde behang aan de muren, de grijze vlekken op het plafond en de brief die op de eettafel lag, waarin ze werd gesommeerd het appartement te verlaten.

De hond blafte. Een pak yoghurt werd voor Florica's neus heen en weer geschud.

'Ik heb gevonden wat ik zocht,' zei de man vrolijk. 'Je gaat dus met me mee?'

Florica vervloekte zichzelf. Waarom ben ik niet in Utrecht gebleven, dacht ze, of waarom ben ik niet naar Den Haag gegaan, zoals de buschauffeur Liviu mij aanraadde, of naar Amsterdam of Rotterdam? Ze knikte.

'Ik ga mee,' wilde ze zeggen, maar ze kreeg de woorden niet uitgesproken. Ze smoorden in haar droge keel.

'Helemaal leuk,' zei de man met een grote grijns. Florica wilde de riem teruggeven, maar hij weigerde om hem aan te pakken. 'Houd maar. Dan doen we alsof jij de hond voor me uitlaat.'

'Oké,' zei ze kortaf.

'Ik ben trouwens Reinier,' zei de man, 'maar misschien had je me al herkend'.

'Dat had ik niet,' zei Florica schor. 'Waar moet ik je van kennen?'

'Kijk je geen televisie?'

Ze liep in stilte door. Ga ik dit echt doen? dacht ze. De kersthond plaste tegen een boom aan. Er kwam stoom vanaf. Bij elke stap rammelde het geld in de koffiebeker.

'Florica?' Florica spitste haar oren en verliet haar langgerekte herinnering. Het zweet droop over haar lichaam. 'Er staat iemand voor de deur. Doe jij even open?'

Ze sloeg het boek dicht en kwakte het op de bijzettafel neer. Met een zucht werkte ze zich uit de ligstoel.

'Ik kom eraan, Emmeline.' Ze knipte met haar vingers en zei tegen het oudste kind dat op een band in het zwembad dobberde: 'Houd jij je zusjes even in de gaten voor me?'

9

De Nederlandse zomer rook anders dan de Spaanse, vond Florica, terwijl ze de balkondeuren van de *master bedroom* – zoals Emmeline hun slaapkamer noemde – opengooide. De Spaanse zomer rook naar sinaasappels en de zomer in Florence naar verse koffie, paardenpies en hangende autogassen. De zomer in Roemenië kon ze niet meer ruiken. Misschien geurde deze naar pruimen of dennen, maar dat durfde ze niet te stellen. Ze herinnerde zich alleen nog het gevoel. Als de parken volstroomden, vergat iedereen heel even de misère. Een Roemeense zomer rook naar lachende mensen, besloot ze.

Ze ging met haar knieën tegen het bed staan en fileerde de kussens. Zes stuks. Waarom een mens zoveel kussens nodig had, wist Florica niet, maar gedwee gooide ze de kussenslopen op een stapel. Emmeline wilde elke week het beddengoed gewassen hebben. Daarna pakte ze telkens twee kussens bij de punten en sloeg ze tegen elkaar op het dakterras. Stof dwarrelde door de helderblauwe lucht. De kussens legde ze op het droogrek dat ze buiten had neergezet. Ook het dekbed ontvelde ze, klopte ze uit en hing ze over de reling van het balkon.

'De telefoon gaat,' schreeuwde Emmeline van onder aan de trap. 'Neem jij even op, Florica?'

Direct staakte Florica haar bezigheden en stormde naar beneden. Ze stootte haar knie tegen de traplift, maar dat was haar eigen schuld. Normaliter nam ze de draadloze telefoon overal mee naartoe. Nu was ze dat vergeten doordat Marlon op de deurmat had gepoept.

'Het heeft niet veel zin om hem nu nog uit te laten,' zei Florica vinnig tegen de jongste en ze gaf de riem aan haar, 'maar loop toch nog maar een klein rondje. Misschien moet hij nog plassen.'

Ze hinkelde door de gang. Met de ene hand wreef ze over haar knie en met de andere pakte ze de telefoon op.

'Huize Puijk,' zei ze in gebrekkig maar verstaanbaar Nederlands, terwijl ze op de antieke klok keek, 'goedemorgen. Jawel mevrouw, die is aanwezig. Heeft u een ogenblikje?' Ze liep naar de woonkamer, waar Emmeline op de bank een vrouwenblad lag te lezen. 'Het is voor jou,' zei Florica, gevolgd door de achternaam van de beller, en ze drukte de telefoon in de opgeheven hand.

'Bedankt,' zei Emmeline en wuifde dat ze graag even alleen wilde zijn met de beller. 'Dát is lang geleden zeg. Het gaat prima hoor. Nou ja, om eerlijk te zijn gaat het niet slecht. Maar hoe is het met jou dan?'

De rest van het gesprek bleef Florica bespaard. Ze was alweer boven, trok de onderlakens van de matras af en wierp deze tezamen met de rest in de wasmand. Ze sjouwde de mand naar het washok. Telkens als ze daar was, jeukte haar neus. De wasmiddelen stegen via haar neus op naar haar hoofd. Vlug gooide ze alles in de wastrommel, stelde het juiste programma in, deed een raampje open en ontvluchtte de ruimte. Met haar rug tegen de deur rustte ze uit en nam ze de tijd om de geur met haar duim en wijsvinger uit haar neusvleugels te persen.

'Je bent zaterdag van harte welkom,' sprak Emmeline in de telefoon toen Florica de trap afliep. 'Nee hoor, dat is geen enkel probleem. Er komen genoeg mensen. Ja? Leuk. Natuurlijk mag je hem meenemen. Helemaal leuk zeg.' Ze bleef een tijd stil. Florica pakte de stofzuiger uit de bijkeuken. 'Dat is ook een goed idee meid! Nee, ik heb niets te doen. Ik lig weer eens op de bank hè? Puik plan hoor meid. Dan zie ik je vanmiddag.'

'Zal ik de telefoon op zijn plek leggen?' vroeg Florica aan haar toen het telefoongesprek was afgelopen.

'Graag,' ontving ze als antwoord. Emmeline kreeg de stofzuiger die Florica vasthield in haar vizier. 'Zou je dat straks willen doen? Ik lees nu net hoe je met je kind moet onderhandelen over het eten van spruitjes.' Ze zwaaide schuldbewust met het tijdschrift. 'En ik kan me niet concentreren met die herrie aan mijn kop.'

Florica giechelde een akkoord en ging gebladerte uit het zwembad vissen. Ze genoot van de zon op haar huid en dacht terug aan al die keren dat ze de zonnestralen had geweerd, uit ontkennende ijdelheid, om haar huid zo licht mogelijk te houden. Het kon haar nu niets meer schelen. Ze snoof de aangename geur van haar zonnehuid op. Daarna zwaaide ze de kinderen uit, controleerde samen met de aldoor kwispelende Marlon de lengte van het gras en concludeerde dat ze de tuinman moest bellen om al het groen bij te werken. Hij had genoeg te doen, want Emmeline wilde dat de tuin perfect oogde voor het tuinfeest van zaterdag. Florica belde de tuinman direct, om daarna de vaatwasser uit te ruimen, de ramen te lappen, het terras te vegen, de vuilniszakken uit de prullenbakken te halen en in de container te gooien en de spinnenwebben van de toegangspoort te verwijderen. Daarbij hoorden de wc's op de begane verdieping vandaag ook een beurt te krijgen en de badkamers moesten weer eens gepoetst en geschrobd worden.

'Ik ga trouwens uit lunchen,' zei Emmeline, die zichzelf moeizaam in zitpositie werkte, toen Florica met haar armen vol chemicaliën door het huis schuifelde.

'Moet ik je brengen?'

'Ik heb een taxi gebeld,' antwoordde Emmeline. 'Ik red me wel.'

'Oké.' Florica haalde haar schouders op.

'Neem de middag maar vrij,' zei ze. 'Ga lekker buiten in de zon liggen.'

'Het is woensdag,' weerlegde Florica haar aanbod. 'De kinderen komen vanmiddag thuis.'

'Kijk maar even,' riep Emmeline haar na, terwijl Florica de trap opliep om de badkamers schoon te maken.

Het is niet voor niets dat de jongste mij vaak Assepoester noemt, dacht Florica, terwijl ze zich in de badkamer op het vuil in de groeven tussen de tegels stortte. Al snel verkeerde ze in een roes van chloor en vuil en hopte ze van badkamer naar badkamer, totdat alles blonk. Met haar handen in de wc schreeuwde ze Emmeline veel plezier toe en met haar rood aangelopen hoofd in het bad riep ze dat de kinderen vast de tafel moesten dekken. Ze trok de rubberen handschoenen uit en leegde de emmer met zwart geworden water in het toilet. Het was de vierde emmer van vandaag. En, gelukkig, de laatste, dacht ze. De emmer klemde ze tussen de wc en de wc-bril, zodat het water uit kon lekken.

'Daar zijn de prinsesjes,' zei ze, terwijl ze de chemicaliën opborg.

'Hallo Assepoester,' zei de jongste.

'Hallo Assepoester,' herhaalde de oudste met een hoge stem. Ze kreeg een por van de middelste, waarop een duw terug volgde.

'Gedraag jullie een beetje,' zei Florica.

'Je bent mijn moeder niet,' zei de oudste en ze trok een vies gezicht.

'Klopt, Belle,' antwoordde Florica afwezig. Ze slikte. Het gesnauw van Belle deed haar de laatste tijd steeds meer denken aan Gabi. Een associatie die Florica liever niet had, maar sinds ze de gelijkenis tussen de twee pubers had opgemerkt, kon ze zich er niet meer aan onttrekken. Ze trommelde met haar vingers op de tafel en probeerde zich met cynisme te herpakken. 'Helemaal correct. U heeft het hoofdprijsje gewonnen: na het eten moet jij Marlon uitlaten.' De twee andere meiden giechelden synchroon.

'Eet smakelijk,' zeiden ze. De een bestrooide haar boterham met hagelslag, de ander deed er kaas tussen. De oudste morde dat er niets voor op brood was.

'De laatste die dat tegen mij zei, leeft niet meer,' zei Florica zacht. Het ontglipte haar. De tafel was bedolven onder etenswaar. Belle haalde het bloed onder haar nagels vandaan. 'En in vergelijking met wat jij allemaal op brood kan doen,' ze liet haar hand over de in rijen opgestelde pakken zweven, 'had hij misschien nog reden tot klagen. Maar jij zeker niet, mevrouw.'

'Wat jij wil.' Ze stak haar tong uit.

Ze aten verder, terwijl de jongste en de middelste schoolherinneringen deelden. Vanaf de gladde vloer volgde Marlon hun gebaren met zijn spitse neus. Florica luisterde naar de opdrachten die de juffen van de meisjes hen had gegeven. De kinderen knipten en plakten zich suf op school, waardoor ze zich stiekem afvroeg of ze ook nog nuttige dingen leerden. Lezen, schrijven, rekenen, nadenken, dat soort zaken. De tuinman liep langs het raam en zwaaide kort om haar op zijn aanwezigheid te attenderen. Hij trok een kar met tuingereedschap achter zich aan. Florica knikte terug en keek op de klok.

'Is iedereen uitgegeten?' De drie zussen bevestigden dat ze vol zaten door hun stoelen piepend naar achteren te schuiven. 'Dan gaan wij het tafeltje afruimen,' zei ze, 'en jij,' ze wees naar de oudste, 'gaat Marlon uitlaten.'

'Ik ga echt niet met hem lopen,' gilde de oudste. Ze schoof wild haar stoel nog verder naar achteren.

'Jij gaat gewoon met het hondje lopen,' zei Florica stellig.

'Stop met het verkleinen van woorden,' schreeuwde Belle, 'ik word er gek van. Het is de hond, jeetje zeg. Hoe moeilijk is het? En ik ga niet met hem lopen. Punt uit. Je bent echt een heks!'

'Belle, luister naar Florica,' bulderde Reinier, die precies op tijd binnen was gekomen om te voorkomen dat Florica zijn oudste dochter een klap had gegeven. De nagels stonden in haar eigen handpalm, doordat ze haar vuisten had gebald. Florica werd rood. Belle's gezicht was kortstondig veranderd in dat van Gabi. Ze schudde haar hoofd totdat haar gezicht weer in het hare was veranderd. Ik had de Koningin vandaag goed kunnen gebruiken, dacht ze, terwijl ze haar trillende handen onder controle probeerde te krijgen. Verongelijkt deed Belle Marlon de riem om en stampvoette naar buiten. 'Kinderen,' verzuchtte Reinier.

'Vertel mij wat,' zei Florica. Ze kon de gedachte niet weren dat Gabi een bulderende stem als die van Reinier goed had kunnen gebruiken, een vader. Misschien zou dan alles anders gelopen zijn.

Hij gaf haar een schouderklopje. Zijn hand gleed langs haar schouderblad naar haar onderrug. Florica trok dreigend haar wenkbrauw op. Reinier zwaaide naar de tuinman, die over het veld rondreed op de grasmaaier. 'Waar is mijn liftallige vrouw eigenlijk?'

'Ze is gaan lunchen met een oude vriendin,' antwoordde Florica. 'Waarom ben jij eigenlijk zo vroeg thuis?'

'De regisseur had een slechte dag en besloot iedereen naar huis te sturen om zichzelf over te geven aan een fles whisky.' Hij krabde zijn lies. 'Ik ga even naar de tuinman hoor,' zei hij vlug. 'Zaterdag moet alles perfect zijn.' Veel tijd kreeg Reinier niet om met de tuinman te praten, want zijn twee dochters kwamen op hem afgerend. In de handen van de jongste lag een levenloos bundeltje vacht. Twee lange oren hingen naar beneden.

'Hij is dood,' krijsten ze in koor.

'Assepoester,' zei de jongste toen Florica naar buiten stormde. De jongste kwam op haar af. 'Kwibus is dood.'

'Dat spijt me voor je,' antwoordde ze en ze wilde het levenloze konijn aanpakken om hem in de vuilnisbak te gooien, maar het kind schermde haar huisdier af met haar lichaam en liep het huis binnen.

'We moeten Kwibus begraven,' besloot ze stellig. Met de punt van haar tong dronk ze haar zilte tranen. 'Otte,' zei ze toen ze zich naar haar zus wendde, 'als jij een schoenendoos zoekt, ga ik bloemen plukken.' Ze legde het konijn op het kookeiland. Florica schudde haar hoofd. 'Is er wat?' vroeg de jongste geïrriteerd aan haar.

'Ik vind het zo erg voor het konijntje.'

'Het is ook erg,' besloot het meisje ernstig. 'Als jij eens een gat in de tuin graaft? Dat zou Kwibus fijn hebben gevonden.'

Ze wordt net zo'n regelaarster als haar moeder, dacht Florica terwijl ze gehoorzaam en enigszins ontroerd naar de schuur liep om een schop te pakken. Het kind stoof door de tuin. Geestdrift had de plaats van het verdriet ingenomen. De tuinman sloeg haar afkeurend gade. Haar handjes hadden bloemen in alle mogelijke kleuren vast. Florica zocht een braak stuk grond uit in de hoek van het landgoed, onder een treurwilg.

'Zal ik het zware werk van je overnemen?' vroeg Reinier toen Florica de schop in de aarde stootte. Ze schrok. Hij had haar geruisloos beslopen.

'Het gaat wel,' antwoordde ze kortaf.

'Onze konijnen gaan nooit lang mee,' merkte Reinier op. 'Ik vind het zo zielig voor mijn meiden. Moet ik zo direct langs de winkel om een nieuwe te kopen?'

'Je kunt verdriet niet afkopen,' verzuchtte Florica.

'Maar ik ga geen konijn stelen hoor.' Reinier liep lachend op zijn dochters af – Ottelien tilde een schoenendoos, Fee een bonte bos bloemen.

Ottelien liet de schoenendoos voorzichtig in het gat zakken. *Christian Louboutin*, stond sierlijk op de beige doos geschreven, Paris. Kwibus zou in stijl verteren. Florica had een tweedehands paar van Emmeline gekregen. Ze kon niet geloven dat de schoenen eerder gedragen waren. De lak was onbeschadigd en zelfs in de rode zolen weerspiegelde haar gezicht, maar Emmeline bezwoer haar dat ze de schoenen toch niet meer zou dragen. Sindsdien overstelpt Emmeline haar met zoveel 'afdankertjes', dat Florica zelf geen kleding meer hoefde te kopen. Soms kocht Emmeline zelfs kleding voor Florica.

'Omdat ik je zo waardeer,' zei ze dan. En dat meende ze.

'Fee, jij mag de eerste schep doen,' zei Ottelien tegen haar zusje. Fee pakte onhandig de schop vast en schoof wat zand over de doos. Haar lip trilde. De tuinman stond plechtig naast Florica, met zijn hand op zijn hart. Zo was hij neergezet door de kleine regelaar. Het tikken van zijn vinger op zijn borst, verraadde zijn ongeduld. Ottelien gooide wat zand over Kwibus' eindbestemming. Reinier mocht het graf sluiten. Toen hij de aarde glad sloeg en Fee de bloemen erop legde, barstten de twee zusjes in oorverdovend gehuil uit. Het geregel was klaar, nu kwam de rouw. Reinier krabde zijn voorhoofd, de tuinman stortte zich snel weer op de heg en Florica spreidde haar armen om hen te troosten.

'Pak even een fles water,' zei Florica tegen Reinier.

'Blauw water?'

Florica negeerde hem. 'Moeten jullie geen afscheid van hem nemen? Een paar lieve woordjes uitspreken?'

Ottelien duwde zich los en sprak statig: 'Lieve Kwibus het Konijn. Je was eigenlijk nog niet zo heel oud, maar je bent wel dood. Dat vind ik jammer.' Ze slikte een brok weg. 'Want je was een lief konijn. Volgens mij heb je grootvader een keer in zijn vinger gebeten, maar dat begrijp ik wel. Hij heeft oranje vingers omdat hij veel rookt. Dus misschien dacht je dat zijn vinger een wortel was. Dan is het niet zo erg. Daarom denk ik dat je wel in de hemel komt. Veel plezier daar, lieve Kwibus.'

'Goed gesproken,' complimenteerde Reinier zijn dochter. Er stak een fles mineraalwater onder zijn arm uit.

'Wil jij nog wat zeggen?' vroeg Florica aan Fee.

'Lieve Kwibus,' begon de jongste. De rest van de woorden viel uiteen in snikken en tranen. Reinier gaf de fles aan Florica en drukte zijn dochters tegen zich aan. Zo wachtten ze tot Fee eindelijk stil was en knikte dat haar woorden op waren.

'In mijn jeugd was het een gewoonte om een fles water leeg te gooien op het graf,' zei Florica tegen de meisjes. Ze had een behoorlijk aantal begrafenissen meegemaakt. Zoals van een oom die was doodgeslagen door een Roemeen, omdat hij een kostbare vaas had gestolen. Later vond de Roemeen de vaas terug in een schuurtje. De oom zou echter nooit teruggevonden worden. De familie had een fles leeggegooid boven zijn graf.

Natuurlijk zat er wodka in de fles, geen water, maar daar hadden Ottelien en Fee geen boodschap aan. Gretig goten ze het mineraalwater over de bolstaande aarde.

'Daarna leg je het flesje mooi neer,' zei Florica, Ottelien drukte de fles tussen de bloemen, 'en beginnen we naast het grafje te dansen en te zingen. Zo deden we dat toen in ieder geval.'

'Waarom dan?' vroegen ze verbaasd in koor.

'De dood is onzuiver en gaat ons allemaal aan. Als er iemand sterft, dansen we ons verdriet weg. Denk ik. Of we dansen omdat we de dood hebben begraven of juist om het leven te vieren. Ik weet het eigenlijk niet precies,' bekende Florica. Veel gewoonten kon ze niet verklaren. Ze waren er gewoon. 'Misschien moeten we gewoon dansen voor Kwibus.'

Daar hadden de zusjes wel oren naar. Ze improviseerden een lied over Kwibus en dansten de dansjes die ze hadden geleerd tijdens hun danslessen. Florica knipte met haar vingers en Reinier schudde onflatteus met zijn heupen. De tuinman drukte hoofdschuddend zijn hoofd in de buxushaag om zijn lach te stelpen.

Marlon rende om de danseresjes heen en drukte zijn neus in de versgeplukte bloemen.

'Wat zijn jullie aan het doen?' vroeg Belle die achter hen was opgedoemd met de riem in haar handen. De wandeling had haar chagrijnige bui afgestompt.

'We zijn Kwibus aan het begraven,' antwoordde haar vader ademloos.

'O,' was alles wat Belle daarop zei. Florica sloeg een arm om haar heen en samen knipten ze met hun vrije vingers op het Kwibus-lied.

'Is het zo goed?' vroeg Fee met grote ogen aan Florica. Ze was abrupt gestopt met zingen en dansen.

'Meer kunnen we niet doen,' bevestigde Florica, waarop Fee weer begon te snikken. Ze stak Ottelien aan, die zich liet troosten door haar grote zus Belle.

'Zal ik een nieuw konijn gaan halen?' vroeg Reinier hen.

'Pap,' siste Belle. Alle vrouwenogen keken hem haatdragend aan.

Florica ging de schuur in. Ze had geen zin in een middag vol jengelende kinderen. Emmeline had haar weliswaar een vrije dag beloofd, maar daar kwam weinig van terecht op deze manier. Ze vond een korte en een iets langere plank en sloeg ze met een spijker aan elkaar.

'Een kruis voor het konijn,' zei ze tegen de kinderen die om de eettafel stonden te rouwen.

'Waar liggen de theezakjes?' vroeg Reinier toen hij Florica zag binnenkomen. Hij hield een glas onder de kraan met kokend water.

'Onder het kookeilandje,' antwoordde ze kortaf.

Ze maande de kinderen om te gaan zitten. De een aan het hoofd, de andere twee aan haar weerszijden. 'Dit kruisje gaan jullie versieren,' zei ze. 'Voor Kwibus. In het noorden van Roemenië beschilderen ze kruisen met allemaal lieve en mooie verhalen over de overledenen.' Ze had een tas met houtverf in de schuur gevonden – waarom de familie Puijk die had wist ze niet, want voor al het schilderwerk, hoe klein dan ook, huurden ze een schilder in. Ze zette de potjes en kwasten op de tafel. 'Maak een mooie tekening en laat Belle een paar lieve woorden op het kruisje schrijven.'

'Ik ga er wortels op schilderen,' zei Fee enthousiast. Ze veegde het verdriet af aan haar mouw.

'Zolang het een vrolijk kruis is, zijn jullie op de goede weg. Als jullie klaar zijn, mag er geen hout meer te zien zijn, hoor.'

Het viel Florica op dat ze de laatste tijd vaker terugdacht aan Roemenië en aan haar jeugd. Waarom wist ze niet. Misschien omdat ze oud werd. De kinderen stortten zich op het kruis. Zelfs Belle werkte ijverig mee.

'Goed idee,' zei Reinier zachtjes.

'Let jij op ze?' vroeg Florica. 'Ik ben vrij.' Ze wilde naar boven rennen, naar haar kamer, om een luchtige witte jurk aan te trekken om buiten te liggen, maar er werd naarstig op de deur gebonkt. In een automatisme stapte ze van de eerste traptreden af en liep naar de voordeur. 'Jij bent snel terug,' zei ze tegen Emmeline.

'Aan de kant,' snauwde ze. Florica sprong opzij.

'Wat is er met jou aan de hand?' vroeg Reinier toen hij het gezicht van zijn vrouw zag. De kinderen keken hun moeder geschrokken aan. 'Je kijkt alsof er iemand dood is.'

Hun jongste dochter barstte weer in huilen uit.

'Lul,' vloekte Emmeline. Ze probeerde Reinier in het gezicht te slaan, maar ze kwam er niet bij. Ze strekte zich uit. Verbeten reikte ze naar zijn wangen. Met een klap viel ze uit haar rolstoel. 'Godverdomme,' snikte ze, 'wat ben je toch een asociale klootzak'. Ze kronkelde over de vloer.

'Schat toch,' stotterde Reinier en hij probeerde zijn vrouw van de grond te tillen, waarop ze hem vol op zijn gezicht ramde.

'Blijf verdomme van me af.'

Florica ontvluchtte het getier en stond boven in de overloop voor de slaapkamer die haar was toegewezen toen ze haar intrek had genomen bij de familie Puijk. Ze rook naar dood konijn, houtverf en schoonmaakmiddelen. Dus zo rook de Nederlandse zomer.

10

'Sta mij bij,' smiespelde Florica tot slot met gevouwen handen. Moeder Maria keek op haar neer vanuit haar gouden omlijsting. 'Amen.' Ze kwam met een kreun overeind. Haar knieën zaten weer eens vast. De dag had haar opgebroken. Ze had gestofzuigd, zoals elke dag aangezien Marlon zijn wintervacht losliet, en gedweild, de kinderen verzorgd en uiteindelijk was ze de ellenlange puntenlijst van Emmeline afgegaan. Het feest was morgen en alles moest er perfect uitzien, zoals Emmeline haar herhaaldelijk op het hart had gedrukt.

Florica keek naar haar nagels. Ze waren kort en gescheurd. Haar rechterduim was zwart, omdat deze tussen een keukenkastdeur was gekomen.

'Ik ben geen schoonmaakster,' zei ze zacht tegen haar spiegelbeeld, toen ze plaatsnam aan het bureau in haar kamer. 'Noch een kinderoppasser of een butler.' Ze speelde met de knop van de linkerlade, maar trok resoluut de rechter open en grabbelde naar een pot nagellak. Limoengroen. Belle vond de kleur niet mooi, dus had Florica de nagellak gekregen. Ze draaide de dop eraf en doopte het kwastje in de slijmerige vloeistof. Ze begon met haar zwarte duimnagel en lakte daarna alle nagels van haar rechterhand. Uiteindelijk ging ze nog driemaal over haar duim, die maar niet groen wilde worden.

Haar gedachten gingen ervandoor. Ze dacht terug aan de keer dat Reinier haar had meegenomen naar hier, waar ze nooit meer was vertrokken.

'Hier woon ik,' had Reinier gezegd, terwijl ze halt hielden voor het grootste huis in de beboste laan. Hij ontdeed Marlon – die speels in zijn handen probeerde te happen – van zijn halsband en ging Florica voor. Het pasgewassen grind kraakte onder hun voeten. De zelfverzekerde tred van Reinier klonk sneller dan Florica's aarzelende variant. 'We wonen hier nog niet lang, maar het voelde meteen als thuis,' zei hij. Hij hield de voordeur voor haar open: 'Kom toch binnen.'

'Dank je,' zei Florica. De hal was gigantisch, met een prominente plek voor de trap, die zich in het midden twee kanten op splitste.

'Zullen we maar meteen naar boven gaan?' vroeg Reinier en lachte daar ondeugend bij. Hij draaide zijn rechterarm open om kenbaar te maken dat Florica de trap moest beklimmen. Ze voelde zijn ogen priemen in haar achterste. Hij trok de drukknopen van zijn overhemd in een ruk open. Was hij het wel of was het haar oom die haar verlekkerend volgde? Wie leidde wie naar de slaapkamer? 'Rechtsaf,' dirigeerde hij haar naar wat ze nu kende als de logeerkamer.

'Rechtsaf,' herhaalde Florica. Bij elke stap voelde ze zich ontoepasselijker worden. Haar handen trilden, dus hield ze deze straks langs haar heupen. Slikken ging steeds moeizamer. Ze vroeg zich af waar de kinderen gebleven waren.

'Ho,' lachte Reinier. 'Je loopt nu te ver.' Hij had een deurklink in zijn handen. 'Hier moeten we zijn.' Hij ging naar binnen en wachtte Florica op met ontbloot bovenlichaam. Zijn overhemd en shirt hingen al over een houten bureaustoel. Daaronder lag zijn lange jas. Hij pakte Florica's handen van haar heupen en trok zijn bovenlip een beetje omhoog.

'Volgens mij weet je vanaf hier heel goed hoe het werkt,' zei hij zacht en hij kuste haar in haar hals. Zijn lippen waren ruw en onaangenaam. Zijn puntige kin drukte hard in haar schouderspier.

Ze keek omhoog, naar de kroonluchter, en dacht: zou ik de hoer worden waarvoor Gabi mij had uitgescholden?

'Ik heb geen keus,' antwoordde ze zichzelf binnensmonds. Ze durfde haar ogen niet te sluiten, dus keek ze de kamer door. Er lag een dieprode sprei over het hemelbed. De lippen van Reinier sprongen van haar schouder naar haar oorlel. Het knopje dat ze in haar oor had, werd volkomen verzwolgen. Naast het bed zag ze Remus zitten. Hij was ingezakt en zat onder het bloed. Dood en weg, dacht Florica. Ze drukte haar ogen dicht en toen ze haar ogen weer opende stond Reinier bij het bureau te stoethaspelen met zijn shirt en overhemd.

'Reinier? Ben je thuis?' schreeuwde een stem naar boven. 'Waar zijn de meiden?'

Mijn redding, dacht Florica. Bedankt, lieve Remus, mijn beschermengel.

'Ik ben erbij,' mompelde Reinier in paniek. 'Dat is mijn vrouw,' snauwde hij naar Florica. Hij streek met zijn van vingers door zijn haar. 'Godverdomme. Wat nu?'

Florica stond hem versteend aan te staren. Ze lachte breed. Ze was gered. Reinier schudde vurig zijn hoofd en plots werd hij bevangen door een ingeving en wisselde het schudden om met hevig knikken.

'Ik ben boven schat,' schreeuwde hij terug. Hij graaide verwoed in zijn broekzak en haalde er wat bankbiljetten uit. Alles wat hij had, drukte hij in Florica's handen. 'Ik kom er zo aan, lieverd,' zei hij nog eens. Zijn stem zinderde. Reinier depte met zijn mouw de hals van Florica droog. Daarna vouwde hij zijn handen en ging een beetje door de knieën, terwijl zij zich afvroeg wat hij in godsnaam van plan was en beheerst het geld telde. Het was genoeg voor een maand huur. Maar een maand later zou ze misschien niet gered worden door Reiniers vrouw. 'Wij zoeken een hulp in huis,' legde Reinier uit. 'Wil jij dat worden?' Hij smeekte Florica om hem uit de benarde situatie te redden. 'Nee, je moet het worden.'

'Gaat alles goed daarboven?' vroeg zijn vrouw onderaan de trap. 'Wat spook je uit?'

'Het gaat uitstekend,' antwoordde hij ongerust. 'Hoop ik,' zei hij zacht, om daarna duidelijker te vervolgen: 'Ik heb een verrassing voor je.' Hij begon weer met zijn hoofd te schudden. 'Een verrassing wordt het hoe dan ook... Ik ben je nu aan het rondleiden,' verhelderde hij zacht. 'Zeg me hoeveel je wilt en je krijgt het.'

Florica grijnsde.

'Dit is een hele mooie kamer,' zei ze buitengewoon hard. Reinier kromp ineen, Florica wist dat er geen weg meer terug was voor hem, maar ze moedigde hem aan om zijn toneelspel voort te zetten.

'Dit is de laatste slaapkamer,' zei Reinier toen hard genoeg om beneden gehoord te worden. 'En deze is helemaal voor jou. Dus je doet het?' Hij drukte de bovenste knoop van zijn overhemd dicht en maande Florica om hem te antwoorden.

'Met alle liefde,' zei ze, terwijl ze met haar hand over het sprei gleed. Aan beide zijden van het bed stond een nachtkastje. Ze keek nog eens goed in de hoek, maar er was geen druppel bloed te zien. De nachtmerrie was gelijktijdig met het visioen van Remus weggevaagd. Reinier klapte opgelucht in zijn handen en liep met rechte rug de slaapkamer uit. Hij ging met zijn ellebogen over de balustrade hangen.

'Emmeline, mijn eigen Julia, wat zie je er weer prachtig uit vandaag.'

'Voor een kreupele,' snoof ze, waarop ze toch moest grinniken. 'Met wie ben je daarboven? Je bent je vrouw toch niet aan het bedriegen met een ander die nog wel zelf haar benen kan spreiden?' De ironie droop van haar vraag af.

Florica bekeek een klein schilderij dat aan de muur hing. De kunstenaar had een portret geschilderd van een oude man. Het schilderij was donker. Alleen de diepe twinkeling in de ogen van de man zorgde voor wat licht. Hij deed haar denken aan de oude man waarmee ze voor zijn zigeunergrot had gedronken in Granada. Die gaat eruit, dacht ze. Moeder Maria zou het beter doen aan de spijker.

'Integendeel,' begon Reinier lachend. 'Ik heb eindelijk iemand gevonden die ons kan helpen in huis,' zei hij. Hij knipte met zijn vingers, omdat hij Florica's naam vergeten was.

'Ik ben Florica,' zei ze tegen beiden en ze ging naast Reinier staan. Beneden zat de vrouw die haar redding was. Haar handen rustten op de wielen van haar rolstoel. Ze had een kort kapsel, mannelijk, en Delfts blauwe ogen.

'Emmeline,' antwoordde de vrouw vanaf beneden. Ze lachte naar Florica. 'Je bent hier heel erg welkom, Florica. Ik zie direct dat je pit hebt. Dat kunnen we wel gebruiken in dit huis, want ik ben mijn pit verloren.' Ze glimlachte mistroostig. 'Kun je thee zetten? Dan drinken we een kop om met elkaar kennis te maken.'

'Ik kom eraan mevrouw,' zei Florica en ze denderde de trap af.

'Als je mij mevrouw gaat noemen, kun je meteen vertrekken,' waarschuwde ze met een knipoog. 'Noem me Emmeline.'

Florica rolde Emmeline, op haar aanwijzingen, naar de eettafel. Maar eerst keek ze nog even naar boven, waar Reinier met zijn voorhoofd op de balustrade rustte. Hij kreeg Florica in de smiezen en stak een duim op. Florica bedwong de behoefte om zijn gebaar te beantwoorden met haar middelvinger.

Met haar ongelakte wijsvinger streelde ze de linkerlade. En nu zit ik hier, in het huis dat ik schoonhoud, terwijl ik iets anders had kunnen zijn. Voorzichtig pakte ze de knop vast en masseerde hem in haar hand. Ze trok er aan, talmend. De lade kreunde; het geluid verraadde dat Florica hem trachtte te openen, dus sloot ze hem met een duw. Daarna cirkelde ze weer met haar vinger om de houten knop. Haar wangen waren rossig. Ze likte haar lippen met het uiteinde van haar tong. Wat is hier nu zo moeilijk aan, vroeg ze in gedachten, en ze omklemde de knop weer met haar vingers. Met haar duim aaide ze de lade, kort, en trok deze toen in een vloeiende ruk open.

'Ik ben geen bediende,' zei Florica hardop en ze pakte de bundel papieren uit de la. 'Florica Tomescu,' las ze op het vergeelde papier. Onder haar naam stond een getekende landkaart van Zuidoost-Europa. Deze had ze zelf getekend door in de bibliotheek van Florence een atlas onder het papier te leggen en de landsgrenzen zorgvuldig over te trekken. Een rode lijn vertrok vanuit de hak van de Italiaanse laars en doorkliefde Slovenië, Kroatië, Hongarije en kwam aan in Roemenië, waar hij uitmeerde in een onophoudelijke rode cirkel.

'Ik ben een taalwetenschapper,' zei ze, terwijl ze door haar onderzoek bladerde. 'Of ik had er een kunnen worden.'

Ze bladerde door het pakket en concludeerde dat het niet zo slecht was als ze destijds in Florence had gedacht. Nooit had ze erover gepeinsd om het onderzoek alsnog in te sturen. In Spanje had ze het document verstopt en was het aangevreten door de tijd. Emmeline had het onderzoek gevonden toen ze Florica in haar kamer had opgezocht, vlak nadat ze was gevestigd in het huis, en had de papieren in de bureaulade gelegd. Het papier knisperde aangenaam in Florica's handen. Ze staarde naar haar eigen handschrift, zonder dat ze de letters las. Langzaamaan verzonk ze in een mijmering waarin Remus opgewonden om haar heen dartelde en haar onderzoek prees.

'Natuurlijk heb ik er geen verstand van,' zei hij, 'maar volgens mij is dit heel goed. Hiermee slaag je,' hij pauzeerde om de spanning op te laten lopen, '*cum laude*. Geen twijfel over mogelijk.'

'Je hebt er inderdaad geen verstand van,' had Florica bits geantwoord. Toen twijfelde ze aan zijn woorden.

Jij was ook geen schrijver of dichter, dacht Florica triest, en ze smeet het document terug in de lade. Ze keek naar zijn gedicht dat ingelijst op haar bureau stond. 'Eerst was je een schoenmaker. En later een kok.'

Een andere bundel bleef op het bureaublad liggen. De papieren waren samengebonden met een paperclip. De voorste was ondertekend door doctor Arcos, maar Florica had geen oog voor zijn brief. Ze schoof de documenten terzijde.

'Niets in het leven gaat zoals je wilt,' verzuchtte ze, terwijl ze de ongelakte nagels van haar linkerhand onder handen nam. De kleur brandde in haar ogen. Op de gang schreeuwden Emmeline en Reinier naar elkaar. 'Dit is mijn leven,' zei Florica binnensmonds, terwijl de nagellakkwast naar haar volgende nagel hopte. Ik zit het uit in dit onbekende land, dacht ze berustend. Ik ben een vrijwillige slaaf.

Op de overloop werden deuren dichtgeslagen en met dezelfde snelheid weer opengegooid.

'Mama, mama,' hoorde Florica de jongste jengelen.

'Jullie gaan toch niet scheiden?' vroeg Ottelien.

'Hoe komen jullie daar nu weer bij?' snauwde Reinier.

'Dat zei Belle,' zeiden de twee meiden in koor.

'Niet waar,' gilde Belle verongelijkt.

'Alsjeblieft meiden,' verzuchtte Emmeline getormenteerd. 'Ga slapen. Morgen is het grote feest en jullie moeten goed uitgeslapen zijn.'

'Maar...'

'Luister verdomme naar je moeder!'

'Wil je niet zo schreeuwen tegen mijn kinderen?' blafte Emmeline. 'Nee, Rein, je komt de slaapkamer niet in. Opzouten nou.'

Reinier slofte weerloos weg. Zijn voeten weerklonken op de houten vloer. Even stopte hij voor de deur van Florica. Ze hoorde hem schuifelen. Hij tikte met zijn ring op haar deur.

'Florica?' Geruisloos deed ze het kwastje terug in de nagellakpot. 'Mag ik even binnenkomen? Ik moet met iemand praten, denk ik.'

Florica steunde en dacht: daar hebben jullie toch psychologen voor? Nederlanders praten makkelijker over seks dan over gevoelens, wist ze.

'Wie is daar?' Ze smakte. 'Ik lig te slapen.'

'O,' sprak Reinier aan de andere kant van de deur. Ze hoorde hem zijn neus ophalen. 'Mijn excuses. Welterusten.'

Pas toen ze de deur van de logeerkamer open en dicht hoorde gaan, durfde Florica zich weer te bewegen. Alleen de nagel op haar linkerpink had nog een matte kleur. In een vloeiende strook was ook die groengekleurd en blies Florica haar nagels droog. Tot haar schrik zag ze dat ze gemorst had op het papieren vod dat was achtergebleven op het bureau.

'Nee, nee, nee,' stamelde ze. In alle haast pakte ze een tissue en depte het limoengroen in de brief en in het document dat er onderuitstak. Ze spreidde de papieren en stortte zich op het veel belangrijkere document dat slechts een beetje was aangetast door de nagellak.

Maar ook een drup kon fataal zijn, wist ze.

'De Roemeense staat erkent dat u(w familie) de voormalige eigenaar was van het landgoed der Tomescu's. Wij kunnen u mededelen dat het landgoed u opnieuw,' las Florica voor van het papier. De nagellak brak de zin af. Ze wist wat er geschreven stond onder de limoengroene vlek: 'toekomt'.

'Ik moet je adres hebben,' had Emil een jaar geleden enthousiast door de hoorn geschreeuwd. 'Waar hang je eigenlijk uit tegenwoordig?'

'Nederland,' antwoordde Florica.

'*Olanda*?' Emil zuchtte. 'Die hebben uitmuntende schilders, maar musici van niets. Ze hebben kennis en zijn vaardig in de muziek, maar ze spelen als robots. Het gevoel ontbreekt. En muziek is voornamelijk emotie. Afijn. Wat moet je daar?'

'Mijn leven uitzitten.'

'Dat klinkt enthousiast,' lachte Emil. 'Hoezo heb je me zolang genegeerd? Ik heb je wel honderd keer gebeld.'

'Ik wilde niemand meer spreken,' antwoordde Florica. Ze had de beltoon van haar mobiele telefoon een goed jaar genegeerd, maar wel telkens de accu opgeladen als deze op was. Emil had haar inderdaad honderd keer gebeld. Honderd keer vaker dan haar eigen zoon. 'Maar die kans gaf je me niet.'

'Zo ben ik,' beaamde hij. Hij klonk een beetje als de oude Emil, vond Florica. 'Ik heb goed nieuws voor je. Denk ik. Doctor Arcos heeft het namelijk geflikt.'

Hij laste een stilte in, maar Florica weigerde die in te vullen.

'Het is een oude heer, te netjes voor deze tijd, maar hij heeft zich in heel wat ambtenaren vastgebeten en het is hem gelukt: Villa Tomescu is weer van de familie. Van jou dus, aangezien de familie heeft verzaakt om behoorlijk door te fokken.'

'Het landhuis?' vroeg ze vol ongeloof.

Emil humde een 'ja'. 'Het was een flinke klus en doctor Arcos had de moed bijna opgegeven, zei hij mij. Dus ik heb het verhaal met Pinu doorgenomen en hij weet als geen ander hoe hij de opperhoofden van de staat moet kneden.'

'Pinu?'

'Dankzij zijn hulp en doctor Arcos' vastberadenheid heb je een groots huis om in te wonen. Mocht je willen terugkeren, natuurlijk,' besloot Emil.

'Terugkeren?' Florica kon schijnbaar alleen nog maar vragen van een woord stellen.

'Roemenië is nog steeds een puinhoop, dat geef ik toe, maar het is wel onze puinhoop,' zei Emil. 'Ik weet niet hoe je in Nederland woont, maar het schijnt daar behoorlijk prijzig te zijn. En ze staan volgens onze kranten niet heel welwillend meer tegenover buitenlanders.' Hij grinnikte kort. 'Sinds Remus mij voorstelde aan een Nederlandse – dat was nog voor jouw tijd hoor – wilde ik er altijd eens heen. Ze leek me heel vriendelijk. Maar Nederland verandert constant, ten goede of ten slechte, terwijl Roemenië nog steeds een rotzooi is. Dat was het vroeger en is het nu nog steeds. En dat zal altijd zo blijven. Hier heb je vrienden,' zei Emil. 'En...'

'Familie?' vulde Florica hem sarcastisch aan.

'Nou ja,' stotterde Emil. 'Denk er over na. Het huis is van jou. Ik kan doctor Arcos vragen om het te beheren voor je. Dan heeft die oude heer ook nog wat te doen. Mag ik je adres in Nederland hebben? Dan stuur ik je de papieren.'

Florica had het adres van haar appartement gegeven.

'Bedankt Emil,' zei ze. Niet uit dankbaarheid, maar uit beleefdheid. 'En bedank Pinu en doctor Arcos ook voor me.'

'Dat heb ik al gedaan,' zei Emil. 'Hoe is het met Gabi? Doe hem de groeten van zijn...' Florica drukte het gesprek weg.

'Het landhuis,' zei ze en dat bleef ze herhalen totdat ze met de tissue het woord *toekomt* weer door de limoengroene vlek liet verschijnen. Ze schudde haar hoofd toen ze eraan dacht dat doctor Arcos een zakje kruiden bij de brief had gevoegd. *Voor de sarmale,* had hij in de brief geschreven, *want deze kruiden hebben ze vast niet in Nederland.*

Duidelijker dan dit wordt het niet, dacht ze terwijl ze naar het document keek, en ze gooide de tissue in de prullenmand onder het bureau en borg de papieren op in de lade. Ze beoordeelde nagel per nagel en zag dat het goed was.

'Landhuis, spookhuis,' fluisterde ze, om de betekenis van haar erfenis te herdefiniëren.

Met een zucht scheurde ze een stuk van de lege envelop en draaide deze tussen haar duim en wijsvinger tot een strakke cilinder. Ze legde een lange vloei op het bureaublad, legde de cilinder erin, pakte een plastic zakje wiet en een met hasj uit haar tas, reet het witte jasje van een sigaret open en schudde de tabak in de lange vloei. Daarna verkruimelde ze de groene brokken met haar handpalm, legde deze in de vloei, en verwarmde de hasj met een aansteker, alvorens ook deze te verkruimelen en samen met de wiet in de tabak te strooien. Ze rolde de joint, streelde de gevulde vloei en stak hem al trekkend aan. Haar achterhoofd drukte ze tegen de hoofdsteun van de stoel aan, terwijl ze langzaamaan de loomheid haar lichaam in hees. Wiet en hasj waren niet te vergelijken met de Koningin, maar ze hielpen Florica het verleden te dragen. De Nederlandse regering beschouwde de drugs legaal, dus het was lang niet zo slecht voor haar als heroïne. Ze zakte onderuit.

'Spookhuis, landhuis,' stamelde ze, terwijl de rook uit haar neusgaten ontsnapte. Sinds het telefoongesprek met Emil spookte Villa Tomescu door haar hoofd. En ieder jaar, op de sterfdag van Porumbescu, hielp hij haar eraan herinneren. Florica had niet langer de moed om de beltoon te negeren.

'Wat moet je daar in Nederland toch? Hier zijn de rollen inmiddels omgedraaid,' had Emil de laatste maal gezegd. Florica had niet kunnen ontdekken of zijn stem afkeurend of onverschillig klonk: 'Tegenwoordig doen Roemeense dames het huishouden bij rijke zigeuners. Rroma, pardon.'

'Dus?' had ze geantwoord. Wat moest ze met dat detail?

'Weet ik veel,' zei hij. 'In plaats dat jij het huis van die Nederlanders schoonhoudt, kun je hier iemand inhuren om het jouwe af te stoffen.' Hij morde wat. 'En ik weet zeker dat jouw huis groter is dan dat van die acteur en die gehandicapte.'

'Emmeline is een vriendelijke vrouw,' beet ze hem toe. 'Misschien is het wel mijn enige vriendin.'

'Houd toch op. Het is je baas.'

'Waarom wil je me in Roemenië hebben?' vroeg ze abrupt.

'Misschien neem je een stuk Remus mee terug,' bekende Emil. Ze had hem nooit verteld dat ze Gabi had achtergelaten. En als het aan haar lag, zou ze dat ook nooit doen.

Ze dommelden beiden in stilte en wachtten tot Florica's tekort aan beltegoed het telefoongesprek vanzelf afbrak. Ze wist dat hij op Gabi doelde. Telkens vroeg hij of hij Gabi mocht spreken. Ze had iedere keer geweigerd en dat bleef ze doen – wat kon ze anders?

'Ik ben verdomme zijn officieuze peetvader,' had Emil gejammerd.

'Hij spreekt geen Roemeens,' zei Florica. En: 'Hij slaapt,' en even later: 'Bij een vriend'. Dikwijls zweeg ze hem dood. Want dat was hij ook voor haar. Voor iedereen. Emmeline was tot tranen geroerd toen Florica haar – nadat Emmeline haar had betrapt op het roken van een joint in huis – vertelde over haar Spaanse jaren. Haar zoon Gabino was voor haar ogen verdronken aan de Costa del Sol.

'Natuurlijk heb ik geprobeerd hem te redden,' stamelde Florica. De tranen van Emmeline werkten aanstekelijk. 'Maar zigeuners kunnen niet zwemmen.' Ze laste een stilte in om haar droge keel weg te slikken. 'Ik ben weggerend en nooit meer teruggekeerd.'

'Vreselijk,' herhaalde Emmeline steeds. Ze wist niet wat ze erop moest zeggen en dat was precies waar Florica op hoopte. Ze had haar verhaal meerdere malen afgestoken tegen dames die ook naar het leven voor de supermarkt informeerden. Het had Florica een hoop geld opgeleverd. Maar ze durfde de leugen niet aan Emil te vertellen.

'Vreselijk,' beaamde ze gesmoord.

'En de vader?' vroeg Emmeline. Toen werd Florica overmeesterd door echte tranen.

'Laat me maar even alleen,' prevelde ze. Emmeline had haar kortstondig geknuffeld en was daarna de kamer uitgerold. De volgende morgen struikelde Florica over een pakketje dat voor haar kamerdeur lag. In het cadeaupapier zat een vreselijk lelijke wollen, maar dure shawl gewikkeld. Beige met rode en zwarte strepen, die tezamen een bonte verzameling hokken vormden.

Voor Florica ging slapen, gooide ze het raam open om de geur van haar limoengroene nagels en de opgerookte joint uitgeleide te doen. Ze voelde hoe Moeder Maria haar stappen volgde. In bed herhaalde Florica nog eens de wens dat Moeder Gods haar bij moest staan. Ze wreef in haar rode ogen. Toen ze de lakens om haar blote voeten wikkelde en haar ogen sloot, wist ze direct dat de slaap haar goedgezind was. Met haar ogen dicht prees ze de Nederlandse drugswet.

'Morgen is de grote dag,' hoorde ze de stem van Emmeline nog eenmaal door haar hoofd gonzen, vlak voordat Florica plots tussen twee beboste bergen wandelde. Het dal waar ze zich bevond was hol en kaal. Dor gras kietelde haar enkels. In de verte banjerden twee jonge herten en hun moeder door een droog geworden rivier. De lucht was wit. Florica vond zichzelf behoorlijk wakker voor een droom en realiseerde zich dat dit Transsylvanië moest zijn. Ze liep naar de dichtstbijzijnde boom en klom steeds hoger en hoger, totdat ze een tak vond die stevig genoeg was om haar te dragen. Daar ging ze op liggen. Ze nam het hele gebied in ogenschouw. De schoonheid overviel haar.

In de verte zag ze een derde berg. Daarboven prijkte het Alhambra. Waarom begreep Florica niet. Daar ben ik niet wakker genoeg voor, dacht ze, en ze was bang voor de betekenis. Ze smeekte dat ze de droom vergeten zou zijn als ze wakker werd. Ze sloot haar ogen en drukte haar achterhoofd tegen de boomstam. *Morgen is de grote dag*, dacht ze. *Ik moet goed uitrusten.*

11

Mensen doken opzij als vallende kegels.

'Aan de kant,' schreeuwde Emmeline, 'pas op jullie ontiegelijk lange tenen. Een dronken gehandicapte in aantocht!' Champagne klotste op het zeil dat over het gras was gelegd zodat Emmeline zich gemakkelijker door de tuin kon verplaatsen. Haar haar was statig opgestoken. Op haar wangen stonden lange strepen mascara. De blauwe oogschaduw boven haar opgezette ogen gaven haar de uitdrukking van een bokser na een zwaarbevochten wedstrijd. 'Lager lul,' beet ze met dubbele tong een bediende toe. Hij liet het dienblad met champagne zakken, zodat Emmeline er een glas van kon pakken.

'Alstublieft mevrouw.'

'Bedankt lul,' grinnikte ze. Ze staarde even naar zijn gulp, die voor haar op ooghoogte was. Ze werd met de seconde bleker. Ze hield haar vinger voor haar mond en hikte. 'Oeps,' zei ze met een glimlach en probeerde verder te rijden, maar doordat ze het glas champagne in een hand had, reed ze rondjes. 'Hier word ik dus nog misselijker van,' smiespelde ze; ze dronk het glas in een teug leeg en smeet het op de grond. Florica verloor haar geen seconde uit het oog en schudde haar hoofd. Emmeline sloeg de dichtstbijzijnde meneer, die de gastvrouw uit respect probeerde te negeren, vol in zijn knieholte. 'Pas op hoor,' waarschuwde ze hem, 'hier ligt glas. Straks gaat u er nog in staan.'

'Bedankt mevrouw Puijk,' zei de man zonder te fronsen en hij boog lichtjes.

'Bedankt mevrouw Puijk,' imiteerde ze zijn stem, haar ogen rollend in haar oogkassen. Ze reed verder door de tuin.

'Kan het volume iets hoger?' vroeg Reinier aan de geluidsman van een of andere rockband die hij kende. De muzikanten hadden het titelnummer gemaakt voor een film waarin Reinier speelde. Zijn vrouw was gek op hun muziek.

Florica vond het nergens naar klinken. Ergens deed het haar denken aan het nummer van Iron Maiden dat Remus graag onophoudelijk luisterde, maar dan trager en futlozer, afgeblust met de zeikstem van de zanger.

'Goed zijn ze hè?' vroeg Reinier aan haar, met een hand om haar middel. Zijn onophoudelijke en ongewenste avances deden haar aan Gabi denken. Ze merkte dat ze steeds vaker aan haar zoon dacht. 'Vind je ook niet?' vroeg Reinier en hij knikte naar de band.

Ze knikte en mengde zich in de mensenmassa om Emmeline in de gaten te houden.

'Met zo'n kop kun je toch niet acteren?' hoorde Florica een man aan Reinier vragen.

'Nee, maar daar hebben ze hele goede make-up voor op de set,' lachte Reinier. Als een boer met kiespijn, dacht Florica, die zich in de loop der tijd meester had gemaakt van een paar Nederlandse spreekwoorden. Reinier wreef over zijn dikke, blauwe lip.

'Hoe is dat gebeurd?'

'Ik deed de deur van mijn cabrio open, terwijl ik met iemand in gesprek was,' loog Reinier. 'Die deuren zijn van stevig materiaal gemaakt, kan ik je verzekeren.'

'Een Audi?'

'Mercedesje,' verbeterde Reinier hem. 'Hij staat nu in zijn stal.' De rest van het gesprek volgde Florica niet.

'Heb jij ook seks met hem gehad?' hoorde ze Emmeline vragen aan een blondine op hoge hakken die ze schijnbaar nooit eerder had ontmoet. 'Met mijn man bedoel ik.' Ze staarde naar haar lege handen. 'Er is hier wel verdomd weinig te drinken hè?' vroeg ze daarna, alsof ze de eerste vraag nooit gesteld had.

Florica besloot dat het genoeg was en wilde Emmeline mee naar binnen nemen, maar ze werd de pas afgesneden door een leeftijdsgenoot die haar eerst goed opnam. Haar ogen begonnen bij de ongedragen merkschoenen van Emmeline en met een goedkeurende 'hm' gingen ze via Florica's blote benen naar haar zwart-witte couture jurk. Onrustig speelde Florica met de ketting om haar hals. Ze voelde zich een tamme zebra, zoals dit mens haar bestudeerde. Toen ze Florica volledig had opgenomen, ontmoetten hun ogen elkaar.

'Goedemiddag,' sprak de vrouw. Ze plooide haar lippen in een zuinige cirkel. 'Gedurfd hoor, zo'n kralenketting boven een,' ze hield even in, keek nog eens naar de jurk en veinsde een vraag: 'Jean-Paul Gaultier?'

'Dat geloof ik wel,' antwoordde Florica.

'Volgens mij ken ik u ergens van,' zei de vrouw traag. 'Maar ik kom er op dit moment niet op. Vertelt u mij eens waar u Emmeline van kent. Wij zijn hier immers allemaal voor haar feest.'

'Dat is waar,' zei Florica zacht. Sinds ze bij de familie introk, werkte ze hard om het huis schoon te houden en de kinderen te verzorgen, maar toch was Emmeline meer dan haar bazin. Na alles wat er was gebeurd in Italië en Spanje had ze gezworen om geen banden meer aan te gaan, maar toch begon ze Emmeline lief te hebben. Ja, ze had haar lief, dacht ze. Ze was haar lotsbestemming.

Maar dat hield ze allemaal voor zich. Daar had de vrouw voor haar niets mee te maken. De Gooische tut. De vrouw tikte ongeduldig met haar ring op de steel van het champagneglas, in afwachting van Florica's antwoord waar ze Emmeline van kende.

'Ik ken Emmeline bijna vier jaar,' stamelde Florica, maar ze werd bruut onderbroken door de vrouw.

'Dat is ook zo,' zei ze en klopte Florica op haar hand, terwijl ze een vies gezicht trok toen ze de limoengroene nagels zag. 'Jij bent Emmeline's supermarktzigeunerin.'

Toen schreed ze weg. Haar vrije hand hing op borsthoogte losjes aan haar pols, terwijl ze naast iemand anders ging staan die juist een preek begon over de toename van het aantal donkeren in het centrum van Hilversum.

'Jij hebt mooie lange benen,' hoorde Florica Emmeline zeggen tegen een jongedame die inderdaad prachtige benen had. Emmeline aaide de gespannen kuiten. 'En zo zacht ook,' jubelde ze. Ze gaf er een pets tegenaan. 'Daar houdt mijn man wel van.'

Florica schoof de ketting over haar kin en deed hem in haar mond, zodat ze Emmeline niet tot de orde kon roepen. Met haar tong voelde ze de kralen die ze zo lief had.

'Voorzichtig daarmee,' had Florica eens gezegd toen Fee met een doosje rammelde. Fee had op haar kamerdeur geklopt om aan te geven dat haar veters los zaten en al snel ging ze alle voorwerpen in de slaapkamer langs.

'Waarom heb je dat? Wat is dat? Is dat een gedicht? Wat voor taal is dat? Wie is die vrouw in dat gouden schilderijtje? Waarom is je raam open? Wie zijn dat op die foto? Ben jij dat? En is dat je mama? En wie is je papa? Heb je ook zusjes? Wat zit hierin?'

Bij de laatste vraag trok Florica de doos uit Fees handen.

'Dat is heel belangrijk voor mij. Ben je wel eens verliefd geweest?'

Fee knikte enthousiast: 'Op papa.' Ze pakte de doos weer uit haar handen.

'Als je iets van papa krijgt, ben je er extra zuinig op. Wat je daar in je handen vasthoudt, heb ik gekregen van mijn liefde.'

'Van jouw papa?'

'Nee, van mijn liefde.'

'Een doosje?'

'Wat erin zit.'

Heel voorzichtig schoof Fee de doos open.

'Losse kralen?'

Florica lachte bedrukt.

'Het was ooit een ketting, totdat mijn, totdat mijn, mijn.' Ze beet op haar onderlip. 'Nou ja. Het was ooit een kralenketting.'

'O,' zei Fee en ze rende de kamer uit zonder dat haar schoenveter vastzat. De kralen dansten in haar handen.

'Laat dat doosje eens hier,' riep Florica haar na, een beetje in paniek, maar Fee deed alsof ze het niet hoorde. Florica hoorde hoe het meisje haar eigen kamerdeur opendeed en zo snel als haar kleine beentjes konden terugrende naar Florica. In haar handen had ze een roze koffer vast die hetzelfde ratelende geluid maakte als Florica's doos in haar andere hand.

'Soms kun je iets repareren,' doceerde Fee. Ze gaf de doos aan Florica en liet zich op haar billen vallen. Voorzichtig klapte ze de koffer open. Een keur aan kralen kwam tevoorschijn: bonte kralen, houten kralen, kralen van plastic, stof, klei en namaakparels. Aan speelgoed hadden de kinderen geen gebrek en een seconde lang was Florica's kinderlijke ik jaloers op de speelinventaris van kapitalistische kinderen. Fee graaide in een bak en had een handvol draden vast. 'Wat voor kleur touw wil je hebben?'

Kraal voor kraal, kleur voor kleur nam de ketting zijn oude vorm weer aan. Het opgedroogde bloed poetsten ze ervan af. Samen herstelden ze Remus' kralenketting in ere. Florica had er nooit eerder aan gedacht om de ketting te repareren.

'Jij mag een kraal uit jouw koffer kiezen en die aan de ketting vastmaken,' zei ze tegen Fee. 'Ik ben er namelijk ooit een kwijtgeraakt. Een groene.'

De hint ontging Fee. Ze reeg een lieveheersbeestje aan het touw. Rood met zwarte stippen.

'Omdat je zo lief bent.'

'Laat me met rust,' gilde Emmeline. De gasten keken verwonderd naar het schouwspel. Florica haalde het lieveheersbeestje uit haar mond en probeerde de handvatten van de rolstoel te pakken.

'Ik poog hier te feesten met mijn vrienden.' Emmeline sloeg nog een glas achterover. 'Wat zat hierin?' vroeg ze aan de bediende. Nog voordat hij antwoorden kon: 'Maakt ook niet uit, geef me er nog een.'

'Bedankt,' zei Florica en ze pakte het glas aan voordat Emmeline het kon doen. Ze dronk het in een teug leeg.

'Hé,' stamelde Emmeline ontzet.

'Ik heb je even nodig,' fluisterde Florica.

Het zag ernaar uit dat Emmeline wilde weigeren, maar ze leek betoverd door de kralen om Florica's hals. Ze staarde er onophoudelijk naar.

'Ik denk dat ik moet overgeven.'

'Laten we naar binnen gaan,' stelde Florica voor. Ze greep de handvatten vast en duwde Emmeline het huis in. Sommige gasten lachten wat, anderen schudden hun hoofd toen ze voorbij kwamen.

'Ik wil naar de wc op de eerste verdieping,' commandeerde Emmeline. 'Beneden pissen alle mannen met rode broeken.'

Florica parkeerde de rolstoel op de traplift en schakelde deze in. Ze keek Emmeline na. Vanmorgen kwam ze charmant diezelfde trap af, als in een film. Ze zat met een rechte rug in de rolstoel, gehuld in juwelen en haar fantastische jurk kwam tot net boven haar enkels, maar van die charme was inmiddels weinig meer over. Emmeline boerde zich een weg naar boven. Haar oogleden hingen en haar mond stond onophoudelijk open. Ze hing vervaarlijk uit de rolstoel, vloekend dat de lift zo traag ging.

'Die traploper mag ook eens worden gezogen,' dicteerde Emmeline. 'Maar niet nu hoor. Misschien kots ik er eerst nog overheen.'

Florica parkeerde de rolstoel in de aangepaste badkamer, voor het toilet. Emmeline legde haar kin op de wc-bril en kuchte wat.

'Het komt niet,' verzuchtte ze en ze begon een lied te lallen. 'Een hele mooie akoestiek,' giechelde ze. Plotseling begon ze zwaar te ademen. De wc-pot versterkte het gesnik dat ineens uitbarstte. 'Mijn man gaat vreemd,' jammerde ze. 'Ik ben getrouwd met de grootste lul van de wereld.'

'Ach,' begon Florica, maar ze had geen idee wat ze erop moest zeggen. Iedereen wist dat het waar was. *Maar jij hebt tenminste nog een man*, dacht ze erachteraan.

'Wil je mij uit mijn rolstoel halen en mij bij mijn benen optillen?' vroeg Emmeline aan haar. 'Zodat ik mijzelf kan verdrinken in de pot?'

'Nee,' antwoordde ze stellig.

'Ik zal je er daarna voor betalen.'

Florica trok Emmeline uit de wc en rolde haar naar de wasbak.

'Fatsoeneer jezelf.'

'Ik negeer niet voor niets de roddelsecties van bladen en kranten. Voor de eerste keer in hun geschiedenis zijn die vuile roddels die zij schrijven echt waar. Mijn man gaat vreemd. De hele wereld weet er-van,' zei Emmeline. 'Trek niet zo'n gezicht Florica. Jij wist het waar-schijnlijk ook. Het zal mij niets verbazen als hij dat lullige ding van hem er ook bij jou in wilde stoppen. Acteurs hè?' Emmeline snoof. Ze schudde haar hoofd. 'Reinier is maar een onnozel soapacteurtje. Die kan helemaal niemand voor de gek houden. Hij stelt helemaal niets voor. En toch trapte ik erin. Wat ben ik ook naïef.' Ze hikte. 'Naïef en ge-handicapt.' Tranen stroomden weer over haar wangen. 'Britney Spears had het goed gezien. Mannen houden van schoolmeisjesnaïviteit: twee vlechten, een kort geruit rokje, een opgeknoopte buiktrui en hoge wit-te kousen.' Ze braakte in de wasbak. Drank en tientallen hapjes van vijf euro per stuk dreven langzaam naar de afvoer. 'Het is misschien ook mijn eigen schuld. Ik kan mijn benen niet meer voor hem sprei-den. Hij moet ze zelf openen en sluiten.' Braaksel droop van haar kin. Vlug veegde Florica het weg, voordat Emmeline haar eigen pastelblau-we jurk bevuilde. 'Dat heeft hij nu al een poos niet gedaan. De meisjes liggen voor zijn voeten,' zei ze. 'Van die meisjes in schooloutfits. Met vlechtjes.' Ze hikte een tweede lading in de wasbak. 'Natuurlijk, ik wist het ook wel hoor. Zo naïef ben ik ook weer niet,' foeterde Emmeline, meer tegen haar spiegelbeeld dan tegen Florica. 'Waarom zou hij mij nemen als hij zoveel keus heeft? Als hij maar kan neuken.' Het laatste woord werd uiteengereten door de echo van de betegelde badkamer-wanden. 'En toch komt het als een schok,' vervolgde ze.

'Dat begrijp ik,' beaamde Florica, terwijl ze de kin van Emmeline droogdepte.

'Is jouw man wel eens vreemd gegaan?'

'Nee,' zei Florica. Het antwoord kwam stellig uit haar mond, maar ze kon zich simpelweg niet voorstellen dat Remus het geluk bij iemand anders zocht. Hij had wel gedacht dat ze vreemdging, maar dat zei ze er niet bij.

'Nou dan,' beet Emmeline haar toe en ze trok de washand uit Flori-ca's handen. 'Je hebt geen idee hoe ik mij voel. Ik moest het verdomme horen van een vriendin die ik jaren niet had gesproken. "Hé Emmeli-ne, alles goed? God, wat erg, je bent verlamd. En wist je al dat je man vreemdgaat? Ik heb hem bitterballetjes zien delen met een of andere del in 't Bonte Paard." Nee, je hebt geen flauw idee,' beet ze Florica toe. Bij elk woord drukte ze haar wijsvinger in Florica's buik.

'Ik heb liever een man die vreemdgaat dan een dode echtgenoot,' zei Florica met tranen in haar ogen. Het floepte eruit. Emmeline was even stil en draaide toen de kraan open.

'Misschien heb je gelijk. Maar ik stel me toch niet aan?' Met haar handen stuwde ze het braaksel het riool in. Daarna pompte Florica wat zeep op Emmelines handen.

'Nee,' gaf ze toe. 'Waarom ga je niet bij hem weg?'

'Simpel,' antwoordde Emmeline. Ze hief haar hand op en hield haar pink met haar duim in bedwang, waardoor haar wijs-, middel- en ringvinger omhoog wezen. 'Drie redenen: Belle, Ottelien en Fee. Mijn prinsesjes. Ik kan hen toch niet verlaten?' Haar ogen stroomden weer vol. Ze zette zich af tegen de wasbak en botvierde haar verdriet op de armleuningen van haar rolstoel. 'Als moeder doe je alles voor je kinderen.'

'Alles,' herhaalde Florica, die plots werd bevangen door verdriet.

Florica keerde zich in zichzelf. Emmelines woorden waren daardoor amper verstaanbaar: 'Jij als moeder begrijpt dat toch wel? Jij bent zelfs je kind achterna gesprongen toen hij verdronk, terwijl je zelf niet kunt zwemmen. Jij ging nog liever dood dan je kind achter te laten. Zo zijn wij, moeders.'

Ik als moeder, dacht Florica en ze begon hevig te trillen.

'Ik ga weg en ik kom niet meer terug.' Ze hoorde het Gabi opnieuw schreeuwen. Hij was niet verdwenen uit haar leven: zij was verdwenen uit het zijne. Waarschijnlijk stond hij de volgende avond alweer op de stoep. Misschien niet met een bos bloemen, maar wellicht had hij wel een 'sorry' gemompeld. Hij was verdomme nog maar een puber.

Godverdomme, dacht Florica in alle talen die ze kende en twee keer in het Nederlands omdat dat zo furieus klonk. Belle is ook aan het puberen. Ze overnachtte weliswaar niet op het politiestation, maar ze barstte wel uit elkaar bij elk wissewasje. Was Gabi echt zoveel erger? Belle had een vader, een moeder en een oppasser. Wie had Gabi? Zijn vader was overleden – of het is, God verhoede, een verkrachter – en zij was er niet voor hem. Hij moest het doen met de buurvrouw en de ooms uit de gemeenschap van de zigeunergrotten. Niet de beste voorbeelden. En dan had hij ook nog een moeder die meer van de Koningin hield dan van haar eigen zoon. Zij was de slechte, realiseerde ze zich, niet hij.

'Ben jij wel mijn echte moeder?' hoorde ze hem opnieuw vragen. De vijfjarige Gabi keek haar aan, met die mooie, grote ogen van hem, die ongevraagd zo werden geroemd door Spaanse omaatjes. Ze vroeg zich af waar Emmeline was gebleven. Florica voelde alleen nog hoe Gabi met zijn bolle wangetjes haar been omklemde. Wat was hij schattig, dacht Florica, het was haar nooit eerder zo opgevallen. In plaats van hem van zich af te schudden, zoals destijds was gebeurd, probeerde hem ze te knuffelen, maar haar handen luisterden niet naar haar, hoezeer ze er ook tegen vocht.

'Ja,' antwoordde ze. Ze zag haar hand naar Gabi's hoofd gaan en voelde hoe ze hem van zich afduwde. Florica had geen controle over haar herinnering. Het was alsof ze een video afspeelde. Ze schudde met haar been, omdat haar zoon weigerde los te laten. 'Zo kan ik niet koken,' beet ze hem toe. Gabi liet los en keek zijn moeder aan met zijn grote donkergroene ogen. Zijn wangen gingen smartelijk heen en weer. *Hij heeft me nooit losgelaten.* Het besef kwam plots en pijnlijk.

'Ben je weer terug?' Emmeline hing boven Florica's gezicht.

Ze schoot overeind. Bloed sijpelde over haar voorhoofd. In de spiegel zag ze hoe haar gezicht nat was van het water en bloed.

'Wat is er gebeurd?'

'Je viel voorover op de vloer,' zei Emmeline. Haar stem trilde. 'Je bloedt.'

'Ja,' antwoordde Florica zacht. Ze depte de wond bij haar haargrens.

'Doet het veel pijn?'

'Ontzettend veel pijn,' zei Florica, die bijna niks van de wond voelde. Ze droogde haar gezicht en draaide zich daarna naar Emmeline. 'Een muzikant zei mij ooit dat de Rroma een extra groot hart hebben,' begon ze. Het was tijd voor een bekentenis. 'Mijn hart is verdorven. Een groot hart heeft niets te maken met ras, soort of volk, maar met goed of slecht.' Ze slikte. 'Reinier heeft mij in huis gehaald voor jou. Om jou te helpen. Hij houdt zielsveel van je.'

'Echt?' vroeg Emmeline met een hoge stem.

'Daar ben ik van overtuigd. Hij heeft dit feest voor jou georganiseerd. Er is geen probleem dat jullie niet samen kunnen oplossen.'

'Ik weet het niet,' zei Emmeline, maar ze spreidde haar armen om Florica te knuffelen. 'Je bent een goed mens.'

Florica weigerde de knuffel te beantwoorden.

'Nee,' zei ze resoluut. 'Mijn zoon is niet verdronken. Ik heb hem in de steek gelaten.' De woorden kwamen vanzelf, vergezeld door vocht uit neus, mond en ogen. Misschien was het de klap, misschien waren het de woorden van Emmeline, maar ze voelde zich licht in haar hoofd worden. Ook nu was ze de controle kwijt over haar handen en haar tong, maar eindelijk zei ze wat ze hoorde te zeggen.

'Je moet terug,' concludeerde Emmeline na de woordenstroom. Er weerklonk geen oordelende toon van haat of afschuw in haar stem, enkel vastbeslotenheid. Haar ogen waren weliswaar klam, maar haar blik was onvermurwbaar en verrassend nuchter.

'Ik moet erover nadenken,' zei Florica.

De twee hielden zich stil en draaiden zich toen naar de twee spiegels toe. Ze reinigden hun wangen en verwijderden de zwarte en blauwe vlekken om hun ogen. Emmeline poetste haar tanden. Twee keer. Florica droogde haar jurk. Daarna maakten ze elk hun make-up in orde.

'Voor we weer naar beneden gaan, moet je me even naar mijn kast rollen,' zei Emmeline.

'Wat zoek je?' vroeg Florica, toen ze in de inloopkast stonden. De ruimte was bijna net zo groot als het appartement dat ze had bewoond voordat ze bij de familie Puijk introk.

'Ik heb het al,' antwoordde Emmeline en ze trok twee hoeden van twee bustes. 'Welke wil je hebben? Deze of deze?' In de ene hand had ze een zwarte hoed met een veer vast en in de andere een witte bolhoed.

Florica keek vlug naar haar jurk en wees toen naar de witte bolhoed: 'Heb je ooit een zebra met een veer achter de oren gezien?' Florica boog en Emmeline kroonde haar met de hoed. De wond verdween volledig onder de rand.

'Ik hoop dat ze ook water schenken op mijn eigen feestje,' zei Emmeline, terwijl ze de traplift naar beneden nam.

'Daar is ze, dames en heren,' schreeuwde Reinier in de microfoon. Hij wist van niets en stond tussen de bandleden op het podium. De drummer roffelde wat. 'Mijn mooie vrouw.' Hij hief zijn glas. 'We zijn hier samengekomen om te vieren dat je het vreselijke ongeluk hebt overleefd. Dat is best een feestje waard, lijkt mij.' Hij grijnsde breed. 'Ik was bang dat ik je kwijt zou raken,' stotterde hij en hij hield zijn glas nog wat hoger, 'maar iets daarboven heeft dat voorkomen. Of de dokter,' lachte hij en hij knipoogde naar een lange man die boven de toeschouwers uitstak. 'Ik wil in ieder geval een toost uitbrengen op het geluk. En op jou, mijn lieve Emmeline, waar ik nooit meer zonder kan.'

'Op Emmeline,' schalden de gasten.

'Op jou,' fluisterde Florica in het oor van Emmeline en ze kuste de minuscule blonde haartjes op haar wang. 'Op het ongeluk dat jij overleefde.'

De band startte een nieuw nummer en de gasten gingen verder met drinken, kletsen en sommigen dansten harkerige pasjes. Geruisloos liet Florica Emeline achter voor Reinier, liep het huis opnieuw inen ging naar haar kamer. Ze deed de deur op slot en ging achter het bureau zitten, waaruit ze haar eindscriptie haalde. Met haar natgemaakte duim en wijsvinger bladerde ze naar de kaart van Zuidoost-Europa die ze had getekend. De muziek werd gedempt door het raam, waardoor alleen de lage tonen nog hoorbaar waren. De tonen van haar hart. Ze legde een leeg papiervel naast de laars van Italië en zette de punt van een potlood op de grens van het afgebroken Duitsland. Vanaf daar schetste ze de landsgrenzen van Europa zo accuraat mogelijk, zoals die in haar hoofd zaten. Van Duitsland ging ze over op de kronkelende grenzen van Nederland, naar België en een puntje Luxemburg, het grote Frankrijk aan wiens linkervoet Spanje bungelt en ze kerfde Portugal in het Iberische schiereiland. Het Verenigd Koninkrijk kreeg een vluchtig plaatsje toebedeeld naast Nederland en België, om de tekening compleet te maken.

'Dit is mijn reis,' fluisterde Florica, terwijl ze de twee tekeningen zo neerlegde dat ze goed op elkaar aansloten, en een cirkel tekende in het midden van Roemenië, Braşov, het hart van het land. Ze trok een lijn die het verdwenen Joegoslavië doorkruiste en eindigde met een nieuwe cirkel waar ze de Italiaanse stad Triëst verwachtte. Daarna bracht ze de potloodpunt naar Florence, onderwijl 'Firenze' fluisterend, wat haar hetzelfde goede gevoel gaf toen ze samen met Remus voor het eerst naar hun nieuwe woonplaats afreisden. Niet langer bevocht ze haar tranen. Ze zette een streep door de zeeën tussen Italië en Spanje die haar naar Barcelona bracht, vanwaar ze afdaalde naar het zuiden, terug naar Granada. Ze tekende een ster om de stad, geen rondje, en begreep zelf niet waarom. Daar peinsde ze over, terwijl ze met haar vinger over de vijf punten wreef. Daar is mijn zoon geboren, dacht ze, en daar is hij nog steeds. Dat voelde ze sterk. Daarna trok ze een lijn recht omhoog, die pas afboog bij Madrid en via Parijs eindigde in Utrecht. Iets daarboven zette ze de laatste cirkel. De cirkel waar ze nu in zat. Ze dacht terug aan de waarzegster die haar bij haar pols had gegrepen en naar haar levenslijn keek. Met een nagel ging ze de diepe groef in haar handpalm af. De vrouw had Florica bezworen dat ze een lang leven tegemoet ging.

Dit is mijn levenslijn, dacht Florica, terwijl ze naar de twee getekende kaarten staarde en op de brug tussen Triëst en Florence tikte. Met haar vinger liefkoosde ze kort de ster van Granada en liep naar het raam. Het feest was nog drukker. De band was afgelost door een dj, die over een draaitafel hing en met zijn ene hand zijn koptelefoon tegen zijn linkeroor drukte en met zijn andere over rondspinnende langspeelplaten danste.

Achter het podium stak het houten kruis van Kwibus uit de grond, vol geschilderde wortels. De dj hief zijn handen in de lucht.

Mijn tijd in Nederland zit erop, dacht Florica, en ze haalde haar tas onder het bed vandaan en liet haar scriptie erin verdwijnen. Ze haalde alle belangrijke papieren uit het bureau, de familiefoto en de toekenning van het landhuis, en nam Moeder Maria van de muur. Plotseling voelde ze zich warm worden. Ze keek naar de icoon alsof het de eerste keer was en nu pas zag ze de Zoon in Maria's armen rusten, een kind nog maar. Hij keek naar zijn moeder, die triest maar liefdevol zijn blik beantwoordde. Florica had zich al die tijd geconcentreerd op de Moeder, niet op de Zoon. Ze kuste de icoon en deed deze ook in de tas.

Ze struinde door de mensenmassa. Voor de tweede keer die dag was ze op zoek naar Emmeline. Deze keer hoefde ze niet de verontwaardigde blikken of afkeurend gesis te volgen, maar het gegiechel en geschater.

'Een leven in een rolstoel heeft ook voordelen,' beweerde Emmeline, wiens humeur volkomen was bijgesteld, terwijl ze een vriendin op haar heup sloeg: 'Ik kan nu namelijk altijd schoenen met hakken aan zonder dat mijn voeten pijn doen!'

Florica sloop naderbij.

'Je hebt gelijk,' fluisterde ze in Emmeline's oor. 'Ik moet weg.'

'Dat weet ik,' zei Emmeline. Ze spreidde haar armen en drukte Florica tegen zich aan. 'Maar ik kan je niet brengen. Ik heb gedronken.' Ze giechelde en ze sloeg zichzelf op haar bovenbenen. 'Maar ik kan wel wat anders.' Ze zette haar kleine leren schoudertas op haar schoot en haalde er haar bijpassende portemonnee uit.

Ultima

De Spaanse zomer rook inderdaad naar sinaasappels, dacht Florica, terwijl ze over de markt van Granada struinde. Toen ze een leven geleden in de bus naar Utrecht stapte, had ze zich voorgenomen om nooit meer terug te keren. En toch liep ze hier, dacht ze, terwijl ze glimlachte naar een hoogbejaarde Spaanse groenteboer die haar een sinaasappel had toegeworpen. Ze voelde zich zoals vroeger, alsof de Koningin zich opnieuw over haar had ontfermd terwijl ze door de stad struinde: verward, dromerig en gevuld met een vals gevoel van geluk. Of was het geen vals geluk? Florica durfde het te betwijfelen. Vandaag had ze geen Koningin nodig. Ik ben de Koningin, besloot ze.

'Alles voor een mooie vrouw,' zei de groenteboer, het gebrek aan tanden bezorgde hem een guitige lach Zijn eveneens tandenloze echtgenote schudde minzaam haar hoofd, maar daar trok de man zich niets van aan. Hij trok aan de punt van zijn Dalí-snor en lachte breed. Florica pelde de vrucht zorgvuldig. Ze hield niet van de bittere witte slierten die de oranje schillen achterlieten. Haar limoengroene duimnagels verdwenen in de achterkant van de vrucht en kliefden hem doormidden. Florica legde een partje op haar tong. Het sap spoot uit de sinaasappel toen ze erin beet.

'Lekker, nietwaar?' riep de marktkoopman haar na. Ze maakte een lichte buiging.

'Voortreffelijk.'

'Ze zijn ook te koop,' verzuchtte de vrouw hard genoeg om de boodschap over te brengen.

Even twijfelde Florica of ze in haar rugzak moest graaien om het echtpaar wat geld te geven, maar ze besloot dat ze het beter zelf kon houden. Niemand wist wat deze dag nog ging brengen. Ze drukte haar duim tegen haar wijs- en middelvinger en sloeg een kruis via haar voorhoofd, navel, rechter- en tot slot linkerschouder. De Oosters-orthodoxe manier. Zoals het haar was geleerd. Ze maakte niet het kruisteken dat paste bij de persoon die ze ooit wilde zijn. Dit was haar eigen ritueel. Ze knikte naar de vrouw en struinde verder langs de marktkramen.

Struinen, meer kon ze niet. Het late vliegtuig had Florica van Amsterdam naar Malaga gebracht. Daar overnachtte ze op het treinstation, veilig tussen een groep studenten die hetzelfde deed, totdat de eerste trein naar Granada vertrok. Emmeline wilde een hotel voor haar boeken, nadat ze online ook al een vliegticket had gereserveerd, maar dat kon Florica niet accepteren. Dat wilde ze ook niet. Vanaf het moment dat ze besefte dat ze haar zoon aan zijn lot had overgelaten, wilde ze lijden. Lijden zoals hij ook geleden had. Ze verdiende haar straf. Bovendien had ze op het comfortabele bed in een hotelkamer te veel teruggedacht aan de koude hotelovernachting in Băile Herculane of aan de zeldzame tripjes die Remus en zij hadden gemaakt naar het zuiden van Italië. Ze voelde zich prettiger tussen de studenten, die haar gedachten afleidden met geproost, gesnurk of puberale grappen. De rugpijn die daarop volgde, deerde haar niet. Die kon ze dragen. En als de pijn alsnog te veel werd, kende ze nog wel een vrouwtje in het centrum van Granada die dergelijke ongemakken binnen een mum van tijd had opgelost. Als ze nog leefde, dacht ze, toen ze besefte hoe lang ze was weggebleven.

Eenmaal in Granada aangekomen, snelde Florica direct naar de zigeunergrotten. Ze was vastbesloten, haar doel stond vast. Ze zou Gabi vinden, haar zoon. En toch: bij elke meter die ze hoger klom, vervloekte ze zichzelf. Het zand stoof op onder de rode zolen van haar peperdure zwarte hooggehakte schoenen.

'Wat doe ik hier?' vroeg ze zichzelf meerdere malen hardop af. Ze wuifde naar een oude man die haar verbaasd en enigszins argwanend nakeek. Ze vroeg zich af of hij haar een glas sterke drank zou aanbieden als straks alles misging.

Want alles kon nog misgaan. Wat zou Gabi zeggen als ze ineens voor zijn neus stond? Ze wilde er liever niet te lang over nadenken. Wat zou ze hem hebben gezegd als hij ineens voor de poort van Emmeline en Reinier zou staan? Ze zou hem een klap hebben verkocht, maar wat ze hem had aangedaan, was nog veel erger, dacht ze beschroomd.

Telkens wanneer Florica twijfelde over wat ze ging doen, wat ze wilde doen, wat ze van plan was, hoorde ze Emmeline door haar hoofd galmen: 'Als moeder doe je alles voor je kinderen.' Meestal hield Florica zich stil, maar heel soms beantwoordde ze de stem door te zeggen dat ze daaraan twijfelde. 'Jij als moeder begrijpt dat toch wel?' vroeg Emmeline dan door. Dan zweeg Florica weer. *Ja*, dacht ze, *ik begrijp het.*

Een Arabische koopman had zijn handel van de Moorse straat naar de markt overgebracht, waar hij nog steeds dezelfde spullen als weleer probeerde te verkopen. Florica bleef een tijdje hangen bij de kromzwaarden. Ze trok er een uit, een met glitters versierde schede, en liefkoosde het lemmet.

'Als je wilt, kunnen we het zwaard slijpen,' zei de Arabier zacht. Florica keek niet zozeer naar het kromzwaard, maar meer naar haar eigen spiegelbeeld in de kling. 'Ik mag ze niet scherp verkopen, begrijp je?' zei de man, terwijl Florica haar gezicht vergeleek met dat van haar jonge ik die pas aanmeerde in Florence. Er was niet veel van over, concludeerde ze. Ze drukte het zwaard terug in de schede, gaf de set terug aan de Arabier en gleed met haar vingers over de andere kromzwaarden die hij had uitgestald.

'Tien zwaarden,' mompelde ze.

'Misschien wel meer,' zei de Arabier trots. 'En allemaal van uitstekende kwaliteit.' Hij wilde een ander, kleiner, kromzwaard aan haar laten zien, maar ze stond alweer bij de volgende kraam met haar rug naar de waar, te peinzen over wat er die morgen bij de zigeunergrotten was gebeurd.

'Mijn moeder is dood,' zei een vrouw die zich zeker een week niet had gewassen. Florica had zojuist haar eigen zigeunergrot – of die ooit van haar was geweest – gepasseerd en was verder omhoog gelopen naar de woning van de waarzegster. De waarzegster die haar had verzekerd dat Remus altijd over haar waakte.

'Dood?' herhaalde Florica.

'Ze is precies drieënnegentig geworden,' zei de vrouw en ze haalde haar schouders op. 'Haar overlijden kwam niet als een verrassing. Ze had het gezien in de koffiedrab.'

'Maar ik moet de toekomst weten,' stamelde Florica. De vrouw die mij mijn toekomst moest voorspellen was dood, dacht ze onthutst. Wat zei dat over wat komen ging?

'Ik kan kijken of ik haar uit de dood kan wekken,' antwoordde de vrouw geërgerd. Ze hield het gordijn open voor Florica, die gedwee de naar zweet en wierook stinkende woning binnenging. Ze maande haar om op het vloerkleed te gaan zitten voor een salontafel. De dochter van de waarzegster strompelde alsof ze elk moment haar moeder achterna kon gaan. 'Ik heb de gaven van mijn moeder geërfd,' legde de vrouw uit. Florica vroeg zich af of ze daarvoor met haar eigen broer had moeten trouwen, zoals de waarzegster uit haar jeugd, maar dat durfde ze niet te vragen. Bovendien leek het haar geen vereiste om dergelijke gaven te ontvangen. 'Mijn moeder was beter, maar ik ben goed genoeg. Zeker voor een gadjo als jij.'

'Een *gadjo* als ik,' zei Florica haar na. Eindelijk, dacht ze. Ze keek treurig naar het prijzige mantelpak van Emmeline dat ze aanhad en ze kon de waarzegster geen ongelijk geven. 'Ik wil dat je een blik in de toekomst werpt,' vervolgde ze. 'Ik zal ervoor betalen.'

'Dat lijkt me logisch,' zei de vrouw en ze giechelde schel. Ze hield haar gerimpelde hand op en sloot en opende deze herhaaldelijk, totdat Florica haar geld gaf. Goedkeurend sloot de vrouw het biljet tussen haar vingers, als een vloei die ze zou draaien tot sigaret, en ze maakte er een harmonica van. Florica volgde de bewegingen secuur, alsof haar toekomst ervan afhing. De waarzegster vouwde de harmonica en het rechte stuk om en in een razendsnelle beweging had ze ineens een bescheiden waaier op haar handpalm rusten. Een waaier van tien euro. De vrouw glimlachte voldaan en zette het werk op de salontafel, waar ze ook direct een pak met kaarten vanaf griste. Ze ging op het kleed voor de tafel zitten en schudde de kaarten. 'Wat moet een mevrouw zonder verleden met de toekomst?' vroeg ze mysterieus.

'Pardon?'

'Het is mij wel duidelijk dat je een hoop hebt verborgen,' zei de vrouw, zonder haar woorden op te helderen. 'Daar heb ik geen kaarten voor nodig. Dat lees ik in jouw ogen.' Ze pakte drie willekeurige kaarten van de stapel en legde deze voor Florica neer. De ruggen van de kaarten waren versierd met zachte kleuren. Aan de uiteinden was een vrouwenhoofd getekend. Ze had haar ogen dicht. De bloemen in haar oren klommen als klimop over de hele rug van de kaart. De waarzegster aaide de eerste kaart. Florica werd plots bevangen door zenuwen. Was ze vroeger bang geweest voor de kaart van de toekomst, nu was de kaart van het verleden minstens zo beangstigend.

'Het verleden,' zei de vrouw, terwijl ze met haar kromgegroeide nagel erop tikte. Het is verkeerd om hier te zitten, dacht Florica. Ze wenste dat ze eerst bij haar oude buurvrouw had aangeklopt om naar Gabi te informeren. Ze was zo snel mogelijk langs de grot gehold, door naar de oude waarzegster bovenop de berg. Nu kon ze niet meer terug, de kaarten waren gelegd. Of wilde ze niet terug?

'In jouw geval zou deze kaart leeg moeten zijn,' verklaarde de waarzegster. Er zat haat op haar stemband, realiseerde Florica zich. Voorzichtig schoof de vrouw haar duim onder de kaart. 'Maar de kaarten laten zich niet foppen door jouw façade.' Vliegensvlug draaide ze de kaart om en verborg ze de beeltenis onder haar handpalm. Ze hief haar pols op, maar hield haar vingers op de bovenkant van de kaart, zodat

Florica niet kon zien wat het was. De waarzegster snoof, een combinatie van zelfingenomenheid en nijd. 'De toren,' fluisterde ze en ze haalde voorzichtig haar hand weg.

Florica's adem stokte bij het zien van de tekening. De donkere toren stond in brand; mannen vlogen door de lucht. Er lag iemand levenloos aan de voet van het bouwwerk. Het verleden was geweest, maar toch bonsde Florica's hart in haar keel.

'Dat ziet er niet goed uit.'

'Jij alleen weet hoe je verleden eruitziet,' snerpte de vrouw. 'Maar de kaart zegt dat jouw leven torent op een grote catastrofe.' Ze grijnsde. 'Dat belooft wat voor de volgende kaarten.' Haar vingers dansten op de twee dichte kaarten.

'Ik weet niet of ik die nog wel wil zien,' zei Florica.

'Je hebt geen keuze. De kaarten zijn getrokken.' Florica trok een pruillip.

'Ga verder, snel dan.'

'En dan nu,' kondigde de vrouw aan en ze drapeerde haar vingers op de middelste kaart.

'Het heden,' vulde Florica haar traag aan.

De waarzegster trok een wenkbrauw op en bevestigde: 'Inderdaad, het heden.' Haar vingers speelden met de punt van de kaart. Florica was ongeduldig, maar ging haar niet opjagen. Ze hield zich stil door op haar lip te bijten. 'Zal ik de kaart omdraaien?'

'Graag.' Florica kneep een oog stijf dicht. Het andere zag hoe de rimpelige vingers een prent van een getooide knaap met een gouden munt in zijn handen op tafel legden. De waarzegster begon ongemakkelijk heen en weer te wiegen, Florica kopieerde de beweging. 'Wat is er aan de hand?' vroeg ze. Ze wist de betekenis van enkele kaarten, maar deze kende ze niet. 'Is het erg?'

'Integendeel,' zei de vrouw. Haar harde gezicht kreeg iets menselijks. 'Je krijgt een gouden kans aangereikt.'

'Wanneer?'

De vrouw haalde haar schouders op.

'Vandaag, morgen. Zeer spoedig. Dit is de kaart van het heden, dus je kans zal niet lang op zich laten wachten.'

Florica humde een ja. Ze kon wel een gouden kans gebruiken, dacht ze, en ze kon een glimlach niet onderdrukken.

'Kom maar op met de toekomst.'

'Weet je dat zeker?' vroeg de waarzegster. Ze hief haar hand, haar vingers vormden een waarschuwende L en zo bleef ze even zitten. 'De toekomst is ruim te interpreteren, maar hij kan alsnog hard aankomen.'

'Ik ben niet bang voor de toekomst,' loog Florica, gesteund door de kaart van het heden. De oude vrouw liet langzaam haar hand zakken en draaide de laatste kaart om.

'Dat moet je wel zijn,' fluisterde ze onheilspellend. Het plezier leek haar te zijn vergaan.

Florica slaakte een kreet. Deze kaart kende ze wel.

'De tien zwaarden,' jammerde ze en ze stond op om door de grot te tijgeren, op zoek naar een antwoord, een verklaring, een oplossing.

Zo makkelijk kwam Florica niet van de Arabische koopman af. Hij commandeerde zijn zoon om de zaak in de gaten te houden en liep met zijn hand verborgen in zijn jas naar haar toe.

'Dit is een bijzonder exemplaar,' zei hij. Zijn mondhoeken trok hij naar beneden, zoals Arabieren dat doen als ze iets imposants te melden hebben. Hij haalde een dolk tevoorschijn. 'De greep is ingelegd met kleine smaragden, sierlijk genoeg voor een dame als u,' zei hij. Hij aaide het heft. 'Goud en zilver, ziet u?' Hij hield de schede onder haar neus. 'En dit is van filigrein.' Florica duwde haar mondhoeken ook naar beneden, want de kunstige krullen en vormen waren inderdaad schitterend.

'Ik heb er het geld niet voor,' zei ze.

'U weet niet eens hoeveel ik vraag,' antwoordde de koopman verongelijkt.

'En toch heb ik het niet.'

De Arabier grijnsde. Hij wees naar zijn donkerbruine ogen.

'Ik zie heel goed dat u zich geen zorgen over de toekomst hoeft te maken.' Met zijn grote haakneus wees hij naar Florica's merkschoenen. 'U heeft het geld er niet voor over,' zei hij en hij stopte de dolk weer in de voering van zijn jas.

'Geen zorgen om de toekomst?' verzuchtte Florica en ze liet de man achter met zijn zwaarden.

'De tien zwaarden,' bevestigde de waarzegster. Ze kneep haar ogen samen. Florica zag haar piekeren. 'Je bent een van ons,' zei ze daarna, terwijl ze zichzelf op het hart sloeg. 'Je mantelpak verbergt niets.' De vrouw spuugde een fluim op het kleed. 'Eens een Rrom, altijd een Rrom.'

'Wat interesseert mij dat,' foeterde Florica, terwijl ze weer – met zekere gêne – plaatsnam op het kleed. 'Je hebt zojuist deze kaart opengedraaid.' Ze pakte de kaart en smeet die naar het hoofd van de waarzegster. De kaart dwarrelde naar de grond. Een halfnaakte man, een ridder wellicht, lag in het donkerrode zand met tien zwaarden in zijn lijf. De vrouw haalde haar knokige schouders op.

'De tien zwaarden zijn geen brengers van goed nieuws, dat is waar, maar je hoeft niet direct te wanhopen.' Ze probeerde Florica's hand te pakken, maar die trok ze bruut weg. 'In het beste geval zul je iets waardevols kapot maken.'

'En in het ergste geval?'

'In het ergste geval,' echode de waarzegster en ze woog haar woorden: 'Zul je een uiterst brute dood sterven.'

Beiden bleven in stilzwijgen tegenover elkaar zitten. De vrouw vouwde de waaier van tien euro open en vouwde deze daarna opnieuw tot waaier.

'Dat is niet waarop ik hoopte,' zei Florica uiteindelijk. Ze verdiende om te lijden, wist ze. Ze was niet bang voor de dood, maar wel voor het brute.

'De toekomst beantwoordt nooit onze hoop,' zei de vrouw. 'Dat zei mijn moeder vaker dan eens. En wat ze mij ook op het hart heeft gedrukt,' begon de vrouw en ze zocht weer naar Florica's hand, die ze nu wel vond, 'was dat de tarotkaarten het ook mis kunnen hebben. Niets is zaligmakend. Behalve God.'

'Mijn verleden is gestoeld op een catastrofe, ik krijg een gouden kans en ik sterf een brute dood,' vatte Florica samen.

'Of je vernietigt iets waardevols,' verbeterde de oude vrouw haar. 'Je weet het niet, ik weet het niet. Misschien verpest je jouw gouden kans wel en leef je daarna alsnog lang en gelukkig. Laat je niet zo kennen. Je bent nog altijd een van ons, dus ik zal voor je bidden.'

Ik kan elk gebed gebruiken, dacht Florica, die de vrouw en vooral de tien zwaarden niet kon loslaten. Haar hand had ze om een tweedehands mobiele telefoon gevouwen.

'Moet ik een cadeau voor Gabi kopen?' vroeg ze zichzelf binnensmonds. Alsof dat iets oploste, dacht ze. De prinsesjes van Puijk zaten ook niet op een nieuw konijn te wachten. 'Heeft u ook een polaroidfotocamera?' vroeg ze de man. Ze dacht aan haar familiefoto en hoe de foto van haar eigen gezin eruit had kunnen zien. Als het kon, zou teruggaan in de tijd en alles anders doen. Ze zou Remus ontvoeren naar een rustig dorp in Toscane, nog voordat hij de verhuizing naar de provincie kon voorstellen, en daar zou ze hun zoontje baren, dat ze in overleg vernoemden naar zijn grootmoeder. Gabi, hij zou de kroon worden van het gezin. Een door het gehele dorp gerespecteerd gezin. Immigranten, ja, maar interessante immigranten. Een schrijver en een linguïstische professor bovendien, daar zouden de Italianen respect voor hebben. Iedereen zou het erover eens zijn: die Remus en Florica zochten een beter leven in ons Italië en ze maken ons Italië een beetje beter. En alle vrouwen zouden de huppelende Gabi in zijn wangen willen knijpen en hem voeren met zelfgebakken koekjes, 'want het is zo'n smal jongetje'. Zo hoorde het leven te zijn.

De Aziaat lachte lomp om Florica's vraag, zijn lach rukte haar uit haar visioen.

'Geen polaroidcamera, wel mooie telefoons. Met camera!'

'Dat dacht ik al,' zei ze en legde de telefoon terug tussen de rest.

Ze schuifelde weer een kraam verder en sloeg op haar rugtas om zich ervan te verwittigen dat deze nog op haar rug zat. Haar eigen telefoon zat in een zijvak. Het was nog steeds hetzelfde waardeloze ding, maar Florica kon ermee bellen. Bovendien had Belle haar geleerd hoe ze er tekstberichten mee kon verzenden.

Ik ben aangekomen in Malaga, straks met de trein naar Granada. Bedankt voor alles. xx, Florica. Hoe vaak had ze in haar leven huis en haard verlaten zonder om te kijken naar hen die achterbleven? Te vaak, dacht Florica. Voor de zekerheid had ze het bericht naar alle nummers gestuurd die ze van de familie Puijk had. Zelfs de jongste had een mobieltje, de oudste had er drie en wisselde nog sneller van telefoonnummer dan van schoon ondergoed. Florica had het vrij snel door; in het kapitalisme koop je wat je niet nodig heb en vergeet je wat echt noodzakelijk is: liefde, geweten en kunstzinnigheid. Dat had ze jammer gevonden, maar ze wist zeker dat het bericht was aangekomen in Nederland. Emmeline had namelijk het tekstbericht direct beantwoord: *Veel succes schat. E.*

'Ben je naar iets specifieks op zoek?' vroeg een vrouw die comfortabel op een stoel wipte achter haar kraam vol lappen en stoffen.

'Ja,' antwoordde Florica, 'naar Gabi. Gabino Tomescu Cioba.'

'Ken ik niet.'

Ineens had Florica schoon genoeg van de markt. Ze verliet het plein zo snel mogelijk en liet zich al snel omhullen door de stegen van de stad. *Als er hier iets is veranderd,* dacht ze, *dan weet de stad dat goed voor mij te verbergen.* Ze passeerde de beige en witte panden die zo hoog waren dat de zon amper tot de straattegels kon doordringen. Uit de huizen klonken televisietoestellen of muziekinstallaties.

Nee, alles was nog hetzelfde. Op een pas geopend Roemeens restaurant na, Restaurante Dracula, gelegen in een steeg die vroeger door junkies bezet was, maar verder was er weinig veranderd. Niet in de stad zelf. Maar des te meer daarboven, dacht Florica, terwijl ze de top van de berg zag waarin ze had gewoond.

'Ik heb nooit van haar gehoord,' had de donkere vrouw die uit de grot van de buurvrouw was gestormd bits geantwoord op Florica's vraag. De ingang van de grotwoning was verrijkt met een houten deur. Daarachter hingen nog steeds de gordijnen die voorheen hadden gediend als afsluiting. 'En wat moet jij eigenlijk met een hoer?' Ze trok een vies gezicht en sloeg de deur dicht.

'Wie woont er naast je?' schreeuwde Florica door de kieren in het hout. De donkere vrouw vloekte wat.

'Niemand,' antwoordde ze, toen Florica de vraag nog driemaal herhaalde. 'Het staat al een poos leeg. Wie wil er nou in deze klote grotten wonen?'

'Bedankt.'

Florica was voor haar oude woning gaan staan en keek naar het hoefijzer en het kruis die nog steeds boven de deur hingen.

'Als er niemand woont, stoor ik ook niemand,' zei ze tegen zichzelf en ze gaf de tegenstribbelende deur van de grotwoning een zet met haar schouder. De ruimte was stoffig. Ze had bijna gedacht dat er sinds haar vertrek niemand meer was geweest, maar daarvoor ontbraken er te veel koperen voorwerpen die ooit aan de muren hadden geprijkt. Alleen de roestige spijker waaraan de koperen kaarsdover had gehangen stak uit de muur. Florica ging op haar hurken zitten en veegde het stof van de vloer. 'Hier lag ik,' stamelde ze en ze aaide een donkerrode vlek. 'Dit maakt deel uit van mijn catastrofe.' Ze rechtte haar rug en bekeek kort de ruimte. Op de grond lagen spuiten, zwartgeblakerde lucifers en verfrommelde bollen aluminiumfolie. De Koningin had haar sporen achtergelaten.

Hier was geen gouden kans te vinden, dacht Florica, terwijl ze de deur vlug achter zich dichttrok. Terwijl ze de berg afdaalde, voelde ze de blik van de nieuwe buurvrouw in haar achterhoofd prikken. Zij was niet de enige die Florica argwanend volgde.

'Wat kijk je?' sneerde ze naar een oude man in het Romanes. De man vluchtte snel zijn huis in.

Florica dwaalde voortdurend door de straten Granada, op zoek naar het gezicht van Gabi. Ze vroeg zich af of ze haar eigen zoon zou herkennen. Inmiddels moest hij een man geworden zijn. Als ze aan hem dacht, leek haar zoon op Remus, met een gladde huid en een andere kleur ogen. Ze bad dat hij aan haar voorstelling zou voldoen. Als het maar goed ging met hem, dacht ze daarna, haar verwachtingen relativerend.

Aan het einde van de steeg kreeg Florica het Alhambra in zicht. *Het fort van mijn dromen*, dacht ze, en ze glimlachte triest. Haar voeten deden pijn en ze had geen idee waar ze moest zoeken. Plotseling parelde het zweet over haar voorhoofd. Waarom zou hij hier überhaupt gebleven zijn? Hij zou naar de hoofdstad getrokken kunnen zijn, of naar het buitenland. Zo groot was Europa niet. Ze voelde het gewicht van de scriptie in haar tas, hangend aan haar schouders. Ze had de lijn van Zuid-Spanje naar Nederland in omgekeerde volgorde afgelegd, maar dat weerhield haar zoon er niet van om zijn eigen lijnen te trekken. Ieder mens had zijn eigen lijn.

Niemand kon haar vertellen waar Gabi was. Even had ze getwijfeld om naar gitaarmuziek te speuren, maar wat wisten Coco & Co van haar zoon af? Helemaal niets, dus verstopte Florica zich telkens wanneer ze gitaren hoorde. Ze kwam pas tevoorschijn als ze zeker wist dat het Coco niet was met zijn groep. En zijn nieuwe danseres. Als de groep tenminste nog bestond.

Daarna had ze gedubd om bij het politiebureau naar Gabi te vragen, maar ze was te bang voor het antwoord: 'Gabi T., zegt u? Die kennen we hier allemaal erg goed...' Florica wilde het lot niet tarten.

'Ik kom naar je toe,' zei ze dromerig tegen het Alhambra. Iedereen die ze had gesproken was lovend over het fort, maar zelf had ze het gebouw enkel vanuit de verte bewonderd. Ze was er nooit binnengegaan – behalve met Remus in haar dromen –, bang dat de schoonheid tegenviel als ze het van dichtbij bekeek. Dan had niets in Spanje haar door het leven kunnen slepen. Maar dat was toen. Waarom zou ze het nu niet bezoeken? Er restte haar niets anders.

De klim viel haar zwaarder dan ze had gedacht. Ze had dit moeten doen toen ze hier nog woonde, dacht ze, en nog jonge benen had. Bij elke bank die ze passeerde twijfelde ze of ze niet even moest uitrusten. Uiteindelijk plofte ze neer toen haar neus begon te lopen en haar keel begon te piepen. Ze depte haar neus met haar duim. *Mijn hand ruikt naar Spaanse zomer*, dacht ze, terwijl ze haar ogen sloot en luisterde naar de passerende toeristen.

Ze voelde hoe iemand op haar knie tikte.

'Wilt u een bloemetje kopen?' vroeg een meisje toen ze haar ogen opendeed. In haar hand had ze een plastic zak met geplukt onkruid. Zelf keek ze ook een beetje teleurgesteld naar haar eigen koopwaar. 'U mag mij ook gewoon wat geld geven,' zei ze daarna, terwijl ze aan haar vlechtjes pulkte en haar schouders ophaalde, 'dat doen de meesten. Ik denk om van mij af te zijn.'

'Waarom?' vroeg Florica.

'Was dat sarcastisch?' Het meisje trok haar schouders omhoog en vervolgde: 'Ik weet wat dat betekent. Ik ben slimmer dan de meesten denken.'

'Ik denk dat je heel slim bent,' antwoordde Florica. Het meisje deed haar aan Lala denken. Mijn zusje. Ze slikte. Nog iemand die ze aan haar lot had overgelaten. 'En nee, ik ben niet sarcastisch.'

'Dus u wilt een bloem?'

'Nee,' zei Florica resoluut. Ze voelde dat ze week werd. Toen ze nog elke dag bij de ingang van de Nederlandse supermarkt stond, werd ze dikwijls omringd door bedelende kinderen. Ze stonden om haar heen, voor haar neus. Ze schreeuwden om plastic beesten en voetbalplaatjes.

Dit meisje bedelde niet om een verzameling compleet te maken.

'U heeft hele mooie nagels,' zei het zigeunermeisje en ze zocht in haar zakje naar een bloem die goed bij haar nagels paste. Het werd een paarse leeuwenbek. Limoengroen en paars, waarom ook niet. Toen het kind opkeek, wapperde Florica al met een biljet. Vijftig euro. 'Zo duur is deze bloem niet,' stotterde het meisje, oprecht verrast.

'Dit is niet voor het bloemetje,' zei Florica, 'dit is voor jou'. Ze drukte het geld veelbetekenend in de opgeheven hand. 'En dit...' en ze legde een muntstuk van vijftig cent op het bankbiljet, 'is voor de bloem, dus voor de bulibaşa. Begrijp je?'

Het meisje knikte blij en huppelde weg. Florica vroeg zich af of ze het echt had begrepen of dat ze het geld alsnog zou afstaan. Ze hoopte op het eerste. Het was een slim meisje.

Terwijl Florica de leeuwenbek achter haar oor probeerde te steken, viel haar mond langzaamaan open. Remus ging schuin tegenover haar op een bank zitten. Hij zag Florica niet, omdat hij te druk was met de vrouw in zijn armen. Hij glunderde, terwijl de vrouw geanimeerd een verhaal vertelde over een ver familielid dat in Marokko in een Spaanse enclave woonde en daar schijnbaar een mondelinge oorlog voerde met de Marokkanen aldaar.

'Voor hem hoef je niet bang te zijn,' stelde ze Remus gerust, 'zolang je geen Marokkaan bent. Voor alle andere volkeren is het een lieve jongen.'

Remus was veranderd, dacht Florica, hij is jonger geworden. Hij zag er net zo uit als de Remus die zijn leven op het spel zette in de rode Dacia van Emils vader door haar op te zoeken. Dezelfde Remus, die met haar op zijn rug naar Joegoslavië was gezwommen en dezelfde man die haar in zijn armen had gehouden toen de trein Italië binnenreed, zat nu met een jonge Spaanse te knuffelen. Had ze te weinig gedronken? Was ze bewusteloos geraakt? Was ze moe? Of was dit geen zinsbegoocheling en zat hij daar echt?

Tranen verlieten Florica door haar ogen en via haar mond gingen ze weer terug haar lichaam in. Ze proefde hoe zout de catastrofe was. Snel verborg ze haar hoofd achter haar rugtas. Haar hartenkreet had de aandacht getrokken van het stel. Kort maar. Daarna legde de meid haar benen over die van de jongen en kusten ze elkaar liefdevol.

Hij kuste zelfs als Remus, dacht Florica, terwijl ze langs de tas gluurde, voor zover ze kon zien tenminste. Ze had Remus lang niet meer geproefd. Ze liet haar voorhoofd op de lus van de rugzak rusten en mompelde onhoorbaar: 'Bedankt God. Meerdere mannen, beesten, konden de vader van mijn zoon zijn, maar u heeft ervoor gezorgd dat mijn geliefde de vader is. Ik zal u er hoogstpersoonlijk voor komen bedanken. Amen.' Ze knipperde haar tranen weg en spiekte langs de tas. 'Wat is hij mooi geworden,' smiespelde ze. 'Mijn Gabi. Wat is hij knap. Gabino Tomescu, Gabi Tomescu, mijn Tomescu.' Ze sloeg een kruisje.

'Het komt zeker goed,' zei Gabi de vrouw na. Hij pakte haar steviger vast. 'Het is goed.' Hij wreef over haar buik. 'Zullen we verder gaan?'

En wat heeft hij een mooi meisje, dacht Florica, terwijl de twee in elkaar verstrengeld langs Florica liepen zonder haar op te merken. Het blonde haar van het meisje was opgebouwd uit korte golven, waaronder een donkerbruine gloed haar natuurlijke haarkleur verraadde. Ze had lachende ogen. Florica zuchtte opgelucht: hij is goed terechtgekomen. Ze zou het Alhambra een andere keer bezoeken, dacht ze, terwijl ze verwoed in haar rugzak grabbelde.

'Mag ik naast u plaatsnemen?' vroeg een oude heer, terwijl hij zijn hoed afdeed.

'Vindt u het erg om tegenover mij plaats te nemen?' Florica knikte zonder op te kijken naar de bank waar Gabi en zijn vriendin net nog hadden gezeten. 'Ik probeer iets te vinden,' legde ze uit en ze zette de rugzak demonstratief op de plek naast haar, terwijl ze de inhoud – een jurk, een verstrengelde bal van ondergoed, een gouden icoon, een pyjama, de ingelijste familiefoto en een toilettas – op de andere kant van de bank ophoopte.

'Geen probleem,' zei de meneer en gedwee stak hij het trottoir over.

'Bedankt,' mompelde Florica, terwijl ze Gabi in de verte zag lopen. De weg beschreef een bocht, dus ze moest snel zijn. *Ik mag hen niet uit het oog verliezen!* dacht ze, terwijl ze haar leven door haar handen liet glijden. Eindelijk vond haar hand wat ze zocht: de hals van grootvaders flacon. 'Hier ben je,' zei ze tegen de flacon, terwijl ze de versiersels streelde met haar duim. Ze klemde de fles tussen haar knieën en smeet alles terug in haar tas, behalve de gouden icoon en de foto. Met een zucht haalde ze de dop van de flacon af en hield de opening in het zonlicht, zodat ze erin kon kijken. Ze zag een rol papier. Natuurlijk zat alles er nog in. Ze drukte de dop erop, gooide de rugtas op haar rug en holde haar zoon achterna met in haar ene hand de flacon en in de andere de icoon en de foto tegen elkaar samengeperst. Ze had de snelheid van een vrouw die een zwaar verleden meetorste op haar rug. Het duurde gelukkig niet lang voordat ze Gabi weer in het oog kreeg. Het tweetal had geen haast en flaneerde naar beneden, door de stadspoort, en volgde de straat die uitmondde in een plein. Florica schroefde haar tempo terug en bleef puffend voor een winkel staan. De zaak zou pas na de siësta weer opengaan, dus staarde ze ongegeneerd naar haar spiegelbeeld. Ze had haar haren opgestoken. Op aanraden van Emmeline had ze het dubbel geverfd: eerst het grijs weggepoetst met haar oorspronkelijke donkere kleur en daarna had de kapster rode highlights geplaatst.

'Je ziet er zó mooi uit,' beweerde Emmeline, die was meegegaan naar de kapperszaak en de dienstdoende kapster instrueerde, omdat 'alles perfect moest zijn voor het feest, zo ook mijn Florica'. Een betere patroon was er niet. 'Je rimpels kunnen we ook aanpakken hoor,' had ze op de terugweg gezegd in de auto.

'Dat hoeft niet.'

'Ik betaal,' probeerde Emmeline, maar Florica weigerde opnieuw. Ze hield van haar rimpels. Het waren er niet veel, maar elke rimpel bracht haar dichterbij Remus.

Ze vroeg zich af of hij haar herkende. Ze rukte zich los van de etalage en veegde de kreukels uit haar mantelpak met de icoon van Moeder Maria. Toen een Arabier bij het zien van Florica uit zijn stalletje schoot en begon te wapperen met zijn hoofddoeken, kocht ze een groene doek met gouden stiksels.

'Weet u hoe u een hoofddoek omslaat?' vroeg de man behulpzaam, maar Florica wuifde dat ze zijn dikke vingers niet in de buurt van haar hoofd wilde. Ze legde haar spullen op de grond en klemde ze tussen haar voeten.

'Sterker nog, u weet het niet,' beweerde ze.

'Maar ik zie dat u het fout doet,' lachte de man, terwijl hij het geld goedgeluimd in zijn zak stopte.

'Mijn moeder heeft het me geleerd,' verduidelijkte Florica, terwijl ze voorzichtig de doek om haar hoofd controleerde. Ze verbaasde zich dat ze het nog wist.

'Zo vouw je een *diklo*,' had haar moeder voor de zoveelste maal tegen haar gezegd in het kleine hok waarin Florica was geboren en waar ze waren teruggekeerd vanuit Braşov voor haar trouwerij.

'Dat weet ik inmiddels wel,' beet ze haar moeder toe. Het was alles wat ze kon doen om ervoor te zorgen dat de blauwe muren niet op haar afstormden. Binnen waren de doeken en de onaffe trouwjurk, buiten de ogen van de bulibaşa.

'Maar het is belangrijk,' zei haar moeder. Haar woorden gleden langs de naalden in haar mond. 'Je wilt toch een goede vrouw zijn voor je man?'

'Ik ga niet met hem trouwen,' fluisterde Florica. Ze durfde zichzelf bijna niet te geloven. Ze stond al in haar bruidsjapon met een klungelig diadeem van gebleekte krantenpapieren tussen haar haren geprikt. Haar nichtje was er ook en schudde met haar hoofd.

Haar moeder negeerde haar: 'Een goede vrouw bindt een diklo om haar hoofd, zodat anderen zien dat je getrouwd bent.' Ze wilde de diadeem van haar dochter afpakken en een doek in haar handen drukken.

'Ik weet hoe je een diklo ombindt,' zei Florica kalmer dan ze was. Ze probeerde stil te blijven, maar hoe langer ze haar mond hield, hoe bozer ze werd: 'En...' Even dacht ze zich in te kunnen houden, maar haar hoop was tevergeefs: 'Ik ga godverdomme niet trouwen'.

Ze had niet veel goede herinneringen aan haar moeder, dacht Florica terwijl ze in de spiegel van de Arabier keek, maar ze had tenminste een moeder gehad. De diklo zat goed, zag ze. Al stak er wel een lok roodzwart haar onder uit. Florica zette haar zonnebril op haar neus en pakte het icoon, de fotolijst en de flacon van de grond. Gabi en zijn vriendin deden gelukkig nog steeds rustig aan en het duurde niet lang voordat Florica weer bij hen in de buurt was. Ze naderde het tweetal steeds meer.

'Wat een walgelijke lui,' hoorde ze Gabi in het Spaans zeggen toen hij een bedelende zigeuner passeerde. Hij keek de schooier vuil aan en liet zich meesleuren door zijn vriendin.

'Dat bedoelt hij niet zo,' fluisterde Florica tegen de Rrom, 'maar hij heeft simpelweg door dat je niet blind bent.' Ze wees naar het kartonnen bord dat de man om zijn nek had gebonden.

Hij volgde veelbetekenend haar blik en schamperde brutaal: 'Zuig mijn pik.'

Ze deed alsof ze hem niet hoorde. Gabi en de vrouw stonden midden op het plein te debatteren, waarschijnlijk over bij welke tent ze zouden lunchen. Florica liep op hen af. Ze had alleen maar oog voor haar zoon. Stap na stap groeide hij; Florica haalde in langzame, weloverwogen, stappen de gemiste jaren in. Haar hart bonkte in haar keel, maar ook in haar polsen, slapen, tenen, borstkas en in haar zweterige handpalmen. Ze sabbelde op haar haarlok, nadenkend wat ze tegen hem zou zeggen. Wat kon ze zeggen? Voorzichtig stak ze de flacon onder haar oksel en reikte met haar vrije hand naar zijn schouder. Hij draaide zich niet direct om – de tijd leek te vertragen. Florica kneep zachtjes in zijn schouder. *Deze kan veel dragen*, dacht ze, *maar heeft misschien al te veel gedragen*. De spieren spanden zich aan, ze rolden in haar hand toen hij zich nieuwsgierig omdraaide.

'Kan ik u ergens mee helpen?'

Hij praat tegen me! dacht Florica. Ze deinsde terug. Hij had andere ogen dan Remus, realiseerde ze zich. Gabi's ogen waren donkerder.

'Donkergroen,' stotterde ze. Onhoorbaar maakte ze haar zin af: 'Dat is misschien wel nog mooier.'

'Gaat alles goed met u?' vroeg de vrouw. Ze oogde bezorgd, maar niet uit verplichting.

'I-ik weet het niet,' sprak Florica langzaam, terwijl ze naar de straat staarde. Zelfs haar gedachten stotterden onder haar diklo. Is dit mijn gouden kans, vroeg ze zichzelf af, of was dat toen ze plaatsnamen op de bank schuin tegenover mij? 'Een van de twee is de gouden kans,' zei ze hardop, terwijl ze nog steeds intensief naar de grond keek.

'Pardon?' Gabi keek haar diep in haar ogen. Florica zag dat hij zeker een kop groter dan Remus was. Een goede eter. Hij deed een stap naar achter en net zo snel weer naar voren. Hij hield zijn hoofd schuin en pakte haar voorzichtig bij haar kin. Met zijn wijsvinger duwde hij haar hoofd omhoog. Florica's benen trilden. Gabi's vriendin trok verbaasd een wenkbrauw omhoog en plaatste een hand op haar heup.

In het beste geval zul je iets waardevols kapot maken. Florica's ogen gleden van haar zoon naar zijn vriendin en weer terug.

'Ben je gelukkig?' vroeg ze hem.

Gabi liet haar kin los, ontspande zich en sloeg een arm om zijn vriendin heen.

'Ik ben nog nooit zo blij geweest,' glunderde hij. De vrouw in zijn armen glimlachte.

Florica knikte. Ze voelde zich opgelucht, ontwaakt uit een roes. Hij was gelukkig. Gabi was goed terechtgekomen en dat zonder zijn moeder.

'Houd dit even vast voor me,' zei ze en ze drukte Moeder Maria (*dat Zij over hen mag waken*), de ingelijste foto (*opdat hij mij niet vergeet*) en de flacon (*waarin hun toekomst en de liefde van zijn ouders schuilen*) in de handen van haar zoon.

'Wat wilt u eigenlijk?' vroeg Gabi, zonder naar de objecten te kijken.

'Een aalmoes,' antwoordde Florica en ze maakte een kom van haar handen. Het was het eerste wat in haar opkwam. Ze deed een stap naar achter.

'Een vrouw met zulke schoenen en zulke kleding heeft geen aalmoes nodig,' zei Gabi met een guitige glimlach.

'En vergeving,' zei Florica harder dan ze wenste, toen Gabi naar de spullen in zijn handen keek. Ze rende zo hard weg als haar benen konden, diagonaal het plein over en verdween in de beschermende tentakels van Granada. Ze dacht zijn stem te horen nagalmen: 'Moeder, mama, ik vergeef je, blijf hier, blijf staan, blijf bij me', maar ze wist dat ze het zich verbeeldde.

Ze had moeten blijven staan om te horen wat hij zei, om te kijken hoe hij zou vechten tegen de herkenning. Desnoods had ze zich moeten laten uitschelden, maar dat kon ze niet. Dat wilde ze niet. *Wat zou ik kapot maken? Ik wil er niet achter komen*, dacht ze, met haar handen op haar knieën en haar kont tegen een muur. Haar rug deed pijn toen ze zich weer uitrekte en omhoog keek.

Het Alhambra keek tevreden op haar neer. Ze beet op haar afbrokkelende limoengroene nagels: ik heb niets waardevols vernietigd. Ze begon hijgend te lachen, eerst manisch, daarna met korte stoten, om via een hoge kinderlach te eindigen in een geruisloze, tevreden, permanente glimlach op haar gezicht. Ze had het geluk in de ogen gekeken. Geen honderd zwaarden konden haar nog deren.

Voor een dag des oordeels was de tijd snel voorbij gegaan. Florica had even nodig om alles op een rijtje te zetten.

'Ik heb hem gezien,' prevelde ze. *Ik heb hem gezien en ik heb hem aangeraakt.* Ze beklom opnieuw de weg naar het Alhambra, waar ze door de tuinen kuierde, om zuilen heen cirkelde en zich liet verlammen door fonteinen en de geur van rozen en jasmijn. Om haar heen klonken euforische kreten van huisvrouwen en het geklaag van kinderen die het warm hadden en snakten naar ijs of tapas. Ze bekeek de vele paleizen die het fort rijk was en schroomde niet om naast een klokkentoren de omgeving te overzien. *Dit is mijn stad niet*, dacht ze, terwijl ze op haar knieën ging zitten en met haar ellebogen op de balustrade leunde, maar dat waren Florence en Braşov evenmin. Ze deed de diklo af en bond deze als een sjaal om haar hals. Een warme bries streelde haar haren. Ik heb geleefd als een zigeunerin, realiseerde ze zich. Florica stelde zich voor hoe de nacht zijn intrede deed en als een donker kleed over de stad gleed. Ze was benieuwd naar de lichtjes.

'Ik kom terug,' zei ze vastbesloten en ze aaide de lage muur waarop ze had geleund. Haar rust was bruut verstoord door een groep Chinezen die hun enthousiasme uitten in nasale oerkreten. Aan de andere kant vreeën twee tieners met hoorbare passie.

Ze verliet de toren, vastberaden over haar terugkeer, en streek neer in een hof die zelden werd bezocht door toeristen. De fontein spuwde niet meer. En dat was beter ook. Alles klopte. De groene spiegel bleef ongerept. Ze keek naar zichzelf in het water. 'Ik weet wat het betekent,' begon ze tegen haar spiegelbeeld, 'de tien zwaardenkaart bedoel ik.' Haar spiegelbeeld staarde bedroefd, maar onvermurwbaar terug: dat wist het ook. Ze glimlachten beiden en verloren elkaar uit het oog toen ze plaatsnam op een stenen bankje. *Het leven is een verwelkte lusthof*, dacht ze, *maar hier staat alles in bloei.* Het gaf haar een inkijkje in het paradijs.

Uit een zijvakje van haar rugtas haalde ze haar mobiele telefoon. *Ik heb hem gevonden*, de toetsen kraakten onder haar duimen, *het is goed zo. Zonder jou was dit nooit gelukt. Bedankt, xxx, F.*

Bericht verzonden, stond er in het display. De melding verdween; *18:34, 6 juni*, kwam eronder te voorschijn. Natuurlijk, het was de zesde van juni. Ze sloot haar ogen en drukte de bovenkant van de telefoon in haar voorhoofd. Zo bleef ze zitten, als een beeldhouwwerk dat altijd in het hof had gestaan, de peinzende vrouw, vereeuwigd in opdracht van een of andere Moorse vorst met teveel geld en verlangen. Stilte omsloot haar. Als ze zich zou inspannen – wat ze niet van plan was – kon ze in de verte geroezemoes horen van de bezoekers die het Alhambra in zich opnamen.

'Voelt u zich wel lekker?'

Ze maakte een klein sprongetje. Een gedrongen Spanjaard met het fort in miniatuur op zijn overhemd stond in de poort van het hof.

'Ik zit te genieten van deze omgeving,' antwoordde ze.

'Dat horen wij graag.' En weg was de man.

Florica keek nog een keer op het display van haar telefoon, alsof niemand haar mocht betrappen, en legde de telefoon snel naast zich neer.

'Zes juni,' fluisterde ze, om de teruggekeerde stilte niet te verstoren. 'Ciprian Porumbescu.' Een takje doorbrak de heldergroene spiegel in de fontein. Ze griste de telefoon van de stenen bank, bladerde door het telefoonboek, drukte op de groene knop en begon door het hof te ijsberen met de telefoon aan haar oor.

'*Alo*,' klonk er door de speaker. Het bleef even stil, terwijl hij aan de andere kant van de lijn rommelde en een klassiek stuk afzette. 'Ben jij dat Florica?'

'Ja,' antwoordde ze simpelweg. 'Hoe is het Emil?'

'Niet slecht. Al moest ik voor jou wel *Balada* afzetten.'

'Dat spijt me.'

'Geeft niet. Ik moest aan je denken. Of eigenlijk aan Remus. Ondanks mijn vele gratis cursussen, verdenk ik hem ervan dat *Balada* het enige stuk was dat hij kende van Porumbescu. Die smiecht. Maar goed, ik wilde jou ook bellen. Dat gebiedt onze traditie, hè?' Hij wachtte even totdat Florica het woord zou nemen en toen ze stil bleef, vroeg hij hoe het met haar ging.

'Best,' antwoordde ze kortaf. 'En met jou?'

'Dat heb je al gevraagd,' lachte Emil. 'Maar het gaat nog steeds uitstekend. Wist je dat ik in mijn jonge jaren besloot om op mijn negenentwintigste uit het leven te stappen? Ik wilde simpelweg niet ouder worden dan Ciprian Porumbescu. Inmiddels ben ik die leeftijd ruim gepasseerd en daar heb ik geen spijt van. Het leven is een grote rotzooi, maar ik houd van rotzooi. Pinu heeft me een stuk land verkocht – tegen een belachelijke vriendenprijs trouwens – en daar heb ik eigenhandig een chalet gebouwd met een groot raam erin. Soms zie ik de beren de berg afdalen naar de vuilnisbakken van Corona, terwijl ik plaatsneem achter de vleugel en wegvlieg in mijn muziek. Ik componeer mijn eigen stukken. Ik heb weliswaar niet het talent van mijn idool, maar ik heb geleefd. Iemand die dat niet heeft gedaan, kan geen kunst maken.'

'Dus je noemt de stad weer Corona?' vroeg Florica, terwijl ze het hof verliet en de uitgang van het Alhambra zocht.

'Is dat alles wat je hebt opgevangen van mijn verhaal?' Ze dacht te horen hoe Emil lachend zijn hoofd schudde. 'Het is hier nog steeds overal een corrupte bende, maar was dat in onze jeugd anders? Ik probeer gewoon niet te verzuren, dus heb het mijn stad vergeven en gaf haar de eretitel terug.'

'Dat zou Remus fijn hebben gevonden,' stamelde Florica.

Emil bleef even stil en zei toen: 'Ik denk dat je gelijk hebt. Het is jammer dat hij er niet meer is om je aanname te bevestigen. Maar zo is het leven.'

'Het zou kunnen dat ik je een stukje Remus heb gezonden,' zei ze zacht.

'Kun je wat duidelijker zijn?' vroeg Emil.

'Je weet waar ik op doel.'

Ze hoorde Emil nadenken aan de andere kant.

'Gabi?' vroeg hij.

Via een zijpoort verliet Florica het fort en liep naar beneden, terug richting de stad, terwijl ze door Emil werd overstelpt met vragen.

'Meer weet ik ook niet,' zei ze uiteindelijk.

'Ik moet op zijn minst weten wanneer hij komt, als hij komt, want er moet eten ingeslagen worden,' drong Emil aan.

'Sorry,' zei Florica.

'Ja, sorry,' herhaalde Emil met een lachje in zijn stem. 'Ten eerste breng je zijn officieuze peetvader het nieuws op een uiterst mysterieuze manier, en dat op de sterfdag van Porumbescu, en ten tweede kun je me verder niets vertellen. Jij bent toch zijn moeder?'

'Inderdaad,' zei Florica. Ze grijnsde breed. 'Ik moet ophangen. Ik wens je veel gezondheid toe, Emil.'

Nog voordat Emil kon protesteren, wierp ze de telefoon in een prullenbak bedoeld voor hondenpoep en wandelde in een rechte lijn naar het Roemeense restaurant dat ze eerder die dag was gepasseerd.

Florica bleef een tijdlang voor de deur van Restaurant Dracula staan. Misschien kon ze beter ergens anders heen, dacht ze, maar nog voordat ze zich kon omdraaien werd de deur voor haar geopend.

'Wees welkom,' zei de man in de deuropening en hij gesticuleerde dat Florica vooral moest binnenkomen. 'U hoeft niet bang te zijn. We bijten niet.'

Aarzelend stapte ze de drempel over, langs de man die haar vriendelijk toelachte. Opgelucht haalde Florica adem. Niet omdat ze bang was dat ze gebeten zou worden, maar omdat werkelijk niets in het restaurant haar deed denken aan Mancare. Het restaurant was pompeus, met veel houtwerk, een portret van Vlad Țepeș – Vlad de Spietser oftewel Dracula – hing aan de muur, en centraal in de ruimte stond een hele lange middeleeuwse tafel met lange banken waaraan de gasten konden plaatsnemen. Er waren maar een paar afzonderlijke tafels verspreid over de ruimte. Deze waren niet in trek, want er zaten al verscheidene mensen te dineren aan de lange tafel: een Spaans stel van middelbare leeftijd, een familie uit het noorden van Europa met hun monden vol hakkende zinnen en een rumoerig tiental tieners uit Granada die meer bier en lege glazen voor zich hadden staan dan lege borden.

'Een vrouw als u hoort aan het hoofd,' zei de gastheer en hij schoof een houten stoel naar achteren met een rugleuning die boven haar uittorende. Licht ongemakkelijk nam ze plaats.

Een jongen met een dienblad met daarop twee borrelglazen kwam op haar afgedeind – een kopie van de gastheer, alleen de fraai gestileerde snor ontbrak.

'Wilt u alvast een drankje van het huis?'

'Graag,' antwoordde ze, terwijl ze het glaasje aanpakte. De jongen pakte er zelf ook een en ze klonken: '*Noroc.*'

'*Sănătate,*' beantwoordde de jongen haar gelukswens, geenszins verbaasd dat ze de taal sprak. Zo waren Roemenen. Verbazing was hen vreemd. Waarschijnlijk zouden er inmiddels nog meer Roemenen in de stad wonen. Op het treinstation had ze opgevangen dat er meer dan een miljoen in Spanje leefden. De pruimenjenever brandde in haar keel.

'Sterk,' vatte ze kuchend samen. De jongen schommelde terug naar de bar, waar hij de drankbestellingen in orde maakte. 'Drinkt uw zoon de hele dag door ţuică?' vroeg ze toen de gastheer aan haar tafel stond met de kaart.

'We kunnen onze gasten niet alleen laten drinken,' legde de man uit. 'Bedrijfsbeleid. Je hebt twee glazen nodig om te kunnen proosten.' Hij lachte. 'Restaurante Dracula is het meest gastvriendelijke restaurant van de stad.' Hij knikte kort, ter bevestiging dat hij het eens was met zichzelf, en overhandigde de kaart. 'Wilt u dat ik wat gerechten uitleg?'

'Ik kom er wel uit,' zei ze en ze legde de kaart dichtgeslagen op tafel. 'Ik lust wel een karaf rode huiswijn. En wat water.' Voordat de man kon vertrekken, pakte ze hem bij zijn pols: 'U heeft een mooie zoon,' zei ze. 'Pas goed op hem.' De gastheer bedankte haar met een brede lach. *Ik heb ook een mooie zoon*, dacht ze daarna. *De allermooiste.*

Toen de zoon van de eigenaar de wijn bracht, vroeg ze of hij weer met haar meedronk. Ze wees naar de wijn.

'Nee, dank u wel,' antwoordde hij. 'Ik moet werken.'

'Is het Alhambra ook 's avonds open?' vroeg Florica, voordat hij weg kon lopen.

'Er is een beperkte avondopening van een uur of half negen tot iets voor middernacht,' antwoordde hij plechtig. 'Zo uit mijn hoofd.' De Spaanse jongeren aan de andere kant van de tafel wuifden naar hem. De jonge ober verruilde Florica voor hen. Ze keek toe hoe de jongeren dingen naar hem riepen, terwijl hij met zijn vingers de bestelling probeerde te onthouden.

De eigenaar was geruisloos naar Florica geslopen.

'Weet u wat u wilt eten?'

'Ik zou graag vijf mici willen,' zei ze. 'En wat mosterd en brood.'

'Patat erbij?'

'Alstublieft.'

'Wilt u misschien ook een voorgerecht?'

Ze twijfelde. Ze tikte met haar limoengroene nagels op de kaart en dacht diep na. Dit werd haar galgenmaal, had ze besloten. 'Heeft u misschien koeienmaagsoep?'

'Natuurlijk,' zei de man enthousiast. 'De beste van het land.' Zijn notitieblok bleef in zijn borstzak. 'U wenst te beginnen met een *ciorbă de burtă*, gevolgd door vijf mici met brood en patat. Gaan we regelen.' Hij maakte een buiging en verdween uit haar vizier. Ze was benieuwd wie er in de keuken stond. Zijn echtgenote, zijn moeder, zijn grootmoeder, alle drie?

De soep werd razendsnel en bijzonder heet geserveerd.

'Bedankt,' zei Florica, toen de man haar een smakelijke maaltijd wenste. 'Wilt u het bestek meenemen?'

De man keek haar vragend aan. 'Pardon?'

'De lepel heb ik natuurlijk nodig,' zei Florica, 'maar de rest niet'.

'En straks?'

'Ook niet.'

Ze begon te slurpen, de jongen draaide het volume van de muziek omhoog – Florica hoopte dat het een niets met het ander te maken had. Een traag folklorelied weerklonk door het restaurant, terwijl ze genoot van de soep. Nee, hij was niet zo goed als die van Constantins vrouw, maar beter dan die van haar, dacht ze, en ze zorgde ervoor dat ze elke druppel uit de kleien kom schepte. Hoe het de laatste jaren met Constantin en zijn vrouw is vergaan, wist ze niet, maar zo was het leven ook. Ik heb het nooit willen weten, besefte ze ineens, omdat Constantin dan ook zou weten wat er van mij is geworden. Ze legde de lepel naast het soepbord neer. *Ik stel niets voor, maar daardoor is mijn zoon alles. Hij is gesterkt.*

'Heeft het gesmaakt?' vroeg de gastheer haar toen hij de kom wilde meenemen.

'Het was voortreffelijk,' antwoordde Florica en ze wilde haar complimenten geven voor degene die de soep had klaargemaakt, maar haar voornemen ebde weg toen het volgende lied aanving. De zigeunerin die haar man verliet en uiteindelijk weer zou terugkeren, wist Florica.

'U kent het nummer,' concludeerde de man uit haar melancholische oogopslag. '*Un țigan avea o casa*,' zei hij, om het daarna in het Spaans te vertalen: 'Een zigeuner had een huis. Dit is de versie van Maria Tănase, de koningin van het Roemeense lied. Maar ik vermoed dat u dat al wist.'

433

'Ik weet er het een en ander van,' erkende ze. Ze prevelde het lied mee en keek dwars door de jongeren aan de uiteinde van de tafel heen en waande zich bij het huis uit haar jeugd, waar de Rroma, onder leiding van haar vader en haar oom, om het vuur dronken, aten en dansten. En we zongen dit lied, dacht Florica.

'Nog een van het huis,' zei de gastheer, exact toen het lied was afgelopen, en hij zette een shotglas stevig op de tafel neer. Om het glas ontstond een kring pruimenjenever.

'U drinkt mee, neem ik aan?' vroeg ze voordat ze opkeek. De man hield een glas voor zijn snorretje.

'Op u,' zei hij en hij goot de pruimenjenever naar binnen.

'Op mij,' prevelde Florica zonder de woorden uit te spreken en ze dronk. 'Dit is goede țuică,' zei ze om de man te verblijden. Zelf miste ze een vleugje dennen, maar dat was geen gebruikelijke smaak onder Roemenen. Alleen de allerarmsten en zigeuners als zij dronken de dennenraki.

'We halen het zelf uit Roemenië,' zei hij trots. 'We hebben een eigen pruimenveld. Mijn neef verwerkt het tot drank. Betere țuică bestaat er niet.'

Florica knikte. Ze was vastbesloten om haar plan door te zetten: 'Ik wil graag twee flessen van je kopen.'

De gastheer begon smakkende geluiden te maken met zijn lippen. 'Ik mag u graag hoor, mevrouw, maar ik weet niet of dat kan. Onze voorraad...'

'Dan wil ik er drie,' zei ze. Voor de zekerheid, dacht ze erachteraan.

'Drie?' herhaalde de man verschrikt.

'En ik betaal er drie keer zoveel voor als u ervoor moest betalen.' De twijfels van de man stroomden langzaam uit zijn hoofd. 'Inclusief benzinekosten van een rit van hier naar Roemenië.'

Zijn gezicht werd lijkbleek, waardoor hij inderdaad wat gelijkenissen vertoonde met de Dracula die door fantasten werd geschetst.

'Dat kan ik niet accepteren,' mompelde hij. 'U krijgt drie flessen mee,' en hij tikte haar voorzichtig op haar schoudervulling, 'maar eerst moet u goed eten. U bent veel te mager.'

Voordat het hoofdgerecht werd geserveerd, graaide Florica in haar rugtas en haalde er een fluwelen zak uit. Voorzichtig ontknoopte ze het touw en keek naar de zilveren vork en het zilveren mes. Toen de mici werden geserveerd, vijf stuks en geen van gelijke vorm, zat ze klaar met haar eigen bestek. Haar duimen streelden de versiering op de handvatten, terwijl ze goedkeurend prikte, sneed en kauwde. Het was Remus' lievelingsgerecht en zijzelf had het ook lief leren hebben.

Als dessert koos ze voor een soort oliebollen met zure room, kersen en wat ijs. Daarna gaf ze de zoon van de gastheer bijna al het geld dat ze nog had – genoeg voor een overnachting in een hotel dat aan Emmeline en Reiniers criteria voldeed. De gastheer hield de voordeur open voor haar en voor de zwoele avondlucht van Granada en gaf haar een plastic tas mee met daarin drie tot de hals gevulde frisdrankflessen zonder etiketten.

Het Alhambra keek vanaf de berg uit naar haar komst. Florica lachte naar het fort. Ze zou voor de derde en laatste keer de weg ernaartoe beklimmen.

'Mevrouw,' riep iemand achter haar. Het was de zoon van de restauranteigenaar. In zijn handen hield hij een zilveren vork en mes vast. 'U vergeet uw eigen bestek.' Hij wenkte haar.

'Het is mijn bestek niet,' zei Florica. Het was niet van haar, noch van haar grootvader of zijn vader; dat was het nooit geweest. De verwarde jongen haalde zijn schouders op en zwenkte enigszins moedeloos naar het restaurant terug.

De tas met țuică slingerde in haar hand. Als ze buiten adem was, bleef ze even staan of nam ze op een bankje plaats om bij te komen. Ze had geen haast. Bovenop de berg, voor het fort, kocht ze een avondticket en volgde de gids naar de opengestelde delen van het Alhambra. Een troep Chinese bejaarden cirkelden om de gids heen, daarachter volgden twee Nederlandse families die met elkaar hadden aangepapt en een Britse groep sloot de rij. Ze schuifelde achter hen aan, met de flessen tegen haar lichaam zodat ze niet klotsten in de plastic tas, en glipte kinderlijk eenvoudig bij hen vandaan toen ze de afslag naar de toren herkende. Er waren bewakers verspreid, maar deze keken allen over of langs haar heen, of waren te druk met het beschermen van kostbaarheden. Florica wilde niets meenemen, ze wilde iets achterlaten.

Ze bereikte de toren zonder problemen, alsof het zo moest zijn. Granada lag aan haar voeten. De lantaarns deden de stad geel oplichten. Ze ging op de beige omheining zitten, met een voet op de grond en haar andere bungelend in de diepte. Haar rug steunde tegen de toren. Ze negeerde de steek die langs haar rugwervels gleed. Ze stelde zich voor hoe Coco & Co op de heuvel aan de overkant, in de van oudsher Moorse wijk, op hun gitaren tokkelden. Ze kon de muziek horen. Als ze wilde, kon ze een nummer aanvragen. Ik zou om het lievelingslied van mijn grootvader vragen, dacht ze, en ze hoorde het lied in de stilte opdoemen. Met trillende handen haalde ze haar oorbellen uit haar oren en legde deze op de muur, zoals ze altijd had gedaan voor het slapengaan. De paarse leeuwenbek schoot achter haar oor vandaan en dook langzaam naar beneden.

'Zonde,' fluisterde ze.

Ze humde wat, terwijl ze naar de kleur van haar gebruinde armen keek. Ik had willen vluchten voor mijn lot, dacht ze. Roemenië ontvluchtte ze om haar afkomst, haar verleden deed haar Italië ontvluchten, ze was gevlucht voor het moederschap in Spanje en in Nederland brak ze zich los van het leven. Maar het was haar nooit echt gelukt, realiseerde ze zich. *Ik vluchtte voor mijzelf,* dacht ze, terwijl ze over haar zachte armharen streek. *Ik heb racisme veracht, maar er ook aan bijgedragen door niet te willen zijn wie ik was.* Ze zuchtte. Er bestond slechts een mensenras: de mens. De wetenschap noemde hen *homo sapiens*, de wijze of verstandige mens, dacht Florica, maar zij hield het liever bij de mens zonder de bijvoeglijke naamwoorden. Bijvoeglijke naamwoorden moest je verdienen. Ze herinnerde zich haar grootvaders wens om alle zogeheten rassen te vermengen totdat er werkelijk een verstandige menssoort werd geboren. Die geboorte zou de dood van racisme betekenen.

'Gabi is een beginnetje, grootvader,' zei Florica zacht tegen de wind. Hij was nog maar een halve zigeuner, ging ze verder in zichzelf, en de andere helft was Roemeens. Ze onderstreepte het laatste onuitgesproken woord. Roemeens. En als hij kindjes zou krijgen met die knappe vrouw, zou er een nieuwe generatie ontstaan, een met te veel nationaliteiten om nog te kunnen benoemen. *Jouw achterkleinkinderen zullen mensen zijn,* besloot ze het gebed aan haar grootvader. Als de dag van gisteren herinnerde ze zich dat hij eens gezegd had dat de Rroma geen land hadden. De hele wereld was hun land. Nu pas realiseerde ze zich dat hij gelijk had.

Ze overzag de stad. Haar taak was volbracht. Ze had iets moois achtergelaten, Gabi, de zoon van Remus. Ieder mens moet iets prachtigs nalaten, dacht ze, dan wordt de wereld vanzelf mooier. Ze staarde naar de grotten in de Valparaíso-berg, zoals ze vroeger voor haar grot naar het Alhambra keek. *Maar nu zit ik hier,* dacht ze. *Het lot heeft mij hier afgezet.* De muziek die over de stad galmde, die voor haar was bestemd en alleen zij kon horen, overstemde haar gedachten. Dat liet ze gebeuren met de tranen in haar ogen. Tranen van geluk.

Als ik maar geen strigoi word, dacht ze, terwijl ze haar voeten uit haar zwarte schoenen met hakken wurmde. Nee, de tijden dat ze in terugkerende zielen van de doden geloofde waren voorbij. Ze was geen jong zigeunermeisje meer. Ze was een vrouw. De warme avond omhelsde haar. De muziek zwol aan totdat de compositie overal om haar heen leek te hangen. Een accordeon, violen, een panfluit, drie gitaren en zelfs een cimbalom.

Florica voelde zich weer even zangeres en droeg haar lied op aan Remus. Ze stelde zich voor hoe hij op de rand van het terras van een Toscaans boerderijtje geduldig op haar zat te wachten, met zijn tenen in het hoge gras, en een roman weglegde zodra hij haar opmerkte.

Ze ritselde in de plastic tas, terwijl haar benen over de rand bungelden. *Het leven heeft mij gestraft*, dacht Florica, en ze zette de eerste colafles aan haar lippen. *Het is tijd om te slapen.*